G000244092

PRISMA
MINIWOORDENBOEK

ENGELS – NEDERLANDS
NEDERLANDS – ENGELS

In de reeks Prisma miniwoordenboeken zijn verschenen:

Afrikaans
Chinees
Deens
Duits
Engels
Fins
Frans
Fries
Italiaans
Kroatisch en Servisch
Latijns-Amerikaans Spaans
Nederlands-Arabisch
Nederlandse Gebarentaal
Nieuwgrieks
Noors
Pools
Portugees
Slowaaks
Spaans
Tsjechisch
Turks
Zweeds

**PRISMA
MINIWOORDENBOEK**

**Engels – Nederlands
Nederlands – Engels**

prisma

Prisma maakt deel uit van Uitgeverij Unieboek | Het Spectrum bv
Postbus 97
3990 DB Houten

Samenstelling: Prisma redactie, Ingo Mackintosh
Omslagontwerp: Raak Grafisch Ontwerp
Zetwerk: ThiemeMediaICT, Deventer
37e druk 2010
Eerder verschenen als *Kramers Woordenboek Engels*

ISBN 9789049104696
NUR 627

www.prisma.nl
www.prismawoordenboeken.be
www.unieboekspectrum.nl

Een taal leer je samen met Prisma

Een breed aanbod
Prisma heeft voor elke situatie het juiste woordenboek. De Prisma Pockets zijn de juiste keuze voor het *middelbaar onderwijs*. Voor het *basisonderwijs* en voor het *vmbo* biedt Prisma aparte woordenboeken. Voor *studie en beroep* is er de reeks dikke Prisma Handwoordenboeken. En voor *op reis* is dit handige kleine boekje uit de uitgebreide reeks Prisma Miniwoordenboeken de beste keuze.

Dit woordenboek
In dit woordenboekje vindt u duizenden trefwoorden op alle gebieden, met veel voorbeeldzinnetjes en wat achtergrond-informatie over de taal, zodat u zich in de meest voorkomende situaties kunt redden.

Meer weten?
Als u meer wilt weten over de taal, de grammatica of het land, kijk dan eens op de Prisma site: we hebben niet alleen veel woordenboeken, maar ook een breed aanbod van taalcursussen.

Inhoudsopgave

Lijst van gebruikte afkortingen

~	=	herhaling trefwoord
[de]	=	niet-onzijdig Nederlands zelfstandig naamwoord
[het]	=	onzijdig Nederlands zelfstandig naamwoord
Amer	=	Amerikaans
bez vnw	=	bezittelijk voornaamwoord
bijw	=	bijwoord
bn	=	bijvoeglijk naamwoord
Br	=	Brits
comp	=	computer
cul	=	culinair
elektr	=	elektriciteit
fig	=	figuurlijk
fotogr	=	fotografie
gemeenz	=	gemeenzaam
jur	=	juridisch
kaartsp	=	kaartspel
luchtv	=	luchtvaart
med	=	medisch
mil	=	militair
muz	=	muziek
mv	=	meervoud
onoverg	=	onovergankelijk
overg	=	overgankelijk
pers vnw	=	persoonlijk voornaamwoord
recht	=	rechtspraak
rk	=	rooms-katholiek
rtv	=	radio en televisie
sbd	=	somebody
scheepv	=	scheepvaart
scheik	=	scheikunde
sth	=	something
sp	=	sport, spel
taalk	=	taalkunde
telw	=	telwoord
tsw	=	tussenwerpsel
univ	=	universiteit
v	=	vrouwelijk
vnw	=	voornaamwoord
voegw	=	voegwoord

vz	=	voorzetsel
wisk	=	wiskunde
ww	=	werkwoord
ZA	=	Zuid-Afrikaans
zn	=	zelfstandig naamwoord

Engels – Nederlands

ask verzoeken (vragen)
askew scheef, schuin
asleep in slaap
asparagus asperge
aspect aspect, (onder)deel
• voorkomen • aanblik
• gezichtspunt
asphyxiate doen stikken,
verstikken
aspiration streven, aspiratie
aspire streven, trachten
aspirin aspirine
ass ezel • kont
assail aanvallen
assailant aanvaller
assassin politieke moordenaar
assassinate vermoorden
assault aanvallen, -randen • *zn*
aanval, storm • *by ~*
stormenderhand • *sexual ~*
aanranding
assay proef, toets • *ww* toetsen,
keuren
assemble samenkomen
• monteren
assembly vergadering • *~line*
lopende band
assent toestemming • *ww*
toestemmen, instemmen
assert handhaven • beweren,
verklaren
assertion bewering • verklaring
assertive assertief
assess evalueren • schatten
assessment evaluatie • schatting
assets *mv* activa *mv* • bezit
asshole kont,gat
assiduity ijver, naarstigheid
assiduous ijverig, naarstig
assign aanwijzen, bestemmen
assignation rendez-vous

assimilate gelijk maken
• opnemen, assimileren
assist helpen • bijwonen
assistance bijstand, hulp
assistant helper, assistent
assize rechtszitting
associate metgezel, compagnon,
collega • *ww* in verband
brengen met • *~ with* omgaan
met
association vereniging
assort uitzoeken, sorteren • bij
elkaar passen
assortment sortering
assuage verzachten, lenigen
assuasive verzachtend
assume aannemen, aanvaarden
• zich aanmatigen
assumption aanneming,
onderstelling • *A~*, Maria-
Hemelvaart
assurance verzekering
• zelfvertrouwen • assurantie
assure verzekeren
assured zeker, stellig
• zelfverzekerd
aster aster
asterisk sterretje (*)
astern achterin, achteruit (v.
schip)
asthma astma
astonish verbazen, verwonderen
astonishment verbazing
astounding(ly) *bn bijw*
verbazingwekkend
astray *go ~*, spoorloos raken
• *lead ~*, misleiden
astride schrijlings, wijdbeens
astringent *bn* stelpmiddel
astrology astrologie
astronomy sterrenkunde

astute scherpzinnig, sluw
asunder middendoor
asylum asiel, toevluchtsoord
• gesticht • *apply for ~*, asiel aanvragen
at tot, te, in, van, bij, aan, naar, om, over • *~first*, eerst • *~ the very first*, in het begin
• *~present*, nu • *~ most*, op zijn meest • *~ length*, eindelijk
ate zie *eat*
athlete atleet
athletic atletisch • *~s*, atletiek
atlas atlas
atmosphere sfeer • atmosfeer
atom atoom
atom bomb atoombom
atomic energy atoomenergie
atomizer verstuiver
atone boeten
atonement boete • verzoening
atop boven op
atrocious afgrijselijk
atrocity wandaad
atrophy uittering
attach vastmaken, hechten
attachment verbinding
• verknochtheid • beslaglegging
• accessoire (v. apparaat, machine)
attack aanval
attain bereiken, verkrijgen
attempt *zn* poging • *ww* trachten
attend vergezellen • bijwonen • *~ to*, aandacht schenken aan
• verplegen
attendance aanwezigheid
• bediening • geleide, gevolg
attendant *zn* bediende • oppasser
• *bn* dienstdoend • begeleidend

attention oplettendheid, aandacht
attentive(ly) aandachtig
attenuate *ww* verdunnen, dun worden • verzwakken, reduceren • *bn* dun
attest betuigen, getuigen
attestation attest • getuigschrift
attic zolder(kamer)
attire uitdossen, optooien • *zn* kleding
attitude houding • *~ of mind*, denkwijze
attorney procureur • *Attorney General*, procureur-generaal
attract aantrekken
attraction aantrekkelijkheid
• aantrekkingskracht
• (toeristische) attractie
attractive aantrekkelijk
attractiveness aantrekkingskracht
attribute toeschrijven
auburn goud-, kastanjebruin
auction veiling
audacious gedurfd, gewaagd
audacity gewaagdheid
audible hoorbaar
audience publiek • audiëntie
auditor toehoorder • accountant
auditory *zn* gehoorzaal
• toehoorders *mv* • *bn* hoor-
augment vermeerderen, verhogen
augmentation vermeerdering, verhoging
August augustus
august verheven, hoog
aunt tante
auspices steun, auspiciën
auspicious gunstig

austere streng, sober
Australia Australië
Austria Oostenrijk
authentic(al) echt, authentiek
author schrijver, auteur, bedenker
authority gezag, macht • *from (on) good ~* uit goede bron
authorization machtiging
automobile auto(mobiel)
autumn herfst
auxiliary hulp- • *zn* helper • hulptroep
avail baat, nut • *ww* baten • *~ oneself of* benutten
available aanwezig, beschikbaar, voorradig • geldig
avalanche lawine
avarice gierigheid
avaricious gierig
avenge wreken
avenue wijze, methode • *Amer* brede boulevard of straat
aver betuigen, verzekeren
average *bn* gemiddeld • *zn* gemiddelde • *ww* gemiddeld halen, zijn, etc.
aversion afkeer
avert afwenden
aviation luchtvaart, vliegsport
avid enthousiast • begerig
avoid vermijden
avouch (for) instaan (voor), waarborgen
avow bekennen
avowal bekentenis
await verwachten, wachten
awake *ww* (**awoke** of **awaked**; **awoke**) wekken • wakker worden • *bijw* wakker
awaken wekken

award uitspraak • beloning, prijs • *ww* toekennen
aware bewust (van), gewaar
away weg, voort
away game uitwedstrijd
awe ontzag • *ww* ontzag inboezemen
awful(ly) *bn bijw* ontzagwekkend • vreselijk • reuze-
awhile voor enige tijd
awkward onhandig, lomp • gênant • ongemakkelijk
awl els (priem)
awning dekzeil
awoke zie *awake*
awry scheef, krom, verkeerd
axe bijl
axis, axle as (spil)

B

B.A. = *Bachelor of Arts*, kandidaat in de letteren
babble gesnap, gebabbel
baboon baviaan
baby klein kind, baby
babysitter oppas
bachelor vrijgezel • *univ* kandidaat
bacillus bacil
back *zn* rug • achterkant • *at the ~,* aan de achterkant • *in the ~,* achterin • *sp* achterspeler • *bijw* terug • *far ~,* heel lang geleden • *bn* achter, verwijderd • *ww* doen teruggaan • achteruitrijden • steunen • wedden op

backache rugpijn
backbite (backbit; backbitten) (be)lasteren
backbone ruggengraat • basis, kracht
backcomb terugkammen
backdoor achterdeur
backfire terugslaan (v. motor) • mislopen
background achtergrond
back of the head achterhoofd
backpack *Amer* rugzak
back-pedal brake terugtraprem
backroom achterkamer
back seat achterbank
backside achterste
backstage achter het toneel
back talk brutaal antwoord
backward achterlijk, traag • achterover • achterwaarts
backwater dood water • geïsoleerde plaats
back wheel achterwiel
backyard achtertuin
bacon spek
bad kwaad, slecht, ziek, erg, ernstig
bade zie *bid*
badge insigne, onderscheidingsteken
badger *zn* das (dier) • *ww* lastig vallen
bad luck pech
badly kwalijk, slecht, erg
baffle verbijsteren
bag tas, zak
baggage bagage
bagpipe doedelzak
bail *zn* borg(tocht) • *ww* ~ *out*, (financieel) helpen, de borgtocht betalen

bailiff rentmeester • gerechtsdienaar, deurwaarder, baljuw
bait (lok)aas • ophitsen, sarren
baize baai (ook de stof)
bake bakken, braden
baker bakker
bakery bakkerij
baking bak- • ~ *heat*, gloeiende hitte
balance balans • evenwicht • batig saldo • *ww* in evenwicht houden • opwegen tegen • afsluiten • vereffenen • ~ *of payments*, betalingsbalans • ~ *of trade*, handelsbalans
balance sheet balans • *draw up the* ~ balans opmaken
balcony balkon
bald kaal
bale baal
baleful verderfelijk, slecht
balk balk • rug tussen twee voren • *ww* verijdelen • weigeren
ball bal • kogel • kluwen
ballad ballade, liedje
ball bearing kogellager
ballet ballet
balloon (lucht)ballon
ballot stembriefje • ballotage • loting • *ww* stemmen • balloteren • loten
ballpoint balpen
ballroom danszaal
balm balsem
baloney *Amer gemeenz* onzin
Baltic Sea Oostzee
bamboo bamboe
ban *zn* ban • verbod • *ww*

verbieden

banal banaal

banana banaan

band groep, bende • muziekgroep, muziekkorps

bandage *zn* verband, zwachtels • *ww* verbinden

bandit bandiet

bandy *ww* (woorden) wisselen • *zn* ijshockey (stick)

bane verderf • vergif

bang *zn* slag, bons • knal • ponyhaar • *ww* slaan, bonzen, dreunen

bangle armband • voetring

banish verbannen, bannen

banister stijl • ~s, trapleuning

bank bank (voor geld) • oever • berm

bank card bankpas

banker bankier

bank holiday *Br* algemene vrije dag

banknote bankbiljet

bankrupt bankroet, failliet

bankruptcy bankroet

banner vaan

banns huwelijksafkondiging

banquet banket (feestmaal)

bantam kemphaan *(let en fig)*

banter gekscheren, schertsen

baptism doop

baptize dopen

bar staaf, stang, tralie • balie • advocatuur • bar • reep (chocolade) • hindernis • maat (streep)

barb weerhaak • ~ed wire, prikkeldraad

barbaric, barbarous barbaars

barbecue *zn* barbecue • *ww* barbecuen

barber herenkapper

bare naakt, kaal, bloot

barefaced onbeschaamd

barefoot(ed) op blote voeten

barehanded met de blote handen

bareheaded blootshoofds

barely ternauwernood, nauwelijks

bargain *zn* koopje • *ww* afdingen

barge (woon)schuit • aak, sloep

bark *zn* bast, schors • *ww* blaffen • brullen

barkeeper barkeeper

barley gerst

barmaid barvrouw, barmeisje

barn schuur

barometer barometer

baron baron

baronet niet-adellijke, die het erfelijke predikaat *Sir* vóór zijn doopnaam voert

barracks *mv* kazerne

barrage stuwdam • *mil* bombardement

barrel vat • geweerloop

barrel organ draaiorgel

barren dor, kaal • onvruchtbaar

barricade *zn* barricade • *ww* versperren

barrier slagboom • hinderpaal • barrière

barrister *Br* advocaat

bartender *Amer* barkeeper

barter *ww* ruilhandel • (ver)ruilen, kwanselen, sjacheren

basal fundamenteel

base *bn* slecht, laag • *zn* basis

baseball *sp* honkbal

base-line basis • achterlijn • *mil* operatielijn

basely op een lage wijze

basement grondslag • souterrain, kelder

baseness laagheid • onechtheid

bashful bedeesd • verlegen

basic fundamenteel, elementair, grond-

basil basilicum

basin bekken, bassin, waskom

basis *(mv bases)* basis, grondslag

basket korf, mand

basketball basketbal

Basle Bazel

bass bas • baars

bastard bastaard

bat vleermuis • kolf, slaghout

batch troep, partij

bath bad • *have/take a* ~, baden

bathe baden • betten

bathing bag badtas

bathing cap badmuts

bathing pool zwembassin

bathing suit badpak

bathroom badkamer • *Amer* toilet

bath salts badzout

bath towel badhanddoek

battalion bataljon

batter *zn* beslag (van gebak) • *ww* beuken, havenen • bonzen op • mishandelen

battery batterij, ook: accu

battle veldslag, strijd

battle dress veldtenue

battlefield slagveld

battleship slagschip

Bavaria Beieren

bawdy liederlijk, ontuchtig

bawl schreeuwen, tieren

bay *zn* baai, golf • uitbouw • vos (paard) • laurier • *bn* bruinrood • *ww* aanblaffen

bayonet bajonet

bazaar bazaar

BBC = *British Broadcasting Company*, Britse staatszender

be zijn

be *(was; been)* zijn, wezen • worden • duren • *to* ~ *sold (let)* te koop (huur)

beach strand

beach chair strandstoel

beachhead *mil* landingshoofd

beacon baken

bead kraal • druppeltje

beak snavel, bek

beam *zn* balk • straal • ~ *of light*, lichtbundel • *ww* stralen

bean boon • *brown* ~s, bruine bonen • *white* ~s, witte bonen

bear *zn* beer • *ww (bore; borne)* dragen, verdragen • gedragen • voortbrengen • ~ *away*, behalen • ~ *back*, terugdrijven • terugwijken • ~ *off*, wegvoeren, afwenden • ~ *out* bevestigen • ~ *with*, geduldig zijn met • ~ *witness*, getuigen

beard baard

bearer drager • houder

bearing houding • gedrag • lager

bearskin berenvel • berenmuts

beast beest

beastly beestachtig

beat (beat; beaten) *ww* kloppen, slaan, verslaan • *zn* slag, klap, tik • ronde, wijk (v. politieagent)

beau (mv beaux) vriendje, vrijer

beautiful prachtig, mooi

beauty schoonheid

beauty parlour schoonheidssalon

beaver bever • vilt

became zie *become*

because omdat, want • ~ *of*, wegens

beckon wenken

become (became; become) worden • goed staan • betamen, passen

becoming passend, betamelijk • netjes, flatteus

bed bed • bedding • bed

bedclothes *mv* beddengoed

bedlam chaos

bedpan (onder)steek

bedrid(den) bedlegerig

bedroom slaapkamer • *single, double* ~, één-, tweepersoonsslaapkamer

bedside lamp bedlamp

bedspread sprei

bee bij (insect)

beech beuk(enboom)

beef rundvlees

beef cube bouillonblokje

beefsteak runderlap

beef tea bouillon

beehive bijenkorf • ~ *chair*, strandstoel

been zie *be*

beer bier

beet(root) beetwortel, biet

beetle kever, tor

befall (befell; befallen) treffen • overkomen • gebeuren

befit betamen

before vóór (v. tijd en plaats) • eerder • in het bijzijn van

beforehand vooruit, vooraf

beg bedelen • verzoeken, vragen

began zie *begin*

beggar bedelaar

begin (began; begun) beginnen

beginner beginneling

beginning begin, aanvang

beguile charmeren • verlokken

begun zie *begin*

behalf *on* ~ *of*, ten bate (behoeve) van, in naam van

behave oneself zich gedragen

behaviour gedrag

beheld zie *behold*

behind achter

behindhand achter, niet bij • achterstallig • traag, laat

behold (beheld; beheld) aanschouwen, waarnemen

being *zn* bestaan, wezen • *ww* zijnde

belated verlaat

belch *zn* oprisping • *ww* oprispen

belfry klokkentoren

Belgian *bn* Belgisch • *zn* Belg

Belgium België

belie verloochenen • ontkrachten

belief geloof

believe geloven • *make* ~, net doen alsof

belittle verkleinen, kleineren

bell bel, klok • *(scheepv) six bells*, *mv* zes glazen (halve uren)

bellboy *Amer* piccolo

bellicose oorlogszuchtig

belligerent agressief

bellow loeien, bulderen

bellows *mv* blaasbalg

belly buik

bellyache buikpijn

belong behoren • ergens thuishoren

belongings *mv* bezittingen *mv*
beloved *bn* bemind • *zn* beminde
below beneden
belt riem (ceintuur), gordel • *mil* koppel • zone • *ww* omgorden
bemoan bejammeren
bench bank • rechtbank • *be on the ~,* rechter zijn
bend *zn* bocht, kromming • *ww* **(bent; bent)** buigen, krommen
beneath beneden, onder
benediction zegening • *rk* lof
benefaction weldaad
benefactor weldoener
beneficent weldadig
benefit *zn* voordeel • uitkering • benefiet • *ww* voordeel hebben (van)
benevolence welwillendheid
benign goedaardig
bent *zn* neiging • overtuiging • *bn* verbogen • zie ook *bend*
benumb verkleumen
bequeath nalaten, vermaken
bequest legaat
bereave (bereft; bereft) beroven
bereavement zwaar verlies
bereft zie *bereave*
beret baret, alpinopet
Berlin Berlijn
berry bes
berth *(scheepv)* hut, kooi, couchette • ligplaats
beseech (besought; besought) smeken
beside naast, bij
besides bovendien • behalve
besiege belegeren
besmirch besmeuren

besought zie *beseech*
bespeak (bespoke; bespoken) getuigen van
bespoke department maatafdeling
best best • *to make the ~ of it* het beste ervan maken • *to the ~ of my belief* naar mijn beste weten
bestial beestachtig
best man getuige (bij huwelijk)
bestow geven, schenken
bestowal gift
bet *zn* weddenschap • *ww* wedden
betray verraden • *~ one's duty,* zijn plicht verzaken
betrayal verraad
better *bn* beter • *ww* verbeteren • genezen
better, bettor wedder
between tussen
beverage drankje
bewail betreuren
beware (of) oppassen, zich hoeden (voor)
bewilder verbijsteren
bewitch betoveren
beyond boven, buiten • voorbij
bias neiging • vooroordeel, partijdigheid
bib slabbetje
bible bijbel
biblical bijbels
bicker kibbelen
bicycle fiets
bicycle chain fietsketting
bicycle pump fietspomp
bicycle rack fietsenrek
bicycle repairer fietsenmaker
bicycle shed, shelter

rijwielbewaarplaats
bicycle shop rijwielhandel
bid (bade; bidden) ww
verzoeken, nodigen • ~ *good
morning*, ~ *farewell*,
goedemorgen wensen,
afscheid nemen • **bid (bid;
bid)** bieden • pogen • zn bod
• poging
bidder *the highest* ~ de
meestbiedende
bide verbeiden, wachten
bier (lijk)baar
bifocal dubbelfocus
big dik, groot, zwaar
biggest grootste
bigness dikte, grootte
bigot bevooroordeeld persoon
bigwig hoge piet
bike fiets
bikini bikini
bilateral tweezijdig
bilberries bosbessen
bile gal
bilious galachtig
Bill Willem, Wim
bill rekening • aanplakbiljet
• biljet • wetsontwerp • snavel
• ~ *of exchange* wissel
billboard aanplakbord
billet *zn mil* kwartier • *ww*
inkwartieren
billiards biljart
billion biljoen • *Amer* miljard
bin *zn* bak, kist, container • *ww*
weggooien
bind (bound; bound) binden,
inbinden • bekrachtigen
binding *bn* (ver)bindend
• verplichtend • *zn* (boek)band
• omboordsel

binoculars *mv* verrekijker
biography levensbeschrijving,
biografie
birch berk
bird vogel, ~ *of prey*, roofvogel
bird's-eye view perspectief in
vogelvlucht
birth geboorte • afkomst
birth certificate geboorteakte
birth control geboortebeperking
birthday verjaardag
birthmark moedervlek
birthplace geboorteplaats
biscuit biscuit • koekje
bishop bisschop • loper (in het
schaakspel)
bishopric bisdom
bit *zn* beetje, stuk • *to do their* ~,
hun steentje bijdragen • *ww
zie* bite
bitch teef
bite *zn* beet, hap • *ww* **(bit;
bitten)** bijten, toehappen
• invreten
bitter bitter, scherp • (bitter) bier
bitumen asfalt
blab verklappen
black zwart, donker
black and white photo
zwartwitfoto
blackberry braam
blackbird merel
blackboard schoolbord
blacken zwart maken
blackguard schurk
blackhead mee-eter
blackmail chantage
black market zwarte markt
blackout *mil* verduistering
• stroomuitval • tijdelijk verlies
van bewustzijn

blacksmith smid
bladder blaas
blade spriet, halm • lemmet • schouderblad • scheermesje
blamable berispelijk
blame zn beschuldigen • afkeuren • zn schuld (verantwoordelijkheid)
blameless onberispelijk
bland saai, duf • smakeloos (v. eten)
blank bn wit, bleek • open • beteuterd, wezenloos • zn leemte, opening, spatie, leeg vlak • losse flodder
blanket deken
blare loeien, schetteren
blasphemy godslastering
blast ontploffing • ~ of air, luchtstroom
blast furnace hoogoven
blatant schreeuwerig • opvallend
blaze zn brand • in a ~, in lichterlaaie • ww (op)vlammen, schitteren
bleach blonderen • bleken
bleak kil, koud, guur • kaal • somber
bleat blaten
bleed (bled; bled) bloeden • aderlaten
blemish smet, klad, vlek
blend (blent; blent) (ver)mengen
bless zegenen
blew zie *blow*
blighter Br schooier, kerel
blind zn zonneblind • bn blind
blindfold blinddoeken
blindly blindelings
blindness blindheid
blink knipperen (met ogen)

bliss zaligheid, geluk
blissful zalig, gelukkig
blister blaar
blitz hevige luchtaanval • stunt
blizzard sneeuwstorm
bloat opzwellen
block zn blok • ww afsluiten, blokkeren
blockade blokkade
blockhead domkop
block-up versperring
bloke Br kerel, vent
blond blond
blood bloed
bloodthirsty bloeddorstig
blood vessel bloedvat
bloody bloedig
bloom zn bloesem • bloei • ww bloeien
blooming bloeiend • verduiveld, vervloekt
blossom bloesem
blot zn klad, (inkt)vlek • ww bekladden • vloeien
blotting paper vloeipapier
blouse blouse
blow zn slag, klap • windvlaag • ww (blew; blown) blazen, waaien
blow-dry föhnen
blow-up vergroting (v. foto)
bludgeon knuppel, ploertendoder • ww neerslaan
blue bn blauw • (fig) somber, verdrietig • zn, the ~s, Amerikaanse muzieksoort
blueberry bosbes
bluebottle bromvlieg
blue ribbon blauwe wimpel
bluestocking blauwkous
bluff zn gebluf • bn openhartig,

ronduit • *ww* bluffen
bluish blauwachtig
blunder flater
blunt *bn* bot, stomp • lomp, dom
  • *ww* verstompen
bluntly ronduit
blurry onduidelijk, vaag
blurt out er uitflappen
blush blos • *ww* blozen
bluster *zn* razen, bulderen,
  tieren
boar beer (mannetjesvarken)
  • wild zwijn
board *zn* plank • kost • kostgeld
  • boord • bestuur, college
  • ministerie • ~ *and lodging*,
  kost en inwoning • *ww*
  instappen, aan boord gaan
boarder kostganger
boarding card instapkaart
boarding house pension
boarding-school kostschool
boast *zn* opschepperij,
  grootspraak • *ww* bluffen,
  opscheppen
boat boot
boat excursion boottocht
boat race roeiwedstrijd
boatswain bootsman
boat train boottrein
boat trip rondvaart • boottocht
bob *zn* pagekopje • korte staart
  • shilling • *ww* op en neer
  gaan
bobby politieagent
bodice lijfje
bodily lichamelijk, compleet
body lichaam, romp • lijk
  • organisatie, groep • massa
bodyguard lijfwacht
bog moeras, laagveen

Bohemian Bohemer • bohémien
  • *bn* Boheems
boil koken (water) • *zn* steenpuist
boiled gekookt
boiler kook-, stoom-, waterketel
  • warmwaterreservoir
boiling-point kookpunt
Bois-le-Duc 's-Hertogenbosch
boisterous onstuimig,
  luidruchtig
bold vrijmoedig • vet (v.
  drukletter)
bold-faced onbeschaamd
Bolshevik bolsjewiek
bolster peluw • *ww* versterken,
  verhogen
bolt *zn* bout • grendel
  • bliksemstraal • sprong • *ww*
  grendelen • er vandoor gaan
  • op hol slaan • ~ *upright*,
  kaarsrecht
bomb bom
bombardment bombardement
bombastic hoogdravend
bomber, bombing plane
  bommenwerper
bomb-proof bomvrij
bonbon bonbon
bond band • obligatie
  • schuldbrief • verplichting
bone bot (been) • graat • balein
bones *mv* gebeente
bonfire vreugdevuur
bonnet *Br* muts • kap, motorkap
bonny *Schots* aardig, lief
bony been(achtig) • vol graten
booby prize poedelprijs
booby-trap valstrikbom
book *zn* boek • *ww* boeken • ~
  for A, een kaartje nemen naar
  A • ~ *in advance (seats)*,

(plaatsen) bespreken
bookbinder boekbinder
bookcase boekenkast
book-end boekensteun
booking/box office loket (voor kaartjes), bespreekbureau
book-keeper boekhouder
bookseller boekhandelaar
bookshop boekhandel
bookstall boekenstalletje
book token/certificate boekenbon
boom zn (haven) boom
• hoogconjunctuur • toename
• ww daveren • reuze succes hebben
boon geschenk, gunst
boor lomperd, pummel
boost versterken, verhogen • zn zetje
boot Br kofferbak • laars
booth kraam • cabine
bootlace schoenveter
bootleg illegaal
boot-polish schoensmeer
boots laarzen
booty buit
border zn rand, boord, grens
• ww (be)grenzen
bore zn vervelend, lastig persoon
• ww boren • vervelen • zie ook *bear*
boredom verveling
born geboren • *not ~ yesterday*, *(fig)* niet van gisteren
borne zie *bear*
borough (deel)gemeente
borrow from lenen van, ontlenen aan
bosom boezem • borst • schoot (kerk • familie)

boss baas, werkgever • ww besturen, de baas spelen
B. O. T. = *Board of Trade*, Ministerie van Handel
botany plantkunde
botch zn knoeiwerk • ww verknoeien
both allebei, beide • ~ ... *and*, zowel...als
bother hinderen • vervelen
• zaniken • moeite doen
bottle fles • *one-trip ~*, wegwerpfles
bottleneck *(fig)* vernauwing
• knelpunt
bottle of (half a) een halve fles
bottle-opener flesopener
bottom zn grond, bodem
• *scheepv* kiel • bn onderste, laagste
bottomless bodemloos
bought zie *buy*
bounce (op)springen • op en neer gaan • reflecteren • zn stoot
bound zn grens • bijw bestemd (voor) • ww zie *bind*
boundary grens(lijn)
boundless grenzeloos
bountiful rijk, rijkelijk
bow boog, strijkstok, buiging, boeg • ww buigen
bowels mv ingewanden *mv*, *move one's ~*, z'n behoefte doen
bowl zn schaal, kom • ww bowlen
bowler bolhoed • *sp* werper (cricket)
bow-window rond uitspringend venster, erker

box doos, koffer • bak • loge • hokje, vakje
boy jongen • bediende
boyhood jongensjaren *mv*
Bp. = *bishop*, bisschop
bra beha
brace *zn* paar, koppel • bretel • beugel • *ww* spannen, versterken
bracelet armband
bracket haakje • categorie
brag opscheppen
braid *zn* vlecht • boordsel • *ww* vlechten
brain brein, hersenen *mv*
brainwave (lumineus) idee
brake *zn* rem • *ww* remmen
brake block remblokje
brake cable remkabel
brake disc remschijf
brake light remlicht
brake oil remolie
brake pads remblokken
branch tak • (leer)vak • filiaal
branch office bijkantoor
brand brandmerk • merk, soort
brandish zwaaien (met)
brand-new spiksplinternieuw
brandy cognac • brandewijn
brass geelkoper • brons • blaassectie (v. orkest)
brave *ww* trotseren • *bn* dapper
bravery moed, dapperheid
brawl razen, tieren
brawny gespierd, sterk
brazen onbeschaamd
breach breuk • bres • schending
bread brood
bread (half a loaf of) een half brood
bread (wholemeal)

volkorenbrood
bread bin broodtrommel
breadth breedte
bread-winner kostwinner
break (broke; broken) *ww* breken, afbreken • pauzeren • kapotgaan/maken • schenden • beëindigen • *zn* onderbreking, pauze
breakdown in(een)storting • panne
breakdown lorry kraanwagen
breakers *mv* branding
breakfast ontbijt
breakfast (have) ontbijten
breakthrough *mil* doorbraak
breakwater golfbreker • strandhoofd
breast(s) borst
breath adem • *a ~ of*, een beetje
breathe ademen • fluisteren
bred zie *breed*
breeches *mv* korte (rij)broek
breed (bred; bred) telen, (aan)fokken
breeder fokker
breeding opvoeding, beschaving
breeze koelte • bries
brethren *mv* broederen *mv*
brevity kortheid
brew brouwen
brewer brouwer
brewery brouwerij
bribe omkopen
brick baksteen
bricklayer metselaar
brickwork metselwerk
bridal bruids-
bride bruid
bridegroom bruidegom
bridesmaid bruidsmeisje

bridesman getuige v.d. bruidegom

bridge brug • *kaartsp* bridge

bridle toom, teugel • *ww* beteugelen

brief kort, beknopt

briefcase aktetas

brigand (struik)rover, bandiet

bright helder, schitterend • pienter • opgewekt

brighten ophelderen • opvrolijken

brilliancy glans • schittering

brilliant *bn* schitterend • *zn* briljant

brim rand

brimful boordevol

brine pekel, zilt water

bring (brought; brought) (mee)brengen • halen, aanvoeren

bring back terugbrengen

brink rand, kant

brisk levendig, wakker, vlug

bristle *zn* stoppel • (borstel)haar • *ww* overeind staan, zetten

Britain Groot Brittannië

British Brits

Briton Brit

brittle bro(o)s, breekbaar

broach aanbreken

broad breed, wijd • grof, ruw

broadcast uitzenden, omroepen

broaden (zich) verbreden

broadminded onbekrompen

brochure brochure

broil *zn* ruzie, tumult • *ww* roosteren • *zn* gebraden vlees

broke zie *break* • blut, aan lager wal

broken gebroken, kapot • zie

break

broken-down defect

broken-hearted diep bedroefd

broker makelaar

brokerage makelarij • makelaarsloon, courtage

bronze *bn* brons • *ww* bronzen

brooch broche

brood *zn* broedsel • *ww* broeden

brook *zn* beek • *ww* tolereren

broom bezem • brem

Bros. = *Brothers*, gebroeders

broth bouillon

brother broer, broeder

brotherhood broederschap

brother-in-law zwager

brought zie *bring*

brow wenkbrauw • kruin, top

browbeat intimideren

brown bruin

brown (bread) bruin brood

browse *fig* inkijken, rondkijken • grazen

Bruges Brugge

bruise *zn* kneuzing • *ww* kneuzen

brunch ontbijtlunch

brush *zn* borstel, stoffer • penseel, kwast • kreupelhout • schermutseling • *ww* afborstelen, strijken langs • ~ *up*, opfrissen

brushwood kreupelhout

Brussels Brussel • ~ *sprouts*, *mv* spruitjes *mv*

brutal beestachtig, woest

brute *zn* bruut, woesteling • *bn* dierlijk, woest

Bt. = *Baronet*, z.a.

bubble bobbel, (lucht)bel

bubble gum klapkauwgom

buccaneer boekanier
buck *Amer* dollar
bucket emmer
buckle zn gesp • ww gespen
bud zn knop • *(Amer)* maatje
• ww uitbotten
Buddhism Boeddhisme
buddy *gemeenz* broer, kerel,
maat(je)
budge (zich) verroeren
budget begroting, budget
buff zn enthousiasteling • *bn*
zeemkleurig, lichtgeel
• gespierd
buffalo buffel
buffer buffer
buffet restauratie, buffet
buffet car restauratiewagen
buffoon hanswors, clown
bug insect • computerstoring
buggy buggy
bugle (jacht)hoorn
bugler hoornblazer
build (built; built) bouwen
building gebouw
bulb bloembol • gloeilamp
bulb-grower
(bloem)bollenkweker
bulge (op)zwellen • uitpuilen
bulk omvang, grootte
bulkhead *scheepv* schot
bulky dik, groot, lijvig
bull stier
bulldog buldog
bullet (geweer)kogel
bulletin bulletin
bull's-eye luchtgat • roos
(schietschijf)
bully zn bullebak • ww
intimideren
bulwark bolwerk

bumblebee hommel
bump zn buil, knobbel • hobbel
• stoot • ww hotsen, stoten
bumper bumper
bumpkin pummel
bun broodje
bunch bos, tros • troep, groep
bundle bundel, bos
bungalow bungalow
bungle (ver)knoeien
bunk kooi (v. schip, caravan) • ~
bed, stapelbed
bunny konijn
buoy boei
buoyancy stuwkracht
• opgewektheid
burden zn last, vracht • ww
belasten
burdensome lastig, zwaar
burglar inbreker
burglary inbraak
burgundy bourgogne(wijn)
burial begrafenis
burly zwaarlijvig, groot, dik
burn zn brandwond • ww **(burnt
of burned; burnt)** branden,
verbranden
burnish polijsten
burn ointment brandzalf
burnt zie *burn*
bursary studiebeurs
burst zn barst • ww **(burst;
burst)** barsten
bury bedekken, begraven
bus bus
bus connection busverbinding
bush struik, kreupelhout
bushel schepel
busily druk, bezig
business bezigheid, zaak • zaken
mv, handel, bedrijf

business class businessklasse
business hours kantooruren *mv*, openingstijden
businesslike zaakkundig, zakelijk
business trip zakenreis
bus station busstation
bus stop bushalte
bust *zn* buste, borstbeeld • *ww* kapotmaken • *bn* failliet
bustle *zn* gewoel • *ww* zich reppen
busy bezig, druk
busybody bemoeial
but maar • behalve
butane gas campinggas
butcher slager
butler butler
butt doel, mikpunt • kolf • *Amer* kont
butter boter • *a packet of ~*, een pakje boter
butter bean witte boon
buttercup boterbloem
butterfly vlinder
buttermilk karnemelk
buttock bil
button knop, knoop
buttonhole knoopsgat
buxom mollig
buy (bought; bought) kopen
buyer koper
buzz gonzen, zoemen
by door, bij • per • *~ heart*, van buiten • *~ himself*, alleen • *day ~ day*, dag aan dag • *~ the way*, à propos! • *one ~ one*, een voor een • *~ sea*, over zee • *~far*, verreweg • *~ no means*, geenszins • *~ and ~*, straks • *~ and large*, over 't geheel genomen • *~ the ~*, tussen twee

haakjes
bye! dag! (tot ziens)
bygone vroeger, voorbij
bypass *zn* rondweg • hartoperatie • *ww* vermijden
bystander toeschouwer
bystreet zijstraat, achterstraat

C

cab taxi • cabine (v. vrachtwagen)
cabaret cabaret
cabbage kool (groente)
cabin hut, kajuit
cabinet kabinet, kast • ministerraad
cable kabel • tv per kabel • telegram
cable railway kabelspoorweg
cache geheime bergplaats
cackle kakelen
cad ploert, schoft
caddie golfjongen
cadre kader
cafeteria cafetaria
cage kooi
cajole vleien
cake koek, gebak, taart
calamity ramp
calculate berekenen
calculation berekening
caldron ketel
calendar kalender
calf (mv calves) kalf • kalfsleer • kuit
calibre kaliber, formaat
call *zn* roep, geroep • bezoek

• telefoontje • *take the ~*, de telefoon aannemen • *ww* roepen, benoemen, bezoeken • afkondigen (staking) • opbellen • *~ for*, vragen naar • *~ into question*, in twijfel trekken • *be called*, heten
call box *Br* telefooncel
call boy piccolo
calling roeping • beroep
calling credit beltegoed
callosity eelt • *(fig)* hardvochtigheid
call-up oproep
calm *zn* kalmte, windstilte • *bn* kalm • *ww* bedaren
calor gas butagas
calumniate lasteren
calumny Laster(praat)
came zie *come*
camel kameel
camera fototoestel, camera • *35 mm ~*, kleinbeeldcamera
cameraman cameraman
camomile kamille
camp *zn* kamp, legerplaats • *ww* legeren • kamperen
campaign campagne • veldtocht
camp bed kampeerbed
camper camper
camphor kamfer
camping equipment kampeerbenodigdheden
camping shop kampwinkel
camping site camping
camp stool vouwstoeltje
campus terrein behorende bij universiteit, hogeschool of school
camshaft nokkenas
can *zn* kan • bus • blikje • *ww*

inblikken • **(could)** kunnen
Canadian Canadees
canal kanaal, vaart, gracht
canary kanarievogel
cancel schrappen, annuleren, afzeggen
cancer kanker
cancerous kankerachtig
candid oprecht, openhartig
candidate kandidaat
candle kaars
candlestick kandelaar
candy *Amer* snoepgoed
cane riet • wandelstok
cannibal kannibaal
cannon kanon • carambole
canoe *zn* kano • *ww* kanoën
cant jargon • hellend vlak
canteen kantine • veldfles
canter korte galop
canvas zeildoek • doek, schilderij
canvass (stemmen) werven • uitpluizen
canyon ravijn
cap pet, muts, kap
capable bekwaam • in staat tot
capacity bekwaamheid • hoedanigheid • aanleg
cape kaap
Cape Town Kaapstad
capital *zn* kapitaal • hoofdstad • hoofdletter • *bn* hoofd- • uitmuntend
capitalism kapitalisme
capitulation capitulatie
capoc kapok
caprice bevlieging, gril
capricious grillig, nukkig
capsize kapseizen • omslaan
capsule capsule
capt. = *captain*, kapitein • *sp*

aanvoerder
caption titel, onderschrift
captive gevangene
captivity (krijgs)gevangenschap
capture *zn* vangst • *ww* vangen
car kar, wagen, tram • auto
• *oncoming* ~, tegenligger
carafe karaf
caravan karavaan • woonwagen
• kampeerwagen, caravan
carbon koolstof
carbonic acid koolzuur
carbuncle karbonkel, steenpuist
carburetor carburator
carcass karkas, geraamte
card (speel)kaart • visitekaartje
• bankkaart • kompasroos • *no
cards*, enige kennisgeving
cardboard karton
cardiac patient hartpatiënt
cardigan (dames)vest
cardinal *bn* voornaamst, hoofd-
• *zn* kardinaal
card index kaartregister
car documents autopapieren
care zorg, moeite • ~ *of*, per
adres • *ww* zorgen, zich
bekommeren, geven om • *take
~*, zorgen • oppassen
career carrière, loopbaan • *in
full*~, in volle vaart
careful zorgvuldig
careful! pas op!
careful (be) oppassen
careless zorgeloos, nonchalant
caress *zn* liefkozing • *ww*
liefkozen
caretaker *Br* huisbewaarder
cargo (scheeps)lading
cargoboat vrachtboot
car hire autohuur

carload wagenvracht
carnation anjer • vleeskleur
carnival carnaval
carnivorous vleesetend
carol lied, vreugdezang
carp karper
car park *Br* parkeerplaats
car park attendant *Br*
parkeerwacht
carpenter *zn* timmerman • *ww*
timmeren
carpet tapijt, karpet
carpetbag reistas, valies
car-radio autoradio
carriage wagen, wagon, rijtuig
carriageway rijweg • *dual* ~, weg
met gescheiden rijbanen
carrier vrachtrijder, besteller
• drager • bagagedrager
• postduif
carrier bag draagtas
carrot wortel, peen
carry dragen, brengen • ~ *off*,
wegvoeren
carrying agent expediteur
carrying capacity laadvermogen
car sick wagenziek
cart kar, wagen
carte, à la à la carte
cartel kartel
cartilage kraakbeen
carton kartonnen doos
cartoon politieke spotprent
• tekenfilm • striptekening
cartridge patroon • cassette (voor
foto's)
car trouble pech
carve graveren • houtsnijden
cascade watervalletje
case tas, kist, doos • overtrek,
koker • (ziekte)geval • proces

• naamval

cash *zn* (contant) geld, kas • ~ *on delivery*, rembours • *ww* incasseren, innen (cheque)

cashbook kasboek

cash dispenser geldautomaat

cashier kassier

cash price prijs bij contante betaling

casing omhulsel, koker, kozijn

casino casino

cask vat

cassation cassatie

casserole braad-, stoofpan

cassette tape geluidsbandje

cast *zn* worp, gooi • gietvorm, afgietsel • (toneel) bezetting • *ww* (**cast**; **cast**) werpen • gieten (ijzer) • afdanken • (stem) uitbrengen

castaway verstoteling, schipbreukeling

castigate kastijden • tuchtigen

casting gietsel • casting

cast iron gietijzer

castle kasteel

castor oil wonderolie

castor sugar poedersuiker

casual toevallig

casualty ongeval • sterfgeval, verlies, slachtoffer

casualty list, list of casualities *mil* verlieslijst

cat kat

catalogue catalogus

cataract waterval • grauwe staar

catarrh slijmvliesontsteking

catastrophe ramp

catch *zn* vangst • *ww* (**caught**; **caught**) vangen, betrappen • inhalen, raken

catching besmettelijk

catchup ketchup

catchword kreet, leus

catchy pakkend [v. melodie e.d.]

categorical uitdrukkelijk

category klasse, categorie

cater leveren, zorgen voor, maaltijden verzorgen

caterpillar rups • ~*wheel*, rupsband

cathedral kathedraal

Catholic katholiek

catnap dutje

cattle vee

caught zie *catch*

cauliflower bloemkool

causal oorzakelijk

cause *zn* oorzaak, reden • *ww* veroorzaken

caution voorzichtigheid • borgtocht • *ww* waarschuwen

caution! voorzichtig!

cautious voorzichtig

cavalry cavalerie

cave *zn* hol, grot • *ww* ~*in*, instorten

cavern spelonk, hol

cavity holte • gaatje

CD cd

CD player cd-speler

C. E. = *civil engineer*, civiel-ingenieur

cease ophouden met, staken • (be)eindigen

ceaseless onophoudelijk

cede afstaan, toegeven

ceiling plafond, zoldering • hoogtegrens • maximum stijghoogte (vliegtuig) • uiterste grens (prijzen, lonen)

celebrate vieren

celebrated beroemd
celebrity beroemdheid
celerity spoed
celery selderie, selderij
celestial hemels
celibacy ongehuwde staat
cell cel
cellar kelder
cellular cellulair • *Amer*, ~ *phone*, mobiele telefoon
cement cement
cemetery begraafplaats
censor *zn* censor • *ww* censureren
censure berisping, afkeuring • *ww* bekritiseren, afkeuren
centenary *bn* honderdjarig • *zn* eeuwfeest
centimeter centimeter
central heating centrale verwarming
centrality centrale ligging
centralize centraliseren
centre *zn* centrum • middelpunt • (voetbal) midvoor • ~ *of gravity*, zwaartepunt • *ww* (zich) concentreren, zich richten op
century eeuw
ceramic aardewerk
cereals graangewassen, havervlokken *mv*
cerebral hersen-
ceremonial ceremonieel
ceremonious vormelijk, plechtig
ceremony plechtigheid • ceremonieel
certain zeker • bepaalde
certificate *zn* getuigschrift, attest, certificaat, akte • *ww* diplomeren

certify verzekeren, getuigen
cf. = *confer (compare)*, vergelijk
ch. = *chapter*, hoofdstuk
chafe schaven • ergeren • sarren
chafer (mei)kever
chaff *zn* kaf • *ww* plagen
chafing dish komfoor
chain *zn* ketting, keten • *ww* ketenen
chair *zn* (voorzitters)stoel • *take a* ~, ga zitten • *ww* voorzitter zijn
chair (high) kinderstoel
chair lift stoeltjeslift
chairman voorzitter
chalk *zn* krijt • *ww* witten • aankalken, opschrijven
chalky krijtachtig
challenge *zn* uitdaging • *ww* uitdagen
challenge cup wisselbeker
chamber kamer • ~ *of commerce*, kamer v. koophandel
chambermaid kamermeisje
chamois leather zeemleer
champagne champagne
champion kampioen
chance toeval • kans • geluk • *by* ~, toevallig • *ww* gebeuren
chancellor kanselier • *Chancellor of the Exchequer*, Minister van Financiën
chancery kanselarij
change *zn* verandering, wisselgeld • *ww* verwisselen, veranderen • overstappen • verversen
changeable veranderlijk
change gear schakelen (auto)
changeover aflossing, omschakeling • ~ *switch*, schakelaar

change the oil olie verversen

changing room kleedkamer

channel vaargeul • kanaal

chant zn liedje • ww zingen, opdreunen

chaotic chaotisch, verward

chap kerel

chapel kapel, kerk

chaplain kapelaan

chaplet bloemenkrans

chapter hoofdstuk

char verkolen, schroeien

character letter • karakter

characteristic karakteristiek, kenmerkend

characterize kenmerken

charcoal houtskool

charge zn opdracht • lading, last, beschuldiging • aanval • ww laden, beladen • beschuldigen • aanvallen

charitable liefdadig, menslievend

charity liefdadigheid, barmhartigheid

charm charme, betovering • toverspreuk • ww charmeren, bekoren • betoveren

charming charmant

charter zn charter, patent • ww bevrachten • inhuren

charter flight chartervlucht

chase zn jacht • ww (na)jagen • achtervolgen

chasm kloof, spleet

chassis chassis, onderstel

chaste kuis

chastise kastijden

chastity kuisheid

chat zn gekeuvel, babbeltje • ww keuvelen

chatter kakelen • snateren

chatterbox kletskous

chatty spraakzaam

cheap goedkoop

cheat zn bedrog • bedrieger, afzetter, valse speler • ww bedriegen • spieken

check zn controle • reçu • belemmering • sp schaak • cheque • ww beteugelen • controleren • aanslaan (op kassa) • ~ in, binnenkomen • ~ out, weggaan

checked geruit

check-in desk incheckbalie

checkmate schaakmat

checkup controle, medisch onderzoek

cheek wang, brutaliteit

cheer zn vrolijkheid, blijdschap • ww verheugen, toejuichen • ~ up, opvrolijken

cheerful vrolijk

cheers! proost! • doeg!

cheese kaas

cheese roll broodje kaas

chemist scheikundige • Br apotheker, drogist

chemistry scheikunde

cheque cheque

cheque book chequeboek

cherish koesteren • liefhebben

cherries kersen

cherry kers

chess schaakspel • play (at) ~, schaken

chessboard schaakbord

chest kist, koffer • borstkas • borst

chestnut kastanje

chew kauwen

chewing gum kauwgom

chicken kip
chickenpox waterpokken *mv*
chicory andijvie
chide (chid; chidden) berispen
chief voornaamste, opperste
• hoofd, aanvoerder
chiefly voornamelijk
• hoofdzakelijk
chieftain (opper)hoofd
child *(mv* children) kind
childbed kraambed
childhood jeugd
childish kinderachtig
childless kinderloos
childlike kinderlijk
children's clothes kinderkleding
children's film kinderfilm
children's game kinderspel
children's menu kindermenu
child seat kinderzitje
child's seat kinderzitje (op fiets)
chill *zn* koude • verkoeling
• huivering • *bn* koud, kil
chilled gekoeld
chilly kil • koud
chime klokkenspel • *ww* luiden,
klinken
chimney schoorsteen
chimney-piece
schoorsteenmantel
chimney sweep(er)
schoorsteenveger
chin kin
China *zn* China • c~, porselein
• *bn* porseleinen
Chinese Chinees
chink spleet, kloof
chip spaander • computerchip
chips *Br* patates frites • *Amer*
chips
chiropodist pedicure

chirp tjilpen
chisel beitel
chivalry ridderlijkheid
chlorine chloor
chock-full stampvol
chocolate chocolade
chocolate milk chocolademelk
(warm)
choice *zn* keus, keur, selectie • *bn*
select
choir koor (kerk)
choke *zn* choke • *ww* verstikken
• smoren, onderdrukken, zich
verslikken
choose (chose; chosen) kiezen
chop *zn* kotelet • *ww* kappen,
hakken
chopper helikopter
chopping block hakblok
choral *(muz)* koraal
chord *(muz)* akkoord
chorus refrein • koor (toneel)
chose zie *chose*
chosen uitverkoren • uitgelezen
• zie ook *choose*
christening doop
Christian *zn* christen • *bn*
christelijk
Christian name doopnaam
Christmas kerstmis
Christmas carol kerstlied
chronic langdurig
chronicle kroniek
chronology chronologie
chubby mollig
chuck *zn* klopje • gooi • *ww*
gooien • de bons geven
chuckle gniffelen
chum kameraad
chump uilskuiken
chunk brok, homp

church kerk
church service kerkdienst
churchyard kerkhof
churn zn kam • ww omwoelen
chute glijbaan, koker • parachute
cider cider, appelwijn
cigar sigaar
cigarette sigaret
cigarette lighter aansteker
cigarette paper(s) vloeitje (v. shag)
Cinderella assepoester
cinders as
cinema bioscoop
cinnamon kaneel
cipher geheimschrift, code • *a mere ~*, een vent van niks
circle zn cirkel • gezelschap • ww omringen, (rond)draaien
circuit circuit • tournee • parcours • rondrit, rondvlucht
circular bn rond • zn circulaire
circular-letter circulaire
circular-ticket rondreisbiljet
circulate circuleren, in omloop zijn
circulation omloop
circumference omtrek
circumscribe beperken
circumspect omzichtig, voorzichtig
circumstance omstandigheid
circumstantial omstandig • bijkomstig
circumvent misleiden • omzeilen
circus circus
cistern (water)bak, stortbak (wc)
cite dagvaarden • citeren
citizen burger
citizenship burgerrecht
city grote stad • binnenstad

civic burgerlijk
civil burger-, burgerlijk • beleefd, beschaafd • *~ code*, Burgerlijk Wetboek • *~ servant*, ambtenaar • *~ service*, ambtenarenapparaat
civilian burger
civility beleefdheid
civilization beschaving
civvy street *(gemeenz)* burgermaatschappij
clad gekleed
claim zn eis • bewering • ww (op)eisen • vorderen • beweren
claimant, claimer eiser
clairvoyant helderziend
clamber klauteren
clammy klam, klef
clamorous luidruchtig
clamour geroep, getier
clamp (wiel)klem
clan stam • geslacht
clandestine heimelijk
clang schelle klank
clap klappen, slaan
claret bordeauxwijn
clarify ophelderen • zuiveren
clarinet klarinet
clash klinken, kletteren • stoten, botsen (met)
clasp zn gesp • omhelzing • ww omklemmen • omhelzen
clasp knife knipmes
class klasse • klas • les(uur)
classic klassiek
classify rangschikken
clatter ww klateren, kletteren • zn gekletter
clause clausule • *gram* bijzin
clavicle sleutelbeen
claw klauw, poot

clay klei
clean *bn* schoon, rein • *ww* schoonmaken, reinigen, ontvlekken
clean (dry-) chemisch reinigen
cleaning, cleansing schoonmaak
cleanse reinigen, zuiveren
clean-shaven gladgeschoren
clear *bn* helder • duidelijk • veilig • *ww* ophelderen • vereffenen • vrijmaken
clearance sale uitverkoop
clearing open plek in bos
clear-sighted schrander
cleave (cleaved of cleft; cleaved of cleft) kloven • aanhangen
cleft kloof, barst
clemency genade
clergy geestelijkheid
clergyman geestelijke, dominee
clerical geestelijk • administratief
clerk klerk, kantoorbediende • receptionist
clever knap, slim
click *zn* klik • geklik • *ww* klikken
client cliënt, klant
cliff steile rots • rotswand (aan zee)
climate klimaat
climb klimmen • beklimmen
climbing boots bergschoenen
cling (clung; clung) aanhangen • zich vastklemmen
clinic kliniek
clip *zn* knijper • fragment (film, muziek) • *ww* knippen
cloak mantel
cloakroom garderobe
clock klok
clockwise met de (wijzers van de) klok mee

clod (aard)kluit • sufferd
clog blok • klomp
cloister kloostergang, klooster
close *bn* dicht, nauw • benauwd • *ww* sluiten
closed dicht
close-fitting nauwsluitend
closely dicht, nauw • ~ shut, potdicht
closest dichtstbijzijnd
closet kast • opslagkamertje, kabinet
closure sluiting
cloth lap, doek • stof (textiel)
clothe kleden
clothes kleding • kleren
clothes peg wasknijper
clothing (be)kleding
clothing shop kledingzaak
cloud wolk
clouded bewolkt
cloudless onbewolkt
cloudy bewolkt
clout *zn* gewicht, invloed • *ww* slaan
clove kruidnagel
clover klaver
clownish boers • clownachtig
club knuppel • golfstok • club • ~s, klaveren
clue aanwijzing, sleutel
clump cluster
clumsy lomp, onhandig
clung zie *cling*
cluster tros • groep, troep
clutch *zn* greepkoppeling • *ww* grijpen
clutch operating cable koppelingskabel
clutter *zn* warboel • *ww* volproppen

C. O. = *Commanding Officer*
c/o = *care of*, per adres, p.a.
Co = 1 *county* • 2 *company*
coach touringcar, bus • koets
 • wagon • *sp* trainer
coagulate stollen, stremmen
coal (steen)kool, kolen *mv*
coalition verbond, coalitie
coal mine, coal pit kolenmijn
coal scuttle kolenemmer
coarse grof
coast kust
coastal kust-
coastal town kustplaats
coaster kustvaarder
coat jas • mantel • pels • ~ *of
 arms*, wapen(schild)
coat hanger kleerhanger
coax overreden, overhalen
cobble, cobblestone straatkei
cobweb spinnenweb
cock *zn* haan • *ww* richten
cockchafer meikever
Cockney geboren Londenaar
 • cockneydialect
cockpit cockpit
cockroach kakkerlak
cocksure zelfverzekerd
cocoa cacao
coconut kokosnoot
cocoon cocon
C. O. D. = *cash on delivery*, onder
 rembours
code wetboek • code
code number *(tel)* netnummer
codfish kabeljauw
cod-liver oil levertraan
coerce dwingen, afdwingen
coercion dwang
coffee koffie
coffee (black) zwarte koffie

coffee (white) koffie met melk
coffee cream koffiemelk
coffee with cream koffie met
 room
coffee with milk and sugar
 koffie met melk en suiker
coffee with sugar koffie met
 suiker
coffer geldkist
coffin doodkist
cog tand (van rad)
cogitate overpeinzen
cognate verwant
cohere samenhangen
coherence samenhang
coil kronkeling • spiraal • klos
 • spiraaltje
coin *zn* munt • *ww* munten
 • verzinnen
coincide samenvallen
coincidence samenloop, toeval
cold *zn* koude • verkoudheid • *bn*
 koud • *catch a ~*, verkouden
 worden • *have a ~*, verkouden
 zijn
coldness koude • koelheid
cold store koelhuis
collaborate samenwerken
 • heulen (met de vijand)
collapse *ww* ineenzakken,
 instorten • *zn* instorting
collapsible opvouwbaar • klap-
collar boord • halsband
collarbone sleutelbeen
collateral onderpand
colleague collega
collect verzamelen • (af)halen
collection verzameling • lichting
collective gezamenlijk
college college • (afdeling v.)
 universiteit

collide botsen
collie Schotse herdershond
colliery kolenmijn
collision botsing • aanvaring
colloquy gesprek
Cologne Keulen
colon dubbele punt • dikke darm
colonel kolonel
colony kolonie
colour *zn* kleur • verf • huidskleur • *ww* blozen
colour blind kleurenblind
coloured *a* ~ man, kleurling
colour film kleurenfilm
colourful kleurrijk
colour print kleurenfoto
colour TV kleuren-tv
colt veulen
column zuil, kolom • column (in krant) • colonne
comb kam
combination combinatie, mengsel
combine verbinden, combineren, verenigen
combustible brandbaar
combustion verbranding
come (came; come) komen • ~ *at*, bereiken • ~ *back*, terugkomen • ~ *to*, bijkomen • ~ *of*, afstammen
come along! kom (mee)!
comeback terugkeer
come-down tegenvaller
comedy komedie
come here! kom (hier)!
come in! binnen!
comet komeet
comfort *zn* troost • gemak • welgesteldheid • comfort • *ww* troosten

comfortable comfortabel • welgesteld • op z'n gemak
comic *bn* komisch, grappig • *zn* stripverhaal
coming *zn* komst • *bn* toekomstig
comma komma
command *zn* bevel, gezag, commando, leiding • *ww* bevelen, overzien
commander bevelhebber • commandant • gezagvoerder • ~*in-chief*, opperbevelhebber
commandment bevel, gebod
commemorate herdenken, gedenken • vieren
commence beginnen
commend (aan)prijzen
commendable prijzenswaardig
comment *zn* aantekening, uitleg • commentaar • *ww* opmerken
commentary commentaar, radio/televisiereportage
commerce handel, verkeer
commercial handels-
commercial traveller handelsreiziger
commiseration medelijden
commission last, lastbrief • aanstelling als officier • opdracht • commissie • provisie
commissioner commissionair
commit plegen [misdaad]
commitment verplichting
committee comité, commissie
commodious ruim
commodity koopwaar
common gemeen(schappelijk) • gewoon • openbaar
commonplace *zn* gemeenplaats • *bn* alledaags

commons *mv House of C~*, Lagerhuis
common sense gezond verstand
commonwealth gemenebest
commotion opschudding
communication communicatie
• mededeling • verbinding
communicative spraakzaam
communion gemeenschap]
• Avondmaal • Communie
communism communisme
community gemeenschap, gemeente
commute forenzen • verwisselen
commuter forens
compact compact, klein, beknopt
companion makker, kameraad
• metgezel
companionable kameraadschappelijk • gezellig
company gezelschap • bedrijf
comparative *bn* vergelijkend • *zn* vergrotende trap
compare vergelijken
comparison vergelijking
compartment afdeling, coupé
• vak
compass *zn* omvang • kompas
• *ww* omvatten
compassion medelijden, begrip
compassionate medelijdend, begripvol
compatible verenigbaar
compatriot landgenoot
compel dwingen
compendium samenvatting, beknopt handboek
compensation vergoeding
compere presentator
compete concurreren
• wedijveren • meedingen

competence, competency bevoegdheid, bekwaamheid
competent bevoegd, bekwaam
competition concurrentie, wedijver, wedstrijd
competitor concurrent
• mededinger • deelnemer
compilation compilatie
compile samenstellen, verzamelen
complacency (zelf)voldoening
complain klagen
complaint aanklacht, klacht
complaint book klachtenboek
complement aanvulling
• complement
complete *bn* volledig, voltallig, compleet • *ww* voltooien, aanvullen
completion voltooiing
complex *bn* ingewikkeld • *zn* woningcomplex • netwerk
complexion (gelaats)kleur, teint
complication verwikkeling
compliment compliment
comply ~ *with*, berusten in, zich voegen naar
component bestanddeel
compose samenstellen, vormen
• opstellen • componeren
• zetten (drukkerij)
composed bedaard, kalm
composer samensteller
• componist
composite samengesteld
composition samenstelling, compositie • opstel
compositor (letter)zetter
composure kalmte
compound *zn* omsloten terrein
• samenstelling • *ww*

samenstellen, verergeren • *bn* samengesteld
comprehend begrijpen
comprehensible begrijpelijk
comprehension begrip • realisatie
comprehensive veelomvattend, compleet • ~ *school*, (ongeveer) scholengemeenschap
compress *zn* kompres • *ww* samendrukken
comprise bevatten, samenvatten
compromise *zn* schikking • *ww* schikken • in opspraak brengen
compulsion dwang
compulsory dwingend • gedwongen, dwang-
compunction wroeging
compute berekenen
computer computer
comrade kameraad, makker
concave *bn* hol • *zn* holte
conceal verbergen, verzwijgen
concede toestaan, toegeven
conceit verwaandheid, verbeelding
conceited verwaand
conceivable denkbaar
conceive zich voorstellen, begrijpen • opvatten • zwanger worden
concentration concentratie • ~ *camp*, concentratiekamp
conception opvatting, conceptie
concern *zn* aangelegenheid • onderneming • belang • zorg • belangstelling • *ww* betreffen • raken • zich bekommeren *(about, for*, om)
concerned bezorgd • betrokken

concerning betreffende
concert concert
concerto concert (muziekstuk)
concession vergunning • concessie
conciliate verzoenen
concise beknopt, kort
conclude af-, besluiten
conclusion besluit, gevolgtrekking • slot • slotsom
conclusive afdoend
concord eendracht
concordant overeenstemmend
concourse toe-, samenloop
concrete *bn* concreet • vast • *zn* beton
concurrence samenkomst • medewerking • instemming
concurrent gelijktijdig, samenvallend
concussion hersenschudding
condemn veroordelen
condemnation veroordeling
condensation verdichting, condensatie
condescend zich verwaardigen
condescending neerbuigend
condition toestand • voorwaarde, conditie • rang, stand
conditional voorwaardelijk
condole condoleren
condolence condoleantie
condom condoom
conducive bevorderlijk
conduct *zn* gedrag • leiding • *ww* (ge)leiden
conductor conducteur • dirigent • bliksemafleider • geleidraad
conduit leiding • buis
cone kegel • sparappel • ijshoren
confection suikergoed

confectioner snoep- en chocoladeverkoper

confectioner's (shop) snoep- en chocoladewinkel

confederate *zn* bondgenoot • *bn* verbonden

confederation bondgenootschap • (staten)bond

confer verlenen • beraadslagen, confereren • *cf.* = confer, vergelijk, vgl.

conference conferentie

confess bekennen, biechten

confession bekentenis, biecht

confessional biechtstoel • biecht

confessor biechtvader • belijder

confide vertrouwen

confidence (zelf)vertrouwen

confidential vertrouwelijk • ~ *clerk*, procuratiehouder

confine *zn* grens • *ww* bepalen • opsluiten • grenzen

confinement begrenzing • arrest • bevalling

confirm bevestigen, bekrachtigen

confiscate beslag leggen

conflagration (zware) brand

conflict botsing, conflict

confluence samenvloeiing, toeloop

conform (zich) schikken (naar) • in overeenstemming brengen (met)

confound verwarren, beschamen

confounded verward, beschaamd

confront confronteren

confuse verwarren

confusion verwarring

congeal stollen, bevriezen

congelation bevriezing, stolling

congenial aangenaam

congenital aangeboren

congestion opstopping • verkeersopstopping

conglomeration opeenhoping

congratulate gelukwensen, feliciteren

congratulation gelukwens

congratulations! gefeliciteerd!

congregate vergaderen

congress congres

congruent overeenstemmend

conic(al) kegelvormig

conjoin samenvoegen

conjugal echtelijk

conjugation vervoeging

conjure bezweren • goochelen

conjurer tovenaar, goochelaar

connect verbinden

connection samenhang • verbinding (openbaar vervoer • telefoon) • familie(betrekking)

connive samenzweren • beramen

connoisseur (kunst)kenner

connotation (bij)betekenis

conquer veroveren

conqueror veroveraar • *sp* beslissende partij

conquest verovering

conscience geweten

conscientious nauwgezet

conscious bewust

consciousness bewustzijn

conscript dienstplichtige

consecrate toe-, inwijden, inzegenen

consecutive opeenvolgend • *gram* gevolgaanduidend

consecutively achtereenvolgens

consent *zn* toestemming • *ww*

toestemmen

consequence gevolg, gevolgtrekking • betekenis

consequent daaruit volgend

conservation bewaring • behoud

conservative conservatief, behoudend

conservatory broeikas • muziekschool

conserve conserveren

conserves *mv* conserven *mv*

consider overwegen, beschouwen

considerable aanzienlijk, erg

considerate attent

consideration overweging

consigment overdracht, consignatie

consignee geconsigneerde, geadresseerde

consignment note vrachtbrief

consist *(of)* bestaan (uit)

consistent consequent • verenigbaar

consolation troost

console troosten

consolidate bevestigen, consolideren

consonant medeklinker • ~ *with*, overeenstemmend met

consort *zn* gemaal • *ww* omgang hebben met

conspicuous in 't oog vallend, duidelijk

conspiracy samenzwering

conspirator samenzweerder

constable politieagent

constabulary politiekorps

constancy standvastigheid

constant standvastig

constellation constellatie

• sterrenbeeld

consternation ontsteltenis

constipation constipatie

constituent *zn* bestanddeel, kiezer • *bn* samenstellend

constitution gestel, gezondheid • constitutie • grondwet

constrain bedwingen • noodzaken

constrained (af)gedwongen

constraint dwang

constriction beperking, restrictie

construct bouwen

construction bouw, aanbouw • samenstelling, inrichting

consul consul

consulate consulaat

consult raadplegen

consultation consult

consultative, raadgevend

consulting hours spreekuur

consumable *bn* gebruiks-

consume verbruiken, consumeren • verteren

consumer verbruiker, afnemer, consument

consummate *bn* volmaakt • *ww* voltooien

consumption consumptie, verbruik

contact *zn* aanraking, contact • *ww* zich in verbinding stellen met

contact-breaker points contactpunten

contact lenses contactlenzen

contagious besmettelijk

contain bevatten • bedwingen

container houder, reservoir • container

contaminate besmetten

• bederven
contemplate overwegen
• overpeinzen • beschouwen
contemporary *zn* tijdgenoot • *bn* modern • gelijktijdig
contempt verachting
contemptible verachtelijk
contend twisten
content *bn* tevreden • *ww* tevreden stellen
contented tevreden, vergenoegd
contention twist, strijd
contentment tevredenheid
contents inhoud
contest *zn* wedstrijd • *ww* bestrijden
contestable betwistbaar
context verband
contiguous aangrenzend
continent vasteland • continent
continental vastelands-
• continentaal
contingent *zn* contingent
• vertegenwoordiging • *bn* afhankelijk
continual aanhoudend, gestadig, voortdurend
continuation voortzetting, vervolg
continue blijven, voortzetten, vervolgen, voortduren
continuous doorlopend
• voortdurend • ~ *industry*, continubedrijf
contortion verdraaiing
contour omtrek
contraceptive voorbehoedsmiddel
contraceptive pill anticonceptiepil
contract *zn* verdrag, contract

• *ww* samentrekken • aangaan, sluiten
contractor aannemer
contradict tegenspreken
contradictory tegenstrijdig
contrary *bn* tegengesteld, strijdig
• *zn* tegendeel
contrast tegenstelling
contribute bijdragen
contrite berouwvol
contrivance vinding, verzinsel
• list
control *zn* controle • toezicht
• bestuur • bedwang • *ww* beheersen • leiden, besturen
• controleren
controller beheerder, toeziener
control tower verkeerstoren
controversy strijdpunt • dispuut
contusion kneuzing
convalescence herstel
convalescent herstellend(e)
convene samenroepen, -komen
convenient gelegen, gemakkelijk
convent klooster
convention bijeenkomst, overeenkomst, conventie
conversation conversatie
converse converseren, zich onderhouden
conversion bekering • conversie
• omzetting
convert *zn* bekeerling • *ww* bekeren
convertible auto met vouwdak
convex bol
convey vervoeren • overbrengen, uiten
conveyor lopende band
convict gevangene
conviction veroordeling,

overtuiging
convince overtuigen
convivial vrolijk, gezellig
convocation bijeenroeping
convoke bijeenroepen
convoy *zn* konvooi • *ww* (be)geleiden, konvooieren
convulsion stuip(trekking)
cook *zn* kok • *ww* koken (eten)
cooked gekookt
cookery book kookboek
cookie *Amer* koekje
cool *bn* koel • fris • onverschillig • brutaal • *ww* ~ *(down)*, be-, verkoelen
coolant koelvloeistof
coolant duct koelwaterleiding
coolant pump waterpomp
cooled gekoeld
coolness koelheid, koelte
co-operation samenwerking
cop smeris
cope ~ *with*, 't hoofd bieden • aankunnen
copious overvloedig
copper koper • kopergeld • *gemeenz* politieagent
copperplate kopergravure
copse kreupelhout
copulation paring
copy kopie • exemplaar
copyright auteursrecht • (in boek) nadruk verboden
coquettish koket
coral koraal
cord koord, snoer, touw
cordial hartelijk
cordiality hartelijkheid
cordon *mil* kordon
core binnenste, kern • klokhuis
cork kurk

corkscrew kurkentrekker
corn koren • graan • *Amer* maïs • eksteroog, likdoorn
corner hoek • hoekschop
corner seat hoekplaats
cornet horen • kornet
cornflower korenbloem
corn poppy klaproos
coronation kroning
coroner lijkschouwer
corporal *zn* korporaal • *bn* lichamelijk
corporation genootschap, vereniging
corps korps
corpse lijk
corpulent gezet, zwaarlijvig
correct *ww* verbeteren • *bn* precies, juist
correction verbetering, terechtwijzing
correspond corresponderen • overeenkomen • aansluiten (treinen)
correspondence overeenkomst • briefwisseling
correspondence course schriftelijke cursus
corridor gang (in huis, hotel)
corroborate versterken • bekrachtigen
corrode invreten, verroesten
corrosive invretend
corrupt *bn* be-, verdorven • *ww* bederven, omkopen
corruptible omkoopbaar • bederfelijk
corruption corruptie, omkoping
cosmetic schoonheidsmiddel, cosmetisch
cosmetics cosmetica

cosmopolitan kosmopolitisch

cost *zn* prijs • kosten *mv*, uitgave • *at my ~*, op mijn kosten • *to my ~*, tot mijn schade • *ww* **(cost; cost)** kosten

costly kostbaar, duur

costume klederdracht • kostuum

cosy *bn* gezellig, behaaglijk • *zn* theemuts

cot kinderbed • vouwbedje

cottage zomerhuisje

cotton katoen

cotton wool watten

couch sofa • ligbank

cough *zn* hoest • *ww* hoesten

cough mixture hoestdrank

could zie *can*

council raad • beraadslaging

counsel raad, overleg • adviseur, advocaat

counsellor raadgever, raadsman

count *zn* graaf • *ww* tellen, rekenen

countenance gelaat • voorkomen, steun • *ww* steunen, aanmoedigen

counter *zn* fiche • teller • toonbank, balie • *ww* weerleggen, tegenspreken

counteract tegenwerken • neutraliseren

counterbalance opwegen tegen

counterfeit *ww* namaken, vervalsen • *bn* nagemaakt, vals

countermand herroepen

counter-move tegenzet

counterpane beddensprei

counterpart tegenhanger • equivalent

counting rekenen

countless talloos

country land • platteland

countryhouse landhuis, villa

country life landleven

country map landkaart

country road landweg

country-seat buitenplaats, landgoed

countryside platteland

county graafschap

couple paar, koppel, echtpaar

courage durf (moed)

courageous moedig

courier renbode, koerier

course loop, ren • wedloop • koers • cursus • gang (van maaltijd) • *in due ~*, te zijner tijd

court hof, rechtbank • (binnen)plaats • *~ of arbitration*, scheidsgerecht

courteous beleefd, hoffelijk

courtesy hoffelijkheid

court-martial krijgsraad

courtship hofmakerij

courtyard binnenplaats

cousin neef, nicht (kind v. oom of tante)

cove inham, baai

covenant verdrag • overeenkomst, akte

cover *zn* deksel • bedekking • schuilplaats • (boek) omslag • (tafel) couvert • stolp • *fig* dekmantel • *ww* (be)dekken

covert heimelijk, verborgen

covetous begerig, hebzuchtig

cow *zn* koe • *ww* bang maken, intimideren

coward lafaard

cowardice laf(hartig)heid

cowardly laf, lafhartig

coy preuts
crab krab
crack zn krak, barst • kraan, piet • bn chic, best, keur- • ww kraken, barsten
cradle wieg • spalk
craft handwerk, ambacht • kunst, list • vaartuig
craftiness listigheid
craftsman (geschoold) arbeider, vakman
crafty listig • sluw
cram volstoppen
cramp kramp • kram
cranberry veenbes
crane kraanvogel • hefkraan
crank zwengel, handvat, kruk
crank-axle trapas
crankshaft krukas
crape krip, floers
crash botsing • geraas, gekraak • neerstorten • bankroet • krach
crash helmet valhelm
crass grof, lomp
crate krat • kist (vliegmachine)
crater krater
crave smeken • hunkeren
crawfish rivierkreeft
crawl ww kruipen, sluipen • sp crawlen
crayon (teken)krijt • pasteltekening
crazy krankzinnig
creak kraken
cream room
creamery zuivelfabriek
crease zn kreuk, plooi • ww kreuken, plooien
crease-resisting kreukvrij
create scheppen
creation schepping

creator schepper
creature schepsel
crèche crèche
credence geloof, geloofwaardigheid
credential kwalificatie • geloofsbrief
credible geloofwaardig
credit zn goede naam • krediet • ww geloven • crediteren
credit card creditcard
creditor crediteur
credulous lichtgelovig
creed geloof, belijdenis
creek kreek • riviertje
creep (crept; crept) kruipen
creepy griezelig
cremate cremeren
cremation crematie
crept zie creep
crescent halve maan
cress tuinkers
crest kam, kuif, top
crestfallen teneergeslagen
crevice spleet, scheur
crew bemanning • ploeg
crib krib • kinderbedje
cricket krekel • sp cricket
cricketer cricketspeler
crime misdaad
criminal misdadiger • bn misdadig
cringe ineenkrimpen
cripple kreupel, verminkt
crisis keerpunt • crisis
crisp bn krakend • bros • fris • pittig • kroezend • ww krullen
crisps chips
critic beoordelaar, criticus
critical hachelijk, kritiek

criticism kritiek
criticize beoordelen, kritiseren, hekelen
crochet-work haakwerk
crock *fig* wrak
crockery aardewerk
crocodile krokodil
crook kromming, bocht
• oplichter
crooked krom, gebogen
• verkeerd, slinks
crop oogst • krop • *ww* plukken, oogsten • afknippen
cross *zn* kruis • *bn* dwars, verkeerd • slecht gehumeurd
• ~ *with,* boos op • *ww* oversteken, kruisen, tegenwerken, dwarsbomen
cross-country *(sp)* veldloop
cross-country bicycle crossfiets
cross-country skiing langlaufen
cross-examination kruisverhoor
crossing overweg
• oversteekplaats, kruising
• overtocht
crossroad zijweg
crouch bukken, kruipen
crow *zn* kraai • gekraai • *ww* kraaien
crowbar koevoet, breekijzer
crowd gedrang, menigte
crown kroon • kruin
crucial kritiek
crucible smeltkroes • vuurproef
crucifix kruisbeeld, crucifix
crucify kruisigen
crude rauw, ruw, grof • onrijp
cruel wreed
cruelty wreedheid
cruet set olie- en azijnstelletje
cruise *zn* pleziervaart • *ww*

kruisen
cruiser kruiser
cruising speed kruissnelheid
crumb kruimel
crumple verkreukelen
crunch kraken, knarsen
crusade kruistocht
crusader kruisvaarder
crush *zn* verplettering • *ww* verpletteren, vermorzelen
crush-room koffiekamer
crust korst
crutch kruk • *fig* steun
cry *zn* (ge)roep, (ge)schreeuw
• kreet • *ww* (**cried; cried**) schreeuwen, huilen, roepen
crystal kristal
cub jong, welp
cube *zn* kubus • klontje (suiker)
• bouillonblokje • *bn* kubiek
cubic kubieke
cuckoo koekoek
cucumber komkommer
cuddle knuffelen
cudgel knuppel
cue wachtwoord • vingerwijzing
• keu
cuff *zn* manchet • oorvijg • *ww* slaan, kloppen
culinary van de keuken, kook-
culmination hoogtepunt, culminatie
culpable schuldig, misdadig
culprit schuldige
cult cultus, eredienst
cultivate (be)bouwen, aankweken, beschaven
cultivation bebouwing
• beschaving, cultuur
• aankweking
culture akkerbouw • beschaving,

cultuur
cumbersome hinderlijk
cumulative opeenhopend
cunning handig, listig, sluw
cunt kut
cup kopje, beker, kelk
cup and saucer kop-en-schotel
cupboard kast
cupola koepel (dak)
curable geneeslijk
curate hulpprediker • kapelaan
curator curator
curb toom • stoeprand
curdle stremmen (melk)
cure *zn* genezing
 • predikantsplaats • *ww*
 genezen
cured genezen
curios curiosa
curiosity nieuwsgierigheid
 • curiositeit
curious nieuwsgierig • curieus,
 zeldzaam
curl *zn* krul, kronkeling • *ww*
 krullen, kronkelen
curlers krulspelden
curls krullen
curly krul-, kroes-
currant aalbes • krent
currency koers, omloop,
 circulatie, valuta • deviezen *mv*
 • gangbaar geld
current actueel, gangbaar,
 courant • *zn* stroming, stroom,
 loop • *alternating* ~,
 wisselstroom • *continuous
 (direct)* ~, gelijkstroom
 • huidige
curry kerrie
curse *zn* vloek • *ww* vervloeken
cursory vluchtig

curt kort, kortaf
curtail beknotten, korten
curtain gordijn, scherm
curtsy buiging, révérence
curve *zn* bocht, kromming, *ww*
 buigen, krommen
cushion kussen • biljartband
custard vla
custodian bewaarder
custody bewaring, bewaking,
 hoede • hechtenis
custom gewoonte, usance,
 gebruik • ~s, douane
customer klant
custom-house douanekantoor
Customs douane
customs examination
 douanecontrole
customs office douanekantoor
customs officer douanebeambte
cut *zn* snede, houw • snit • *ww*
 (cut; cut) snijden, afnemen
 • knippen • couperen • *(fig)*
 negeren • ~ *down*, besnoeien
 • ~ *off*, afsnijden, -slaan, -
 breken, -sluiten • ~ *oneself*, zich
 snijden
cut-away (coat) jacquet
cute *gemeenz Amer* lief, schattig
cutlery bestek (mes, vork)
cutlet karbonade
cut-out uitschakelaar • vrije
 uitlaat • uitknipsel
cutter coupeur • kotter
cut-throat *bn* moorddadig
cutting krantenknipsel
cwt. = *hundredweight*, centenaar
cyber café internetcafé
cycle *zn* rijwiel, fiets • kringloop
 • *ww* fietsen • fietsen
cycle track fietspad

cycling-tour fietstocht
cycling-track fietspad
cyclist wielrijder, fietser
cyclopaedia encyclopedie
cylinder cilinder
cynic(al) cynisch

D

dab *zn* por • tikje • *ww* betten
dabbler beunhaas
dad, daddy pa, pappie
daffodil gele narcis
dagger dolk, kruisje (†)
daily dagblad • *bn* dagelijks
dainty lekker • (kies)keurig • fijn,
aardig, sierlijk
dairy melkerij, melkslijterij
dairy-fresh roomboter
dairy-produce zuivel
daisy madeliefje
dally stoeien • dartelen
dam dam, dijk
damage *zn* schade, beschadiging
• *ww* beschadigen, havenen
damaged beschadigd
damask damast
damn vloeken, verdoemen
damp *zn* nevel • vochtigheid • *bn*
vochtig
damp-proof bestand tegen vocht
damsel deerntje • juffertje
damson damastpruim
dance *zn* dans • *ww* dansen
dance hall dancing
dancer danser, danseres
dancing het dansen, gedans
dandelion paardebloem

dandruff roos (haar)
danger gevaar
dangerous gevaarlijk
dangle bengelen
Danish Deens
Danube Donau
dare durven • tarten
dare-devil waaghals
daring gedurfd
dark duister, donker • donker
darken verdonkeren,
verduisteren • donker worden
darkness duisternis
darling lieveling
darn stoppen • ~ *it*, verdorie
darned verdomd
dash *zn* slag • *fig* zwier, elan
• golfslag • *ww* slaan, botsen,
kletsen
dashboard dashboard
dashing onstuimig • kranig
• zwierig
data gegevens
date *zn* dagtekening • datum
• afspraakje • dadel
• dadelpalm • *ww* dagtekenen
date of birth geboortedatum
daub *zn* smeer • *ww* besmeren,
kladschilderen
daughter dochter
daughter-in-law schoondochter
dauntless onverschrokken
dawdle treuzelen, talmen
dawn *zn* dageraad • *ww* licht
worden • duidelijk worden
day dag
day-break dageraad
daylight daglicht
day nursery crèche
day ticket dagkaart
daytime (in the) overdag

daze verdoven • doen duizelen
dazzle verblinden • verbijsteren • ~ *lamp*, schijnwerper (v. auto)
dead dood • doods
dead-beat doodop
deaden (ver)doven, dempen
dead heat *sp* gelijk op
deadlock impasse
deadly dodelijk
deaf doof • ~ *and dumb*, doofstom
deal (dealt; dealt) *ww* ronddelen • handelen • geven (speelkaarten) • *zn* hoeveelheid, transactie • *the New Deal, Amer)* de nieuwe ordening van de maatschappij
dealer handelaar • gever (van kaarten) • dealer
dear lief, dierbaar, duur • *oh~!*, o jé!, o, hemel!
death dood
death penalty doodstraf
death taxes successierechten
debase verlagen • vernederen
debate *zn* debat • *ww* debatteren, betwisten
debauch *ww* verleiden, verderven • *zn* uitspatting
debilitate verzwakken
debility zwakte
debit *zn* debet • *ww* debiteren
debouch (into) uitmonden in
debt schuld (geld)
debtor debiteur, schuldenaar
début debuut
decade tiental jaren, decennium
decanter karaf
decapitate onthoofden
decay *zn* verval • *ww* vervallen • achteruitgaan

decease *zn ww* overlijden
deceit bedrog, misleiding
deceitful bedrieglijk
deceive bedriegen, misleiden
December december
decency fatsoen
decennial tienjarig
decent behoorlijk, fatsoenlijk
deception bedrog, misleiding
decide beslissen
decimetre decimeter
decision beslissing, besluit
decisive beslissend
deck dek
deckchair ligstoel
declaim opzeggen, voordragen
declaration verklaring • bekendmaking • aangifte
declare aangeven (douane) • verklaren • ~ *off*, afgelasten
declination afwijking
decline *zn* verval • *ww* vervallen • afwijzen, weigeren • *gram* verbuigen
declivity helling
decoct afkoken
decompose ontbinden
decorate versieren
decoration versiering • ridderorde
decorum welvoeglijkheid, decorum
decoy *ww* lokken • *zn* lokaas • lokvogel
decrease *zn* vermindering • *ww* verminderen, afnemen
decree *zn* decreet, gebod • *ww* verordenen
decrepit afgeleefd
dedicate wijden
dedication wijding, opdracht

deduce afleiden
deduct aftrekken
deduction aftrekking • korting
deed daad • akte
deem oordelen, achten
deep donker (kleur) • diep
• diepzinnig
deepen verdiepen
deep-rooted ingeworteld
deer (*mv* deer) hert
defamation smaad, laster
default gebrek, fout
defeat *zn* nederlaag • *ww*
verslaan
defect gebrek, defect
defective defect, gebrekkig
defence verdediging,
verweerschrift • *–s*,
verdedigingswerken *mv*
defend verdedigen
defendant gedaagde
defensive defensief
• verdedigend
defer uitstellen, dralen
deference eerbied, achting
defiance uitdaging, tarting
deficiency gebrek, tekortkoming
• defect, deficit
deficient gebrekkig
defile *zn* bergkloof, engte • *ww*
onteren
define bepalen • definiëren
definite bepaald
definition bepaling, definitie
definitive beslissend, definitief
deformity mismaaktheid
defraud bedriegen
defray bekostigen
deft handig, vaardig
defunct niet meer bestaand/
actief

defy (defied; defied) trotseren
• uitdagen
deg. = degree(s), graad, graden
degenerate *bn* ontaard • *ww*
ontaarden
degeneration ontaarding
degradation degradatie,
verlaging • ontaarding
degree graad • rang, stand
deign zich verwaardigen
deity godheid
dejected neerslachtig
delay *zn* oponthoud • uitstel,
vertraging • *ww* uitstellen
delectable verrukkelijk, genotvol
delegate gemachtigde,
afgevaardigde
delegation afvaardiging
deleterious schadelijk
Delftware Delfts aardewerk
deliberate *bn* opzettelijk
• weloverwogen • *ww*
beraadslagen
deliberation overleg, beraad,
beraadslaging
delicacy kiesheid • lekkernij
delicate fijn, teer • kies • lekker
delicatessen delicatessen
delicious heerlijk
delight *zn* lust, genot • genoegen
• *ww* verheugen, bekoren
delightful heerlijk, verrukkelijk
delimitation afbakening
delinquent delinquent, schuldige
delirious ijlend • dol
deliver bevrijden, verlossen
• overhandigen, af-,
overleveren
deliverance verlossing
• bevrijding, redding
• uitspraak

delivery (af)levering • verlossing • bevalling
delivery van bestelwagen
delude misleiden
deluge zondvloed • overstroming
delusion waan • dwaling
demand *zn* vraag • eis • *in ~,* gezocht (v. waren) • *ww* vragen, eisen
demarcation afbakening
demeanour houding, gedrag
demented krankzinnig
demerit fout, gebrek
demise overdracht • overlijden
demission afstand • ontslag
demobbed *gemeenz* gedemobiliseerd
democracy democratie
democratic(al) democratisch
demolish afbreken, slopen
demolition afbraak, sloop
demon boze geest, duivel
demonstrate aantonen • betogen
demonstration bewijs • demonstratie • betoog
demonstrator betoger
demur aarzelen, weifelen
demure(ly) stemmig, zedig
den hol • (studie)kamer
denial ontkenning, (ver)loochening, weigering
denim spijkerstof
denizen bewoner
Denmark Denemarken
denominate (be)noemen, betitelen
denominator noemer
denote aanduiden, aanwijzen
denounce aangeven • aanklagen • veroordelen • wraken
denouncement aanklacht

dense dicht • stompzinnig
density dichtheid
dent deuk
dental tand-, tanden-
dentifrice tandpasta
dentist tandarts
dentures kunstgebit
denude ontbossen • ontnemen
denunciate aanklagen • aan de kaak stellen
denunciation aangifte • afkeuring
deny (**denied**; **denied**) ontkennen, loochenen • ontzeggen
deodorant deodorant
depart vertrekken
department werkkring, afdeling, departement • *~store,* warenhuis
departure vertrek • vertrek
depend afhangen • steunen
dependence afhankelijkheid
dependencies bijgebouwen *mv*
dependent afhankelijk
depict afbeelden
deplorable betreurenswaardig
deplore betreuren, beklagen
depose afzetten, deponeren • getuigenis afleggen
deposit *zn* storting • deposito • pand • borgsom • neerslag • *ww* in bewaring geven • storten
depot depot • (tram) remise
depravation bederf, verdorvenheid
depravity verdorvenheid
deprecate waarschuwen voor
depress (neer)drukken, neerslachtig maken

depression drukking
• neerslachtigheid • depressie
• malaise

deprivation beroving • ontzetting
(uit ambt) • verlies • gebrek

depth diepte • diepzinnigheid

deputation afvaardiging

deputy afgevaardigde,
plaatsvervanger

derail ontsporen

derailleur gear derailleur

derange storen, verwarren

derby derby

derelict verlaten, onbeheerd (v.
schepen)

dereliction verlating,
(plichts)verzuim

derision bespotting

derisory bespottelijk, spot-

derive afleiden (uit) • afstammen
(van)

derogatory benadelend
• vernederend

derrick (hef)kraan • boortoren

descend afdalen, neerkomen
• afstammen

descendant afstammeling

descent (af)daling • afstamming

describe omschrijven

description beschrijving

desecrate ontwijden, onteren

desert *bn* woest, onbewoond • *zn*
woestijn • *ww* verlaten,
deserteren

deserter deserteur

deserve verdienen

design *zn* plan, bedoeling • *ww*
schetsen, ontwerpen
• voorhebben • bestemmen

designation aanduiding,
bestemming

desirable begeerlijk, wenselijk

desire *zn* begeerte, wens • *ww*
verlangen, begeren

desirous begerig

desist afzien, ophouden

desk bureau • balie

desolate verlaten • naargeestig

desolation verwoesting,
verlatenheid, troosteloosheid

despair *zn* wanhoop • *ww*
wanhopen

desperate wanhopig, radeloos

despicable verachtelijk

despise verachten

despite ondanks

despoil beroven, vernielen

dessert nagerecht, dessert

destination bestemming

destiny bestemming, noodlot

destitute hulpbehoevend,
verstoken

destroy vernielen, vernietigen

destroyer torpedojager

destruction vernieling,
vernietiging

desultory onsamenhangend
• vluchtig

detach losmaken • detacheren

detachment losmaking,
onverschilligheid
• detachement

detail detail

details gegevens

detain ophouden, gevangen
houden • aanhouden

detect ontdekken, betrappen

detective detective, rechercheur

detention gevangenhouding

detergent schoonmaakmiddel,
(af)wasmiddel

deteriorate verergeren,

achteruitgaan
determinate bepaald, vast
determinated vastbesloten, resoluut
determination bepaling • besluit
determine bepalen, besluiten • eindigen
detest verfoeien, verafschuwen
detestable verfoeilijk
detonate ontploffen
detonation ontploffing, knal
detour omweg
detract (from) afbreuk doen (aan) • verkleinen
detraction afbrekende kritiek • kleinering, kwaadsprekerij
detriment schade, nadeel
detrition afslijting
deuce twee (op dobbelstenen en speelkaarten) • 40 gelijk (tennis)
devaluation devaluatie
devastation verwoesting
develop ontwikkelen
developer ontwikkelaar
development ontwikkeling • ~ *(developing) aid*, ontwikkelingshulp
deviate afwijken
device apparaat • uitvinding • oogmerk • list
devil duivel
devious afwijkend
devise verzinnen, uitdenken • aanstichten • legateren
devoid of verstoken van
devolve overdragen, doen overgaan • te beurt vallen
devote wijden, toewijden
devotion toewijding, godsvrucht, vroomheid

devour verslinden
devout diep religieus
dew dauw
dexterity behendigheid, handigheid
dexterous rechts • behendig
diabetes suikerziekte
diabetic suikerpatiënt
diabolic(al) duivels
diagnosis diagnose
dial *zn* zonnewijzer • wijzerplaat • *tel* nummerschijf • *ww* een nummer draaien, opbellen • *~ling tone*, zoemertoon
dialect tongval, dialect
dialling code netnummer
dialogue dialoog, tweegesprek
diameter middellijn
diamond diamant
diaper luier
diaphanous doorschijnend
diaphragm middenrif
diarrhoea diarree
diarrhoea (something for) stopmiddel
diary agenda • dagboek
dice *zn* dobbelstenen *mv* • *ww* dobbelen
dick lul, pik • politieagent, smeris
dictate voorzeggen • dicteren
dictation dictee, dictaat
diction uitspraak
dictionary woordenboek
did zie *do*
didactic didactisch, leer-
die (died; died) sterven, overlijden
diesel oil dieselolie
diet dieet
dietary food dieetvoeding

differ verschillen
difference verschil
different verschillend
differentiate onderscheiden
difficult lastig, moeilijk
difficulties moeilijkheden
difficulty moeilijkheid
diffident bedeesd
diffuse verspreiden • verstrooien
dig (dug; dug) *ww* graven • *zn*
  por, duw • *gemeenz* ~s, kamer,
  woning
digest verteren • systematiseren
  • *zn* overzicht
digestion spijsvertering
digit vingerbreedte • cijfer
  beneden tien
dignified waardig, deftig
dignity waardigheid
dike *zn* sloot • dijk • *ww* indijken
dilapidation verwaarlozing
  • verval
dilatation uitzetting
dilate uitbreiden, uitzetten
diligence ijver, vlijt
diligent ijverig, vlijtig
dilute *ww* verdunnen • *bn*
  verdund
dim *bn* duister, schemerig • vaag
  • dof • dom • *ww* verduisteren,
  dimmen
dime *Amer* munt van tien
  dollarcent
dimension afmeting • omvang
  • dimensie
diminish verminderen
diminution vermindering
diminutive verkleinwoord
dimmed headlight dimlicht
dimness duisterheid, dofheid
dimple (wang)kuiltje

din geraas, lawaai
dine eten, dineren
dining car restauratierijtuig
dining room eetzaal
dinner *Br* middagmaal • diner
  • *have* ~, dineren
dinner jacket smoking
dinner set eetservies
dinosaur dinosaurus
dip indopen
diphtheria difterie, difteritis
diplomat diplomaat
dire akelig, ijselijk
direct *bn* rechtstreeks • *ww*
  richten, besturen
direct flight non-stopvlucht
direction kant (richting) • directie
  • bewind, bestuur, beheer
  • adres (van brief)
directions (for use)
  gebruiksaanwijzing
director directeur • bestuurder
  • commissaris • directeur
directory adresboek
dirigible bestuurbaar
dirt slijk, vuil
dirty vuil, smerig
disable onbekwaam-,
  onschadelijk maken • buiten
  gevecht stellen • onttakelen
  (schip)
disabled invalide, verminkt
  • ontredderd • stuk
disabled person invalide
  (persoon)
disadvantage nadeel
disagree verschillen, het oneens
  zijn
disagreeable onaangenaam
disagreement meningsverschil
disappear verdwijnen

disappeared verdwenen
disappoint teleurstellen
disappointment teleurstelling
disapprobation, disapproval afkeuring
disapprove afkeuren
disarm ontwapenen
disaster ramp, onheil
disavow ontkennen, (ver)loochenen
disavowal ontkenning, (ver)loochening
disband uiteengaan • afdanken
disbelief ongeloof
disburden ontlasten
disc zie *disk*
discard wegleggen • afdanken
disc brake trommelrem
discern onderscheiden
discernment onderscheidingsvermogen, doorzicht
discharge zn ontslag
• kwijtschelding • losbranding
• aflossing • ontlading • etter
• ontlasting • ww ontslaan, ontheffen • afschieten
• kwijtschelden • vrijspreken
disciple leerling
discipline zn (krijgs)tucht, discipline • ww tuchtigen
disclaim ontkennen, afwijzen
disclose openbaren, onthullen
disco disco
discolour verkleuren
discomfit uit 't veld slaan
• verijdelen
discomfort ongemak • leed
disconcert van zijn stuk brengen
disconnect losmaken • ontbinden
discontent zn misnoegen,

ontevredenheid • bn misnoegd
discontinue staken, intrekken
• opzeggen (abonnement)
discord tweedracht, verdeeldheid
discordant onenig
• onharmonisch
discotheque disco(theek)
discount zn disconto, korting
• ww (ver)disconteren
discourage ontmoedigen, afschrikken
discourse redevoering • preek
discourtesy onbeleefdheid
discover ontdekken
discovery ontdekking
discredit zn slechte naam • ww niet geloven
discreet voorzichtig, tactvol
discretion voorzichtigheid, tact
• oordeel
discriminate onderscheiden
discuss bespreken
discussion discussie
disdain minachten, versmaden
disdainful minachtend
disease ziekte, kwaal
diseased ziek
disembarkation ontscheping, landing
disembarrass bevrijden, ontlasten • ontwarren
disembroil ontwarren
disengage los-, vrijmaken
disentangle ontwarren
disfavour ongenade
disfigure mismaken, schenden, verminken
disgrace ongenade • schande
• schandvlek
disgraceful schandelijk

disguise zn vermomming • ww vermommen • verbloemen

disgust walging • afkeer • *be ~ed at*, walgen van

dish zn schotel, schaal, gerecht • ww opdissen • gerecht

dishcloth vaatdoek

dishearten ontmoedigen

dishonest oneerlijk

dishonour zn oneer • ww onteren • niet betalen (wissel)

dishwasher afwasmachine

disillusion ontgoocheling

disinclination tegenzin

disinclined ongenegen, afkerig

disinfect ontsmetten

disinherit onterven

disintegrate ontbinden

disinterested belangeloos

disjoin afscheiden

disk discus • schijf • plaat • (floppy) disk

dislike zn afkeer, tegenzin • ww 'n hekel hebben aan

dislocate ontwrichten

disloyal ontrouw

dismal akelig, triest

dismantle ontmantelen, demonteren

dismay verslagenheid • ontsteltenis

dismiss wegzenden • inrukken • ontslaan • zich afzetten

dismissal, dismission ontslag

dismount afstijgen

disobedient ongehoorzaam

disobey ongehoorzaam zijn

disorder zn wanorde • kwaal • ww verwarren

disorderly wan-, onordelijk

disorganize desorganiseren

• ontwrichten

disown verloochenen

disparage kleineren

dispassionate bedaard, koel

dispatch ww (met spoed) verzenden, afhandelen • zn (spoed-)bericht

dispel ver-, uiteendrijven

dispensary apotheek

dispensation ontheffing

dispense uitdelen, ontheffen van

dispensing chemist apotheker

disperse verstrooien

displace verplaatsen

displaced person ontheemde

display zn vertoning • ww vertonen, etaleren • ten toon spreiden

displeasure misnoegen, ontstemming

disposal beschikking

dispose schikken, regelen • *~ of*, beschikken over • zich ontdoen van

disposed geneigd, gestemd

disposition (rang)schikking • plaatsing • regeling • aard • gezindheid

dispossession onteigening

disproportion wanverhouding

dispute redetwist, geschil • ww redetwisten • betwisten

disqualify onbekwaam maken • uitsluiten, diskwalificeren

disquiet verontrusten

disregard ww veronachtzamen • zn geringschatting

disreputable berucht

disrupt uitéénrukken, vanéénscheuren

dissatisfaction ontevredenheid

dissect ontleden
dissemble verhelen, (ont)veinzen
disseminate uitstrooien
• verspreiden
dissension verdeeldheid
dissenter afgescheidene
dissertation verhandeling
dissimilar ongelijk
dissimulation veinzerij
dissipate verstrooien, verkwisten
dissipation verkwisting,
verspilling
dissoluble oplosbaar
dissolute los(bandig), liederlijk
dissolution ontbinding,
oplossing
dissolve oplossen, ontbinden
dissonance wanklank
dissuade afraden, ontraden
distance afstand
distant afgelegen • ver
distasteful onaangenaam
distil afdruipen • distilleren
distinct onderscheiden,
afgezonderd • duidelijk
distinction onderscheid
• onderscheiding • aanzien
• gedistingeerdheid
distinguish onderscheiden
distinguished aanzienlijk
distort vervormen
distract afleiden (de aandacht)
distraction afleiding
distress nood, ellende
distribution uitdeling, distributie
distributor distributeur
• stroomverdeler
distributor cables verdelerkabels
district wijk, district • ~ _nurse_,
wijkverpleegster
distrust wantrouwen

distrustful wantrouwig
disturb storen, verstoren
disturbance verstoring, stoornis
disuse onbruik
ditch sloot, greppel
divan divan
dive duiken • zich verdiepen in
• _zn Amer_ kroegje
diver duiker
diverge uiteenlopen, afwijken
divergent afwijkend
diverse verscheidene
diversion omlegging (weg),
afleiding, vermaak
divert afwenden, afleiden,
vermaken
divide delen, scheiden
dividend deeltal • dividend
• uitkering (bedrijf)
divine goddelijk • _ww_ raden,
voorspellen
diving equipment duikuitrusting
diving goggles duikbril
divining rod wichelroede
divisible deelbaar
division verdeling • afdeling,
divisie
divisor deler
divorce _zn_ echtscheiding • _ww_
(zich laten) scheiden
divorced gescheiden
divulge openbaren, onthullen
dizzy duizelig
do (did; done) doen, verrichten
• ~_away with_, verwijderen,
wegdoen • ~ _come!_, kom toch!
docile volgzaam
dock dok • haven
• beklaagdenbankje
docker dokwerker
dockyard scheepswerf

doctor arts, doctor, dokter
doctrine leer, leerstelsel
document stuk • document
dodge ontwijken, ontduiken
doe hinde • wijfje
dog hond • mannetje
dogged koppig • onhandelbaar
doggish honds
dog-kennel hondenhok
dogma dogma, leerstuk
doings daden, activiteiten
dole werklozenuitkering
• aalmoes • *be on the ~*, steun trekken
doleful droevig
do-little nietsdoener, leegloper
doll pop (speelgoed)
dollar dollar
dolorous pijnlijk, smartelijk
dolphin dolfijn
dome koepel • gewelf
domestic huiselijk, huishoudelijk
• *~ animal*, huisdier • *~ science school*, huishoudschool
domicile woonplaats
dominate overheersen
dominion heerschappij • *the ~s*, Britse gebiedsdelen met zelfbestuur
donation gift, schenking
done gedaan • gaar • *~for*, naar de bliksem • *~ in*, erbij • *~ up*, doodop • zie ook *do*
donkey ezel
donor gever, schenker • donor
don't, do not doe (het) niet, laat het
doom vonnis • (nood)lot
door deur
door handle deurkruk
doorkeeper portier

door lock portierslot
doorplate naambordje
doorway ingang, portaal
• deuropening
dope *zn* drank • verdovend middel • sukkel • *ww* met een opwekkend middel behandelen
dormitory slaapzaal
dose dosis
dot stip, punt
dotage kindsheid
doting liefdevol
dotted line stippellijn
double *zn* duplicaat
• dubbelganger • *bn* dubbel
• *ww* verdubbelen • vouwen
• *(kaartsp)* doubleren
double bed tweepersoonsbed
double-cross dubbel spel spelen
double entry dubbel boekhouden
double room tweepersoonskamer
doubt *zn* twijfel • *ww* twijfelen
doubtful twijfelachtig
doubtless ongetwijfeld
dough deeg • *gemeenz* geld
doughnut donut
dove duif
down *zn* dons • duin • *bijw* beneden, neder
downcast neerslachtig
downfall (regen)bui • val
• ondergang • instorting
downhearted ontmoedigd, gedrukt
downhill (go) bergaf (gaan)
downpour stortbui
downstairs (naar) beneden
• beneden

downtown *zn* binnenstad; *bn* in de (binnen)stad
downward naar beneden
downy donzig, donsachtig
dowry bruidsschat
doze dutten
dozen dozijn
dozy slaperig
Dr. = 1 *doctor* • 2 *debtor*
drab vaal • saai
draft ontwerp, concept • lichting • traite • *ww* ontwerpen, opstellen
drag *zn* dreg • *ww* slepen
dragon draak
drain *zn* afvoerbuis • *ww* afwateren, droogleggen
dramatist toneelschrijver
drank zie **drink**
draper manufacturier
drapery manufacturen *mv* • draperie
drastic krachtig, radicaal
draught slok, teug • trek, haal, schets • wissel • tocht • diepgang (van schip) • *there is a* ~, het tocht
draught(s)man damschijf
draughts *mv* damspel
draw (drew; drawn) *ww* opnemen (geld) • trekken • tekenen, schetsen • ~ *from*, ontlenen aan • ~ *off*, wegvoeren • ~ *on*, meeslepen • trekken op • ~ *up*, opstellen • *zn* trek • loterij • *sp* gelijkspel
drawback bezwaar • nadeel
drawbridge ophaalbrug
drawer lade
drawers *mv* onderbroek • zwembroekje

drawing tekening
drawing pin punaise
drawing room salon
drawl lijzig spreken
drawn onbeslist • zie ook *draw*
dread *zn* vrees • *ww* vrezen
dreadful vreselijk, ontzettend
dreadnought *bn* onverschrokken • *zn* groot slagschip
dream *zn* droom • *ww* (**dreamt; dreamt** of **dreamed**) dromen
dreamy dromerig
dreary ijselijk, akelig, triest
dredge *zn* sleepnet, dreg • *ww* baggeren
dredger baggermolen
dregs *mv* bezinksel
drench doorweken • drenken
dress *zn* kleding • toilet, kostuum, jurk, japon • *ww* kleden • (haar) opmaken • (wond) verbinden
dress circle (schouwburg) balkon
dress coat rok (v. heer)
dresser *Amer* dressoir
dressing saladedressing • verband
dressing-case toiletnecessaire • verbandtrommel
dressing gown kamerjas, peignoir
dressing-gown peignoir
dressmaker (kostuum)naaister
dress parade modeshow
dress-preserver sousbras
dress rehearsal generale repetitie
drew zie *draw*
drift drift, stroom, koers • opeenhoping
drift-ice drijfijs

drill *zn* boor • exercitie • *ww* drillen, exerceren • boor
drink *zn* drankje, borrel • *ww* **(drank; drunk)** drinken
drink (soft) frisdrank
drinking chocolate chocolademelk (koud)
drinking straw rietje
drinking water drinkwater
drip druipen, neerdruppelen
dripping ~ *wet*, druipnat
drive *zn* ritje • drijfjacht • oprijlaan • *sp* slag • *ww* **(drove; driven)** drijven, aan-, voortdrijven • (auto)rijden • besturen, mennen • jagen
driver bestuurder • chauffeur
driving-belt drijfriem
driving licence rijbewijs
drizzle motregenen
droll amusant, grappig
drone gonzen, dreunen
droop kwijnen • laten hangen
drop *zn* druppel • afname • val • *ww* laten vallen • afzetten (uit auto)
dropping-bottle druppelflesje
droppings *mv* uitwerpselen *mv*
drought droogte
drove zie *drive*
drowse dommelen
drowsy slaperig
drub afrossen, ranselen
drudge zwoegen, sloven
drug verdovend middel • medicijn
druggist drogist, apotheker
drugs drugs
drugstore *Amer* drogisterij, apotheek, winkel waar van alles verkocht wordt

drum *zn* trom • *ww* trommelen
drummer drummer • slagwerker • *Amer* handelsreiziger
drumstick trommelstok
drunk dronken • zie *drink*
drunkard dronkaard
drunkenness dronkenschap
dry *bn* droog, onvermengd • *ww* **(dried; dried)** drogen • ~ *up*, uitdrogen, opdrogen
dry-clean stomen
dry cleaner stomerij
dry-cleaning chemisch reinigen
dry dock droogdok
dry goods *mv* manufacturen *mv*
dryly droogjes
dryness droogte
dubbed nagesynchroniseerd
dubious twijfelachtig
duchess hertogin
duchy hertogdom
duck eend • duik
duckling jonge eend
duckweed kroos
duct kanaal, buis, leiding
ductile sneed-, kneed-, rekbaar, buigzaam, handelbaar
dude *Amer* kerel
due verschuldigd, verplicht • behoorlijk • *in ~ time*, te zijner tijd
duel tweegevecht, duel
duet duet
dug zie *dig*
dugout bomvrije schuilplaats
duke hertog
dull dof, dom, loom • suf • stomp, saai, vervelend
duly behoorlijk • zoals verwacht
dumb stom, sprakeloos
dumbbell halter

dummy stomme, blinde (kaartspel) • etalagepop • model • dommerik
dump vuilnisbelt • opslagplaats
dun *bn* donkerbruin
dunce domoor
dune duin
dung *zn* mest • *ww* mesten
dungarees *mv* overal
dungeon kerker
dupe *zn* bedrogene • *ww* bedriegen
duplicate dubbel • *zn* afschrift, duplicaat
durable duurzaam
duration duur
during tijdens, gedurende
dusk *zn* schemering • *bn* schemerachtig, donker-
dust *zn* stof • *ww* afstoffen
dustbin vuilnisbak
duster stoffer, stofdoek • stofmantel
dustman vuilnisman
dustpan vuilnisblik
dusty stoffig, bestoven
Dutch Nederlands, Hollands
Dutchman Nederlander
Dutchwoman Nederlandse
duty plicht, dienst • recht, accijns
duvet dekbed
dwarf dwerg
dwell (dwelt; dwelt) wonen
dwelling woning
dwindle afnemen, verminderen
dwt. = *pennyweight*, 1,55 g
dye verf, kleur • *ww* kleuren, verven (haar)
dynamic dynamisch
dynamo dynamo

E

each elk, ieder
each one ieder (een ieder)
each other elkaar
eager vurig, begerig, verlangend, bereidwillig
eagle adelaar, arend
ear oor • aar • oor
earache oorpijn
ear aid gehoorapparaat
eardrum trommelvlies
earl graaf
earlobe oorlelletje
early vroeg • *at the earliest*, op zijn vroegst
early season voorseizoen
earmark merken • (geld) uittrekken (op begroting)
earn verdienen
earnest *zn* ernst • *bn* ernstig • oprecht
earrings oorbellen
ear specialist oorarts
earth *zn* aarde • grond • *ww* aarden
earthenware aardewerk
earthly aards
earthquake aardbeving
earthy aard- • aards
earwig oorworm
ease *zn* rust, gemak • *ww* verlichten, makkelijker maken
easel (schilders) ezel
east oosten
Easter Pasen
eastern oosters
easy gemakkelijk, ongedwongen
easy chair fauteuil, leunstoel

easygoing gemoedelijk
eat (ate; eaten) eten, opeten
eatable eetbaar
eatables *mv* eetwaar
eating-house eethuis
eavesdropper luistervink
ebb eb
ebony ebbenhout
eccentric zonderling • excentriek
ecclesiastic *zn* geestelijke • *bn* geestelijk
eclipse eclips, verduistering
economic economisch, staathuishoudkundig
economical economisch (zuinig)
economist econoom
economize bezuinigen
economy economie • spaarzaamheid • bezuiniging
ecstasy Verrukking, extase
Ed. = *Editor* • edition, redacteur • uitgave
eddy draaikolk • wervelwind
edge *zn* rand • snede, scherpte • *ww* scherpen • (om)zomen
edible eetbaar
edifice gebouw
edify stichten, opbouwen
edition uitgave • druk
editor redacteur • bewerker • ~s redactie
editor-in-chief hoofdredacteur
educate opvoeden • ~d, beschaafd, ontwikkeld
education opvoeding, onderwijs
eel paling
eerie eng, akelig
efface uitwissen
effect *zn* (uit)werking, gevolg • effect • *ww* bewerkstelligen
effective krachtig, werkzaam,

doeltreffend
effects *mv* persoonlijk eigendom
effectual krachtdadig, van kracht • doeltreffend
effectuate uitvoeren, volbrengen
efficacious doeltreffend
efficiency doeltreffendheid • nuttig effect
efficient doeltreffend
effigy afbeeldsel, beeld
effluence uitvloeisel
effort poging, inspanning
effrontery onbeschaamdheid
effusion uitstorting • ontboezeming
e.g. = *exempli gratia*, bijvoorbeeld, bijv.
egg ei • *fried* ~, gebakken ei • *hard-boiled* ~, hardgekookt ei • *soft-boiled* ~, zachtgekookt ei
egg cup eierdopje
eggnog advocaat (drank)
eggplant *Amer* aubergine
egg spoon eierlepeltje
egoism zelfzucht, eigenbaat
Egypt Egypte
Egyptian Egyptisch • Egyptenaar
eiderdown eiderdons • dekbed
eight acht
eight(h) acht(ste)
eighteen(th) achttien(de)
eighty tachtig
either een van beide(n) • ook • ~...or, of...of
ejaculation uitstorting, ontboezeming • ejaculatie
eject uitwerpen
eke out aanvullen, rekken
elaborate uitvoerig
elapse verlopen
elastic veerkrachtig, elastisch

elastic luggage binders snelbinder

elated opgewonden, opgetogen

elbow elleboog

elbow chair armstoel

elder oudere • ouderling • vlier-(struik)

elderly bejaard, ouwelijk

elect *bn* uitverkoren, gekozen • *ww* kiezen, verkiezen

election verkiezing

electric elektrisch

electrician elektricien

electricity elektriciteit, stroom

electrify elektriseren

electrocute elektrocuteren

electronic elektronisch

electronics elektronica

elegance elegantie

elegy treurzang, elegie

elementary school basisschool

elephant olifant

elevate *bn* verheven • *ww* opheffen, verheffen

elevator *Amer* lift

eleven(th) elf(de)

eligible verkiesbaar

eliminate elimineren, terzijdestellen, uitschakelen

ellipse ellips

elm olm, iep

elongate verlengen, rekken

elope weglopen (om te trouwen)

elopement vlucht, schaking

eloquent welsprekend

else anders

elsewhere elders

elucidate ophelderen, verduidelijken

elusive ontwijkend

emaciation vermagering

email e-mail

emanate voortvloeien, voortkomen • uitstralen

emancipate bevrijden, vrijmaken • emanciperen

embalm balsemen

embank indijken, bedijken

embankment indijking • kade • (spoor)dijk

embark inschepen

embarrass in verwarring brengen • hinderen

embarrassment verlegenheid

embassy ambassade

embellish versieren, verfraaien

embezzle verduisteren (stelen)

embitter verbitteren

embody belichamen

embrace omhelzen, omvatten

embroidery borduursel

embroil verwarren • betrekken

emerge oprijzen, opduiken

emergency noodtoestand, onvoorziene gebeurtenis, spoedgeval

emergency brake noodrem

emergency exit nooduitgang

emergency number alarmnummer

emergency telephone praatpaal

emery paper schuurpapier

emetic braakmiddel

emigrant emigrant

emigrate emigreren

eminent verheven, uitstekend

emissary (af)gezant • spion

emission uitzending • uitgifte

emit uitzenden, uitgeven

emotion ontroering

emperor keizer

emphasis klemtoon, nadruk

emphatical(ly) nadrukkelijk
empire (keizer)rijk
empirical proefondervindelijk
employ *zn* dienst • *in the ~ of*, in dienst van • *ww* gebruiken, tewerkstellen
employee werknemer
employer werkgever
employment bezigheid, werk • gebruik
emporium groot warenhuis
empress keizerin
empty *bn* leeg • *ww* ledigen
emulate wedijveren
enable in staat stellen
enamel email, brandschilderwerk
encamp legeren
encampment legerplaats, kamp
enchain boeien
enchant betoveren • bekoren
encircle omsingelen, insluiten
enclose insluiten
enclosure omheining • bijlage
encompass omsluiten, omvatten
encounter *zn* ontmoeting • schermutseling • *ww* ontmoeten
encourage aanmoedigen
encroach inbreuk maken • indringen
encumber belemmeren
encumbrance belemmering, last
end *zn* einde • doel • uitslag • *ww* eindigen
endanger in gevaar brengen
endeavour *zn* poging • *ww* beproeven, pogen
endive andijvie
endless eindeloos
endmost laatste, achterste

endorse steunen, supporten
endorsement steun, support
endow begiftigen, toerusten
endurance uithoudingsvermogen
endure verdragen, lijden, dulden
enemy vijand
energetic energiek
energy energie
enervate ontzenuwen, verslappen
enfeeble verzwakken
enforce afdwingen
enforcement afdwinging
engage verbinden, aanwerven • in beslag nemen • betrokken zijn
engagement verplichting • verloving • gevecht
engaging innemend
engender voortbrengen
engine motor, werktuig, machine, locomotief
engine-driver machinist
engineer ingenieur • machinist, technicus
engine mounting motorophanging
engine oil motorolie
engine trouble motorpech
England Engeland
English Engels
Englishman Engelsman
Englishwoman Engelse
engorge opslokken
engrave (engraved; engraven) graveren
engraving plaat, gravure
enhance verhogen, vermeerderen
enigma raadsel

enigmatic(al) raadselachtig
enjoin opleggen, gelasten
enjoy genieten • lusten
enlarge vergroten, uitbreiden
enlargement vergroting
enlighten verlichten, voorlichten
enlist aanwerven, inschrijven • *fig* winnen (voor een zaak) • in dienst gaan
enliven opvrolijken, verlevendigen
enmity vijandschap
ennoble veredelen, adelen
enormity gruwel • grote omvang
enormous ontzaglijk • enorm
enough genoeg (voldoende)
enrage woedend maken
enrich verrijken
enrol for zich opgeven voor • zich inschrijven voor
en route op doorreis
ensign vaandel, vlag
enslave tot (zijn) slaaf maken
ensnare verstrikken
ensue volgen, voortvloeien (uit)
entail meebrengen
entangle verwarren
enter binnentreden • inklaren • boeken, noteren
enterprise *zn* onderneming, waagstuk • *ww* ondernemen
entertain onthalen • onderhouden • vermaken • er op na houden
entertainment onthaal, vermaak, amusement
entertainment centre uitgaanscentrum
enthusiasm geestdrift, enthousiasme
entice verlokken, verleiden

entire(ly) geheel, gaaf
entitled gerechtigd • getiteld
entrails *mv* ingewanden *mv*
entrance ingang, toegang • ~ *examination*, toelatingsexamen • ~*fee*, toegangsprijs • ingang, toegang
entreat bidden, smeken
entry ingang • voorgerecht • inschrijving • boeking • toetreding
entwine ineenvlechten, verstrengelen
enumerate opsommen, optellen, samenvatten
enunciate verkondigen, uiten
envelop omwikkelen, omhullen
envelope envelop
enviable benijdenswaard
envious afgunstig
environment omgeving, milieu
environs *mv* omstreken *mv*
envy *zn* nijd, afgunst • *ww* benijden
epic *zn* epos • *bn* episch
epidemic *zn* epidemie • *bn* epidemisch
epilepsy vallende ziekte
episcopal bisschoppelijk
epistle brief
epoch tijdperk
equal *zn* gelijke • *bn* gelijk, even, zelfde • *ww* evenaren • gelijk
equator evenaar
equestrian sport paardensport
equilibrium evenwicht
equip uitdossen, uitrusten
equipage (reis)benodigdheden *mv*; equipage
equipment uitrusting
equitable billijk

equity billijkheid • gewoon aandeel

equivalent gelijkwaardig

equivocal dubbelzinnig

era periode

eradication uitroeiing

erase uitwissen

ere eer, voordat, alvorens

erect *bijw* rechtop • *ww* oprichten, bouwen • monteren

Erin *(literair)* Ierland

ermine hermelijn

erode uitslijten, wegvreten

erotic liefdes-, erotisch

err zich vergissen, een fout begaan, falen • dwalen

errand boodschap

errant dolend • zwervend • ~ *husband,* overspelige echtgenoot

error dwaling, vergissing, fout

eruption uitbarsting, uitslag

escalator roltrap

escape *zn* ontsnapping • *ww* ontvluchten

eschew schuwen

escort (gewapend) geleide

especial bijzonder

especially in het bijzonder • vooral

espionage spionage

espresso coffee espresso koffie

espy bespeuren

esquire Weledelgeboren heer (Esq., achter de naam)

essay *zn* proef, poging • essay • opstel • *ww* beproeven

essential wezenlijk, essentieel

establish vestigen, stichten • vaststellen

estate staat • rang • boedel • landgoed • plantage

esteem *zn* achting • *ww* achten, waarderen

estimate *zn* schatting, raming, waardering • *ww* schatten, waarderen

etching ets

eternal eeuwig

eternity eeuwigheid

ethic(al) ethisch

ethics *(mv)* ethica, zedenleer

E.U. = European Union, Europese Unie

Eurasian Indo-europees

euro euro (munt)

Eurocheque eurocheque

Europe Europa

European Europees • Europeaan

evacuate evacueren, uitwerpen, lozen, ontruimen

evade ontwijken

evaluate de waarde bepalen van

evaporate verdampen

evasion uitvlucht

evasive ontwijkend

eve avond, vóóravond

even *bn* gelijk, effen • *bijw* zelfs, juist

even-handed onpartijdig

evening avond

evening (in the) 's avonds

evening dress avondtoilet • rok (v. heer)

event evenement, gebeurtenis

eventful veelbewogen

eventual uiteindelijk, eind-

eventually tenslotte, uiteindelijk

ever ooit, altijd, eeuwig

everlasting eeuwigdurend

evermore *for evermore* voor eeuwig

every iedere (elke)
everybody iedereen
everyday alledaags
everyone iedereen
every other day om de andere dag
everything alles
everywhere overal
evict [het huis, land e.d.] uitzetten
evidence bewijs • getuigenis
evident klaarblijkelijk
evil *zn* kwaad • onheil • *bn* kwaad, slecht
evoke oproepen • uitlokken
evolution ontwikkeling, evolutie • ontplooiing
exact nauwkeurig, stipt, juist
exactitude nauwkeurigheid
exactly precies
exaggerate overdrijven
exaltation verheffing, geestvervoering
exalted verheven, groots
examination examen • onderzoek • verhoor • visitatie
examine onderzoeken, verhoren
example voorbeeld
exasperate verbitteren, tergen
excavate uitgraven • uithollen
excavation opgraving
exceed overtreffen, -schrijden
exceeding bijzonder, uiterst
excel overtreffen, uitmunten, uitblinken
excellence voortreffelijkheid • Excellentie
excellent uitstekend (prima)
except behalve
exception uitzondering
excerpt uittreksel • passage

excess overdaad • ~ *postage*, strafporto
excessive overdadig, overdreven
exchange *zn* wisseling • beurs • telefooncentrale • *ww* ruilen, uitwisselen, wisselen, verwisselen
exchange office wisselkantoor
exchange rate wisselkoers
exchequer schatkist
excise accijns
excision afsnijding, uitsnijding
excitation opwinding, opwekking
excite aansporen • opwekken
excited opgewonden
exclaim uitroepen
exclamation uitroep
exclude uitsluiten
exclusive uitsluitend, exclusief
excommunication (kerk)ban
excrement uitwerpsel
exculpate vrijpleiten
excursion excursie
excuse *zn* verontschuldiging • excuus • *ww* vergeven
excuse me! pardon!
execrable verfoeilijk
execute uit-, volvoeren
execution uitvoering • voltrekking, executie, terechtstelling
executive committee dagelijks bestuur
executor executeur (-testamentair)
exemplary voorbeeldig
exemption vrijstelling
exercise *zn* oefening • (lichaams)beweging • *ww* oefenen, uitoefenen

• exerceren, op de proef stellen
exert aanwenden, inspannen
exertion inspanning
exert oneself zich inspannen
exhaust *ww* uitputten
• leegmaken • *zn* uitlaat
exhaustion uitputting
exhaust pipe uitlaatpijp
exhibit *zn* bewijsstuk • uitstalling
• tentoonstelling • *ww*
tentoonstellen, tonen
• overleggen
exhibition tentoonstelling
exhilarate opvrolijken
exhort aanmanen, aansporen
exhumation opgraving
exigency behoefte, nood
exile ballingschap • balling
exist bestaan
exit *bijw* (op toneel) af • *zn*
aftreden • uitgang • afrit
exonerate ontlasten, ontheffen
exorbitance buitensporigheid
exotic uitheems, exotisch
expand uitbreiden • uitzetten
expansion uitbreiding
• uitzetting • spankracht
expatiate *(on)* uitweiden (over)
expect verwachten
expectation verwachting
expectorate spuwen, opgeven
expediency doelmatigheid
expedient *zn* redmiddel, uitweg
• *bn* doelmatig, opportuun
expedition expeditie
• vaardigheid • spoed
expel verdrijven • uitwijzen
expend uitgeven, besteden
expense (on)kosten *mv*, uitgaaf
• *at my* ~, op mijn kosten
expenses onkosten

expensive duur
experience *zn* ervaring • *ww*
ondervinden, -gaan
experienced ervaren
experiment proef
expert *bn* bedreven • *zn*
deskundige
expiation boete(doening)
expiration uitademing • afloop,
vervaltijd
expire overlijden • verstrijken,
vervallen
explain uitleggen, verklaren
explanation verklaring,
uitlegging, uitleg
explicable verklaarbaar
explicative verklarend
explicit uitdrukkelijk, stellig
explode ontploffing, uitbarsten
exploits daden, wapenfeiten
exploration onderzoeking,
verkenning
explore onderzoeken, verkennen
explosion ontploffing,
uitbarsting
explosive springstof
export *zn* uitvoer • *ww*
exporteren
expose uitstallen • blootstellen
exposed belicht
exposure blootstelling • *fotogr*
belichting
exposure meter
belichtingsmeter
expound uitleggen, uiteenzetten
express *zn* sneltrein • *bn*
opzettelijk • speciaal
• uitdrukkelijk • *ww*
uitdrukken, uiten • ~ *delivery*,
expresse bestelling
express (by) expresse, per

expression uitdrukking
expressive(ly) vol uitdrukking, veelzeggend, expressief
express train sneltrein
expropriate onteigenen
expulsion uitzetting, verbanning
exquisite uitgelezen, verfijnd
extemporize improviseren
extend uitstrekken • uitbreiden
extensibility rekbaarheid
extension uitbreiding
  • uitgebreidheid • verlenging, verlengstuk • *gram* bepaling
extensive uitgebreid
extent uitgestrektheid, omvang
extenuate verzwakken
  • verzachten • *extenuating circumstances, mv* verzachtende omstandigheden *mv*
exterior uitwendig, uiterlijk
exterminate uitroeien
external uitwendig • uiterlijk
external (use) uitwendig (gebruik)
extinct uitgedoofd • uitgestorven
extinguish (uit)blussen, uitdoven
extinguisher blusapparaat
extirpate uitroeien
extort afpersen, afdwingen
extortion afzetterij
extra extra
extra charge toeslag
extract *ww* uittrekken (tanden)
  • *zn* uittreksel, extract
extract a tooth trekken van een kies
extradite uitleveren
extraordinary buitengewoon
extravagant buitensporig, overdreven • verkwistend

extreme uiterste, (uit) einde
extremity uiterste, uiteinde
  • ~*ties*, handen en voeten
extricate los-, vrijmaken
exuberant welig, overvloedig
  • uitbundig
exult juichen
eye oog
eyeball oogappel
eyebrow wenkbrauw
eye doctor oogarts
eyelash ooghaar, wimper
eyelid ooglid
eyewitness ooggetuige

F

fable fabel, verzinsel
fabric stof (textiel)
fabricate bouwen, maken
  • verzinnen
fabrication vervaardiging • bouw
  • verzinsel
fabric softener wasverzachter
fabulous fabelachtig
face *zn* gezicht • voorzijde
  • voorkant • lef • *ww* het hoofd bieden • front maken • gekeerd zijn naar
facilitate vergemakkelijken
facing tegenover, uitziende op
fact feit • daad • werkelijkheid
faction splintergroep
factitious(ly) nagemaakt
factor agent • factor
factory fabriek
faculty vermogen • macht
  • faculteit

fad gril, manie
fade verwelken, verflauwen, wegsterven
fag *gemeenz* sigaret, peuk • homo
fail ontbreken • falen, mislukken • bankroet gaan
failure mislukking • fiasco • faillissement • defect
faint *bn* zwak, moedeloos, flauw • *zn* flauwte • *ww* flauwvallen • flauwvallen
fair mooi • blond • billijk • eerlijk • *zn* kermis • jaarmarkt • *world* ~, wereldtentoonstelling
fairy fee
fairy-tale sprookje
faith geloof • trouw
faithful (ge)trouw • *yours ~ly*, hoogachtend
faithless trouweloos
fake vervalsing, namaak
falcon valk
fall *zn* val • daling • waterval • *ww* (**fell; fallen**) vallen, dalen, sneuvelen • ~ *for, Amer* bekoord zijn door, verliefd worden op • vallen
fall (water-) waterval
fallacious bedrieglijk
fallacy drogreden
fallible feilbaar
false onjuist, vals
falsehood leugen
falsify vervalsen, verdraaien
falter stamelen, stotteren
fame faam, roem
familiar gemeenzaam, bekend, vertrouwd
family familie (gezin)
family allowance kinderbijslag
family tent bungalowtent

famine hongersnood
famish uithongeren
famous beroemd
fan waaier, ventilator • bewonderaar, fan
fanatic *zn* dweper • *bn* fanatiek
fan belt ventilatorriem
fanciful fantastisch, wonderlijk, grillig
fancy *zn* verbeeldingskracht, fantasie, gril • *ww* zich verbeelden • zin (lust) hebben
fang slagtand
fanlight bovenlicht (boven deur)
fantastic denkbeeldig • fantastisch, grillig
fantasy fantasie, gril
F.A.P. = *First Aid Post*
far ver, afgelegen • *farther* • *farthest*, verder • verst(e)
far away ver weg
farce klucht
fare vracht • vrachtprijs • kost • tarief • *ww* ~ *well*, succesvol zijn
farewell vaarwel
far-fetched vergezocht
farm boerderij
farmer boer
farmer's wife boerin
farming landbouw
far-sighted verziend
fascination betovering, fascinatie
fashion *zn* wijze, mode • *ww* vormen
fashionable modieus • tot de grote wereld behorende
fast *ww* vasten • *bn* vast, gehecht • zeer hard • snel, vlug
fast-dyed kleurecht
fasten vastmaken, dichtdoen

faster sneller
fast goods snelgoed
fastidious kieskeurig, lastig
fat *bn* vet, vlezig, dik • *zn* vet
fatal noodlottig, dodelijk
fatality noodlot • noodlottigheid
• ramp
fate noodlot • lot
father vader
fatherhood vaderschap
father-in-law schoonvader
fatherly vaderlijk
fathom *zn* Vadem (1.8 m) • *ww*
peilen, doorgronden
fatigue *zn* vermoeienis • *mil*
corvee • *ww* vermoeien
fatness vetheid
fatuity onzinnigheid, dwaasheid
fault fout, schuld • gebrek
fault finding *bn* vitterig • *zn*
gevit • vitterij
favour *zn* gunst • begunstiging
• *in ~ of*, ten behoeve van • *ww*
begunstigen, voortrekken
favourable gunstig • vriendelijk
favourite *zn* gunsteling, lieveling
• *bn* geliefkoosd, lievelings-
fax *zn* fax • *ww* faxen
fax machine faxapparaat
fear *zn* vrees • *ww* vrezen
fearless onbevreesd
feasible doenlijk, uitvoerbaar
feast *zn* feest, gastmaal • *ww*
feestvieren, smullen
feat (helden)daad, feit
feather veer, pluim
feature *zn* gelaatstrek
• hoofdtrek, glanspunt,
hoofdonderdeel • hoofdfilm
• klankbeeld • *ww* (een film)
uitbrengen • bevatten

feature(-length) *film* hoofdfilm
febrile koortsig
February februari
fecundity vruchtbaarheid
fed zie *feed*
federation verbond
fee honorarium, salaris,
gratificatie • entreegeld
feeble zwak
feed (**fed**; **fed**) voeden
feeding-bottle zuigfles
feel (**felt**; **felt**) (ge)voelen,
betasten
feeling gevoel, gevoeligheid
• stemming
feel like zin (lust) hebben
feign veinzen
feint voorwendsel, list
felicitous goed, geschikt
felicity geluk(zaligheid)
feline katachtig dier
fell vellen • zie ook *fall*
fellow maat, makker, kerel, vent
• lid • gepromoveerde die een
beurs geniet
fellow-creature medemens
fellowship kameraadschap,
collegialiteit • studiebeurs
felly velg
felt vilt • zie *ook feel*
felt-tip pen viltstift
female *zn* wijfje • *bn* vrouwelijk
femininity vrouwelijkheid,
verwijfdheid
fen moeras, veen
fence *zn* schutting • *ww*
omheinen, verdedigen,
schermen
fencing omrastering
• schermkunst
fend afweren • weerstaan

ferment *zn* gisting • *ww* gisten
fern varen
ferocious woest, wreed
ferro-concrete gewapend beton
ferrous ijzerhoudend
ferry veerpont
ferryboat veerpont
fertile vruchtbaar
fertilize bevruchten
fertilizer kunstmest
fervent vurig
fervour ijver, gloed
festival feest, festival
festive feestelijk
fetch halen, brengen
fetter kluister, keten
feud vijandschap • vete
fever koorts
feverish koortsachtig, koortsig
few weinig • *a* ~, enkele
fiancee verloofde
fib *ww* jokken • *zn* leugentje
fibre vezel
fibrous vezelachtig
fickle wispelturig
fiction verdichtsel, verzinsel
 • romanliteratuur
fictitious denkbeeldig, vals
fiddle viool
fiddlestick strijkstok • ~s, larie, nonsens
fidelity trouw, getrouwheid
fidgety ongedurig, gejaagd
fie foei!
field veld, akker • slagveld
fiend boze geest, duivel
fierce woest, wild, wreed
fiery vurig
fifteen vijftien
fifth vijfde
fifty vijftig

fig vijg
fight *zn* gevecht, strijd • *ww*
 (fought; fought) vechten, bevechten
figure *zn* figuur, gedaante • cijfer
 • *ww* vormen, afbeelden
file *zn* vijl • gelid • lias • dossier
 • opbergkast, archief • complete
 jaargang • *ww* vijlen • opslaan
 • rangschikken
filial kinderlijk
fill vullen • bekleden
 • (bestellingen) uitvoeren • ~
 in, invullen • ~ *up*, bijvullen
fillet filet
filling vulling (kies)
filling station benzinestation
film *zn* film • vlies • *ww* filmen
filter *zn* filter, zeef • *ww*
 zuiveren, filtreren
filter cigarette sigaret met filter
filth vuil, vuiligheid
filthy vuil, smerig
filtration filtratie
fin vin
final laatste, slot- • dodelijk
finally ten slotte
financial financieel
finch vink
find (found; found) vinden • ~
 fault, vitten
find it difficult to moeite hebben
 met
fine *zn* boete, bekeuring • *ww*
 beboeten • *bn* mooi, fijn, goed
finery opschik • mooie kleren *mv*
finger vinger
finish *ww* eindigen, voltooien
 • aflopen • afmaken
 • uitdrinken, leegeten • *zn*
 einde, slot • afwerking

• eindpaal • vernis
finished afgelopen
finishing stroke genadeslag
fir den, dennenboom • zilverspar
fire zn vuur, brand, hitte • ww
aan-, ontsteken • afvuren,
schieten • gemeenz ontslaan
• vuur
fire alarm brandalarm
firearm vuurwapen
fire brigade brandweer
fire engine brandspuit
fire escape brandtrap
fire-extinguisher blusapparaat
fireman brandweerman
fire-plug brandkraan
fireproof vuurvast, brandvrij
fire-raiser brandstichter
fire-screen vuurscherm
fireside haard
firewood brandhout
fireworks vuurwerk
firm zn firma • bn vast, hecht,
ferm
firmament uitspansel, hemel
firmly vast, krachtig
first eerste, voorste • ten eerste
first aid eerste hulp
first aid kit verbandtrommel
first aid post EHBO-post
first class eerste klas • van de
beste soort
first name vóórnaam
fiscal fiscaal • financieel
fish zn vis • ww vissen
fish-bone graat
fisherman visser
fishery visserij, visvangst
fishing permit visvergunning
fishing rod hengel
fishing waters viswater

fishmonger viswinkel
fission splitsing, deling
fissure kloof, spleet
fist vuist
fit zn vlaag, toeval • bn
bekwaam, geschikt • ww
passen, monteren, uitrusten
fit (keep) trimmen
fitness training fitness
five vijf
fix vastmaken • vaststellen
• fixeren • in orde brengen
fixed vast
flabby slap, week
flag vlag
flagrant in 't oog lopend
• schandalig • tergend
flail zn (dors)vlegel • ww
spartelen
flake vlok • schilfer
flame zn vlam • ww vlammen
Flanders Vlaanderen
flank zijde, flank
flannel flanel • doekje
flap zn flap, slip, klep • ww
klapwieken, fladderen
flare flikkeren
flash zn glans, flikkering • ww
flikkeren, flitsen • flitser • ww
flitsen
flashbulb flitslampje
flashcube flitsblokje
flashing light knipperlicht
flashlight zaklantaarn
flask veldfles
flat bn plat • smakeloos, flauw
• saai • na etage(woning)
• (muz) mol
flat-iron strijkijzer
flatter vleien
flatulent opgeblazen, winderig

flautist fluitist

flavour geur, aroma • smaak

flawless vlekkeloos, smetteloos

flax vlas

flea vlo

flea market vlooienmarkt

flee (fled; fled) vluchten

fleece (schapen)vacht

fleet zn vloot • ww voorbijsnellen

fleeting vluchtig

Flemish Vlaams

flesh vlees

fleshly vleselijk, zinnelijk

fleshy vlezig, gevleesd, dik

flew zie fly

flexible buigzaam, soepel • handelbaar

flexion buiging • verbuiging (v. spieren)

flicker trillen, flakkeren

flight vlucht • vlucht • zwerm • eskader • regular ~, lijnvlucht

flight number vluchtnummer

flimsy voddig, dun

flinch terugdeinzen

fling zn worp • vluchtige relatie • ww (flung; flung) smijten, achteruitslaan

flint keisteen, vuursteen

flippant loslippig • luchthartig

flippers zwemvliezen

flirt zn flirt • ww flirten

flirtation flirt • geflirt

float zn vlot • boei • dobber, vlotter • drijvertje • ww drijven, dobberen

flock kudde • vlok

floe ijsschots

flog slaan, ranselen

flood zn vloed, stroom • ww

onder water zetten • overstromen

floodgate sluisdeur, sluis

floodlight strijklicht

floor vloer • verdieping, etage

flop zn plof • flop, fiasco • ww ploffen • mislukken

floppy disk diskette

floral bloemen-, bloem-

florid blozend • bloemrijk

florist bloemist

flounder bot (vis)

flour meel

flourish zn glans • krul (versiering) • ww bloeien, gedijen • pronken met

flow vloeien, stromen

flower(s) bloem

flowerpot bloempot

flown zie fly

flu griep • influenza

fluctuate op- en neergaan, schommelen

flue griep

fluent(ly) vloeiend, vlot

fluffy donzig

fluid zn vocht • bn vloeibaar

flung zie fling

flush zn toevloed • blos • bn even • ww stromen • blozen • doorspoelen

Flushing Vlissingen

flute fluit • groef

flutter fladderen • dwarrelen • flakkeren

fly zn vlieg • ww (flew; flown) vliegen, vluchten

flyer folder

flying-boat vliegboot

flywheel vliegwiel

F.O. = Foreign Office, Ministerie

van Buitenlandse Zaken
foal veulen
foam *zn* schuim • *ww* schuimen
f.o.b. = *free on board*, vrij aan
  boord, franco boord
focus *zn* brandpunt • haard • *ww*
  instellen • concentreren
foe vijand
fog mist, nevel
fog lamp mistlamp
foil verijdelen
fold *zn* vouw • *ww* vouwen
foldable opvouwbaar
folder map
folding-bed opklapbed
folding-chair vouwstoel
foliage loof, lommer
folks *gemeenz* mensen, jongens
  • ouders • *hi folks* dag mensen
follow volgen
follower volgeling
folly dwaasheid
foment aanstoken
fond (of) dol, verzot op
fondle strelen
fondly teder
food eten, voedsel
food poisoning
  voedselvergiftiging
foodstuffs *mv* levensmiddelen
  mv
fool *bn* zot, dwaas • *ww* foppen
foolish dom, dwaas
foot (*mv* **feet)** voet • infanterie
  • voeteneind, voetstuk
foot-and-mouth disease
  mondklauwzeer
football voetbal
foot-board treeplank
foot-brake voetrem
footing vaste voet • houvast

footman lakei, bediende
foot-mark voetspoor
footpath wandelpad
foot-path voetpad
footstool voetenbankje
for want, om, voor • ~ *all*,
  niettegenstaande • ~ *shame*,
  foei • ~*fear*, uit vrees • ~ *want
  of*, bij gebrek aan
forage foerage • voer
forbear (forbore; forborne) *ww*
  nalaten • *zn* voorvader
forbid (forbade; forbidden)
  verbieden
forbidding afschrikwekkend
force *zn* kracht, macht • *ww*
  dwingen
forces *mv* krijgsmacht
fore vooraan, vooruit
foreboding voorspelling,
  voorgevoel
forecast (weer)voorspelling
forefather voorvader
forefinger wijsvinger
forefront voorgevel
foregoing voorafgaand
foreground voorgrond
forehead voorhoofd
foreign buitenlands
foreign currency deviezen *mv*,
  buitenlands geld
foreigner vreemdeling
foreign exchange deviezen *mv*
Foreign Office Ministerie van
  Buitenlandse Zaken
foreman voorman,
  meesterknecht, ploegbaas
foremost voorste, eerste
foresee voorzien
forest woud
forestall vooruitlopen op

• voorkómen
forester boswachter
foretaste voorproefje
forever (voor) eeuwig
forewheel voorwiel
for example bijvoorbeeld
forfeit zn boete, pand • ww
verbeuren
forgave zie forgive
forge zn smederij • ww smeden
• vervalsen
forgery vervalsing, valsheid in
geschrifte
forget (forgot; forgotten)
vergeten
forgetful vergeetachtig
forget-me-not vergeet-mij-niet
forgive (forgave; forgiven)
vergeven
forgiveness vergiffenis
forgot(ten) zie forget
fork vork • wegsplitsing
forlorn verloren, verlaten
• hopeloos, wanhopig
form zn vorm, gedaante
• formulier • (school)klasse • ww
vormen
formal formeel, stellig
formality formaliteit
formation vorming, formatie
former eerste • vroeger
• voormalig, vorig
formidable geducht, geweldig
formula formule • recept
for now voorlopig
forsake (forsook; forsaken)
verzaken, in de steek laten
forswear (forswore; forsworn)
afzweren
forth voor, vooruit, voorts
forthwith onmiddellijk

fortitude vastberadenheid
fortnight veertien dagen
fortress vesting
fortuitous toevallig
fortunate(ly) gelukkig
fortune geluk, fortuin
fortune-teller waarzegster
forty veertig
forward vooruit, voorwaarts
• voorste • vooruitstrevend • ,
vrijpostig • ww af-, verzenden
• bevorderen • doorsturen
(post/e-mail)
foster kweken • koesteren
foster-mother pleegmoeder
fought zie fight
foul vuil, onzuiver, bedorven
• laag, gemeen, oneerlijk
found stichten • vestigen • gieten
(metaal) • zie ook find
foundation grondslag,
fundament, stichting
foundling vondeling
foundry gieterij
fountain fontein
fountain pen vulpen
four(th) vier(de)
four-footed viervoetig
four-star super (benzine)
fourteen veertien
fowl gevogelte, vogel
fox vos
foxy sluw
foyer foyer
fraction breuk • onderdeel
fractious kribbig
fracture breuk (been)
fragile breekbaar, broos, teer
fragment fragment, brok
fragrant geurig, welriekend
frail broos

frame *zn* raam • lijst (schilderij)
• vorm, montuur • frame • *ww*
bouwen • inlijsten • in elkaar
zetten

France Frankrijk

francs franken (geld)

frangible breekbaar

frank(ly) openhartig

frantic dolzinnig, hevig
opgewonden, vertwijfeld

fraternal broederlijk

fraud oplichting, bedrog
• bedrieger

fraudulent(ly) frauduleus

freak fanaat, freak • *he is a real
computer freak* hij is een echte
computergek

freckle sproet

free *bn* vrij, ongedwongen, gratis
• *ww* bevrijden, vrijstellen

freedom vrijheid, ontheffing,
vrijdom

freely vrijuit, vrij • gaarne

freemason vrijmetselaar

free ticket vrijkaart

free time vrije tijd

free-trade vrijhandel

freeze (froze; frozen) vriezen,
bevriezen • (kredieten)
blokkeren

freezer diepvries

freezing-point vriespunt

freight vracht, lading

French Frans

French bean snijboon

French bread stokbrood

frenzy razernij, gekte

frequent *bn* veelvuldig • *ww*
regelmatig bezoeken,
frequenteren

frequented veel bezocht

frequently dikwijls

fresh fris • vers • zoet (v. water)

freshman eerstejaars (stud.)

freshwater zoetwater

freshwater fish zoetwatervis

fret ergeren • ~ *about* zich
zorgen maken over, zich
ergeren aan

fretful prikkelbaar

friar monnik, kloosterbroeder

fricassee hachee, ragout

friction wrijving

Friday vrijdag

fridge koelkast

fried gebakken

fried egg spiegelei

friend vriend • vriendin • kennis

friendly vriendelijk

friendship vriendschap

fright schrik

fright(en) verschrikken

frightful verschrikkelijk • vreselijk

frigid koud, koel

fringe zoom, rand • franje

Frisian Fries

fritter beignet

frivolity frivoliteit

frivolous frivool • onzinnig

frock jurk, japon

frog kikker

from vanaf, vanuit

front voorkant, voorhoofd, front
• voorzijde, voorgevel

front door voordeur

front forks voorvork

frontier grens

frontispiece voorgevel • titelplaat

front light koplamp

front-page voorpagina

front wheel voorwiel

frost vorst, rijp

frosty vriezend, koud
froth zn schuim • ww schuimen
frown fronsen, stuurs kijken
froze(n) zie *freeze*
frozen (food) diepvries (voedsel)
frugal matig, spaarzaam
fruit fruit • vrucht
fruitful vruchtbaar
fruition verwezenlijking, vervulling
fruit-juice vruchtensap
fruitless vruchteloos
frustrate verijdelen • frustreren
fry zn gebraden vlees • jonge vissen • ww bakken, braden
frying pan koekenpan
ft. = *foot, feet*, voet(en) (lengte-eenheid)
fuck neuken • *fuck off!* rot op!
fudge zachte karamel
fuel brandstof
fuel filter brandstoffilter
fuel pump brandstofpomp
fugitive zn vluchteling • bn voortvluchtig
fulfil vervullen, volbrengen
fulfilment vervulling • voldoening
full bn vol, verzadigd, voltallig • in ~, voluit, ten volle
full board volpension
full-grown volwassen
full-length film hoofdfilm
fumble tasten • morrelen
fume zn damp, uitwaseming • ww roken, dampen
fun grap, pretje
function ambt • functie • partij • plechtigheid
functionary ambtenaar
fund fonds

funeral begrafenis
funfair kermis
fungus paddestoel, zwam
funicular railway kabelspoorweg
funnel trechter • pijp (van stoomboot) • luchtkoker
funny grappig
fur bont (pels)
furious woedend, verwoed
furnace oven
furnish verschaffen, voorzien • meubileren
furnished gemeubileerd
furniture meubilair, huisraad
furniture-van verhuiswagen
furred met bont afgezet
furrow voor, groef, rimpel
further bijw verder, voorts • ww bevorderen
furtive heimelijk
fury woede
fuse ww (samen)smelten • doorslaan • zn lont, zekering
fusion samensmelting, fusie
fuss opschudding, rumoer
fussy druk
fusty duf, muf, ouderwets
futility nutteloosheid
future zn toekomst • bn aanstaand • volgend
fuzzy vaag, wazig

G

gad (about) (rond)zwerven
gadfly steekvlieg
gadget truc • middeltje • ding, hebbeding

gaiety vrolijkheid

gain *zn* winst, voordeel • *ww* winnen, ververven

gait gang, tred

gaiter slobkous

galaxy melkwegstelsel

gale bries, windvlaag • storm

gall gal

gallant dapper, kranig, fier • zwierig • galant, hoffelijk

gallery galerij • tribune • schellinkje • galerie

galley galei

gallon *Br* 4,5 liter • *Amer* 3,7 liter

gallop *zn* galop • *ww* galopperen

gallows *mv* galg

galoshes overschoenen

gamble dobbelen, gokken

game spel • wedstrijd • partij (biljart, enz.) • (bridge) manche • wild

gamut toonladder • volledige reeks

gang ploeg • bende, troep

gang-board loopplank

gangrene gangreen, koudvuur

gangster bandiet, bendelid

gangway pad (tussen zitplaatsen), doorgang

gaol gevangenis

gap gat, opening, gaping, hiaat

gape gapen

garage garage

garb gewaad

garbage afval, vuilnis

garbage-bin afvalbak

garden tuin

garden cress sterkers

gardener tuinman

garden party tuinfeest

gargle *zn* gorgeldrank • *ww* gorgelen

garish schel, opzichtig

garlic knoflook

garment gewaad, kleding

garnish *zn* versiering • *ww* versieren

garret vliering, zolderkamertje

garrison garnizoen

garrulous praatziek

garter kousenband

gas gas • *Amer* benzine

gas container gasfles

gas cooker gasfornuis

gaseous gasachtig, gas-

gas fire gashaard

gash snede, jaap

gasoline *Amer* benzine

gasp *zn* snik • *ww* snakken (naar adem), hijgen

gas ring gaskomfoor

gas stove gaskachel

gas tap gaskraan

gastric acid maagzuur

gasworks *mv* gasfabriek

gate poort, hek • ingang

gateau gebakje

gateway poort

gather vergaderen, verzamelen, plukken

gaudy opzichtig, bont

gauge *ww* peilen, meten • *zn* maat, diepgang • (spoor)wijdte

gauntlet motorhandschoen, sporthandschoen

gauze gaas

gauze bandage verbandgaas

gave zie *give*

gay vrolijk, levendig • homoseksueel

gaze staren

G.B. = *Great Britain*, Groot

Brittannië
gear gareel, tuig • kleding • tandrad • versnelling
gearbox versnellingsbak
gear cable versnellingskabel
gear-case kettingkast
gearing koppeling • drijfwerk
geese *mv* ganzen *mv*
gel gel
gem kleinood • edelsteen
gender geslacht
genealogy genealogie • stamboom
general *zn* generaal • *bn* algemeen
general practitioner huisarts
generation voortbrenging • ontwikkeling • opwekking • generatie, geslacht
generosity edelmoedigheid
generous edelmoedig, gul, overvloedig
Geneva Genève
genial opgewekt • vriendelijk, joviaal
genius genie, genius, beschermgeest
genteel fatsoenlijk, net, deftig
gentle zacht, zachtzinnig
gentleman heer
gentlewoman dame
gentry deftige stand
gents herentoilet
genuine echt, onvervalst
genus geslacht
geography aardrijkskunde
geology geologie
geometry meetkunde
germ kiem
German *zn* Duitser • *bn* Duits
Germany Duitsland

germinate ontkiemen
gesticulation gebarenspel
gesture gebaar
get (got; got of **gotten)** krijgen, winnen, halen
get lost oprotten
get moving! vooruit!
get off uitstappen
get on instappen
get up opstaan
geyser geiser
ghastly afgrijselijk
gherkin augurk
ghost geest, spook
G.I. (Joe) Amer. soldaat
giant reus
giddiness duizeligheid
giddy duizelig • lichtzinnig
gift gift, geschenk
gifted begaafd
gigantic reusachtig
giggle giechelen
gild (gilded of **gilt; gilded** of **gilt)** vergulden
gill kieuw
gillyflower anjelier, muurbloem
gilt verguld • zie ook *gild*
gin jenever
ginger gember
gipsy zigeuner
gird (girt; girt of **girded)** ~ *for*, voorbereiden voor
girdle *zn* gordel • *ww* omgorden, omsingelen
girl meisje
girlfriend vriendin
girl guide padvindster
Giro cheque *Br* girobetaalkaart
Giro cheque guarantee card *Br* giropas
girt zie *gird*

girth buikriem • omvang
give (gave; given) (ten beste) geven • ~ *away*, verklappen • ~ *way*, wijken
given gegeven • ~ *to*, verslaafd aan
glacier gletsjer
glad blij
gladden verheugen, verblijden
glamour betovering • schone schijn, glitter
glance *zn* flikkering • oogopslag • *ww* schitteren • kijken, opkijken
gland klier
glandular klierachtig, klierig
glare glans • schittering • woeste blik • *ww* schitteren • fel kijken
glass *zn* glas, spiegel • verrekijker • barometer • *bn* glazen
glasses bril
glassworks glasblazerij
glassy glazig
glaze *zn* glazuur • *ww* glaceren • glazuren
glazier glazenmaker
gleam glans, schijn
glean nalezen, opzamelen
glee vrolijkheid
glen dal • vallei
glib glibberig • gladjes
glide *ww* glijden • *zn* glij-, zweefvlucht
glider glijder • zweefvliegtuig • zweefvlieger
gliding zweefvliegen
glimmer schemeren, blinken
glimpse *zn* glimp • lichtstraal • *ww* een glimp opvangen van
glitter *zn* glans, luister • *ww* flikkeren, fonkelen

global wereldomvattend, wereld-
globe aardbol • bal • ballon
globular bolvormig
gloom duister-, somberheid
gloomy duister • somber, droefgeestig
glorify verheerlijken
glorious heerlijk, prachtig
glory roem, heerlijkheid
gloss *zn* glans • soort make-up • kanttekening • *ww* laten glanzen • verklaren
glossary woordenlijst
glove handschoen
glow *zn* hitte • gloed • *ww* gloeien
glue lijm • *ww* lijmen, plakken, kleven
gluten kleefstof
gluttonous gulzig, schrokkerig
G.M.T. = *Greenwich Mean Time*
gnarl knoest
gnat mug
gnaw (af)knagen
gnome dwerg, aardman
go gaan
go (went; gone) *ww* gaan, gangbaar zijn • ~ *astray*, kwijtraken • ~ *over*, repeteren • *zn* vaart • fut
goal doel(punt)
goalkeeper doelverdediger
goat geit
go back teruggaan
go-between bemiddelaar
God God
godchild petekind
goddess godin
godfather peetoom
godmother peet(tante)
godsend buitenkansje

go-getter energiek iemand
• streber

goggles *mv* stofbril, duikbril

gold goud(en)

golden gouden, gulden

goldfish goudvis

goldsmith goudsmid

golf *sp* golf(spel)

golf-links *sp* golfterrein

gone weg • voorbij • verdwenen
• zie ook *go*

good *zn* goed • welzijn • *bn*
goed, gunstig, prettig, fijn

good afternoon goedemiddag

good-breeding
welgemanierdheid,
wellevendheid

goodbye (goeden)dag (bij
afscheid)

good day goedendag
(begroeting)

good evening goedenavond (bij
aankomst)

Good Friday Goede Vrijdag

good morning goedemorgen

good-natured goedig

goodness goedheid

good night goedenavond
• welterusten • goedenacht

goodnight welterusten

goodwill welwillendheid
• goodwill

goofy niet goed wijs

goose (mv geese) gans

gooseberry kruisbes

goose bumps kippenvel

go out uitgaan

gorge *zn* strot • keel • bergkloof
• *ww* opslokken • volstoppen

gorgeous prachtig, kostelijk

gospel evangelie • gospelmuziek

gossamer *zn* herfstdraden *mv*
• *bn* ragfijn

gossip *zn* gepraat, gebabbel • *ww*
babbelen, roddelen

got(ten) zie *get*

go to wenden (tot)

gourmand smulpaap

gout jicht

govern regeren, besturen

governess gouvernante

government bestuur,
gouvernement • regering

governor gouverneur
• bestuurder, directeur • ouwe
heer

gown japon • toga

G. P. = *General Practitioner*,
huisarts

G.P.O. = *General Post Office*,
hoofdpostkantoor

grab grijpen, graaien

grace genade, gunst
• bevalligheid • tafelgebed

graceful elegant, sierlijk

gracious galant

gradation graadverdeling

grade graad, rang, klas

gradually trapsgewijze,
langzamerhand, geleidelijk

graduate promoveren
• promovendus

graft enten

grain graan, koren • graankorrel
• grein, weefsel

gram gram

grammar grammatica

grammar school gymnasium

gramophone grammofoon

grams (100) ons (100 gram)

granary korenschuur

grand *bn* groots, voornaam

• reuze • *zn muz* vleugel
grandchild kleinkind
granddad opa
grandfather grootvader
grandmother grootmoeder
grandparents grootouders *mv*
granite graniet
granny oma
grant *zn* vergunning, verlof
• studiebeurs • *ww* vergunnen,
toestaan
granular korrelig
grape druif
grapefruit grapefruit
grape juice druivensap
grapes druiven
graph grafiek
grapnel dreg
grapple worstelen
grasp *zn* greep • *ww* grijpen
grass gras • *gemeenz* marihuana
grasshopper sprinkhaan
grass widow(er) onbestorven
weduwe, weduwnaar
grate *zn* traliewerk, rooster • *ww*
wrijven, knarsen • irriteren
grateful dankbaar
grater rasp
gratification genot, voldoening
• beloning • gratificatie
gratis gratis, kosteloos
gratitude dankbaarheid
gratuitous onnodig, nodeloos
gratuity fooi, gratificatie
grave *zn* graf • *bn* ernstig • zwaar
• stemmig
gravel grind, kiezelzand
graveyard kerkhof
gravitation zwaartekracht
gravity gewicht, ernst
• zwaartekracht • *specific ~*,

soortelijk gewicht
gravy jus
gravy boat jus-, sauskom
gray grijs, grauw
graze grazen, weiden • schaven,
even aanraken
grease *zn* vet, smeer • *ww*
(door)smeren • omkopen
greaseproof vetvrij
greasy vet
great groot, lang
Great Britain Groot-Brittannië
great-grandfather
overgrootvader
great-grandson achterkleinzoon
greatly grotendeels
greatness grootte
Greece Griekenland
greedy gulzig, hebzuchtig
Greek *zn* Griek • *bn* Grieks
green groen • onrijp, onervaren
green card *Amer*
verblijfsvergunning
greengrocer groenteboer
greengrocer's shop
groentewinkel
greenhorn groen, onervaren
beginneling • groentje
green peas doperwten
greet groeten
greeting groet
grenade handgranaat
grew zie *grow*
grey grijs
grid rooster • patroon • netwerk
gridiron (braad)rooster
• traliewerk
grief droefheid • hartzeer
grievance klacht
grievous smartelijk, pijnlijk
grill *zn* rooster, geroosterd vlees

• *ww* roosteren
grill-room restaurant (voor geroosterd vlees)
grim grimmig, bars
grimace grimas
grime roet, vuil
grin *zn* grijns • *ww* grijnzen
grind (ground; ground) malen, slijpen • instampen
grindstone slijpsteen
grip greep • houvast
groan gekreun, gesteun
grocer kruidenier
groceries levensmiddelen
groin lies
groom *zn* bruidegom • stalknecht • kamerheer • *ww* verzorgen
groove groef, sponning
groovy *gemeenz* gaaf, tof
grope rondtasten
gross *zn* gros • *bn* dik, groot, grof, onbeschoft • bruto
grotesque grotesk, potsierlijk
grotto grot
ground grond • bodem • terrein • zie ook *grind* • aarde (grond)
ground-colour grondverf
ground floor benedenverdieping
ground glass matglas
groundless ongegrond
ground plan plattegrond • basisplan
groundsheet grondzeil
groundsman *sp* terreinknecht
ground staff grondpersoneel
group groep
grove bosje
grow (grew; grown) groeien
growl geknor • snauw
grown-up volwassen
growth groei, aanwas

grub larve, made • kost, eten
grudge *zn* wrok, haat • *ww* benijden, misgunnen
gruesome afgrijselijk, griezelig
gruff nors
grumble morren, knorren
grunt knorren
guarantee garantie
guarantee card betaalpas
guard *zn* wacht, beschutting, garde • conducteur • *ww* hoeden, bewaken
guarded bewaakt
guardian voogd, bewaker
guards bewaking
Guelders Gelderland
guess *zn* gissing • *ww* raden, gissen
guest gast • *paying ~*, betalend logé(e)
guest room logeerkamer
guidance leiding • *vocational~*, voorlichting bij beroepskeuze
guide *zn* gids • wegwijzer • *ww* (rond)leiden
guidebook reisgids, gids
guided tour rondleiding
guide-post hand-, wegwijzer
guilder gulden
guildhall gildenhuis
guile bedrog, valsheid
guilt schuld, misdaad
guilty schuldig
guinea gienje, guinje (21 shilling, oude munt)
guinea pig Guinees biggetje • proefkonijn
guise gedaante • uiterlijk, voorkomen • schijn
guitar gitaar
gulf kolk • golf

gull zeemeeuw
gullet slokdarm, keel
gully goot, geul
gulp zn slok • ww inslikken, slikken
gum gom • ~s, tandvlees
gumboots rubber overschoenen mv
gums tandvlees
gun vuurwapen, geweer, kanon
gurgle klokken (bij het drinken) • rochelen • murmelen
gush gutsen, uitstromen
gusto smaak • animo
gusty stormachtig, buiig
gut darm
guts lef, fut
gutter goot, groef, geul
guttural keel-
guy vent • vogelverschrikker
gym gymzaal, sportschool
gymnasium gymnastiekschool • (buiten Engeland) gymnasium
gymnastics gymnastiek • hygienic (remedial) ~, heilgymnastiek

H

haberdashery garen- en bandwinkel • (zaak in) herenartikelen
habit zn gewoonte • aanwensel • habijt • ww make a ~ of, een gewoonte maken van
habitable bewoonbaar
habitation woning
habitual gewoonlijk

had zie have
haddock schelvis
haemorrhoids mv aambeien mv
haggard wild, woest • afgetobd
haggle afdingen, pingelen
Hague (The) 's-Gravenhage
hail hagel
hail shower hagelbui
hair haar (haren)
hairbrush haarborstel
hairdo kapsel
hairdresser kapper
hairnet haarnet
hairpin haarspeld
hairpin bend haarspeldbocht
hair-splitting angstaanjagend
hairspray haarlak
hairy behaard
half zn helft • bn half
half board halfpension
half-caste halfbloed
half-pay wachtgeld • on ~, (op) non-actief
halfpenny halve penny
hall vestibule • hal • zaal • stadhuis • landhuis
hallmark stempel • kenmerk
hallow heiligen, wijden
hallucination zinsbedrog, hallucinatie
halo lichtkring om zon of maan • stralenkrans, lichtkrans
halt halt houden
halt sign stopbord
ham ham
hamlet gehucht
hammer hamer
hammock hangmat
hamper ww belemmeren • zn dekselmand, picknickmand
ham roll broodje ham

hand *zn* hand • wijzer (klok)
• werkman • *all ~s*, alle hens • *~ over head*, hals over kop • *shake ~s*, de hand geven • *ww* overhandigen • *on the other ~*, anderzijds
handbag handtas
handbasket hengselmand
handbill strooibiljet, affiche
handbook gids (boekje)
handbrake handrem
handcuff handboei
handful handvol
handhold houvast
handicap handicap • vóórgift • *fig* hindernis, nadeel
handicraft ambacht, handwerk
handkerchief zakdoek
handle *zn* handvat, hengsel • *ww* hanteren
handlebar stuur (fiets)
hand luggage handbagage
hand-made handgemaakt
hand over overhandigen
handrail leuning
handsome mooi, fraai, knap
handwriting handschrift
handy handig
hang (hung; hung of hanged) hangen
hangar loods
hanging wardrobe hangkast
hangover kater *fig*
hanker hunkeren
hanky *gemeenz* zakdoek
haphazard willekeurig • *at ~*, op de bonnefooi
happen gebeuren
happily gelukkigerwijs
happiness geluk
happy blij, gelukkig

harass kwellen, afmatten, intimideren
harbour *zn* haven • *ww* herbergen
hard hard, streng, moeilijk, sterk • *~ by*, dichtbij
hard-boiled hardgekookt • onaandoenlijk, keihard
hard-hearted hardvochtig
hard labour dwangarbeid
hard luck pech
hardly nauwelijks
hardware ijzerwaren *mv* • computerapparatuur
hardy gehard, getrouw
hare haas
haricot bean snijboon
harm *zn* kwaad • schade • *ww* kwetsen, benadelen
harmonious harmonieus • welluidend • evenwichtig
harmonize overeenstemmen
harmony overeenstemming, harmonie
harness (paarde)tuig
harp harp
harrow *zn* eg • *ww* pijnigen
harry kwellen, lastig vallen
harsh hard, ruw
harvest oogst
hash gehakt vlees • hachee • hasjiesj
hashish hasjiesj
hasp beugel, grendel
haste haast, spoed
hasten (zich) haasten
hat hoed
hatbox hoedendoos
hatch *zn* luik • broedsel • *ww* broeden, beramen • arceren
hatchet bijl

hate haten
hateful hatelijk • akelig
hatred haat
hatter hoedenmaker
hat-trick het maken van drie
  doelpunten of het achter
  elkaar nemen van drie wickets
  in één wedstrijd
haughty hoogmoedig, trots
haul trekken, slepen
haunch heup, lendenstuk
haunt rondwaren, spoken
have (got) hebben
have (had; had) hebben • *rumour
  has it that...* het gerucht gaat,
  dat...
have to moeten
havoc verwoesting
hawk havik
hawker venter, marskramer
hay hooi
hay fever hooikoorts
haystack hooiberg
hazard *zn* gevaar • risico • *ww*
  wagen
haze nevel, damp, mist
hazel lichtbruin
hazelnut hazelnoot
hazy nevelig, wazig
H.B.M. = *His (Her) Britannic
  Majesty*
H.E. = 1 *His Eminence*; 2 *His
  Excellency*
he hij
head *zn* hoofd, hoofdeinde v.
  bed • chef • kop • top
  • oorsprong • schuim (op bier)
  • ~*(s) or tail(s)*, kruis of munt
  • *ww* aansturen op
headache hoofdpijn
headdress kapsel

headgear hoofddeksel
heading titel, opschrift • rubriek
headlights koplampen
headline kop (in krant)
headlong blindelings, roekeloos,
  hals over kop
headmaster schoolhoofd
headmost voorste
headphones koptelefoon
headquarters *mv* hoofdkwartier
headstrong koppig
head tube balhoofd
head-waiter ober
heady koppig, onstuimig
  • duizelig
heal helen, genezen
health gezondheid
healthy gezond
heap hoop, stapel
hear (heard; heard) horen,
  luisteren
hearing gehoor (oor) • verhoor,
  hoorzitting
hearse lijkkoets
heart hart • gemoed • kern • ~*s,
  (kaartsp)* harten *mv*
heart attack hartaanval
hearten bemoedigen, opwekken
hearth haard
heart-rending hartverscheurend
hearty hartelijk • gezond
heat *zn* hitte, drift • *ww*
  verhitten, opwinden • heet
  worden
heath heide
heathen *zn* heiden • *bn* heidens
heather (struik)heide
heating verwarming
heat wave hittegolf
heave opheffen, doen zwellen • ~
  a sigh, zuchten

heaven hemel • hemel
heavenly hemels, zalig
heavy zwaar (gewicht)
 • zwaarmoedig
hebdomadal, -dary wekelijks
hectic koortsachtig
hedge heg, haag
hedgehog egel
heed *zn* oplettendheid • *ww*
 letten op
heel hiel • hak • kapje
height hoogte • toppunt
heinous gruwelijk
heir erfgenaam
heiress erfgename, erfdochter
held zie *hold*
helicopter helikopter
hell hel
hello! hallo!
helm helmstok, roer
helmet helm
help *zn* hulp • *ww* helpen,
 ondersteunen, bedienen
help (me)! help (mij)!
helpless hulpeloos, onbeholpen
hemorrhage bloeding
hemorrhoids *mv* aambeien *mv*
hemp hennep
hen kip, hen
hence van nu af • dientengevolge
henceforth voortaan
henhouse kippenhok
henpecked onder de pantoffel
 zittend
her haar *bez vnw*
herb kruid
herbal kruiden- • *herbal tea*
 kruidenthee
herd *zn* kudde • *ww* hoeden
here hier

hereabout(s) hier in de buurt
hereafter hierna(maals)
hereby hierbij, bij deze
hereditary erfelijk
heredity erfelijkheid
hereof hiervan
here's to you! op uw
 gezondheid
heresy ketterij
heretic ketter
herewith hiermede
here you are alstublieft
 (aanbieden)
heritage erfdeel, erfenis
hermetic(al) luchtdicht
hermit kluizenaar
hernia breuk
hero held
heroic heldhaftig
heroism heldenmoed
heron reiger
herring haring • *kippered ~*,
 gezouten en gerookte haring
 • *red ~*, bokking
hers van haar, het hare
hesitate aarzelen
hesitation aarzeling, weifeling
heterogeneous ongelijksoortig
hew (hewed; hewn) houwen
hi! dag! (hallo)
hiatus onderbreking
hibernation overwintering
hiccough, hiccup *zn* hik • *ww*
 hikken
hid(den) zie *hide*
hide *zn* huid, vel • schuilplaats
 • *ww* (**hid**; **hidden**) verbergen,
 schuilen
hide-and-seek verstoppertje
hideous afzichtelijk
hiding schuilplaats • *go into ~,*

onderduiken
higgledy-piggledy ondersteboven, schots en scheef
high hoog, verheven • luid • adellijk (v. wild)
highbrow *gemeenz* intellectueel
High Church streng orthodoxe richting in de Anglicaanse kerk
Highlander Hooglander
highlight hoogtepunt
highness hoogheid
high road hoofdweg, snelweg
high school middelbare school
high-seasoned (sterk) gekruid
high-speed train hogesnelheidstrein
high tension hoogspanning
high treason hoogverraad
highway hoofdweg, snelweg • ~ *code*, verkeersvoorschriften *mv*
hijacker kaper
hike trekken, een voetreis maken • *zn* trektocht
hiker wandeltoerist, trekker
hilarity vrolijkheid
hill heuvel
hilt gevest, hecht
him hem
himself zichzelf
hind achterst, achter-
hinder hinderen, beletten
hindmost achterste
Hindoo Hindoe
hinge hengsel, scharnier
hint wenk, vingerwijzing, hint
hip heup
hippodrome renbaan • circus
hire *zn* huur • *ww* huren
hire purchase huurkoop

hirsute ruig, harig, ruw
his zijn • het zijne
hiss *zn* gesis • *ww* (uit)fluiten, sissen
historian geschiedschrijver
historic historisch
history geschiedenis
hit *zn* stoot, slag, tref • *ww* **(hit; hit)** slaan, treffen
hitchhike liften
hitchhiker lifter
hither hierheen
hitherto tot hiertoe, tot nu toe
hive bijenkorf
hoard hamsteren
hoarse hees, schor
hoary grijs, wit (van haar) • overbekend
hoax *zn* poets • *ww* foppen
hobble strompelen
hobby hobby
hobo *Amer* zwerver, landloper
hock rijnwijn
hold *zn* handvat, houvast • steun • scheepsruim • *ww* **(held; held)** houden, vasthouden • duren • bevatten • van oordeel zijn
hold against kwalijk nemen
holdall grote reistas
hold-back beletsel
hole gat, hol, kuil
holiday vakantie
holiday (public) feestdag
holiday home vakantiehuis
holiday park bungalowpark
holiness heiligheid
Holland Holland, Nederland
hollow *zn* holte, hol • *bn* hol • geveinsd
holy heilig

holy water wijwater
homage hulde
home zn huis, tehuis • at ~, thuis • bijw naar huis
home-bred inlands, inheems
homelike huiselijk • gemoedelijk
homely gezellig • eenvoudig
home-match thuiswedstrijd
homesickness heimwee
homespun zelfgesponnen • fig eenvoudig, huisbakken
homesters, home-team sp thuisclub
homeward(s) huiswaarts
homicide doodslag
Hon. = Honourable, hooggeboren
honest eerlijk, rechtschapen
honey honing
honeycomb honingraat
honeymoon wittebroodsweken mv, huwelijksreis
honeysuckle kamperfoelie
honorary eervol, honorair • ~ member, erelid
honour eer, waardigheid
honourable achtbaar, hooggeboren, eerwaarde
Hon. Sec. = Honorary Secretary, onbezoldigd secretaris
hood kap
hoof hoef
hook zn vishaak • kram • ww haken, verstrikken
hooligan hooligan, oproerkraaier
hoop hoepel
hoot jouwen, schreeuwen, toeteren
hooter sirene • toeter
hop springen, huppelen

hope zn hoop • ww hopen
hopeless hopeloos
horn hoorn • voelhoorn • claxon, toeter
horrible afschuwelijk
horrible, horrid afschuwelijk, afgrijselijk, huiveringwekkend
horrific afschuwelijk, weerzinwekkend
horror huivering, afschuw
horse paard • schraag, bok
horseback on ~, te paard
horseback riding paardrijden
horse fly horzel
horseman ruiter
horsepower (HP) paardenkracht (pk)
horseshoe hoefijzer
hose slang (v. brandspuit)
hosiery tricotagewinkel
hospitable gastvrij
hospital ziekenhuis
hospitality gastvrijheid
host gastheer • hostie • schare
hostage gijzelaar
hostess gastvrouw • waardin
hostile vijandig
hot heet, warm, vurig
hotel hotel
hotel-keeper hotelier
hothouse broeikas
hot-water bottle (warme) kruik
hound jachthond
hour uur
hour (half an) een half uur
hourly alle uren, om het uur
house huis
house-boat woonschuit, ark
house dance housen
household zn huishouden • bn huishoudelijk

housekeeper huishoudster
housemaid werkmeid
housemate huisgenoot
house party houseparty
house-rent huishuur
housewife huisvrouw
hover fladderen, zweven
how hoe
however niettemin, evenwel
howl gehuil, gejank • *ww* huilen
h.p. = *horsepower*, paardenkracht
H.Q. = *Head Quarters*, *(mil)* hoofdkwartier
hub naaf (wiel) • centrum
hubbub opschudding
huddle *zn* warboel • *ww* opeengooien, verwarren
hue tint • schakering
hug omhelzen
huge zeer groot, kolossaal
hulk wrak • ruïne • log gevaarte
hull *zn* schil • dop • *ww* pellen
hum neuriën, zoemen
human menselijk
humane menslievend, humaan
humanity mensheid • menslievendheid
humankind mensdom
humble nederig • bescheiden • gering
humbug huichelarij, bluf
humid vochtig
humiliation vernedering
humility nederigheid • bescheidenheid
humorous geestig, amusant
humour humor • stemming, humeur
humpback, hunchback bochel
hunch voorgevoel
hundred(th) honderd(ste)

hung zie *hang*
Hungarian Hongaar(s)
Hungary Hongarije
hunger honger
hungry hongerig
hungry (be) honger hebben
hunk homp • *fig* stuk, lekker ding
hunt *zn* jacht • *ww* jagen
hunter jager • jachtpaard
hunting jacht (het jagen)
hurdle horde • obstakel • *the ~s*, hordeloop
hurl werpen, slingeren
hurray, hurrah hoera!
hurricane orkaan
hurry *zn* haast, spoed, gejacht • *ww* (zich) haasten
hurt *zn* letsel, wonde • nadeel, schade • *ww* (**hurt**; **hurt**) kwetsen, bezeren • schaden • bezeerd
husband man (echtgenoot)
husbandry landbouw, teelt
hush stilte • *~!*, stil, zwijg!
husk schil, bolster
hussar huzaar
hustle dringen, duwen, zich haasten
hut hut
hydrofoil draagvleugelboot
hydrophobia watervrees
hydroplane watervliegtuig
hymn kerkgezang, lofzang
hyphen koppelteken
hypnotic slaapwekkend • hypnotisch
hypocrisy huichelarij
hypocrite huichelaar

I

I ik
ice ijs • *an ~*, ijsje
ice (black) ijzel
iceberg ijsberg
ice-cream roomijs, ijsje
ice cube ijsblokje
icicle ijskegel
icily ijzig, ijskoud
idea denkbeeld, begrip • idee
ideal *zn* ideaal • *bn* ideaal
identify identificeren
  • vereenzelvigen
identity card legitimatiebewijs
identity paper identiteitsbewijs
idiom taaleigen, idioom
idiot idioot *zn*
idle lui, ledig
idol afgod
idolatry afgoderij, vergoding
idolize verafgoden
idyll idylle
i.e. = *id est*, dat wil zeggen
if als, indien, of
ignition ontsteking (elektr.)
ignition cable bougiekabels
ignition key contactsleutel
ignoble onedel, laag
ignominy schande, oneer
ignorance onwetendheid
ignorant onwetend
ignore negeren
ill ziek • slecht, kwaad
ill-bred onopgevoed,
  onbeschaafd
illegal onwettig
illegible onleesbaar
illegitimate onwettig,

ongeoorloofd • (kind) onecht
ill-fated ongelukkig
illicit ongeoorloofd
illicit drugs verdovende
  middelen
illimitable onbegrensd
illiterate ongeletterd
ill-mannered ongemanierd
ill-natured kwaadaardig
illness ongesteldheid, ziekte
illogical onlogisch
ill-timed ongelegen, ongepast
illuminate verlichten
illusion bedrog, begoocheling,
  illusie
illustrate opluisteren • illustreren
  • duidelijk maken
Illustrated (magazine)
  geïllustreerd blad
illustrious beroemd, vermaard
ill-will kwaadwilligheid, wrok
ill with flu grieperig
image beeld, beeltenis
imaginary ingebeeld,
  denkbeeldig
imagine zich verbeelden
  • aannemen
imbecile zwakzinnig, imbeciel
imbue doordringen • drenken
  • inboezemen
imitation navolging, nabootsing
immaculate vlekkeloos, volmaakt
immaterial onbelangrijk
immature onrijp, onvolwassen
immeasurable onmeetbaar
immediate onmiddellijk • (op
  brieven) spoed
immediately onmiddellijk
immemorial onheuglijk
immense onmetelijk
immerse in-, onderdompelen

imminent dreigend • aanstaande
immobility onbeweeglijkheid
immobilize onbeweeglijk maken • (geld) aan de circulatie onttrekken
immoderate onmatig, overdreven
immoral onzedelijk • zedeloos
immortal onsterfelijk
immovable onbeweeglijk
impact schok, stoot • invloed
impair afbreuk doen aan
impart meedelen, verlenen
impartial onpartijdig
impassable onbegaanbaar
impassive ongevoelig, onverschillig, onaandoenlijk
impatience ongeduld
impatient ongeduldig
impeachment aanklacht en vervolging
impeccable onberispelijk
impede verhinderen, beletten
impediment beletsel • belemmering
impel aandrijven
impend boven 't hoofd hangen, dreigen
impenetrable ondoordringbaar, ondoorgrondelijk
imperative *zn* noodzakelijk • *zn* gebiedende wijs
imperceptible onmerkbaar
imperfect onvolmaakt, onvolkomen
imperial keizerlijk
imperil in gevaar brengen
imperishable onvergankelijk
impermeable ondoordringbaar
impertinent onbeschaamd
imperturbable onverstoorbaar

impetuous onstuimig, heftig
impetus prikkel, aandrift, vaart
impious goddeloos, profaan
implacable onverzoenlijk
implement gereedschap, werktuig
implicate inwikkelen • betrekken in
implicit daaronder begrepen, impliciet • stilzwijgend • onvoorwaardelijk
implore afsmeken
imply inhouden, impliceren
impolite onbeleefd
import *zn* invoer, import • *ww* importeren
importance belangrijkheid • gewicht
important belangrijk
importation invoer
import duty invoerrechten
importer importeur
importune lastig vallen
impose opleggen
impossible onmogelijk
impostor bedrieger
impotence onmacht • onvermogen • machteloosheid • impotentie
impoverish verarmen
impracticable ondoenlijk, onuitvoerbaar • onbegaanbaar
impractical onbruikbaar, onpraktisch
impregnate bevruchten • verzadigen, impregneren
impress (be)indrukken • imponeren • inprenten, duidelijk maken
impression indruk • afdruk
impressive indrukwekkend

imprint *ww* drukken • inprenten • *zn* stempel, indruk

imprison gevangen zetten

improbable onwaarschijnlijk

improper onbehoorlijk, ongeschikt

improve verbeteren

improvement verbetering

improvident zorgeloos

imprudent onvoorzichtig

impudent onbeschaamd

impulsion aandrang, impuls

impunity straffeloosheid

impure onrein

impute wijten

in *vz* in, naar, bij, voor • *bijw* binnen, tehuis

inability onvermogen

inaccessible ontoegankelijk, ongenaakbaar

inaccurate onnauwkeurig

inactive werkeloos, op non-actief

inadequate onvoldoende, ontoereikend

inadmissible ontoelaatbaar

inalienable onvervreemdbaar

inanimate levenloos • onbezield

inanition uitputting

inapt ongeschikt

inaudible onhoorbaar

inauguration installatie, inwijding • inhuldiging

in-between tussenpersoon

incalculable onberekenbaar, onschatbaar

incandescent gloeiend

incapable onbekwaam

incarnation incarnatie, vleeswording • verpersoonlijking

incautious onvoorzichtig

incendiary brand- • ~ *bomb*, brandbom

incense *zn* wierook • *ww* bewieroken • razend maken

incentive prikkel, aansporing

incertitude onzekerheid

incessantly aanhoudend, onophoudelijk

inch duim (2,54 cm)

incident voorval, incident

incidental(ly) toevallig • terloops

incision insnijding

incite aansporen, aanhitsen

incitement aansporing

incivility onbeleefdheid

inclement meedogenloos • guur

inclination helling • neiging

incline neigen, overhellen

include insluiten, behelzen

included inbegrepen

including ingesloten, inbegrepen • tot en met

inclusive ingesloten

incoherent onsamenhangend

incombustible onbrandbaar

income inkomen, inkomsten *mv*

income tax inkomstenbelasting

incomparable onvergelijkelijk

incompetent onbevoegd, incompetent

incomplete onvolkomen, onvolledig

incomprehensible onbegrijpelijk

inconceivable ondenkbaar

incongruous ongelijk(soortig), onverenigbaar • ongepast

inconsequent inconsequent

inconsiderable onbeduidend

inconsiderate onbezonnen, onoordacht

inconsistent onverenigbaar

• inconsequent
inconstant onbestendig
• ongedurig, veranderlijk
incontestable onbetwistbaar
inconvenient ongelegen, lastig
incorporation inlijving
• erkenning als rechtspersoon
incorrect onnauwkeurig, onjuist
incorrigible onverbeterlijk
increase *zn* aanwas, toeneming
• *ww* aangroeien, toenemen
incredible ongelooflijk
incredulous ongelovig
incriminate beschuldigen
incubate (uit)broeden
• ontwikkelen
incur zich blootstellen aan, zich
op de hals halen
incurable ongeneeslijk
indebted verschuldigd
indecent obsceen, onfatsoenlijk
indecisive besluiteloos
indeed inderdaad, dan ook
indefatigable onvermoeibaar
indelible onuitwisbaar
indelicate grof, gênant
indemnity schadeloosstelling
indent (in)deuken
indenture contract
independence onafhankelijkheid
indescribable onbeschrijfelijk
indestructible onverwoestbaar
indeterminate onbepaald
index *zn* index • wijzer,
wijsvinger • register • klapper
• *ww* in een register
inschrijven • alfabetiseren
index figure indexcijfer
India India
Indian *bn* Indisch, Indiaans • ~
corn, maïs • *zn* Indiër • Indiaan

indicate aanwijzen
indicator richtingaanwijzer
• indicatie
indictment (akte van)
beschuldiging
indifferent onverschillig
indigenous inheems, inlands
indigent straatarm
indigestion slechte spijsvertering
indignation verontwaardiging
indignity vernedering
indiscreet onvoorzichtig
• onbescheiden
indispensable onontbeerlijk,
onmisbaar
indisposed onwel • ongesteld
indisposition lichte ziekte
• onwelwillendheid
indissoluble onoplosbaar
indistinct onduidelijk
individual *zn* individu • *bn*
individueel
indivisible ondeelbaar
indolent traag, lui
Indonesia Indonesië
indoor binnenshuis, huis • ~
training, (kamer)gymnastiek,
training binnenshuis
indoors binnen
indubitable ontwijfelbaar
induce veroorzaken • bewegen
tot
indulge toegeven • verwennen
indulgent toegeeflijk,
inschikkelijk
industrial industrieel
industrious ijverig
industry naarstigheid
• nijverheid, industrie • bedrijf
ineffective zonder uitwerking
inefficacious ondoeltreffend

inefficient onbruikbaar, ongeschikt • onefficiënt
inequality ongelijkheid
inert log, loom, traag, inert
inevitable onvermijdelijk
inexact onjuist, onnauwkeurig
inexcusable onvergeeflijk
inexhaustible onuitputtelijk
inexorable onverbiddelijk, onvermijdelijk
inexpensive goedkoop
inexperienced onervaren
inexplicable onverklaarbaar
inexpugnable onaantastbaar
inextinguishable onblusbaar
infallible onfeilbaar
infamous berucht
infamy schande, beruchtheid
infancy kindsheid • beginfase
infant zuigeling • kind
infantile paralysis kinderverlamming
infantry infanterie
infant school kleuterschool
infect besmetten
infection infectie, besmetting
infelicitous ongelukkig
infer besluiten, afleiden
inference gevolgtrekking
inferior *zn* mindere, ondergeschikte • *bn* minder, ondergeschikt • minderwaardig, inferieur
inferiority complex minderwaardigheidscomplex
infernal hels
infertile onvruchtbaar
infidel ongelovig(e)
infidelity ontrouw, ongeloof
infinite oneindig
infirm zwak

infirmary ziekenhuis • ziekenzaal
infirmity gebrekkigheid, gebrek
inflammation ontvlamming, ontsteking • ontsteking (infectie)
inflate opblazen • oppompen • opdrijven v. prijzen
inflexible onbuigbaar, -zaam
inflict opleggen (straf)
inflow toevloed
influence invloed
influential invloedrijk
influenza griep
influx stroom, toevloed
inform mededelen, op de hoogte brengen, melden, inlichten
informality informaliteit
information inlichting, informatie
infraction inbreuk, schennis
infrangible onbreekbaar
infrequent zeldzaam
infringe inbreuk maken op
in front vooraan
in front of vóór (plaats)
infuse ingieten • inboezemen
infusible onoplosbaar • onsmeltbaar
infusion toevoeging • aftreksel
ingenious vindingrijk, vernuftig
ingenuous ongekunsteld, openhartig, naïef
ingratitude ondankbaarheid
inhabit bewonen
inhabitant inwoner
inhale inademen
inharmonious onwelluidend • onevenwichtig
inherit erven
inheritance erfenis
inheritance tax

successiebelasting
inhibit verbieden, verhinderen
• stuiten, remmen
inhuman onmenselijk
inhume begraven
inimical vijandig
iniquity ongerechtigheid,
misdadigheid
initial *bn* eerste, begin- • *zn*
beginletter • *ww* paraferen
initially aanvankelijk
initiate inwijden
initiative initiatief
inject inspuiten, toevoegen
injection injectie
injudicious onoordeelkundig
injure benadelen, krenken
• kwetsen
injured gewond
injured person gewonde
injurious nadelig, schadelijk,
beledigend
injury verwonding, blessure
• schade • hoon, onrecht
injustice onrechtvaardigheid,
onrecht
ink inkt • *Indian* ~, Oost-Indische
inkt
inkwell inktkoker
inlaid ingelegd
inland *zn* binnenland • *bn*
binnenlands
in-laws *mv* schoonfamilie
inmate medepatiënt,
medegevangene
inmost binnenste
inn herberg, logement
innate aangeboren
innavigable onbevaarbaar
innermost binnenste
inner tube binnenband

innkeeper herbergier
innocence onschuld
innocent onschuldig
innovate veranderen,
vernieuwen
innuendo insinuatie
innumerable ontelbaar
inoculate enten, inenten
inodorous reukloos
inoffensive onschadelijk,
onschuldig
inopportune ongelegen
inquire informeren
inquiry onderzoek, enquête
inquiry office
inlichtingenbureau
inquisitive nieuwsgierig
insalubrious ongezond
insane krankzinnig
insatiable onverzadigbaar
inscribe inschrijven, griffen
inscription opschrift
insect insect
insect powder insectenpoeder
insecure onveilig, onzeker
insensitive ongevoelig,
gevoelloos • onbewust
inseparable onafscheidelijk
insert invoegen, bijvoegen
• plaatsen (in de krant)
inside *bijw* binnen, binnenin • *zn*
binnenkant
insider ingewijde
insidious verraderlijk
insight inzicht
insignificant onbeduidend
insincere onoprecht
insinuate te verstaan geven,
insinueren • ongemerkt
indringen
insinuation insinuatie,

verdachtmaking
insipid smakeloos, laf, flauw, saai
insist aandringen, staan op
insolent onbeschoft
insoluble onoplosbaar
insomnia slapeloosheid
insomuch in zoverre, zodat
inspection bezichtiging, inspectie • onderzoek
inspector inspecteur
inspiration ingeving, inspiratie, idee
in spite of ondanks
instalment installatie • aflevering, termijn
instance geval, voorbeeld • aandrang • verzoek • instantie • *for ~*, bij voorbeeld
instant *zn* ogenblik • *bn* onmiddellijk • *on the 10th ~*, op de 10de
instant coffee oploskoffie
instead in plaats van
instep wreef (van voet)
instigate aansporen, ophitsen
instigation aanstichting, instigatie
instil(l) inboezemen
institute instellen, stichten
instruct onderwijzen, gelasten, opdracht geven
instruction instructie, onderricht, onderwijs • opdracht
instructive leerzaam
instrument (muziek)instrument • meetapparaat • middel
insubordination ongehoorzaamheid
insufferable onverdraaglijk, onuitstaanbaar
insufficient onvoldoende

insular eiland-
insulator isolator
insult *zn* belediging • *ww* beledigen
insupportable ondraaglijk
insurance verzekering, assurantie
insurance company verzekeringsmaatschappij
insured verzekerd
insurer verzekeraar
insurgent opstandeling, rebel
insurmountable onoverkomelijk
insurrection opstand
insusceptible ongevoelig
intact gaaf, ongeschonden
integral geheel, volledig, integraal
integrity onkreukbaarheid, zuiverheid, integriteit
intellect intellect, verstand
intelligence verstand • intelligentie • (geheime) inlichtingen
intelligence service (geheime) inlichtingendienst
intelligent verstandig, intelligent
intelligible begrijpelijk, verstaanbaar
intemperance onmatigheid
intend van plan zijn
intense intens, geweldig, hevig
intensify versterken, verhevigen
intent *zn* voornemen, opzet • *bn* ingespannen
intention plan, voornemen
inter begraven
interaction wisselwerking
intercede tussenbeide komen
intercept onderscheppen
interchange *zn* ruil, uitwisseling

• *ww* (uit)wisselen, ruilen
intercourse seks
interdict *zn* verbod • *ww* verbieden, ontzeggen
interdiction verbod
interest belangstelling, belang • rente • interest • *ww* interesseren
interesting interessant
interfere tussenbeide komen, zich mengen in • ingrijpen
interference bemiddeling, inmenging • storing
interim *zn* tussentijd • *bn* waarnemend
interior binnenste, binnenland
interjection tussenwerpsel, uitroep
interloper indringer
interlude pauze • tussenspel, intermezzo
intermediary agent tussenpersoon
intermediate tussen-
interminable oneindig
intermission onderbreking
intermittent bij tussenpozen werkend, afwisselend
internal inwendig, innerlijk
international internationaal • ~ *law*, volkenrecht
interpret uitleggen, verklaren
interpreter tolk
interrogation verhoor • ondervraging • vraag
interrupt in de rede vallen, afbreken, storen, onderbreken
intersect snijden, (door)kruisen
interspace tussenruimte
interval tussenruimte, tussenpoos • interval

intervene tussenbeide komen, ingrijpen • zich (onverwachts) voordoen
intervention bemiddeling, tussenkomst
interview *zn* vraaggesprek • onderhoud • *ww* interviewen
intestinal inwendig
intestines ingewanden *mv*, darmen
intimacy vertrouwelijkheid
intimate *zn* boezemvriend • *bn* innig, vertrouwelijk • *ww* te kennen geven
intimidate bang maken, intimideren
into tot in, in (naar binnen)
intolerable onverdraaglijk
intolerant onverdraagzaam
intone aanheffen, inzetten (gezang)
intoxicating bedwelmend
intractable onhandelbaar
intrepid onverschrokken
intricate ingewikkeld, netelig
intrigue *zn* intrige • *ww* fascineren, intrigeren
introduce invoeren • indienen • introduceren, voorstellen
introduction inleiding • voorstelling
intrude indringen
intruder indringer
intrusive indringerig
intuition intuïtie
inundate overstromen
invade binnenvallen, een inval doen
invalid gebrekkig, invalide • ongeldig
invaluable onschatbaar

invariable onveranderlijk
invasion (vijandelijke) inval, invasie
invective scheldwoord
inveigle lokken, verleiden
invent uitvinden, verzinnen
invention uitvinding, vinding
inventive vindingrijk
inventory inventaris
inverse omgekeerd
invertebrate ongewerveld
invest beleggen, investeren
investigation onderzoek, navorsing, enquête
investment geldbelegging • investering
inveterate ingeworteld
invidious hatelijk • hachelijk
invigorate kracht bijzetten, versterken
invincible onoverwinnelijk
inviolable onschendbaar
invisible onzichtbaar
invitation uitnodiging
invite uitnodigen • verlokken
invocation aanroeping
invoice factuur
invoke inroepen, aanroepen
involuntary onwillekeurig • onvrijwillig
involve wikkelen, verwikkelen • insluiten • betrekken
invulnerable onkwetsbaar
inward inwendig, innerlijk • binnenwaarts
iodine jodium
I.O.U. = *I owe you*, ik ben u schuldig • schuldbekentenis
irascible opvliegend
irate, ireful woedend
Ireland Ierland

Irish Iers
Irishman Ier
irksome ergerlijk
iron *zn* ijzer • strijkijzer • *bn* ijzeren • *ww* strijken • boeien • ~ *out*, vereffenen
ironclad *zn* pantserschip • *bn* gepantserd
iron-foundry ijzergieterij
ironical ironisch
ironing board strijkplank
iron wire ijzerdraad
irony ironie
irradiate (be)stralen
irrational onredelijk
irreconcilable onverzoenlijk
irredeemable onherroepelijk verloren • onherstelbaar • oninbaar
irregular onregelmatig, ongeregeld
irrelevant niet toepasselijk, niet ter zake
irremediable onherstelbaar
irreparable onherstelbaar
irreproachable onberispelijk
irresistible onweerstaanbaar
irresolute besluiteloos
irrespective ongeacht
irresponsible onverantwoordelijk
irretrievable onherstelbaar
irreverent oneerbiedig
irrevocable onherroepelijk
irrigate besproeien, bevloeien
irritable prikkelbaar
irritate prikkelen, ergeren
island eiland • vluchtheuvel
isle eiland
isolate afzonderen, isoleren
Israelite Israëliet
issue *zn* nummer (krant,

tijdschrift) • kwestie, geschilpunt • ww uitkomen, voortkomen, uitgeven

isthmus landengte

it het, hij, zij, daar, er

Italian Italiaan(s)

italicize cursiveren

Italy Italië

itch zn jeuk • schurft • ww jeuken • popelen, snakken

item bijw idem • zn artikel • nummer (van programma) • punt (van agenda)

iterate herhalen

itinerary reisbeschrijving, reisroute

its zijn, haar

itself zichzelf

I.T.V. = Independent Television, Onafhankelijke Televisie

ivory zn ivoor • bn ivoren

ivy klimop

J

jab steken, porren

Jack Jan • jantje, matroos

jack krik • boer (kaartenspel)

jackal jakhals

jackass ezel • domoor

jacket jasje, omhulsel, schil

jade zn jade, nefriet • bn helgroen

jail gevangenis

jailer cipier

jam zn jam • gedrang • (radio)storing • verkeersopstopping, file • ww

drukken • duwen • klemmen • versperren • vastlopen (rtv) storen

janitor portier

January januari

Japanese Japans

jar (stop)fles, kruik • gekras • schok

jaundice geelzucht

Javanese Javaan(s)

javelin [atletiek] speerwerpen

jaw kaak

jealous jaloers

jeans spijkerbroek

jeep Amerikaanse legerauto

jeer zn spot • ww spotten, honen, schelden

jelly gelei

jellyfish kwal

jenever jenever

jeopardy gevaar

jerk stoot, ruk, stomp

jerry-built in haast opgetrokken

jersey trui

jest grap, mop

jet zn straalvliegtuig • straal • (gas)vlam • ww reizen per straalvliegtuig

jet plane straalvliegtuig

jetty havenhoofd, pier

Jew Jood

jewel juweel

jeweller juwelier

jewellery sieraden

jib niet willen, weigeren

jiffy in a ~, strakjes

jigsaw legpuzzel

jilt de bons geven

jingle gerinkel • deuntje

jitterbug zenuwpees, bangerik • jitterbug, een soort dans

job karwei, baan
jobber effectenhandelaar
• hoekman
jocose grappig
jocular vrolijk, schertsend
jog joggen • aanstoten • opfrissen (v. geheugen)
jog-trot sukkeldraf
John Jan
join verenigen, samenvoegen • toetreden tot • ~ *the colours*, dienst nemen • ~ *in*, meedoen met, aan
joint *bn* verenigd, gezamenlijk • *zn* gewricht, scharnier • verbinding, voeg • stuk vlees • joint
joke *zn* scherts, grap • *ww* schertsen, grappen
jolly vrolijk, leuk
jolt horten, stoten, schokken
jostle duwen, dringen
jot noteren
journal dagboek • dagblad • tijdschrift
journalist journalist
journey reis
jovial vrolijk, opgewekt
joy vreugde, blijdschap
jubilate jubelen, juichen
jubilee jubileum
judg(e)ment oordeel, vonnis
judge *zn* rechter, beoordelaar • *ww* oordelen • uitspraak doen
judicial rechterlijk, gerechtelijk
judicious verstandig, oordeelkundig
jug kruik, kan • pot
juggler jongleur
juice sap

juicy sappig
July juli
jumble door elkaar gooien
jump springen • plotseling omhoog gaan (v. prijzen)
jump leads startkabels
junction verbinding • knooppunt (van spoorlijnen)
juncture voeg, naad • kritiek ogenblik
June juni
jungle rimboe, wildernis
junior de jongere
junk oude rommel
junkie (drugs)verslaafde
juridical gerechtelijk, juridisch
jurisdistion rechtsgebied • rechtsbevoegdheid
jurisprudence rechtsgeleerdheid
jurist jurist, rechtsgeleerde
juror gezworene, jurylid
jury jury
just *bn* rechtvaardig, getrouw • *bijw* juist, even • ~ *now*, zoeven • nu
justice gerechtigheid, rechtvaardigheid • justitie
justify rechtvaardigen
juvenile jeugdig

K

kale boerenkool
keel kiel (v. schip)
keen Enthousiast • scherp, heftig, bits • happig op
keen-sighted scherpzinnig
keep *zn* bewaring, hoede

• onderhoud • *ww* **(kept; kept)** houden, bewaren, conserveren • verdedigen

keeper bewaarder, bewaker, opzichter • doelverdediger

keepsake aandenken

kennel hondenhok

kept zie *keep*

kerb stoeprand

ketchup ketchup

kettle ketel

key sleutel, toets

keyboard toetsenbord, klavier

keyhole sleutelgat

keyring sleutelring

K.G. = *Knight of the Garter* Ridder van de Kouseband

kick *ww* schoppen, trappen • *zn* schop, trap • veerkracht • ~ *off*, aftrap

kid *zn* kind • jochie • jonge geit *ww* plagen, voor de gek houden

kid gloves *mv* glacéhandschoenen *mv*

kidnap ontvoeren

kidnapper ontvoerder

kidney nier

kidney bean bruine boon, snijboon

kill doden, slachten • te niet doen

killjoy spelbederver

kilogram kilogram

kilometre kilometer

kilt Schots rokje

kin verwantschap

kind *zn* soort, geslacht • *bn* vriendelijk

kind(li)ness vriendelijkheid • goedheid, welwillendheid

kindergarten kleuterschool

kindle ontsteken • vuur vatten

kindred verwanten *mv*

king koning • heer (kaartspel)

kingdom koninkrijk

kinsman bloedverwant

kiosk kiosk

kipper gezouten en gerookte haring of vis

kiss *zn* kus, zoen • *ww* kussen

kit uitrusting • gereedschap • gereedschapskist

kitchen keuken

kitchencloth afdroogdoek

kitchen garden moestuin

kitchen-range kookfornuis

kite vlieger

kitsch kitsch

kitten jong poesje, katje

knack handigheid, slag, gave

knapsack knapzak

knave schurk • *(kaartsp)* boer

knead kneden • masseren

knee knie

knee-cap knieschijf

kneel (knelt of **kneeled; knelt** of **kneeled)** knielen

knew zie *know*

knickers *mv gemeenz* [van vrouw] slipje, onderbroek

knife(ves) mes(sen)

knife-rest messenlegger

knight ridder

knit (knit of **knitted; knit** of **knitted)** breien, knopen • fronsen

knitting-needle breinaald

knob knobbel, knop

knock *zn* slag, klop, klap • *ww* slaan, kloppen • ~ *down*, neerslaan

knot *zn* knop • knobbel • kwast, knoest • *ww* knopen, verbinden
knotted, knotty knoestig
know (knew; known) kennen • weten
knowledge kennis, kunde • medeweten, voorkennis
known zie *know*
knuckle knokkel

L

label etiket, label
laboratory laboratorium
laborious moeizaam, moeilijk
labour *zn* arbeid • arbeiderspartij • moeite • bevalling • *ww* arbeiden, zich moeite geven
labour dispute arbeidsgeschil
Labour Party *Br* de socialistische partij
laburnum goudenregen
lace *zn* kant • veter • *ww* rijgen
lacerate verscheuren
lace-up rijglaars
lack *zn* gebrek, tekort • *ww* ontberen, ontbreken
lacquer *ww* lakken • *zn* lak, vernis
lad knaap, jongen
ladder ladder (ook in kous)
laden beladen, gevuld
ladies' (room) damestoiletten
ladle (pol)lepel
lady dame, vrouw den huizes • *Our Lady*, Onze Lieve Vrouwe
ladybird lieveheersbeestje

ladylike als een dame
lag achterblijven
lager pils
laid gelegd • ~ *up*, bedlegerig • zie *lay*
lain zie *lie*
lair hol, leger (v. dier)
lake meer (waterplas)
lamb lam • lamsvlees
lame mank, kreupel • zwak
lament *zn* klacht • *ww* betreuren
lamp lamp
lamp-post lantaarnpaal
lampshade lampenkap
lance lans
land *zn* land, bodem, grond • *ww* (aan)landen
land force(s) landmacht
landing landing • landingsplaats • (trap)portaal
landing-stage aanlegsteiger
landlady hospita, waardin
landlord hospes • herbergier
landmark herkenningspunt • mijlpaal
landowner grondbezitter
landscape landschap
landslip aardverschuiving
land tax grondbelasting
lane landweg • rijstrook • geul • *get in ~*, voorsorteren
language taal
languid kwijnend, lusteloos
languish smachten, kwijnen
lank sluik
lantern lantaarn
lap *zn* schoot • ronde, onderdeel • *ww* opslorpen • klotsen
lapse vergissing • verloop van tijd • verval, terugval
lapwing kievit

larceny diefstal
lard *zn* reuzel • *ww* larderen
larder provisiekamer, -kast
large ruim, groot, breed,
uitgestrekt • royaal
largest grootste
lark leeuwerik
larynx strottenhoofd
lascivious wulps
lash *zn* zweepslag • geseling
• wimper • *ww* geselen
• (vast)sjorren
lass meisje
lassitude vermoeidheid
last *bn* laatst, vorig(e),
jongstleden • *ww* duren,
blijven • ~ *night*, gisteravond • ~
but one, voorlaatste
lasting duurzaam, blijvend,
langdurig, bestendig
latch klink
latchkey huissleutel
late laat, te laat • gewezen
• wijlen
lately onlangs, laatst
late-night shop avondwinkel
latent verborgen, verholen
later later, straks
lateral zijdeling(s)
late season naseizoen
lath lat
lathe draaibank
lather *zn* zeepsop, schuim • *ww*
inzepen
Latin *zn* Latijn • *bn* Latijns
latitude breedte
latter laatste (van twee),
laatstgenoemde
latter-day modern
lattice-(work) traliewerk
• latwerk

laudable prijzenswaardig
laugh *zn* gelach, lach • *ww*
lachen
laughable belachelijk
laughing-stock mikpunt van spot
laughter gelach
launch *zn* lancering
• tewaterlating • *ww* lanceren
• van stapel laten lopen
launderette wasserette
laundry was(goed)
laurel laurier • lauwerkrans
lavatory wc • toilet
lavender lavendel
lavish *bn* overvloedig, kwistig
• *ww* verkwisten
law wet, recht
law court rechtbank
lawful wettig
lawless wetteloos, bandeloos
lawn gazon
lawnmower grasmaaimachine
lawsuit proces
lawyer advocaat
lax laks, nalatig
laxative laxeermiddel
lay *bn* oningewijd, ondeskundig
• *ww* **(laid**; **laid)** leggen,
plaatsen • ~ *in*, inslaan, opdoen
• zie ook *lie*
layer laag
layman leek
layout aanleg, ontwerp
lb. = *libra*, Engels pond (= 453,6
gram)
lead *zn* lood • voorsprong
• leiding • (kaartspel) invite,
voorhand • *ww* **(led**; **led)**
leiden, aanvoeren
leaden loden

leader (ge)leider • aanvoerder • hoofdartikel
leading article hoofdartikel
leaf (leaves) blad (boom)
leafless bladerloos
league verbond • ~ *of Nations*, Volkenbond
leak *zn* lek • lekkage • *ww* lekken
leakage lekkage
leaky lek
lean *bn* mager • lenig • *ww* **(leant** of **leaned; leaned)** leunen • overhellen
leap *zn* sprong • *ww* **(leapt** of **leaped; leapt** of **leaped)** springen
leapfrog haasje-over
leap year schrikkeljaar
learn (learnt of **learned; learnt** of **learned)** leren • vernemen
learning geleerdheid, wetenschap
lease *ww* verhuren, verpachten • *zn* huurcontract, pacht
leash koppel, band, lijn
least kleinste, minste • *at ~*, ten minste, minstens
leather *zn* leer • *bn* leren
leather goods lederwaren
leave verlof • afscheid • *ww* **(left; left)** weggaan, verlaten • nalaten • overlaten, laten
leaves *mv* bladeren *mv*, loof
leavings *mv* overschot • afval • kliekjes *mv*
lecture lezing • college
lecturer docent
led zie **lead**
ledge richel, rand
ledger grootboek
leech bloedzuiger

leek prei, look
leer gluren
leeward lijwaarts
left *bn* links, linker • *bn* achternagelaten • zie ook *leave*
left-handed links
left luggage department bagagedepot
leftovers *mv* kliekjes *mv*
leg been, poot, bout • pijp • been
legacy legaat, nalatenschap
legal wettig
legal aid juridische hulp
legalize legaliseren, wettigen
legation legatie
legend legende
legging legging • beenkap
legible leesbaar
legion legioen
legislation wetgeving
legitimate *bn* echt, wettig • *ww* echten, wettigen
leisure vrije tijd • *at ~*, op zijn gemak
lemon citroen
lemonade limonade
lemonsquash kwast (drank)
lemon squeezer citroenpers
lend (lent; lent) lenen aan
lending library leesbibliotheek
length lengte, duur
lenient toegevend • zacht
lenitive verzachtend
lens lens (objectief)
Lent vasten
lent zie *lend*
leopard luipaard • *American ~* jaguar
leotard maillot
leprosy melaatsheid, lepra
lesion beschadiging, verwonding

less minder, kleiner
lessen verminderen
lesser kleiner, minder
lesson les
lest uit vrees dat
let zn huur • ww (let; let) (over)laten • verhuren • ~ *alone*, laat staan • to ~, te huur
lethal dodelijk
letter brief • letter • betekenis • ~ *to the editor*, ingezonden stuk
letter-balance brievenweger
letter box brievenbus
lettuce kropsla
level zn niveau, peil, stand, vlak • bn vlak, waterpas • ww gelijkmaken, effenen • vlak (terrein)
level crossing spoorwegovergang
lever hefboom
levy zn heffing • ww heffen, opleggen
lexicon woordenboek
liability verantwoordelijkheid, verplichting • ~ *to service*, dienstplicht
liable verantwoordelijk • onderhevig, blootgesteld aan
liar leugenaar
libel smaad
liberal mild, gul, vrij • vrijzinnig, liberaal
liberate bevrijden
libertine losbandig
liberty vrijheid
Libra Weegschaal
librarian bibliothecaris
library bibliotheek, studeerkamer
licence verlof, patent

• vergunning • rijbewijs
• losbandigheid
licentious losbandig, bandeloos
lick ww likken • verslaan • zn lik
licorice drop
lid deksel • (oog)lid
lie zn leugen • ww (lied; lied) liegen • (lay; lain) liggen, rusten
Liege Luik
lieutenant luitenant • gouverneur
lieutenant-colonel overste
life leven, levensduur • levenslicht
life annuity lijfrente
life assurance levensverzekering
lifebelt reddingsboei
lifeboat reddingsboot
lifebuoy redding(s)boei
lifeless levenloos
life-preserver zwemgordel
lifetime levensduur • mensenleven
lift zn stijging • lift • get a ~, (gratis) mee kunnen rijden • ww opheffen, optillen, lichten
light zn licht • lucifer • vuurtje (voor sigaret) • verlichting • bn licht • luchtig • lichtzinnig • gemakkelijk • ww (lit of lighted; lit of lighted) verlichten, opsteken • aanmaken
lighten weerlichten • lichter maken
lighter aansteker • lichter
lighthouse vuurtoren
lighting licht (verlichting)
lightness lichtheid, vlugheid • lichtvaardigheid

lightning weerlicht, bliksem
lightning-conductor bliksemafleider
lights verlichting
like *zn* weerga, gelijke • *(bijw)* dergelijk, gelijkend, *(voegw)* zoals • *ww* houden van, mogen • lusten
likely waarschijnlijk
likeness gelijkenis
likewise evenzo, desgelijks
lilac *zn* sering • *bn* lila
lily lelie • ~ *of the valley*, lelietje van dalen
limb lid, lichaamsdeel • ~*s*, *mv* ledematen *mv*
lime vogellijm • kalk, lindeboom • soort citroen
limit *zn* limiet • grenslijn • toppunt • *ww* begrenzen, beperken
limitation beperking, bepaling
limp *bn* slap • *ww* hinken
limpid helder, klaar, doorschijnend
linden linde
line *zn* regel • lijn • rij • spoor-, stoomvaartlijn • ~ *of conduct*, gedragslijn • *ww* voeren (bekleden)
lineal lijnrecht • rechtstreeks
linear lineair, lijn- • van de eerste graad
linen linnengoed
liner lijnboot, -vliegtuig
linger dralen, talmen • nablijven
linguistic taalkundig
lining voering
link *zn* schakel • *ww* aaneenschakelen
links golfbaan

linseed oil lijnolie
lion leeuw
lioness leeuwin
lip lip • rand
lipstick lippenstift
liqueur likeur
liquid *zn* vloeistof • *bn* vloeibaar, vloeiend
liquidation liquidatie, afwikkeling
liquor (sterke) drank
liquorice drop
lisp lispelen
list *zn* (naam)lijst, tabel • tochtband • *ww* een lijst opmaken van, catalogiseren • opsommen • overhellen
listen luisteren
listener(-in) luisteraar
listless lusteloos
lit zie *light*
literal letterlijk
literature letterkunde, literatuur • (propaganda)lectuur
lithe(some) buigzaam • lenig
lithography lithografie, steendruk
litigation proces
litre liter
litter rommel, afval • stroleger
little klein, luttel, weinig • *a* ~, een beetje
little finger pink
littoral *zn* kustgebied • *bn* kust-
live wonen, leven
livelihood kostwinning
liveliness levendigheid
lively levendig
liver lever
livery livrei, uniform
livestock veestapel

live together samenwonen
livid woedend • lijkbleek
living zn bestaan, broodwinning
• bn levend
living-room woonkamer
lizard hagedis
load zn lading • vracht • ww
(loaded; loaden) bevrachten,
laden
loading lading, het laden
loaf (mv loaves) zn brood • ww
lanterfanten
loafer leegloper • slipper
loam leem
loan zn lening • ww lenen
loath afkerig
loathe walgen, verfoeien
loathsome walgelijk, vies
lobby zn portaal • koffiekamer,
foyer • wandelgang • lobby
• ww lobbyen
lobe (oor)lel • kwab
lobster kreeft
local plaatselijk, lokaal
local bus stadsbus
locality plaats
location plaatsing, ligging
lock zn slot • sluis
• (verkeers)opstopping
• (haar)lok • ww sluiten
locker kastje, safe, bagagekluis
lock-out uitsluiting
lock-up gevangenis
• parkeergarage
locomotive locomotief
locust sprinkhaan
locution uitdrukking
lodge zn optrekje, huisje
• portierswoning • loge • ww
neerleggen • huisvesten
• (in)wonen

lodger huurder
lodging huisvesting, kamers mv
lodging house pension
lodgings logies
loft zolder
lofty verheven
log blok hout • logboek
loggerheads be at ~, bakkeleien
logical logisch
loin lende, lendenstuk
loiter slenteren, talmen
lollipop (ijs)lolly
London Londen
lonely eenzaam
long bn lang, langdurig • ~ since,
lang geleden • ww ~for,
verlangen naar
longboat (scheepv) sloep
long chair ligstoel
longing verlangen
longitude geografische lengte
long-playing record
langspeelplaat
long-winded langdradig
loo gemeenz wc
look zn uiterlijk, blik, kijk • ww
kijken, zien, uitzien • ~ after,
zorgen voor • ~ for, zoeken
naar • ~ at, bekijken • ~ like,
lijken op • ~ round, rondkijken
• ~ up, opzoeken
looking-glass spiegel
look out! pas op!
lookout uitkijk
loom opdoemen, verschijnen
loop lis, lus • duikvlucht
loose bn los, ruim • losbandig
• ww losmaken
loosen losmaken
loot zn plundering, buit • ww
plunderen

loquacious spraakzaam
lord heer, echtgenoot • lord
lorry vrachtauto
lose (lost; lost) verliezen • (klok) achterlopen • ~ *weight*, afvallen
lose (one's) way verdwalen
loss verlies, schade
lost verloren, weg • zie ook *lose* • kwijt, zoek
lost property gevonden voorwerpen
lot deel, lot, perceel • een heleboel • portie, partij • stukje land
lotion lotion
lottery loterij
loud luid
loudspeaker luidspreker
lounge *ww* luieren • *zn* (hotel)hal • lounge
lounge suit colbertkostuum
louse (mv lice) luis
lousy beroerd • armzalig, waardeloos
lout lummel, pummel
love liefde • *in* ~, verliefd • *ww* liefhebben, houden van (iem.)
love letter liefdesbrief
loveliness lieftalligheid
lovely allerliefst, lief • heerlijk, prachtig
lover minnaar • minnares
low laag • nederig
Low Countries *mv* de Nederlanden *mv*
lower *bn* lager, dieper • minder • geringer • *ww* lager maken, laten zakken • strijken • verminderen
low-fat vetarm

low tide eb
loyal getrouw
lozenge tabletje, pastille • ruit
LPG LPG
Ltd. = *limited liability company*, naamloze vennootschap, NV
lubricant smeersel • glijmiddel
lubricate doorsmeren
lubricator smeermiddel
lubricity glibberig-, gladheid
lucid helder, doorschijnend
luck kans, geluk • *bad* ~, pech
lucky gelukkig
lucrative winstgevend
ludicrous belachelijk
lug trekken, slepen
luggage bagage
luggage carrier bagagedrager
luggage ticket bagagereçu
luggage van bagagewagen
lukewarm lauw
lull stilte, rust
lullaby slaapliedje
lumbago spit (in de rug)
lumber timmerhout
luminous lichtgevend
lump klomp, kluit, klontje
lunacy krankzinnigheid
lunar module maansloep
lunatic krankzinnig • ~ *asylum*, krankzinnigengesticht
lunch lunch
lunch (have) lunchen
lunch (packed) lunchpakket
lungs longen
lure *zn* lokaas • *ww* lokken
lurid huiveringwekkend, expliciet • fel
lurk loeren • schuilen
lush sappig, mals
lust (wel)lust • begeerte

lustre luister, glans
• aantrekkingskracht
lusty krachtig, ferm
lute luit
luxurious weelderig
luxury luxe, weelde
lyrical lyrisch, lier-

M

M = 1 *Member*, lid • 2 *Meridian*,
middaglijn • twaalf uur 's
middags • 3 *Master*,
universitaire graad
macaroon bitterkoekje
maceration vermagering
machination beraming, intrige
machine toestel, machine
mack, mackintosh regenjas
mackerel makreel
mad dol, razend, gek
madam mevrouw, juffrouw
made zie *make*
madness krankzinnigheid
magazine magazijn • tijdschrift
magic toverkunst
magician tovenaar
magic lantern toverlantaarn
magistrate magistraat,
politierechter
magnanimity grootmoedigheid
magnet magneet
magnetic magnetisch
magneto magneet (v. motor)
magnificence pracht, luister
magnificent prachtig
magnify vergroten
magnifying glass vergrootglas

magnitude grootte, grootheid
magpie ekster
mahogany mahoniehout
maid meid, maagd
maiden zn jonkvrouw, maagd
• meisje • bn maagdelijk
• eerste
maiden name meisjesnaam
maiden speech eerste
redevoering v.e. nieuw lid
maidservant dienstmeisje
mail zn brievenpost, post
• postdienst • ww posten
mail-coach postwagen
maim verminken
main bn voornaamste, hoofd- • zn
hoofdlijn, -leiding, buis
mainland vasteland
mainly voornamelijk
maintain handhaven
maintenance onderhoud
maize maïs
majesty majesteit
major zn majoor • meerderjarige
• bn hoofd-, grootste
majority meerderheid
• meerderjarigheid
major road hoofdweg,
voorrangsweg
make zn maaksel, fabrikaat
• lichaamsbouw • ww **(made;
made)** maken • doen
make-believe zn schone schijn
• bn voorgewend
maker fabrikant • schepper
makeshift hulp-, nood-
make-up make-up
making maak, maaksel
malady ziekte
malaria malaria
Malay zn Maleisiër • bn Maleis

male *zn* mannetje • *bn* mannelijk

malediction vervloeking

malefactor boosdoener

malevolent kwaadwillig

malice kwaadaardigheid

malicious boosaardig, plagerig

malign boosaardig, slecht
• kwaadaardig

mall winkelcentrum

malleable smeed-, plooibaar

malnutrition ondervoeding

malodorous stinkend

malt mout

maltreat mishandelen

mam(m)a mama

mammal zoogdier

man (mv men) man, mens, knecht • damschijf

manage besturen • beheren
• regeren • het klaar spelen • ~ *to get*, bemachtigen

management behandeling, bestuur • beheer • beleid
• directie

manager bestuurder
• administrateur • directeur

managing beherend

mane manen *mv* (paard)

mangle *zn* mangel • *ww* verminken, verknoeien

manhood mannelijkheid

maniac krankzinnige

manicure manicuren

manifest openbaar • duidelijk

manifold menigvuldig

manipulation belasting, manipulatie

mankind mensheid

manly mannelijk, manmoedig

manner manier, wijze

mannerly welgemanierd

manners zeden, (goede) manieren *mv*, gedrag
• manieren

manservant (huis)knecht, bediende

mansion herenhuis

manslaughter doodslag

mantelpiece schoorsteenmantel

mantle *zn* mantel • laag • *ww* bedekken, bemantelen

manual handboek

manufacture vervaardigen

manufacturer fabrikant

manure mest

manuscript manuscript

many menig, veel, vele

many-sided veelzijdig

map kaart, landkaart, plattegrond

maple ahorn, esdoorn

mar bederven, beschadigen

marble *zn* marmer • knikker • *bn* marmeren

March maart

march *zn* optocht, mars • *ww* trekken, marcheren

mare merrie

margarine margarine

margin rand, kant, kantlijn

marigold goudsbloem

marine *zn* marine, vloot
• marinier • *bn* scheeps-, zee-

marine fish zeevis

mark *zn* merk, merkteken, doel
• cijfer • mark (Duitse munt)
• *ww* merken • kenmerken
• betekenen, aanduiden
• signaleren • corrigeren

market markt • aftrek

marmalade marmelade

maroon kastanjebruin

marquee (tentoonstellings)tent
marriage huwelijk
married getrouwd • huwelijks-
married (get) trouwen
marrow merg
marry huwen, trouwen
marsh moeras
marshal maarschalk
• ceremoniemeester
martial krijgshaftig, krijgs-
martyr martelaar, martelares
marvel zn wonder • ww zich
verwonderen
marvellous wonderbaarlijk
marzipan marsepein
masculine mannelijk
mash zn mengelmoes, brij • ww
fijnstampen
mask zn masker • ww zich
vermommen • maskeren
mason steenhouwer
• vrijmetselaar
masquerade maskerade
mass (RK) mis • massa, hoop
massacre moord, bloedbad
massage zn massage • ww
masseren
massive massief, enorm
mast mast
master zn meester, heer, baas
• jongeheer • ww
overmeesteren, beheersen
masterful meesterlijk
• competent
masterkey loper • hoofdsleutel
masterpiece meesterstuk
mastery meesterschap
masticate kauwen
mastiff buldog
mat zn mat • bn mat
match zn lucifer • gelijke, weerga

• partij • huwelijk • wedstrijd.
match • stel • ww paren
• evenaren • het hoofd bieden
matchbox lucifersdoosje
matchless weergaloos
mate zn makker, maat, helper
• stuurman • (schaak)mat • ww
paren
material bn stoffelijk, materieel
• zn grondstof, materiaal,
materieel
materialize verwezenlijken
• werkelijkheid worden
maternity hospital kraamkliniek
mathematics mv wiskunde
matrimony huwelijk
matrix context • matrix
matron dame op middelbare
leeftijd • moeder (weeshuis),
directrice (ziekenhuis)
matter stof, zaak, ding • materie
• what is the ~?, wat scheelt
eraan?
matter-of-fact zakelijk • nuchter
matter of fact (as a) trouwens
mattock houweel
mattress matras
mature bn volwassen • rijp,
gerijpt • ww volwassen worden
• rijpen
Maundy Thursday Witte
Donderdag
maxim grondstelling, stelregel
maximum maximaal
May mei
may (might; been allowed)
mogen, kunnen
maybe misschien
mayflower meidoorn,
koekoeksbloem
mayor burgemeester

M.D. = *Medicinal doctor*, doctor in medicijnen

me me (mij)

meadow weide

meagre mager, schraal

meal maaltijd • meel

mean *zn* gemiddelde
• middenweg • *bn* gering
• inhalig • gemeen, laag, min
• gierig • *ww* (**meant**; **meant**)
menen, bedoelen • betekenen

meaning bedoeling, betekenis

means middelen *mv*, manier
• inkomsten *mv*, by no ~,
geenszins

meant zie *mean*

meantime, meanwhile intussen

measles *mv* mazelen *mv*

measurable meetbaar

measure *zn* maat, maatregel
• *ww* meten

meat vlees

meat (minced) gehakt (vlees)

meatball gehaktbal(letje)

meat products vleeswaren

mechanic monteur, reparateur

mechanical werktuiglijk,
machinaal, mechanisch,
automatisch

mechanician werktuigkundige

mechanics *mv* werktuigkunde

Mechlin Mechelen

medal medaille

meddle zich bemoeien (met),
zich mengen (in)

meddlesome bemoeiziek

mediaeval middeleeuws

mediate bemiddelen, bijleggen

mediatory bemiddelend

medical geneeskundig

medical assistance medische

hulp

medicine geneesmiddel,
medicijn

mediocre middelmatig

meditate overdenken

Mediterranean *zn* Middellandse
Zee • *bn* Mediterraan

medium midden, middenweg
• middelsoort • middel
• medium

medley potpourri

medusa kwal

meek zachtmoedig, gedwee

meet (met; met) ontmoeten
• kennis maken • afspreken

meeting vergadering
• bijeenkomst • ontmoeting

megalomania
grootheidswaanzin

melancholy *zn* zwaarmoedigheid
• *bn* somber, zwaarmoedig

mellow *bn* rijp, mals, zacht,
plezierig • *ww* verzachten

melodious welluidend

melody wijs, melodie

melon meloen

melt smelten, vertederen

melting pot smeltkroes

member lid, lidmaat

membership lidmaatschap

membrane vlies

memento aandenken

memorable gedenkwaardig,
heuglijk

memorial *zn* gedenkteken • *bn*
gedenk-

memorize optekenen, in het
geheugen prenten

memory geheugen • herinnering

men *mv* mannen *mv*

menace *zn* bedreiging • *ww*

dreigen

mend verbeteren, • repareren • ~ *one's ways*, zich beteren

mendacious leugenachtig

mending-wool stopwol

menstruation menstruatie

mental geestes- • verstandelijk • ~ *home*, zenuwinrichting

mentality geestesgesteldheid, mentaliteit

mention *zn* melding • *ww* melden, noemen

menu menu, menukaart

mercantile handels-

mercenary *zn* huurling • *bn* inhalig • gehuurd

merchandise koopwaar

merchant koopman, handelaar

merchantman koopvaardijschip

merciful barmhartig, genadig

merciless onbarmhartig

mercury kwikzilver

mercy genade

mere louter, enkel

merely alleen, slechts, maar

merge samensmelten • fuseren

merger fusie

meridian meridiaan

meridional zuidelijk

merit *zn* verdienste • *ww* verdienen

mermaid zeemeermin

merriment vrolijkheid

merry vrolijk

merry-go-round draaimolen

mesh maas • (net)werk

mesmerize biologeren

mess knoeiboel, rommel • verwarring • *mil* gemeenschappelijke ruimte

message boodschap (bericht)

messenger (boy) bode, loopjongen, chasseur

mess-room *scheepv* eetzaal

messy vuil, rommelig

met zie *meet*

metal *zn* metaal • ~s, spoorstaven *mv* • *heavy* ~, zwaar geschut • *bn* metalen

meteor meteoor

meter (gas)meter

method methode

methylated spirits brandspiritus

methylated spirit stove spiritusbrander

meticulous nauwgezet

metre metrum • meter

metropolis hoofd-, wereldstad

metropolitan grootstedelijk

Meuse Maas

mew *zn* meeuw • *ww* miauwen

mews woning(en) boven stal(len) of garage(s)

miaow miauwen

mice *mv* muizen *mv*

microwave magnetron

midday middag

middle *zn* midden • *bn* middelbaar • middelste

middle-aged van middelbare leeftijd

Middle Ages *mv* Middeleeuwen *mv*

middle class (gegoede) middenstand

middling middelmatig

midget dwergje

midmost middelste

midnight middernacht

midst midden • *in our* ~, onder ons

midway halfweg, midden

might macht, kracht • zie ook *may*

mighty machtig

migrate verhuizen, trekken

migratory bird trekvogel

mild zacht, zachtaardig • ~ *cigar*, lichte sigaar

mile mijl

mileage recorder kilometerteller • afstand in mijlen

milestone mijlpaal

militant strijdlustig, militant

military militair

milk melk • lotion

milk jug melkkan

milkman melkboer

milk tooth melktand

Milky Way melkweg

mill molen • fabriek • spinnerij

miller molenaar

millimetre millimeter

milliner verkoper/maker van vrouwenhoeden

millinery vrouwenhoeden-

million miljoen

millstone molensteen

mimic nabootsen

mince fijn hakken • verbloemen

mind *zn* ziel, gemoed, verstand • geest, lust • neiging, mening • *ww* letten op, denken om • zorgen voor • het erg vinden

mindful bewust

mindless achteloos • leeghoofdig

mine de mijne, het mijne • *zn* mijn

mine-layer mijnenlegger

miner mijnwerker

mineral delfstof, mineraal

mineral water bronwater

minesweeper mijnenveger

mingle (ver)mengen

miniature miniatuur • ~ *camera*, kleinbeeldcamera

minimum minimum

mining mijnbouw

minister *zn* minister, gezant, geestelijke • *ww* bedienen, toedienen • voorzien, bijdragen, de kerkdienst verrichten

ministry ministerie, ambt

mink nerts

minor minderjarig

minority minderheid • minderjarigheid

mint *zn* munt, kruizemunt • *ww* munten

minuscule klein, gering

minute *zn* minuut • *ww* aantekenen, notuleren • *bn* klein, nietig, minutieus • minuut

minutely omstandig, nauwkeurig

minutes *mv* notulen *mv*

minx feeks

miracle wonder

mirage luchtspiegeling

mire modder, slijk

mirror *zn* spiegel, afspiegeling, toonbeeld • *ww* weerspiegelen

mirth vrolijkheid

miry beslijkt, modderig

misadventure tegenspoed

misanthrope mensenhater

misappreciation miskenning

misbehaviour wangedrag

misbelief dwaalleer • dwaalbegrip

miscalculate misrekenen

miscarry een miskraam hebben

miscellaneous gemengd

mischance ongeluk

mischief onheil, kwaad • ondeugendheid

mischievous boosaardig • schadelijk • ondeugend

misconception misvatting, wanbegrip

misconduct wangedrag

miscreant boosdoener

misdeed misdaad, wandaad

misdemeanour wangedrag

misdoing wandaad, vergrijp

miser gierigaard

miserable ellendig

miserly gierig, vrekkig

misery ellende

misfortune rampspoed

misgiving bange twijfel

misguide misleiden

mishap ongeval, ongeluk, incident

misinterpret verkeerd uitleggen

misjudge verkeerd beoordelen

mislay zoek maken • verleggen

mislead (misled; misled) misleiden

mismanagement wanbeheer

mismatch verkeerde combinatie • wanverhouding

misprint drukfout

misrule wanorde, wanbestuur

miss *zn* juffrouw (voor ongehuwde vrouwen) • *ww* missen, verzuimen, ontbreken

missal *rk* misboek

misshapen misvormd, wanstaltig

missile projectiel

missing person vermissing

mission zending, missie

missionary zendeling

mist mist, nevel

mistake *zn* vergissing • fout • misslag • *ww* (**mistook; mistaken**) misverstaan, zich vergissen

mister (Mr.) meneer

mistletoe maretak, mistletoe

mistress (Mrs.) mevrouw (vóór familienaam van gehuwde vrouwen) • meesteres • directrice • minnares

misunderstand (misunderstood; misunderstood) misverstaan, verkeerd begrijpen

misunderstanding misverstand

mite *zn* mijt • dreumes • *bijw* een beetje

mitigate verzachten, lenigen

mitten want • *get the* ~, de bons krijgen

mix mengen, vermengen

mixed pickles *mv* gemengd zuur, mixed pickles *mv*

mixture mengsel • drankje (medisch)

M.O. = 1 *moneyorder*, postwissel • 2 *Medical Officer*, officier v. gezondheid

moan gekerm, gejammer, klacht • *ww* kermen, kreunen • klagen

moat (slot)gracht, singel

mob menigte • gepeupel

mobile *zn* mobiel(tje) • *bn* beweeglijk, mobel • *mobile phone* mobiele telefoon

mobility beweeglijkheid

mobilize mobiliseren

mock *zn* spot • *bn* zogenaamd, nagemaakt • *ww* bespotten

mockery spot, bespotting

mock turtle soup (nagemaakte)

schildpadsoep
mode stijl, mode • vorm, wijze
model model, voorbeeld
moderate *bn* matig • gematigd • *ww* matigen
modern hedendaags, modern
modest bescheiden
modesty bescheidenheid
modification wijziging
Mohammedan mohammedaan(s)
moist vochtig, klam
moisten bevochtigen
moist sugar basterdsuiker
moisture vochtigheid, vocht
molar kies
mole mol • havenhoofd • moedervlek
molehill molshoop
molest lastig vallen, kwellen
mollify verzachten, kalmeren
Moluccas *mv* Molukken *mv*
moment ogenblik, moment
momentary kortstondig, een ogenblik durend
momentous gewichtig
monastery klooster
Monday maandag
monetary munt-, geld-
money geld
money box spaarpot • collectebus
moneyed bemiddeld
money order postwissel
monition vermaning
monitor *zn* beeldscherm • monitor • *ww* controleren
monk monnik
monkey aap • heiblok
monkey wrench schroefsleutel
monopoly alleenrecht, monopolie
monotonous eentonig

monsoon moesson
monstrous monsterachtig, afschuwelijk
month maand
monthly *bn* maandelijks • *zn* maandblad
monument gedenkteken, monument
mood stemming, humeur
moody humeurig • somber
moon maan
moonboot sneeuwlaars
moonshine maneschijn
moor *zn* heide • veen • *ww* vastmeren
mop stokdweil, zwabber • *ww* dweilen
mope kniezen, druilen
moped bromfiets
moral zedelijk, moreel
morass moeras
morbid ziekelijk, ongezond
mordant bijtend, scherp
more groter, meer • ~ *or less*, min of meer
moreover bovendien
morgue lijkenhuis
morning morgen, ochtend • *this* ~, vanmorgen • *in the* ~, 's ochtends
morning coat jacquet
morning paper ochtendblad
Morocco Marokko
morose knorrig
morsel hap, brokje, stuk
mortal *zn* sterveling • *bn* sterfelijk, dodelijk
mortar mortier • mortel, specie
mortgage hypotheek
mortification vernedering
mosaic mozaïek

Moselle Moezel(wijn)
Moslem moslim
mosque moskee
mosquito mug, muskiet
moss mos
most meest, zeer, groot
mostly merendeels, meestal
motel motel
moth mot
mother moeder • ~ *of pearl*, paarlemoer
motherhood moederschap
mother-in-law schoonmoeder
motion beweging • voorstel, motie
motion picture film
motive beweegreden
motor *zn* motor • *ww* per auto rijden
motor (driver's) licence rijbewijs
motorbike motorfiets
motorboat motorboot
motor car auto(mobiel)
motor car accident auto-ongeluk
motor coach touringcar
motorcycle motorfiets
motoring trip autotocht
motorized bicycle bromfiets
motor mechanic autoreparateur
motor truck vrachtauto
motorway autosnelweg
mould *zn* molm • schimmel • vorm • gietvorm, mal • type • aard • *ww* beschimmelen • vormen • gieten • kneden
moult ruien, verharen
mount *zn* berg • rijpaard • *ww* bestijgen, beklimmen • monteren • organiseren • toenemen
mountain berg

mountain ash lijsterbes
mountain bike mountainbike
mountaineering bergbeklimmen, bergsport
mountain hike bergwandeling
mountain hut berghut
mountainous bergachtig
mountain pass pas (bergpas)
mountain range gebergte
mountain slope berghelling
mountebank kwakzalver
mounted bereden
mourn rouwen, betreuren
mourning rouw
mouse (*mv* **mice**) muis
mousetrap muizenval
moustache snor
mouth mond, muil • monding
mouth-to-mouth resuscitation mond-op-mondbeademing
movable beweeglijk, beweegbaar, mobiel
move *zn* beweging, verhuizing • *ww* (zich) bewegen • een voorstel doen • in beweging brengen • opwekken • ontroeren • verhuizen • ~ *on*, doorlopen
movement beweging, verplaatsing • mechanisme • *muz* deel
movie film
movies *(gemeenz) the* ~, bioscoop
mow *zn* hooiberg • *ww* (**mowed**; **mown**) maaien
M.P. = *Member of Parliament*, Lid v. h. Parlement
Mr. = *Mister*, meneer (vóór een naam)
Mrs. = *Mistress*, mevrouw (vóór de naam v. getrouwde

vrouwen)

much veel, zeer

mud modder, slijk

muddle zn warboel • ww in de war gooien • verknoeien

muddle-headed warrig • dom

muddy modderig

mud-guard spatbord

muffin soort gebakje

muffler bouffante • demper

mufti in ~, in burger

mug zn mok • ww overvallen

mulberry moerbei

mule muildier • stijfkop

multiple bn veelvuldig • zn grootwinkelbedrijf • veelvoud

multiply vermenigvuldigen • vermenigvuldigen

multitude menigte

mum mamma • keep ~, zwijgen

mumble mompelen

mummy mummie • mammie

mumps mv de bof

munch knabbelen

mundane alledaags, saai

municipal stedelijk, burgerlijk, gemeentelijk

municipality gemeente(bestuur)

munificent mild, royaal

munition munitie

murder moord

murderer moordenaar

murderous moorddadig

murmur zn gemurmel • ww morren • murmelen

muscle spier

muscular gespierd • spier-

muse zn muze • ww mijmeren

museum museum

mushroom paddestoel, champignon

music muziek

musical muzikaal • musical, revue

music-hall variété(theater)

musician musicus, muzikant

musing zn gepeins • bn peinzend

muslin mousseline, neteldoek

mussels mosselen

must (must; been obliged) moeten • (musted; musted) (doen) beschimmelen • zn schimmel

mustard mosterd

muster zn monstering • appèl • ww monsteren • verzamelen, opbrengen

musty beschimmeld, muf

mutation verandering, wijziging, mutatie

mute stom, sprakeloos

mutilate verminken

mutineer ruiter

mutinous oproerig

mutiny zn muiterij, oproer • ww muiten

mutter mompelen

mutton schapenvlees

mutton chop schaapskotelet

mutual wederkerig, -zijds

muzzle smoel, muil, bek, snuit • muilkorf • monding

my mijn, mijne

myopic bijziend, kortzichtig

myself mijzelf

mysterious geheimzinnig

mystery geheim, raadsel

mystification verbijstering

myth mythe

N

nag zeuren • vitten (op)
nail *zn* spijker, nagel • klauw
• *ww* (vast)spijkeren
nail brush nagelborstel
nail file nagelvijl
nail polish nagellak
nail scissors nagelschaar
naive ongekunsteld, naïef
naked naakt, bloot, kaal
name *zn* naam, aanzien • *ww*
noemen, benoemen
name is ... (my) ik heet ...
nameless nameloos
• onnoemelijk
namely namelijk
name-plate naambordje
namesake naamgenoot
nanny kindermeisje
nap *zn* dutje • *ww* dutten
napkin servet • luier
nappy luier
narrative *zn* verhaal • *bn*
verhalend
narrow eng, nauw(keurig), smal
• bekrompen
narrow-minded kleingeestig
nasal neus-
nasturtium Oost-Indische kers
nasty vuil • naar • gemeen
natal geboorte-
natation zwemkunst
nation volk, natie
national nationaal, landelijk
• staats-
National Anthem volkslied
National Health Service
ziekenfonds (Engeland)

nationality nationaliteit
nationalize nationaliseren
native *zn* inboorling • *bn*
aangeboren, inheems,
geboorte-
natural natuurlijk
natural gas aardgas
naturalize naturaliseren
nature natuur, aard, karakter
• soort
naught niets, nul
naughty ondeugend, stout
nausea misselijkheid, walging
nauseous misselijk
nautic(al) zeevaart-
naval scheepvaart-, zee-
nave naaf • schip (v. kerk)
navel navel
navigable bevaarbaar
• bestuurbaar
navigate varen, bevaren
navy marine, zeemacht
nay wat meer is, ja zelfs
N.B. = *nota bene*, let op
n.d. = *no date*, zonder jaartal
near *bn* nabij, bij, naverwant
• dierbaar • linker • *ww*
naderen
nearby dichtbij
nearest naast, dichtstbijzijnd
nearly bijna
near-sighted bijziend
neat netjes, schoon • knap,
behendig
neat-handed behendig • vlug
nebulous vaag
necessaries *mv* behoeften,
benodigdheden *mv*
necessary noodzakelijk, nodig
necessitate vereisen
necessity nood. noodzakelijkheid

• behoeftigheid
neck hals, nek
necklace halssnoer, halsketting
need zn nood • noodzaak • ww
nodig hebben, behoeven
needed (be) nodig zijn
needle naald
needle case naaldenkoker
needless onnodig, nodeloos
needlework handwerk(en)
needy behoeftig
nefarious gruwelijk
negation ontkenning • weigering
negative bn ontkennend,
negatief • zn negatief
neglect zn verzuim • ww
verwaarlozen, nalaten
negligent nalatig, achteloos
negotiable verhandelbaar
• bespreekbaar
negotiate handel drijven
• verhandelen • bespreken
negress negerin
negro neger
neigh hinniken
neighbour buurman
neighbourhood nabijheid, buurt
neighbouring naburig,
aangrenzend
neither geen van beide(n) • noch,
ook niet • ~... nor, noch... noch
nephew neef (zoon van broeder
of zuster)
nerve zenuw, pees • nerf
• spierkracht • brutaliteit,
moed
nervous zenuw-, zenuwachtig • ~
disease, zenuwziekte
nervy nerveus
nest nest
nestle zich nestelen

net zn net • bn zuiver, netto
Neth., Netherlands Nederland
nethermost onderste, diepste
nettle (brand)netel
network net(werk) • zender
neutral onzijdig, neutraal
neutrality neutraliteit,
onzijdigheid
never nooit, nimmer, geenszins
nevertheless niettemin,
desondanks
new nieuw, vers
newcomer nieuweling
new-fangled nieuwerwets
newly onlangs
news nieuws, bericht
newsboy krantenjongen
newspaper krant • krant
newsreel filmjournaal
news-stand krantenkiosk
New Year nieuwjaar
New Year's Day nieuwjaarsdag
New Year's Eve oudejaarsavond
next naast • (eerst)volgend,
aanstaande • ~ day, volgende
dag
next door hiernaast
next to naast
nibble knabbelen
nice, nicely lekker, prettig,
aardig, lief • mooi • keurig
• leuk • fatsoenlijk
niche nis • ~ in the market, gat in
de markt
nick keep, nerf • in the ~ of time,
op 't nippertje
nickel nikkel • Amer munt van
vijf cent
nickname bijnaam
niece nicht (dochter v. broeder of
zuster)

niggardly gierig, vrekkig
night nacht • avond • *last ~,* gisteravond • *at ~,* in de nacht
night (spend the) overnachten
nightcap slaapmuts(je)
night club nachtclub
nightgown nachtpon
nightingale nachtegaal
nightlife calendar uitgaansagenda
nightmare nachtmerrie
night rate nachttarief
Nile Nijl
nimble vlug, lenig
nine negen
ninepins *mv* kegelspel
nineteen negentien
ninety negentig
ninth negende
nipple tepel • nippel
nippy kil (v. kou)
nitrogen stikstof
nitwit leeghoofd
no geen, neen, niet
nobility adel
noble adellijk • edel
nobleman edelman
nobody niemand
nocturnal nachtelijk
nod *zn* knik • *ww* knikken
node knobbel, knoest
noise lawaai, geraas, getier, geluid
noisome schadelijk, ongezond
noisy lawaaiig, luidruchtig
no-man's land niemandsland
nominal in naam, nominaal
nominate noemen, benoemen
non-commissioned officer onderofficier
nonconformist onconventioneel

• afgescheidene (v. d. Engelse staatskerk)
nondescript onopvallend
none geen • niemand
non-payment wanbetaling
non-perishable (be) houdbaar (zijn)
non-resident tijdelijk verblijvend
nonsense onzin, nonsens
non-skid tyre antislipband
non-smoking compartment niet roken coupé
non-stop doorgaand
• doorlopend • zonder tussenlanding, non-stop
noodle uilkuiken, sul • *~s mv,* vermicelli
noon middag
noose strik, lus
nor noch, ook niet
normal normaal, geregeld
north noorden
northern noordelijk
North Pole noordpool
North Sea Noordzee
Norway Noorwegen
Norwegian Noor(s)
nose neus • voorkant • *~ around,* zijn neus in andermans zaken steken
nosegay ruiker
nostalgia nostalgie
nostril neusgat
nosy nieuwsgierig
not niet
notabilities *mv* notabelen *mv*
notable opmerkelijk, merkwaardig, aanzienlijk
notary notaris
notch *zn* keep, kerf • *ww* kerven
note *zn* merk, teken • toon

• *(muz)* noot • aantekening, nota • briefje • geldbiljet • aanzien • *ww* optekenen, aanduiden • nota nemen van
notebook notitieboekje • draagbare computer
nothing niets
notice kennisgeving, aandacht, oplettendheid, convocatie, bericht • *give ~,* de dienst (huur) opzeggen
noticeable merkbaar, merkwaardig
noticeboard aanplakbord
notification kennisgeving
notify aanzeggen, bekendmaken
notion begrip, denkbeeld
notorious berucht
notwithstanding niettegenstaande
nougat noga
noun naamwoord • naam
nourish voeden • koesteren
nourishing voedzaam
novel roman
novelist romanschrijver
novelty nieuwigheid
November november
novice beginneling, nieuweling
now nu
nowadays tegenwoordig
nowhere nergens
noxious schadelijk
nozzle spuit • mondstuk • tuit
nuclear kern-
nucleus kern
nude naakt
nudist beach naaktstrand
nudity naaktheid
nugget klomp (goud)
nuisance plaag, last • *it is a ~,*

het is vervelend
null ~ *and void,* krachteloos, nietig
nullify krachteloos maken, vernietigen
numb gevoelloos • verstijfd, verdoofd
number *zn* nummer, getal, aantal • *(tel)* ~ *engaged,* in gesprek • *ww* tellen
numberless talloos
number plate nummerbord
numeral telwoord
numeration telling
numerator teller
numerous talrijk
nun non
nuptial huwelijks-, bruids-
nurse *zn* verpleegster • kinderjuffrouw • *ww* verplegen
nursery kinderkamer, crèche • kweekschool, -vijver • (boom)kwekerij
nursing home ziekenverpleging
nut noot • moer (v. schroef)
nutcracker(s) notenkraker
nutmeg nootmuskaat
nutritious, nutritive voedzaam
nuts *Amer* gek
nutshell notendop
nylon nylon

O

o nul (in telefoonnummers)
oak eik, eikenhout
o/a of = *on account of,* voor

rekening van
O.A.P. = *Old Age Pensioner*, gepensioneerde
oar (roei)riem
oat(s) haver • *rolled oats*, havermout
oath eed • vloek
obdurate verhard, verstokt, koppig
obedience gehoorzaamheid
obedient gehoorzaam
obese vet, corpulent
obey gehoorzamen
object *zn* voorwerp, doel • *direct* ~, lijdend voorwerp • *indirect* ~, meewerkend voorwerp • *ww* tegenwerpen, bezwaar maken
objection tegenwerping, bezwaar
objectionable aanvechtbaar • onaangenaam
objective *bn* objectief • *zn* doel
obligation verplichting
obliged verplicht
obliging voorkomend • beleefd
oblique scheef, schuin, hellend • afwijkend, zijdelings • indirect
obliterate uitwissen, doorhalen
oblivion vergetelheid
oblong langwerpig
oboe hobo
obscene vuil, obsceen
obscure *bn* duister, onbekend • *ww* verduisteren, verbergen
obsequies *mv* begrafenis
obsequious onderdanig, kruiperig
observance waarneming • naleving
observant oplettend • strikt
observation waarneming

observatory sterrenwacht
observe waarnemen • opmerken • in acht nemen
obsession obsessie
obsolete verouderd
obstacle hinderpaal
obstetrics *mv* verloskunde
obstinate hardnekkig, koppig
obstruct verstoppen, versperren, blokkeren • beletten
obstruction verstopping, versperring • obstructie, beletsel
obtain verkrijgen, verwerven
obtrusive opdringerig
obtuse stomp, bot • traag van begrip
obviate voorkomen, uit de weg ruimen
obvious klaarblijkelijk, voor de hand liggend
occasion gelegenheid • aanleiding
occasional toevallig, gelegenheids-
occidental westen
occupant bezitnemer, bewoner
occupation beroep • bezigheid • bezitneming, bezetting • bewoning • ~ *army*, bezettingsleger
occupied bezet
occupy innemen, bezetten, bekleden, in beslag nemen • bewonen
occur vóórkomen • gebeuren
ocean oceaan
o'clock *it is 8* ~, het is acht uur
octave octaaf • octet
October oktober
ocular oog- • gezichts-

oculist oogarts
odd oneven • zonderling, raar
odds *mv* kans(en) • *be at* ~, ruzie hebben • *against all* ~, tegen alle verwachtingen in • ~ *and ends*, ditjes en datjes
odious hatelijk, afschuwelijk
odoriferous, odorous sterk geurend
odour reuk, geur
oesophagus slokdarm
of van
of course natuurlijk
off ver vandaan, eraf, weg, uit • ~ *hours*, vrije uren
offence belediging, vergrijp
offend beledigen, ergeren • overtreden
offensive beledigend, onaangenaam
offer *zn* aanbod, offerte • *ww* aanbieden, ten offer brengen
offering offerande, offer
off-hand voor de vuist (weg)
office ambt, functie, plicht • kantoor, bureau
officer beambte, ambtenaar, officier • (politie)agent
official ambtelijk, ambts-, officieel
official report proces-verbaal
officiate dienst doen • fungeren • de mis opdragen
off-licence slijterij
offspring nakomelingen
often dikwijls, vaak
ogle lonken
O.H.M.S. = *On His (Her) Majesty's Service*, dienstzaken v.d. Britse overheid
oil olie, petroleum

oil and vinegar olie en azijn
oilcloth wasdoek, zeildoek
oil filter oliefilter
oil-fuel stookolie
oil level oliepeil
oil paint olieverf
oil pump oliepomp
oilskins *mv* oliegoed
oil syringe oliespuit
oily olieachtig, zalvend
ointment zalf
O.K. in orde, goed
okay oké
old oud, afgesleten • *of* ~, vanouds
old-age pension ouderdomspensioen
old-fashioned ouderwets
oldish ouwelijk
old maid oude vrijster
old-timer oudgediende • iemand van de oude stempel
olive olijf • olijfkleur
olive oil olijfolie
Olympic Olympisch • *the* ~*s*, de Olympische spelen
omelet(te) omelet
ominous onheilspellend
omission verzuim • weglating
omit weglaten, nalaten, achterlaten
omnipotent almachtig
on op, aan, om, met, van, te • voort, verder • ~ *the left*, links
once eens, eenmaal • *at* ~, dadelijk, meteen, tegelijk • *eens* (eenmaal)
one één, iemand, men • ~ *another*, elkander • ~ *day*, eens • ~ *and a half*, anderhalf
one moment please even geduld

a.u.b.
onerous lastig, bezwaarlijk
oneself (zich)zelf
one's period (to have) ongesteld (zijn)
one-way traffic eenrichtingsverkeer
onion ui
only enige • alleen, slechts
onwards voorwaarts, vooruit
ooze sijpelen
opaque ondoorschijnend, donker
open *bn* open, geopend, openlijk • *ww* openen, opengaan, openmaken
openhanded gul, royaal
openhearted openhartig
opening opening • begin
opening hours openingstijden
open-minded onbevooroordeeld
opera opera
opera glasses toneelkijker
operate werken, opereren • van kracht zijn
operation operatie • werking
operator operateur • telefonist • bestuurder
opinion mening, oordeel
opponent bestrijder, tegenstander • tegenpartij
opportunity gelegenheid • gunstig ogenblik, kans
oppose tegenstellen, tegengaan, weerstaan, bezwaar maken
opposite tegengesteld, tegenover
opposition tegenstand, tegenkanting, oppositie, verzet
oppress onderdrukken
oppression verdrukking

• benauwdheid
optician opticien
option keus, vrijheid van kiezen, voorkeur
opulence overvloed
or of • ~ *else*, of wel, anders
oral mondeling
orange *zn* sinaasappel • *bn* oranje
orange juice sinaasappelsap
orator redenaar
orbit baan (v. ster) • invloedssfeer
orchard boomgaard
orchestra orkest
ordain bevelen • verordenen • tot priester wijden
ordeal beproeving
order *zn* orde, schikking • order • klasse • bestelling • *ww* regelen, schikken, bevelen, bestellen • tot priester wijden
order (in) in orde
order (out of) niet in orde, defect
orderly *zn* ordonnans • *bn* geregeld, ordelijk
order to (in) om (opdat)
ordinance voorschrift • ritus
ordinary gewoon
ordination verordening • ordinantie • raadsbesluit • priesterwijding
ordnance geschut • munitie
ore erts
organ werktuig • orgaan • orgel • ~ *of sense*, zintuig
organic organisch
organization organisatie
organize organiseren
orgy orgie, braspartij
Orient oosten

oriental *zn* oosterling • *bn* oosters
orifice opening, mond
origin oorsprong, begin • afkomst
originality originaliteit
originate voortbrengen • afkomstig zijn
ornament *zn* versiersel • *ww* tooien
orphan wees
orphanage weeshuis • ouderloosheid
orthodox rechtzinnig, orthodox
oscillation slingering, schommeling
osseous benig, beenachtig
ossify tot been worden, verharden
ostensible zogenaamd • ogenschijnlijk, blijkbaar
ostentation uiterlijk vertoon, praal
ostrich struisvogel
other ander, nog een
otherwise anders, anderszins
ought (ought; ought) moeten, behoren, nodig zijn
ounce ons (± 28 gram)
our ons, onze
ours van ons
ourselves onszelf
out uit, buiten • uit de mode • uitgedoofd • ~ *and* ~, door en door • aarts-
outboard motor buitenboordmotor
outbound vertrekkend (vlucht)
outbreak uitbarsting
outcast verschoppeling, verstoteling
outcome resultaat, uitslag

outcry *zn* geschreeuw • protest • *ww* overschreeuwen
outdo overtreffen
outdoor(s) buitenshuis
outfit kleding, uitrusting • ploeg • afdeling
outgrow ontgroeien
outing uitstapje
outlaw *zn* vogelvrij verklaarde, balling • *ww* verbieden
outlay uitgaven, kosten *mv*
outlet uitgang • afzetgebied • uitweg • stopcontact • groothandel
outline omtrek • schets
outlook uitkijk • zienswijze
outmost buitenste
outnumber in aantal overtreffen
out of order defect
out-of-work werkloos
out-patient poliklinische patiënt
output opbrengst
outrage *zn* smaad, wandaad • verontwaardiging • *ww* beledigen, geweld aandoen
outrageous grof • verschrikkelijk • beledigend
outright openlijk, ronduit
outset aanvang, begin
outside buitenzijde • *bijw* buiten, uit
outsider buitenstaander, outsider • niet favoriet zijnd paard
outskirts buitenkant, -wijken *mv*
outstanding achterstallig, onbetaald • markant, bijzonder
outward uitwendig, uiterlijk
outward-journey uitreis
outwit te slim af zijn
outworn versleten

oval eivormig, ovaal
ovation hulde, ovatie
oven oven
over boven, over • door, voorbij
overboard overboord
overcame zie *overcome*
overcast bewolkt, betrokken
overcharge *ww* overladen • te veel in rekening brengen • *zn* overbelasting
overcoat overjas
overcome (overcame; overcome) *ww* overwinnen, te boven komen • *bn* onder de indruk, verslagen
overdo (overdid; overdone) overdrijven
overdue te laat, over tijd • achterstallig
overhaul *zn* onderhoudsbeurt • *ww* reviseren, nazien
overhead boven ons, in de lucht
overhear (overheard; overheard) afluisteren, opvangen
overheat oververhitten
overland over land
overleaf aan ommezijde
overlook over 't hoofd zien • uitkijken op
overmaster overmeesteren
overrate overschatten
oversea overzees
overseer opzichter
overshoe overschoen
oversight opzicht, vergissing
oversleep (oneself) (-slept; -slept) zich verslapen
overtake inhalen
overtake (-took; -taken) inhalen, overvallen

overtax te zwaar belasten
overthrow om(ver)werpen
overtime overuren *mv*, overwerk
overture ouverture • inleiding
overturn omgooien • omslaan, omvallen
overweight overwicht
overwhelming overstelpend, verpletterend
overwork *ww* uitputten • zich overwerken • *zn* overwerk
owe schuldig zijn, te danken hebben (aan) • erkennen, toegeven
owl uil
own *bn* eigen • *ww* bezitten, hebben, erkennen, toegeven
owner eigenaar
ox (mv oxen) os
oyster oester
oz. = *ounce*, ons (± 28 gr)

P

pace stap, pas • tempo
pacific vredelievend
Pacific Stille Zuidzee
pacification kalmering • vredestichting
pack *zn* pakket • groep • pak, last • ~ *of cards*, spel kaarten • *ww* inpakken, bepakken
package verpakking, pak(je)
packet pakje, pakket
packing verpakking
pact verdrag, verbond
pad kussentje, onderlegger, blocnote • poot

padding (op)vulsel
paddle zn peddel • schoep • ww peddelen • pootjebaden
paddling pool pierenbadje
paddock paddock, kleine omheinde weide
padlock hangslot
pagan zn heiden • bn heidens
page bladzijde • oproepen, oppiepen
pageant (historische) optocht • schouwspel • pracht
pager pieper (voor oppiepen)
paid zie pay
pail emmer
pain pijn, moeite
painful pijnlijk, moeilijk
painkiller pijnstiller
painless pijnloos
pain perdu wentelteefje
painstaking ijverig, nauwgezet
paint zn verf • ww verven
painter schilder
painting schilderkunst • schilderij • schilderij
pair paar, stel, tweetal
pair of jeans spijkerbroek
pair of tights panty
pair of tongs tang
pal kameraad
palace paleis
palate gehemelte
palaver geklets
pale bleek, dof, flauw, licht (kleur)
palliate verzachten, lenigen • verbloemen
palliative lapmiddel • pijnstiller
pallor bleekheid
palm palm • palmboom
palpable tastbaar

palpitate kloppen (het hart)
palpitations of the heart hartkloppingen
paltry armzalig, waardeloos
pamper vertroetelen, verwennen
pan pan
pancake pannenkoek
pane glasruit, paneel
panel paneel • groep deskundigen • instrumentenbord
pang pijn, steek, foltering • angst
panic paniek
pansy driekleurig viooltje
pant hijgen
panther panter
panties broekje (slipje), onderbroekje
pantry provisiekamer, -kast
pants mv Br onderbroek • Amer broek
pap onzin
papacy pausdom
papal pauselijk
paper papier • krant • verhandeling • document • behangselpapier • ww behangen • bn papieren
paperback pocketboek
paperbound ingenaaid
paper cover omslag, kaft
paper currency papiergeld
paper cutter, paper knife briefopener
paperweight presse-papier
par on a ~ with, gelijk aan • below ~, ondermaats
parable parabel
parachute valscherm, parachute
parade zn parade, optocht • vertoon • openbare

wandelplaats • *ww* aantreden, paraderen • pronken
paradise paradijs
paraffin petroleum
paragraph paragraaf (§) • (kort) krantenbericht
parallel evenwijdig, overeenkomstig
paralysis verlamming
paramount opperste, hoogste
parapet borstwering, leuning
paraphernalia persoonlijke eigendommen • uitrusting
parasite parasiet
parasol parasol
paratroops *mil* luchtlandings-, parachutetroepen *mv*
parcel *zn* perceel • pakje • postpakket • *ww* ~ out, verdelen
parcel post pakketpost
parchment perkament
pardon *zn* vergiffenis, genade • *ww* vergeven
pardonable vergeeflijk
pare schillen
parenthesis haakje, tussenzin
parents ouders
parings schillen *mv*
parish parochie
parish priest pastoor
Parisian *bn* van Parijs • *zn* Parijzenaar
parity gelijkheid • pariteit
park *zn* park • *ww* parkeren
parking meter parkeermeter
parking place parkeerplaats
parliament parlement
parlour ontvang-, spreekkamer • salon
parlourmaid tweede meisje

parody parodie
parole *zn* voorwaardelijke invrijheidsstelling • *ww* voorwaardelijk vrijlaten
paroxysm heftige aanval
parquet parket
parquetry parketvloer
parrot papegaai
parry afweren, pareren, omzeilen
parsimonious gierig, karig
parsing taalkundige ontleding
parsley peterselie
parson predikant, dominee
part *zn* deel, aandeel, part, gedeelte • zijde • partij • streek • rol • *ww* delen, scheiden
partake (partook; partaken) ~ in, deelnemen • ~ of, gebruiken
partial gedeeltelijk, partijdig
participate delen, deelnemen
participation deelname • inspraak
participle deelwoord
particle greintje • deeltje
particular *bn* speciaal, bijzonder • nauwkeurig • moeilijk • kieskeurig • *zn* bijzonderheid, detail
particularly speciaal, zeer, in het bijzonder
parting scheiding • afscheid
partisan *zn* partijganger, partizaan • *bn* partijdig
partition deling, verdeling, scheiding • (be)schot
partly gedeeltelijk, deels
partner partner, deelgenoot, vennoot, compagnon
partnership deelgenootschap

partook zie *partake*
part-payment *in* ~, op afbetaling
partridge patrijs
part-time deeltijd
part-timer deeltijdwerker
party partij • feestje • gezelschap • deelnemer • aanhang
party-coloured bont
pass *zn* pas • doorgang • toestand • bergpas • reispas • *ww* voorbijgaan, gebeuren • gaan door • maken • doen • (tijd) verdrijven • ~ *by*, voorbijgaan, passeren
passable *bn* gangbaar • begaanbaar • *bijw* tamelijk
passage passage, doorgang, gang • doortocht • overtocht • vracht • fragment (v. boek)
passenger passagier
passer-by (*mv* **passers-by)** voorbijganger
passing *zn* voorbijgang, loop • overlijden • *bn* voorbijgaand
passion hartstocht, drift, passie
passive lijdelijk, lijdend
pass-key loper • huissleutel
passport paspoort
passport control pascontrole
passport photo pasfoto
password wachtwoord
past *bn* verleden, voorbij, over • *zn* verleden • *in the* ~, vroeger
paste *zn* deeg • pasta • *ww* plakken
pasteboard *zn* bordpapier, karton • *bn* bordpapieren, kartonnen
pastime tijdverdrijf
pastor voorganger, predikant

pastry gebak, pastei
pasture *zn* weide • *ww* (laten) weiden
pat *zn* tikje, klopje • *ww* tikken, kloppen • *bn* gemakkelijk, meegaand
patch lap • moesje • stukje (grond), plek
patella knieschijf
patent *bn* openbaar, duidelijk • gepatenteerd • *zn* patent
paternal vaderlijk
paternity vaderschap
path pad
pathetic pathetisch, aandoenlijk • belachelijk
pathway (voet)pad
patience geduld
patient *zn* patiënt • *bn* geduldig
patrimony vaderlijk erfdeel • nationaal erfgoed
patrol *zn* patrouille • *ww* patrouilleren
patron begunstiger • beschermheer • beschermheilige • vaste klant
patronize sponsoren • neerbuigend behandelen • z'n klandizie geven
patter kletteren, trippelen
pattern model, patroon, dessin
patty pasteitje
paunch buik, pens
pauper arme, bedeelde
pause *zn* rust, pauze • stilstand • *ww* pauzeren, even rusten • stilstaan bij
pave bestraten
pavement plaveisel, bestrating • trottoir, stoep
pavement cafe terras (op straat)

pavilion tent • paviljoen
paw poot, klauw
pawl pal
pawn zn pion • pand • ww verpanden
pawnbroker lommerdhouder
pawnshop pandjeshuis, lommerd
pay zn loon, betaling, soldij • ww (paid; paid) betalen • de moeite lonen • ~ in addition, ~ extra, bijbetalen, suppleren • ~the bill, afrekenen
pay-book (mil) zakboekje
pay desk kas (kassa)
P.A.Y.E. = pay as you earn, direct ingeh. loonbelasting
paymaster betaalmeester • officier v. administratie
payment betaling, voldoening
pay office (betaal)kas
payphone munttelefoon
payroll loonlijst
P.C. = 1 personal computer, computer voor privé-gebruik • 2 price current, prijscourant • 3 police constable, politieagent
pd. = paid, betaald
pea erwt
peace vrede, rust
peaceful vreedzaam, vredig
peach perzik
peacock pauw
peak spits, top, piek • klep
peak hour piek-, spitsuur
peanut pinda
peanut butter pindakaas
pear peer
pearl parel
peas erwten

peasant boer, landman
pea soup erwtensoep
peat turf • veen
peat-moor veen
pebble kiezelsteen
peck ww pikken • zn kusje
peculiar bijzonder, eigenaardig
pecuniary geldelijk
pedal zn pedaal • trapper • ww fietsen
pedantic verwaand, pedant
pedestal voetstuk
pedestrian voetganger
pediatrician kinderarts
pedigree stamboom
pedlar (drugs)handelaar
peel zn schil • ww pellen, schillen
peelings schillen mv
peep gluren • kijken
peephole kijkgat
peer zn leeftijdsgenoot, gelijke • ww turen
peerage adel
peevish knorrig, wrevelig
peg pin, haakje • wasknijper
pellet prop (papier) • balletje
pell-mell hals over kop
pelt zn vacht • ww bekogelen, gooien
pelvis bekken
pen pen • hok • schaapskooi • (baby)box
penal strafbaar, straf-
penal code Wetboek van Strafrecht
penalty boete, straf • strafschop
pencil bn bijw potlood, penseel • copying ~, inktpotlood • ~ of rays, lichtbundel
pending hangende, onbeslist

• *voegw* tot
pendulum slinger (van klok)
penetrate doordringen,
doorgronden
penfriend
correspondentievriend(in)
penguin pinguïn
penholder penhouder
peninsula schiereiland
penis penis
penitence berouw
penitentiary *Amer*
strafgevangenis
penknife zakmes, pennenmes
pennant, pennon wimpel
penny *(mv* **pennies**, het aantal
en **pence** het bedrag) 1/100
deel van een pond sterling
penny-wise zuinig op
nietigheden
pension pensioen • jaargeld • ~
off, pensioneren
pensive peinzend, weemoedig
pentagon vijfhoek • *The
Pentagon* gebouw van het
Amerikaanse Ministerie van
Defensie
penthouse luxe dakwoning
penury behoeftigheid, armoede
peony pioenroos
people *zn* volk • mensen, lieden
mv • *vnw* men
pepper peper
peppermint pepermunt
pepperpot peperbus
per door, bij, met, per
perambulator kinderwagen
perceive bemerken, waarnemen
per cent procent
percent percent
perceptible merkbaar,

waarneembaar
perception gewaarwording,
waarneming
perch baars • stang, rekje
percolator koffiezetapparaat
percussion slag, schok • slagwerk
perdition verderf, ondergang
peremptory afdoend, beslissend,
gebiedend
perennial voortdurend
• overblijvend (plant)
perfect volmaakt, volkomen
perfidious trouweloos, vals
perforate doorboren, perforeren
perform vervullen, volbrengen,
verrichten, volvoeren • (toneel)
spelen, optreden
performance uitvoering,,
verrichting, prestatie
• voorstelling
perfume *zn* parfum, geur • *ww*
parfumeren
perfumery parfumerie (zaak)
perhaps misschien
peril gevaar
period tijdperk, tijdvak • periode
• punt • ~ *of validity*,
geldigheidsduur • *have one's~*,
ongesteld zijn
periodical *bn* periodiek • *zn*
tijdschrift
perish vergaan, verongelukken,
omkomen
perishable vergankelijk, aan
bederf onderhevig
peritonitis buikvliesontsteking
perjury meineed
perm *zn* permanente haargolf
• *ww* permanenten
permanent duurzaam, vast,
permanent

permeate doordringen
permeation doordringing
permission vergunning, toestemming, verlof
permit *zn* vergunning, verlof • *ww* veroorloven, toelaten
pernicious verderfelijk, schadelijk
perpendicular loodrecht
perpetrate plegen
perpetrator dader
perpetual eeuwigdurend • levenslang • eeuwig
perpetuate vereeuwigen, continueren
perplex verward, verlegen, verbijsterd
perplexity verbijstering • verwarring
persecute vervolgen • lastig vallen
perseverance volharding
persevere volhouden
Persian *bn* Perzisch • *zn* Pers
persist volharden, volhouden
persistent volhardend, hardnekkig
person mens, persoon
personal persoonlijk
personal use (for) voor eigen gebruik
personnel personeel • ~ *management*, personeelsbeleid
perspective verschiet, perspectief • vooruitzicht
perspicacious scherpziend, -zinnig, schrander
perspire zweten
persuade overreden, overtuigen
pert vrijpostig, brutaal
pertain behoren, aangaan

pertinent toepasselijk • ter zake, relevant
perturbation storing, verontrusting
pervade doordringen • doortrekken van • vervullen van
perverse verdorven, inslecht • dwars, onredelijk
pervert *zn* afvallige • *ww* verdraaien • bederven, verleiden
pest pest, plaag • last
pestilence pest, pestziekte
pet *zn* lieveling • huisdier • *ww* aaien
petal bloemblad
petition smeekschrift, verzoekschrift, rek(w)est
petrify verstenen
petrol benzine
petroleum petroleum
petrol station benzinestation
petrol tank benzinetank
pet shop dierenwinkel
petticoat onderjurk
petty klein, gering • kleinzielig • ~ *cash*, kleine kas • ~ *officer*, onderofficier bij de marine
petulant prikkelbaar, lastig
pew kerkbank
pewter soort tin
phantom spook, droombeeld
pharmacist apotheker
phase periode, fase
pheasant fazant
phenomenon verschijnsel
phial flesje, ampul
philandering geflirt
philanthropy mensenliefde
philatelist postzegelverzamelaar

philosopher filosoof, wijsgeer
philosophy filosofie, wijsbegeerte
phone *zn* telefoon • *ww* telefoneren, opbellen
phone call (tele-) telefoontje, belletje
phonecard telefoonkaart
photo foto
photocopy fotokopie
photograph foto • portret
photographer fotograaf
phrase frase • zegswijze
phthisis (long)tering
physical lichamelijk • natuurkundig • materieel
physician dokter
physics *mv* natuurkunde, fysica
piano piano
pianotuner pianostemmer
pick *zn* pikhouweel • tandenstoker • keuze, opbrengst • *ww* uitkiezen • plukken, oprapen • prikken • *rtv* opvangen • ~ *out*, uitzoeken • ~ *up*, ophalen
pickle pekel • ~*s*, zuur
pickpocket zakkenroller
picnic picknick
picture beeld • schilderij, prent • afbeelding • portret • film • *the* ~*s*, *mv* bioscoop
picture-book prentenboek
picture-postcard prentbriefkaart
picture-puzzle rebus
picturesque schilderachtig
pie taart • ekster
piece stuk • *a* ~, per stuk
piece of paper blaadje (papier)
pier pier (wandelhoofd)
pierce doorboren

• binnendringen
piety vroomheid
pig varken
pigeon duif
pigeon-hole loket, vakje
pike piek • gaffel • snoek
pike-perch snoekbaars
pile *zn* stapel • (hei)paal • *(elektr)* element, zuil • hoop geld • aambei • *ww* ophopen, - stapelen • heien
pilfer gappen, jatten
pill pil
pillage *zn* plundering • *ww* plunderen
pillar pilaar, pijler, zuil
pillar-box *Br* brievenbus
pill-box pillendoos • *gemeenz mil* kleine bunker
pillion duo • ~ *rider*, duopassagier
pillow (hoofd)kussen
pillowcase kussensloop
pilot (vliegtuig)bestuurder, piloot • loods, gids
pimp pooier
pimple puist
pin *zn* speld • pin • *ww* vastspelden
PIN pincode
PIN card pinpas
pincers *mv* nijptang
pinch *zn* kneep • nood • snufje • *ww* knijpen, knellen • gappen
pin-cushion speldenkussen
pine *zn* pijnboom, grove den • *ww* ~ *away*, wegkwijnen • ~ *for*, smachten naar
pineapple ananas
pinion kortwieken, boeien
pink *zn* anjelier • *bn* roze

pinnacle bergtop • top, toppunt, hoogtepunt
pint pint (0.568 l)
pioneer baanbreker, pionier
pious godvruchtig, vroom
pipe pijp, leiding, buis • fluit • tabakspijp
pipe tobacco pijptabak
piping bies • buizenstelsel
piquant pikant
pique zn gekrenktheid • ww opwekken
pirate zeerover, piraat
piss plassen, pissen
piste piste
pistil stamper (in bloem)
piston (pomp)zuiger • klep
piston ring zuigerveer
piston rod zuigerstang
pit kuil, mijnschacht • parterre (schouwburg) • holte
pitch zn pek • hoogte • graad • toppunt • toonhoogte • speelveld • standplaats (op camping) • ww opstellen, -zetten • opslaan • uitstallen, gooien
pitch-dark pikdonker
pitcher kruik • sp werper
pitchfork hooivork
pitch pine Amer grenenhout
piteous erbarmelijk, zielig
pitfall valstrik
pith pit, kern • merg
pithy pittig
pitiable beklagenswaardig, jammerlijk, zielig
pitiless onbarmhartig
pittance karig loon
pity medelijden • it is a ~, het is jammer!

placard plakkaat • aanplakbiljet
placate sussen, verzoenen
place zn plaats • betrekking • ww plaatsen, stellen
plague pest • plaag
plaice schol (vis)
plaid plaid
plain zn vlakte • bn vlak • effen • gewoon, eenvoudig, ongekunsteld • lelijk • onomwonden
plaint klacht, klaagzang
plaintiff klager, eiser
plaintive klagend
plait zn vlecht • ww vlechten
plan zn ontwerp, plan • plattegrond • schets • ww van plan zijn
plane zn vliegtuig • schaaf • niveau, vlak • ww schaven • vliegen, glijden
planet planeet
plank plank
plant zn plant • bedrijfsinstallatie, fabriek • ww planten, poten
plantation beplanting • plantage
planter planter
plaster zn pleister, gips • ww bepleisteren
plasterer stukadoor
plastic bn plastic • elastisch • beeldend • onecht, onnatuurlijk • zn plastic
plate goud- of zilverwerk • bord • schaal • tafelzilver
plate glass spiegelglas
platform platform, terras, perron, podium • (tram)balkon
platinum platina
platitude banaliteit,

gemeenplaats
plausible aannemelijk
play *zn* spel, toneelstuk
• speelruimte • speling
• vermaak • *ww* spelen
• schertsen
playground speeltuin
playing cards speelkaarten
playing-cards *mv* speelkaarten
mv
playpen (baby)box
playwright toneelschrijver
plea pleidooi, proces
• voorwendsel
plead pleiten • bepleiten
pleading pleidooi
pleasant aangenaam (prettig)
pleasantry vriendelijke
opmerking • hoffelijkheid
please behagen, believen • ~!
alstublieft
pleasure vermaak, genoegen,
plezier, pret
pledge *zn* (onder)pand • gelofte
• *ww* verpanden • plechtig
beloven
plenary volkomen, voltallig
plenipotentiary gevolmachtigde
plenty overvloedig, volop
pleurisy pleuris
pliable buigzaam • meegaand
pliant buigzaam, gedwee
pliers buigtang, combinatietang
plight staat, toestand
plod zwoegen, doorploeteren
• voortsukkelen
plot *zn* samenzwering, intrige,
complot • stukje grond • plot
• *ww* samenspannen, beramen
plough *zn* ploeg • *ww*
(door)ploegen • doorklieven

pluck *zn* ruk, trek • moed • *ww*
plukken, trekken
plucky moedig, dapper
plug *zn* plug • *(elektr)* stekker
• stop • tampon • *ww*
dichtstoppen • ~ *in*, instoppen
plug spanner bougiesleutel
plum pruim
plumb *bijw* precies • *ww*
doorgronden
plumber loodgieter
plume pluim, veer
plump *bn* vlezig, mollig • *bijw*
pardoes, botweg
plunder *zn* buit, roof • *ww*
plunderen
plunge *zn* indompeling • val
• *ww* indompelen • plonzen
plural meervoud
plus plus
plush *zn* pluche • *bn* comfortabel
ply hanteren, in de weer zijn • ~
with, overstelpen met
plywood multiplex, triplex
P.M. = 1 *post meridiem*, na de
middag • 2 *Prime Minister*,
Eerste Minister
pneumonia longontsteking
P.O. = 1 *Postal Order*, postbewijs
• 2 *Post Office*, postkantoor
poach (eieren zonder schaal)
koken, pocheren • stropen
poacher stroper
pocket zak • beurs
pocketbook zakboekje
• portefeuille
pocket knife zakmes
pod dop • cocon
poem gedicht
poet dichter
poetical poëtisch, dichterlijk

poetry dichtkunst, poëzie
poignant scherp • ontroerend
point zn punt • stip, spits • tijdstip • ~ in time, tijdstip • ww scherpen • richten • aanwijzen • ~ out, aantonen • ~ to, aanwijzen
pointed puntig, spits
pointless zinloos
points wissel
poise zn houding, evenwicht • ww wegen (op de hand) • balanceren
poison zn vergif • ww vergiftigen
poisonous vergiftig
poke stoten, poken, porren
poker (kachel)pook, poker • pokerspel
Poland Polen
polar pool- • ~ bear, ijsbeer
Polaroid film polaroid film
Pole Pool
pole pool • paal • disselboom
polemics mv polemiek
police politie
policeman agent
police station politiebureau
policy polis • gedragslijn, beleid
poliomyelitis kinderverlamming
polish zn glansmiddel • glans • beschaving • ww polijsten • poetsen
polite beleefd • beschaafd
politician politicus, staatsman
politics mv staatkunde, politiek
poll zn kiezerslijst • opinieonderzoek • stembus, stemming • ww stemmen, toppen
pollen stuifmeel

pollute bezoedelen, verontreinigen
pollution vervuiling
polyp poliep (dier en gezwel)
pomp pracht, praal
pompous hoogdravend
pond poel, vijver
ponder overwegen, peinzen (over, on)
ponderous zwaar(wichtig)
pontificate zn pontificaat, pauselijke waardigheid • ww preken
ponytail paardenstaart [haardracht]
poodle poedel
pool zn zwembad • poel, plas • potspel • toto • gemeenschappelijke inzet • ww bijeenbrengen en verdelen
pool attendant badmeester
poor arm, behoeftig • schraal • gering • zielig • zwak
pop concert popconcert
popcorn popcorn
pope paus
poplar populier
pop music popmuziek
poppy klaproos, papaver
populace volk • massa
popular volks-, gemeenzaam, populair
porch portiek
porcupine stekelvarken
pore porie
pork varkensvlees
porn porno
porous poreus
porridge (havermout)pap
port havenstad • haven

• patrijspoort • bakboord
• port(wijn)

portable draagbaar • ~ *phone*, mobiele telefoon

portal poort • portaal

porter kruier

portfolio portefeuille • aktetas, map • portfolio

porthole patrijspoort

portion *zn* aandeel, portie • *ww* uitdelen

portly dik, vadsig

portmanteau valies

portrait portret

Portuguese Portugees

pose zich voordoen als

position ligging • toestand
• stelling, positie

positive stellig, zeker, positief

possess bezitten • ~ *oneself of*, bemachtigen

possessed bezeten

possession bezit, bezitting

possibility mogelijkheid

possible mogelijk

possibly mogelijk, misschien

possum buidelrat

post *zn* post, ambt • paal • *ww* posten • positioneren
• ophangen

postage porto, frankering
• *additional* ~, strafport

postage stamp postzegel

postal van postwagen, -auto

post-box postbus • brievenbus

postcard kaart (ansichtkaart)

postcode postcode

postcript postscriptum, naschrift

poster aanplakbiljet, poster

poste restante poste restante

posterior later, volgend

posterity nakomelingschap

post-free franco

postman postbode

post meridian na de middag

post-mortem lijkschouwing

post office postkantoor

post office (main) hoofdpostkantoor

post office order postwissel

post-paid gefrankeerd, franco

postpone uitstellen

postponed uitgesteld

postulate stellen • eisen

posture houding, pose • positie

post-war naoorlogs

pot pot • kan • prijs

potable drinkbaar

potato(es) aardappel

potatoes (mashed) puree

potent machtig, krachtig

potential *bn* mogelijk, potentieel
• *zn* potentieel

potion drank (medicijn)

pot-luck op de bonnefooi

potter prutsen, knutselen, rondscharrelen

pottery pottenbakkerij
• aardewerk

potty getikt, gek

pouch beurs, tas • zak • buidel

poulterer poelier

poultry pluimvee

pounce ~ *on* bespringen

pound *zn* pond (= 453 gr) • pond sterling • *ww* fijnstampen
• bonken

pour gieten, storten

pout pruilen

poverty armoede

P.O.W. = *prisoner of war*, krijgsgevangene

powder *zn* poeder • buskruit
• *ww* poederen
powder box poederdoos
powdered milk poedermelk
power kracht • macht, gezag,
vermogen • mogendheid
• bevoegdheid • elektr. stroom
powerful machtig, krachtig
• geweldig
powerhouse mogendheid
• energiekeling
power point stopcontact
P.P. = *postage paid*, franco
practicable doenlijk, uitvoerbaar,
bruikbaar
practical praktisch, handig,
bruikbaar
practice (uit)oefening, praktijk
• toepassing, gewoonte
practise uit-, beoefenen, in
praktijk brengen
practitioner dokter
praise *zn* lof • *ww* prijzen, loven
praiseworthy lovenswaardig
pram kinderwagen
prankish ondeugend
prawn garnaal
pray bidden, smeken, verzoeken
prayer gebed
prayer book gebedenboek
preach prediken • verkondigen
preacher prediker
precarious onzeker, hachelijk
precaution voorzorg
precede voorafgaan, voorgaan
• de voorrang hebben
precedence voorrang
preceding voorafgaand,
voorgaand
precept voorschrift, stelregel
precinct gebied, district

precious kostbaar, dierbaar
precipice steilte, afgrond
precipitate *bn* overhaast,
onbezonnen • *ww* verhaasten
precise juist, stipt, precies
preclude uitsluiten • voorkomen,
beletten
precocious vroegrijp, wijsneuzig
precursor voorloper, -bode
predatory rovend, roof-
predecessor voorganger
predicate gezegde, predikaat • ~*d*
on, afhankelijk van
predict voorspellen
predilection voorliefde • voorkeur
predominance overhand,
overheersing
prefab, prefabricated house
montagewoning
preface voorwoord, inleiding
prefer verkiezen, prefereren
• verheffen • bevorderen
preferable verkieslijk
preference voorkeur
• preferentie, prioriteit
prefix voorvoegsel
pregnant zwanger, vruchtbaar • ~
with, vol van • *be* ~, in
verwachting zijn
prejudice vooroordeel • *jur*
schade, nadeel
preliminary *zn* inleiding • *bn*
inleidend
prelude *zn* voorspel • *ww*
preluderen, inleiden
premature voortijdig • vroegtijdig
• ontijdig, voorbarig
premeditated voorbedacht
premier minister-president
premises *mv* pand, huis • huis en
erf

premium prijs • premie • pari
premonition voorgevoel
preoccupation bezorgdheid
preparation voorbereiding
• preparaat • instudering
preparatory voorbereidend
prepare voorbereiden, bereiden
prepay vooraf betalen
preponderance overwicht
preposition voorzetsel
prepossession
vooringenomenheid
• vooroordeel
preposterous onzinnig, absurd
prerogative voorrecht
presage zn voorteken • ww
voorspellen • voorbeduiden
prescribe voorschrijven
prescription recept (van arts)
• voorschrift
presence tegenwoordigheid
• aanwezigheid • verschijning,
~ of mind, tegenwoordigheid
van geest
present bn tegenwoordig,
present • aanwezig • oplettend
• zn cadeau, geschenk • ww
voorstellen, aanbieden,
vertonen
presentation voorstelling,
vertoning, aanbieding
presentiment voorgevoel
presently dadelijk • op 't
ogenblik
preservation bewaring • behoud
• verduurzaming
preserve behouden, bewaren
• inmaken, inleggen • ~s,
groenten enz. in blik
president voorzitter, president
press zn pers • gedrang • ww

(op)persen, (uit)drukken
• haasten • duwen
press-button drukknop
press cutting krantenknipsel
pressman journalist
press stud drukknoopje
pressure drukking, gewicht,
druk, drang • spanning
(banden)
pressure cooker snelkookpan
presumable vermoedelijk
presume veronderstellen,
aannemen
presumptuous aanmatigend
presupposition
vooronderstelling
pretence voorwendsel • pretentie,
aanspraak
pretend voorwenden, doen alsof
• beweren
pretender simulant • pretendent
pretension aanspraak
preternatural onnatuurlijk
pretext voorwendsel
pretty lief, mooi • tamelijk
prevail de overhand hebben,
heersen
prevalent overwegend
prevaricate zich van iets
afmaken, uitvluchten zoeken
prevent voorkomen, beletten
previous voorafgaand • vorig
pre-war vooroorlogs
prey prooi
price zn prijs • ww prijzen
price-cutting (sterke)
prijsverlaging
price-list prijscourant
price of admission toegangsprijs
prick zn prik, steek, prikkel • ww
prikken • steken, aansporen

pride hoogmoed, trots • luister
priest geestelijke (priester)
priggish ingebeeld, pedant
prim preuts, stijf • netjes, keurig
primarily voornamelijk
primary oorspronkelijk • eerst, voornaamst • elementair
prime zn begin, bloei • bn eerste, primair • prima, best
primer boek voor beginners • grondverf
primeval eerste, oer-
primitive primitief
primrose sleutelbloem
primus stove primus (kooktoestel)
prince prins, vorst
prince consort prins-gemaal
princess prinses, vorstin
principal zn hoofd • hoofdpersoon • rector • bn voornaamst, hoofdzakelijk
principality vorstendom
principle beginsel, principe
print zn merk • stempel • afdruk • prent • ww (af)drukken • inprenten
printed matter drukwerk
printer drukker
printing office drukkerij
prior zn prior • bn vroeger, voorafgaand
priority voorrang
prism prisma
prison gevangenis
prisoner gevangene • ~ of war, krijgsgevangene
privacy afzondering, privacy
private zn gewoon soldaat • bn heimelijk, vertrouwelijk • particulier, privé

• onderhands • in ~, onder vier ogen
privation beroving, ontbering
privilege zn voorrecht • ww bevoorrechten
privy geheim, verborgen • ~ to, ingewijd in
prize zn prijs • beloning • buit • ww op prijs stellen
pro voor
probable waarschijnlijk
probation proeftijd • voorwaardelijke veroordeling
probity eerlijkheid
problem probleem, vraagstuk
procedure handelwijze, methode
proceed voortgaan • ontstaan (uit) • handelen • procederen
proceeding handelwijze • verrichting
proceedings handelingen mv (v. genootschap) • verslag
process voortgang, loop • handelwijze • proces
procession stoet, processie
proclaim afkondigen • verkondigen
procrastinate uitstellen, verschuiven (v. dag tot dag)
procreation voortplanting
procure verschaffen, verstrekken, bezorgen, veroorzaken
prod steken, porren
prodigal bn verkwistend • the ~ son, de verloren zoon
prodigious wonderbaarlijk
prodigy wonder
produce zn opbrengst • product • ww voortbrengen • opleveren • te voorschijn halen
producer producent

product voortbrengsel • product • uitkomst

productive productief, vruchtbaar

profane goddeloos, profaan • werelds

profess belijden • verklaren • uitoefenen

profession beroep

professor hoogleraar, professor

proffer toereiken • aanbieden

proficient bedreven, bekwaam

profit zn winst, voordeel • ww baten • profiteren, gebruik maken (van, by)

profitable voordelig

profligate zn losbol • bn losbandig, verkwistend

profound (diep)zinnig • grondig

profuse kwistig, overvloedig

progeny nageslacht

prognosticate voorspellen

program(me) program(ma)

progress zn vordering • voortgang, vooruitgang • ww vorderen

prohibit verbieden

prohibited verboden

prohibition verbod

project zn ontwerp, plan • ww ontwerpen • projecteren • vooruitsteken

proletarian proletariër

prolific vruchtbaar • productief

prolix wijdlopig, langdradig

prologue voorrede, inleiding

prolong verlengen

prolongation verlenging

prominent (voor)uitstekend, voornaam

promise zn belofte • ww beloven

promissory note accept • promesse

promontory voorgebergte

promote bevorderen, begunstigen • verhogen (in rang)

promotion promotie, bevordering

prompt bn direct, prompt, vlug • ww aansporen

promulgate verkondigen, uitvaardigen

prone gebogen, voorover • geneigd tot

prong hooivork • tand (v. vork)

pronoun voornaamwoord

pronounce uitspreken

pronunciation uitspraak

proof zn bewijs, proef • bn beproefd • bestand (tegen)

prop steunen, schoren

propagation voortplanting • verspreiding

propel voortdrijven

propeller schroef

propelling pencil vulpotlood

proper eigen • geschikt • betamelijk, fatsoenlijk

property eigenschap • landgoed • bezitting • eigendom

property tax vermogensbelasting

prophecy voorspelling

prophet profeet

prophetic(al) profetisch

propitious genadig • gunstig

proportion verhouding

proportional evenredig

proposal voorstel • aanzoek

propose voorstellen

proposition voorstel

proprietary eigendom-, bezit-
proprietor eigenaar
propriety gepastheid • juistheid
propulsion voortdrijving
prosaic prozaïsch
proscription verbanning, officieel verbod
prose proza
prosecute (gerechtelijk) vervolgen
prospect vooruitzicht • hoop • verschiet
prosper gedijen, bloeien, voorspoed hebben • begunstigen
prosperity voorspoed
prostitute prostituee
prostrate uitgestrekt • neergeworpen • verslagen, gebroken
protect beschermen
protective beschermend
protector beschermer
protest zn protest • ww betuigen, protesteren
Protestant protestant
protestation betuiging
protract verlengen • vertragen • rekken
protrude uitsteken
protuberance uitwas, knobbel
proud trots, fier • prachtig • ~ flesh, wild vlees
prove bewijzen, beproeven • ondervinden • blijken te zijn
provenance herkomst
proverb spreekwoord, spreuk
proverbial spreekwoordelijk
provide verzorgen • verschaffen, voorzien van, verstrekken
provided mits

providence voorzienigheid
province gewest, provincie, gebied
provision voorziening, voorzorg • voorraad, proviand, provisie • ~s, mondvoorraad
provisional provisorisch, voorlopig
proviso beding, voorwaarde, clausule
provocation uitdaging, aanleiding
provoke uitlokken • provoceren • prikkelen, tergen
prowl rondsluipen
proximate naast(bijzijnd)
proximity nabijheid
proxy volmacht • gevolmachtigde • procuratiehouder
prude preuts persoon
prudent voorzichtig, verstandig
prudish preuts
prune zn pruim (gedroogd) • ww snoeien
Prussian Pruis(isch)
pry gluren, turen, snuffelen • (open)breken
psalm psalm
psychiatrist psychiater
psychic(al) ziel- • ~ research, parapsychologie
P.T.O. = Please Turn Over, zie ommezijde, z.o.z.
pub café, kroeg
public zn publiek • bn openbaar, algemeen
publication afkondiging • uitgave
public convenience openbaar toilet
public house kroeg
publicity openbaarheid

• publiciteit, reclame
public law volkenrecht • publiek recht
public prosecutor officier van justitie
public sale veiling
public school particuliere kostschool
public transport openbaar vervoer
publish openbaar maken, afkondigen • publiceren, uitgeven
publisher uitgever
pudding pudding
puddle plas, poel
puddly modderig
puerile kinderachtig
puff *zn* windstootje, zuchtje • trek (aan pup) • poederkwast • soes • *ww* blazen, puffen • opblazen • in de hoogte steken
puffy opgezwollen
pugilist bokser
pugnacious strijdlustig
pull *zn* ruk, trek • teug • handvat • *ww* trekken, scheuren, rukken
pulley katrol
pullover trui (dikke)
pulp vruchtvlees • moes • pulp
pulpit kansel, preekstoel, spreekgestoelte
pulse pols
pulverize verpulveren, fijnstampen • verstuiven
pumice puimsteen
pump *zn* pomp • damesschoen • *ww* pompen • uitvragen • ~ *up*, oppompen
pun woordspeling

punch *zn* doorslag, drevel • slag, stoot, stomp • *ww* stompen • knippen (v. kaartje)
punctual stipt, nauwgezet
puncture prik, gaatje • lekke band
pungent scherp, bijtend
punish straffen, kastijden
punishable strafbaar
punishment straf, boete
puny klein, zwak
pup jonge hond
pupil leerling, pupil
puppet marionet
puppet-show poppenkast
puppy jonge hond
purchase *zn* (aan)koop • gekocht goed • *ww* kopen, verwerven
pure zuiver, rein, puur
pure-bred rasecht, raszuiver
purgatory vagevuur
purge purgeren • zuiveren
purification reiniging, zuivering
purity zuiverheid, reinheid
purl kabbelen • buitelen
purple paars
purport *zn* inhoud, strekking • *ww* beweren, voorgeven
purpose *zn* doel(einde) • opzet • *ww* van plan zijn • *on* ~, opzettelijk
purposely met opzet
purr spinnen (kat)
purse portemonnee, beurs
purser *scheepv* administrateur
purslane postelein
pursuant overeenkomstig, ingevolge
pursue vervolgen • nastreven
pursuit vervolging • jacht (op)
purvey verschaffen, leveren

push *zn* duw, druk
• krachtsinspanning • *ww* duwen • voorthelpen • dringen
push-button drukknop
pushing bijna
puss kat, poes
pussy poesje • katje (van wilg e.d.)
pussycat poes
pustule puistje
put (put; put) zetten, brengen, plaatsen, leggen • maken
• doen • veroorzaken • ~ *away*, wegleggen • ~ *down*, neerzetten • ~ *in*, inleggen • ~ *out to contract*, aanbesteden • ~ *up*, stallen, huisvesten
putoff uitvlucht • uitstel
putrefaction verrotting
putrefy verrotten
putrescence (ver)rotting, bederf
putrid verrot, bedorven
puttee beenwindsel
putty stopverf
puzzle *zn* puzzel • mysterie • *ww* verlegen maken • verbijsteren • verwarren
pwt. = *penny weight*, gewicht van 1.55 gr
pyjamas pyjama
pyre brandstapel

Q

quack *zn* kwakzalver, knoeier
• *ww* kwaken • snoeven
quadrangle vierhoek
quadrate kwadraat

quadruped viervoeter
quadruple *bn* viervoudig • *ww* verviervoudigen
quail *zn* kwartel • *ww* de moed benemen, verliezen
quaint eigenaardig, typisch, ouderwets
quake *ww* beven, sidderen • *zn* aardbeving
Quaker quaker, lid van *Society of Friends*
qualification bevoegdheid, bekwaamheid • vereiste eigenschappen *mv* • beperking
qualified bevoegd, gediplomeerd
qualify bekwaam, bevoegd maken • in aanmerking komen
quality hoedanigheid, kwaliteit
• aard • rang
quantity hoeveelheid, kwantiteit, menigte
quarrel *zn* ruzie, twist • *ww* twisten, ruzie maken
quarrelsome twistziek
quarry steengroeve • prooi
quarter vierde deel, kwartier
• stadswijk • huisvesting • ~ *of an hour*, kwartier • ~ *of a year*, kwartaal
quarter past ... (a) kwart over ...
quarter to ... (a) kwart voor ...
quaver trillen, vibreren
quay kade
queen koningin • vrouw (in het kaartspel)
queen dowager koningin-weduwe
queer wonderlijk, raar
• homoseksueel
quench blussen, lessen, bekoelen, uitdoven

query vraag • vraagteken
quest onderzoek • zoektocht
question zn vraag • kwestie
• interpellatie • ww
ondervragen, betwijfelen
questionable twijfelachtig
question-mark vraagteken
questionnaire vragenlijst
queue in de rij staan
quibble kibbelen
quick zn levend vlees • bn
levendig, vlug, snel
quicken verlevendigen,
aanmoedigen, verhaasten
quicksand drijfzand
quick-sighted scherpziend
quicksilver kwik(zilver)
quid (tabaks)pruim • pond
sterling
quiescent rustig, kalm, stil
quiet zn rust, vrede • bn rustig,
stil • ww kalmeren
quilt zn gewatteerde deken • ww
watteren
quinine kinine
quip spitsvondigheid, geestige
opmerking
quit (quit of quitted; quitted)
weggaan • verlaten, ophouden
• bn vrij
quite geheel en al, volkomen • ~!,
precies!, juist!
quits quitte
quiver trillen
quotation aanhaling
• prijsnotering, koers
quote citeren, aanhalen
quotidian dagelijks

R

rabbet sponning
rabbit konijn
rabble gepeupel • tuig
rabid hondsdol • verbeten,
extreem
rabies hondsdolheid
race zn wedloop, wedren, loop
• ras • ww rennen, wedlopen,
harddraven
racecourse renbaan
racehorse renpaard
rachitis Engelse ziekte
racing cyclist wielrenner
rack zn rek, kapstok • bagagenet
• pijnbank • rek • zwerk • ww
pijnigen • spannen • jagen
(van wolken)
racket racket • lawaai • Amer
afpersingstruc
racy levendig, pittig
radiance glans • uitstraling
radiate (af-, uit)stralen
radiator radiateur
radical zn grondwoord, stam,
wortel • bn radicaal
• fundamenteel
radio radio
radioactive radioactief
radiographer röntgenoloog
radio play hoorspel
radiotherapy
röntgenbehandeling
radish radijs
radius straal • ~ of action,
actieradius, vliegbereik
R.A.F. = Royal Air Force, Britse
luchtmacht

raft (hout)vlot

rag lomp, lor, vod

rag (and bone) man voddenraper

rage zn woede, razernij, manie • ww razen, tieren

raging woedend

raid inval • vliegtuigaanval

rail zn leuning, hek, reling • slagboom • rail • ww omrasteren • schimpen, lasteren

railing leuning, hekwerk

railroad spoorbaan

railway spoorweg

railway (cable) kabelbaan

railway police spoorwegpolitie

railway station spoorwegstation

railway timetable spoorboekje

railway yard stationsemplacement

rain zn regen • ww regenen

rainbow regenboog

raincoat regenjas

rainproof waterdicht

rainy regenachtig

raise optillen • verhogen, opwekken, heffen • werven • bevorderen, aankweken

raisins rozijnen

rake zn hark • lichtmis • ww harken • verzamelen • zoeken • schrapen

rally zn bijeenkomst • herstel van krachten • ww bijeenkomen, (zich) verzamelen • zich herstellen

ram ram

ramble zn wandeltocht • ww wandelen

rambler wandelaar • klimroos

ramification gevolg, consequentie

ramp helling, oprit

rampart bolwerk, wal

ramshackle gammel

ran zie run

ranch grote boerderij

rancid ransig

rancour wrok, rancune

rand rand, zoom • Zuid-Afrikaanse munteenheid

random at ~, op goed geluk (af), lukraak

rang zie ring

range zn reeks • rij • ruimte • draagwijdte • fornuis • ww rangschikken • dragen (van geschut) • rondzwerven • bestrijken

ranger zn zwerver • speurhond • bos/parkwachter

rank zn rang, graad • rij, gelid • bn welig • grof • sterk smakend • ww op één lijn plaatsen • indelen • een rang hebben

ransack doorsnuffelen • plunderen

ransom zn losprijs • ww af-, vrijkopen

rap zn slag • klop • tik • rap, muziekstijl • ww slaan, kloppen, tikken (op)

rape zn verkrachting • vernietiging • raapzaad • ww verkrachten

rapid snel, vlug

rapid(s) stroomversnelling

rapine roof

rapt opgetogen

rapture verrukking

- opgetogenheid, extase
rare zeldzaam • ijl, dun
rarity zeldzaamheid
rascal schelm, schurk
rash *zn* huiduitslag • *bn* overijld, voorbarig, onbezonnen
rasher plak spek of ham
rasp rasp • gekras
raspberries frambozen
raspberry framboos
rat rat • onderkruiper
rate *zn* tarief, prijs • koers, standaard, maatstaf
  • verhouding • graad
  • gemeentebelasting • *interest* ~, rentevoet • *ww* schatten
  • taxeren
rate (exchange) koers (wisselkoers)
rather liever, veeleer • tamelijk, nogal
ratify bekrachtigen
ration *zn* portie, rantsoen • *ww* rantsoeneren
rational redelijk, verstandig
rattle *zn* geratel • ratel • *ww* ratelen, klepperen • reutelen
rattlesnake ratelslang
raucous schor hees
ravage *zn* verwoesting
  • plundering • *ww* verwoesten
  • plunderen
rave ijlen, raaskallen • ~ *about*, enthousiast zijn over
raven raaf
ravenous vraatzuchtig, uitgehongerd
ravine ravijn, gleuf, kloof
raving ijlend, razend
ravishing prachtig, wonderschoon

ravishment verrukking
  • ontroving • wegvoering
raw rauw, onrijp • onervaren
  • ruw, onbewerkt
ray *zn* straal • *ww* (uit)stralen
rayon rayon, kunstzijde
raze doorhalen, uitkrabben • met de grond gelijk maken
razor scheermes
R.C. = *Roman Catholic*, rooms-katholiek
reach *zn* bereik • *ww* bereiken
  • toereiken, uitstrekken
reach-me-down ~s, confectiekleren *mv*
reaction reactie • terugwerking
read (**read; read**) lezen
  • studeren • lezen
readily makkelijk • graag
reading book leesboek
readjust weer in orde brengen, regelen • aanpassen
ready klaar, gereed, bereidwillig
  • vlug, bij de hand
ready-made clothes confectie
real wezenlijk, werkelijk, echt, waar • ~*property*, onroerende goederen *mv*
realize verwezenlijken • te gelde maken • realiseren
really werkelijk, echt • *bijw* inderdaad
realm (konink)rijk • gebied
reanimate doen herleven
reap oogsten
reaper sikkel
rear *zn* achterhoede, -kant • *ww* oprichten, opsteken • opvoeden
  • fokken, opkweken • steigeren
rear forks achtervork
rearguard achterhoede

rear light achterlicht
rearmament herbewapening
rear tyre, tire achterband
rear-view mirror
achteruitkijkspiegel
rear wheel achterwiel
rear window achterruit
reason *zn* rede, verstand
• billijkheid • reden • *ww*
redeneren, bespreken
reasoning redenering
reassure geruststellen
rebate rabat, korting
rebel *zn* muiter, rebel • *bn*
oproerig
rebound terugspringen,
afstuiten
rebuff afwijzen, afpoeieren
rebuild herbouwen
rebuke berisping, standje
recall *zn* terugroeping • *ww*
herroepen • zich herinneren
recant herroepen, terugtreden
recapitulation samenvatting
recede terugwijken
receipt ontvangst • kwitantie,
reçu • kassabon
receive ontvangen, aannemen
• onthalen • helen
receiver ontvanger • *tel* hoorn
• heler • reservoir
recent vers, nieuw, recent
recently onlangs
receptacle vergaarbak
reception receptie
receptionist receptioniste
recess inham • nis • opschorting
(van zaken) • reces
recipe recept (van gerecht)
recipient ontvanger
reciprocal wederzijds,

wederkerig
recital voordracht • vertelling
• concert
reckless roekeloos
reckon rekenen • houden voor
reckoning (be)rekening
reclaim terugeisen • verbeteren
• ontginnen
reclamation terugvordering
• verbetering • ontginning
recline achteroverleunen
recognition herkenning
• erkenning, erkentenis
recognize herkennen • erkennen
recoil terugdeinzen
recollect zich herinneren
recollection herinnering
recommend aanbevelen
recommendable
aanbevelenswaardig
recommendation aanbeveling
recompense *zn* compensatie • *ww*
belonen • compenseren
reconcile verzoenen
reconnaissance, reconnoitring
mil verkenning
reconstruction reconstructie,
wederopbouw
record *zn* aantekening
• document • record
• grammofoonplaat • *ww*
boekstaven, registreren,
vermelden • opnemen (muziek,
televisie)
recorder (band)recorder,
cassetterecorder, videorecorder
• blokfluit
record-library platenarchief
records *mv* archief
recover herkrijgen, herstellen,
genezen

recovery herstel
recreate herscheppen • (zich) ontspannen
recreation tijdverdrijf, ontspanning • nabootsing
recruit zn rekruut • ww rekruteren • aan-, versterken
rectangle rechthoek
rectification verbetering • rechtzetting
rectitude rechtschapenheid
rector dominee • rector
recumbent (achterover) liggend
recur terugkomen • zijn toevlucht nemen
recurrent terugkerend • periodiek
red rood
red cabbage rodekool
redden rood maken • blozen
reddish rossig, roodachtig
redeem loskopen, af-, in-, verlossen, vergoeden
redeemable aflosbaar, -koopbaar
Redeemer Verlosser
redemption in-, verlossing • ~ money, afkoopsom
red-handed op heterdaad
red herring bokking • dwaalspoor
redirect nazenden • omleiden
red-lead menie
redouble verdubbelen • kaartsp redoubleren
redoubtable geducht
redress zn herstel • ww verhelpen, redresseren, herstellen
redskin roodhuid
red tape bureaucratie
reduce terugbrengen, verminderen • herleiden, brengen (tot)

reduction herleiding, verkleining • degradatie • reductie • korting
redundant overbodig
reduplicate verdubbelen
reed riet • rietje
reef rif
reek stinken, dampen
reel zn haspel, klos(je) • spoel • film • zekere Schotse dans • waggelende gang • ww wankelen
re-elect herkiezen
refer verwijzen (naar), in handen stellen (van) • betrekking hebben op
referee scheidsrechter
reference verwijzing • referentie • referte, bewijsplaats • book of ~, naslagwerk
refill zn nieuwe vulling • ww navullen
refine zuiveren, raffineren • beschaven, verfijnen
refit herstellen, repareren
reflect reflecteren, weerkaatsen • peinzen over
reflection reflectie • terugkaatsing • overpeinzing
reflex reflex
reform ww hervormen, verbeteren • zn hervorming
reformation hervorming (ook v. kerk)
reformatory opvoedingsgesticht
refractory weerspannig, weerbarstig • balsturig • vuurvast
refrain zn refrein • ww zich bedwingen • zich onthouden van

refreshment versnapering
refrigeration af-, verkoeling
refrigerator ijskast
refuel bijtanken
refuge toevlucht • vluchtheuvel
refugee uitgewekene, vluchteling
refund terugbetalen
refusal weigering
refuse *ww* afslaan • weigeren • *mil* afkeuren • *zn* uitschot • afval, vuilnis
refuse bin vuilnisbak
refuse collector vuilnisauto
refute weerleggen
regain herkrijgen
regal koninklijk, konings-
regard *zn* achting, eerbied • betrekking • *ww* beschouwen, hoogachten • betreffen, aangaan
regards groeten
regatta roei-, zeilwedstrijd
regency regentschap
regenerate *bn* herboren • *ww* herscheppen, verjongen
regiment regiment
region landstreek, gebied
regional regionaal
register *zn* register, lijst • *ww* aantekenen, registreren, aanmelden
registered letter aangetekende brief
registration inschrijving, registratie
registration certificate kentekenbewijs
registry-office burgert, stand
regress achteruitgaan
regression achteruitgang

regret *zn* verdriet, spijt • *ww* betreuren
regular regelmatig, geregeld
regulation regeling, schikking • reglement • ~*s*, statuten *mv*
rehearsal repetitie
rehearse repeteren
reign *zn* regering • *ww* regeren
rein teugel
reindeer rendier
reinforce versterken
reinforcement versterking
reject verwerpen • *mil* afkeuren
rejection verwerping • afkeuring
rejoice (zich) verheugen, verblijden
rejuvenate verjongen
relapse weer instorten
relate vertellen • in verband brengen (met)
related verwant
relation verwantschap • bloedverwant • verhouding
relative betrekkelijk
relatives familie (verwanten)
relax verslappen, ontspannen
relay *zn* pleisterplaats • *rtv* heruitzending • *ww* herhalen • uitzenden
relay race estafetteloop
release *zn* ontslag • verlossing, kwijtschelding • eerste vertoning • *ww* loslaten, verlossen
relegate verwijzen (naar)
relevant toepasselijk, ter zake
reliable betrouwbaar
reliance vertrouwen
relic relikwie
relief verlichting, ontlasting, opluchting • ondersteuning

• *mil* aflossing • ontzet • reliëf
relieve verlichten, opbeuren • *mil*
aflossen • ontheffen (v. belofte)
religion godsdienst
religious godsdienstig, vroom
relinquish laten varen • opgeven,
afzien van
relish doen smaken • genieten
van
reluctant onwillig
rely vertrouwen (op, *on*)
remain blijven • overschieten
remainder rest, restant
• overblijfsel • overschot
remains *mv* overblijfselen *mv*
remark *zn* opmerking • *ww*
opmerken
remarkable opmerkelijk,
merkwaardig
remedy geneesmiddel,
hulpmiddel, redmiddel • ~ *for*,
middel tegen
remember zich herinneren,
gedenken
remembrance herinnering
remind herinneren (aan)
reminiscence herinnering
remit verzachten, kwijtschelden
• overmaken
remittance overmaking
remnant overblijfsel, restant, rest
remonstrance vertoog
remonstrate protesteren
remorse wroeging, berouw
remorseless onbarmhartig
remote ver, afgelegen
remould omwerken
removal verwijdering
• verhuizing • opruiming
removal van verhuiswagen
remove verplaatsen, verhuizen

• verwijderen • ontslaan
remover remover (nagellak)
remunerate belonen
rend (rent; rent) scheuren
render terug-, overgeven
• bewijzen • maken
renew vernieuwen • (pas)
verlengen
renewal vernieuwing
renounce afzien, laten varen
• verloochenen
renovation vernieuwing
renown vermaardheid, roem
rent *zn* scheur(ing) • huur
• huurprijs • pacht • *ww*
(ver)huren, pachten • zie ook
rend
renunciation verzaking • afstand
reopen heropenen
reorganize reorganiseren
repair *zn* herstelling, reparatie
• *ww* herstellen, repareren
repairs reparatie
reparation herstelling
• herstelbetaling
repartee gevat antwoord
repay (repaid; repaid)
terugbetalen
repeal herroeping
repeat herhalen
repeatedly herhaaldelijk
repel terugdrijven • afstoten
repentance berouw
repercussion terugslag
• repercussie, nadelig gevolg
repertory repertoire
repetition herhaling, repetitie
replace vervangen
replete vol, overladen
replica kopie
reply *zn* antwoord • *ww*

antwoorden

report zn verslag • knal • gerucht • ww verslag doen, berichten, rapporteren, aangifte doen

reporter verslaggever

repose uitrusten, verpozen • laten rusten

reprehensible afkeurenswaardig

represent voorstellen, vertegenwoordigen

representation voorstelling • vertegenwoordiging

representative zn vertegenwoordiger • bn vertegenwoordigend • typisch

repress onderdrukken

reprieve uitstel, gratie

reprimand berisping

reprint herdrukken

reprisal represaille

reproach verwijt

reprobate goddeloos

reproduce reproduceren

reproof berisping, standje

reprove berispen, terechtwijzen

reptile reptiel

republic republiek

republican republikein(s)

repudiate verwerpen, verstoten

repugnance afkeer, weerzin

repulse terugstoten, afschrikken

reputable achtenswaardig, geacht

reputation goede naam

repute reputatie

reputed vermeend

reputedly naar men zegt

request zn verzoek, rek(w)est • ww verzoeken

require eisen, vorderen

requisite vereist, nodig

requisition zn eis • vordering • ww vorderen

rescind vernietigen, afschaffen

rescue zn redding • ww redden

rescue party reddingsbrigade

research zn (wetenschappelijk) onderzoek, nasporing • ww onderzoeken

resemblance gelijkenis

resent kwalijk nemen

resentful haatdragend

reservation voorbehoud, reserve • reservering (van hotelkamer enz.)

reserve ww reserveren, bespreken • zn voorbehoud, reserve

reserved terughoudend

reside wonen, resideren

residence woonplaats • residentie • verblijf

residence permit verblijfsvergunning

resident zn bewoner • bn woonachtig • inwonend

residential area woonwijk, villawijk

resign afstaan • ontslag nemen • opgeven

resignation berusting, gelatenheid • ontslag

resigned gelaten

resilient veerkrachtig

resin hars

resist weerstaan

resistance tegenstand, verzet

resolute vastberaden, beslist

resolution besluit • resolutie • oplossing

resolve oplossen, ontbinden • besluiten

resonant weerklinkend

resort vakantieoord • toevlucht, hulpmiddel • ressort

resound weergalmen

resource hulpbron, -middel, redmiddel • uitkomst • ~s, geldmiddelen, inkomsten *mv*

respect *zn* achting, eerbied, ontzag • *ww* respecteren, eerbiedigen

respectable achtenswaardig

respectful eerbiedig

respiration ademhaling

respite uitstel • schorsing

resplendent glansrijk

respond antwoorden (op), reageren (op)

responsible aansprakelijk, verantwoordelijk

rest *zn* rust, pauze • rustpunt • steun • rest • *ww* rusten • steunen • overblijven

restaurant restaurant

restitution teruggave • schadeloosstelling

restive onrustig, weerspannig

restless rusteloos, onrustig

restoration herstel, restauratie • teruggave

restore herstellen, teruggeven

restrain weerhouden, bedwingen

restraint beperking, bedwang

restrict beperken

restructuring herstructurering

result *zn* gevolg, uitslag • slotsom • resultaat • *ww* voortvloeien • resulteren

resume hernemen, hervatten

resurrection opstanding

resuscitation opwekking (uit dood)

ret(r)d = *retired*, gepensioneerd, b.d.

retail verkoop in 't klein

retain tegen-, vasthouden • houden, behouden • in dienst nemen

retainer honorariumvoorschot

retake heroveren

retaliate vergelden, represaillemaatregelen nemen

retard vertragen • ~ed child zwakbegaafd kind

retardation vertraging

reticent weinig spraakzaam

retina netvlies

retire (zich) terugtrekken • met pensioen gaan

retired teruggetrokken • rentenierend • gepensioneerd

retrace nagaan

retreat *zn* terugtocht • schuilplaats • *ww* wijken

retrieve herwinnen, terugpakken

retrospect terugblik

return *zn* terugkomst, retour • teruggave • verslag • *ww* terugkeren • teruggeven • retour

return ticket retourbiljet

reunion hereniging

reveal openbaren, ontsluieren

revel ~ *in*, genieten (van)

revelation openbaring

revenge wraak

revenue inkomsten *mv*

reverberation terugkaatsing • repercussie

reverence eerbied, ontzag

reverend eerwaarde, dominee

reversal omkering, ommekeer • omkeerfilm

reverse ww omkeren
• achteruitrijden • (vonnis) vernietigen • zn tegengestelde
• keerzijde • (versnelling) achteruit
reverse-charge call collect call
revert terugkeren • vervallen
review zn evaluatie • overzicht
• recensie (boek, film)
• wapenschouwing • ww overzien, monsteren
• evalueren • recenseren
• herzien
revile smaden, verguizen
revise herzien, nazien
revival herleving, wederopleving
• reprise
revive herleven, opleven
revoke herroepen, intrekken
revolt opstand
revolting weerzinwekkend
revolution omloop
• omwenteling, revolutie
revolve omwentelen • ~ around, betrekking hebben op
revolver revolver
revolving door draaideur
reward ww vergelden • belonen
• zn beloning
rhetorical retorisch
rheumatism reumatiek
Rhine Rijn
rhombus ruit
rhubarb rabarber
rhyme rijm, rijmpje
rib rib • (paraplu) balein
ribbon lint, strook, band
ribbon building lintbebouwing
rice rijst
rice-milk rijstebrij, rijstepap
rich rijk • overvloedig,

vruchtbaar • machtig (spijs)
riches mv rijkdom
rickets mv Engelse ziekte
rickety wankel, wrak
rid (of) bevrijd (van) • get ~ of, lozen, kwijtraken
ridden zie ride
riddle raadsel
ride zn rit • ww (rode; ridden) (be)rijden
ride along meerijden
ridge (berg)rug, kam, rand, nok
ridiculous belachelijk
riding boot rijlaars
rifle zn buks • geweer • ww plunderen
rift spleet, scheur • breuk
rig optuigen • optakelen
rigging want • tuigage
right zn recht • billijkheid
• rechterkant • bn rechter-, rechtvaardig, eerlijk, billijk, waar • ~ of way, voorrang • be ~, gelijk hebben • to the ~, (naar) rechts
righteous rechtvaardig
right-hand rechterhand
right-minded rechtgeaard
rigid stijf, strak, gestreng
rigmarole onzin, praatjes mv
rigorous streng, hard
rill beek
rim rand, velg, montuur
rind korst, schil • zwoerd
ring zn ring • piste • renbaan
• klank • klokgelui • ww (rang; rung) bellen, luiden, weergalmen • ~ one up, iem. opbellen
ring finger ringvinger
ringleader raddraaier

ring road ringweg
ringtone beltoon
rink (kunst)ijs-, rolschaatsbaan
rinse omspoelen, uitspoelen
riot oploop, opstootje
riotous wild
rip openrijten
ripe rijp • belegen
ripen rijpen
ripping *gemeenz* prachtig, enig
ripple rimpelen • murmelen
rise *zn* het opstaan • opkomst
• verhoging • bron • *ww* **(rose;
risen)** opstaan, (op)rijzen,
stijgen, opkomen, zich
verheffen • ontspringen
risk *zn* kans • gevaar, risico • *ww*
wagen
rite ritus, kerkgebruik
ritual ritueel
rival *zn* rivaal, mededinger, -
minnaar • *ww* wedijveren
river rivier
rivet *zn* klinknagel • *ww* klinken
road weg, rijweg, straat
road (hard-surface) verharde
weg
road accident verkeersongeval
roadholding wegligging
road map wegenkaart
Road Patrol Service wegenwacht
roads, roadsted *scheepv* rede
road sign verkeersbord
roadway rijweg
roadworks opgebroken (weg)
roam (om)zwerven
roar *zn* gebrul, geloei • *ww*
brullen, loeien • *fig.* bulderen
roast *zn* gebraad vlees • *ww*
braden, roosteren
roast beef rosbief

roasted gebraden, geroosterd
rob (be)roven
robbed bestolen
robber rover
robbery beroving
robe robe, toga
robin roodborstje
robust sterk, fors, robuust
rock *zn* rots, gesteente • *ww*
schommelen
rocking chair schommelstoel
rocking horse hobbelpaard
rocky rotsachtig
rod roede, stang, staf, staaf
rode zie *ride*
rodent knaagdier
roe ree
rogue schurk, schelm
roguish schurkachtig • guitig
roll *zn* rol, lijst • roffel • (rond)
broodje • deining • rollen • *ww*
rollen, wentelen, golven
• pletten
roller rol, wals • zwachtel
rollerskate rolschaats
rolling shutter rolluik
rolling tobacco shag
Roman *zn* Romein • *bn* Romeins
• Rooms
Romania Roemenië
romantic romantisch
romp *ww* stoeien • *zn* wildebras
roof dak • gewelf
roof-rack imperiaal
room kamer • ruimte • plaats
room service roomservice
roost rek • stok
rooster haan
root wortel • oorsprong
rope touw, koord, streng

rope dancer koorddanser

rosary rozenkrans • rozentuin

rose *zn* roos • roze kleur • *bn* roze • zie ook *rise*

rosé rosé

rosy rooskleurig, blozend

rot *zn* verrotting • *ww* (doen) rotten • rotten

rotary draaiend • rotatie-

rotate draaien • rouleren

rotten verrot, rot • ~ *ripe*, beurs

rough ruw, grof, bars • ruig, oneffen • wrang

roughly ruwweg, ongeveer

round *zn* ronde • kring • bol • salvo • *bn* rond • *ww* afronden • rondlopen • ~ *up*, bijeendrijven • arresteren

roundabout omlopend, rondom • omweg • rotonde • draaimolen

rouse opwekken, opjagen • wakker worden (maken)

rout *zn* zware nederlaag • *ww* opjagen

routine sleur, routine

rove omzwerven, rondzwerven

row *zn* (huizen)rij • roeitocht • ruzie • herrie • *ww* roeien

rowboat roeiboot

rowing boat roeiboot

royal koninklijk

royalty koningschap • leden van de koninklijke familie • vergoeding, honorarium

rub *zn* wrijving • probleem • *ww* wrijven, boenen

rubber rubber, gum • condoom • *kaartsp* robber • vlakgom

rubber ring zwemband

rubbish rommel, afval • onzin

rubble puin

rubric rubriek

ruby robijn

rucksack rugzak

rudder roer

ruddy rood, blozend

rude ruw, grof, onbeleefd • onbeschaafd

ruffian schurk, woesteling

ruffle *ww* plooien • rimpelen • *zn* plooi • rimpel

rug kleedje

rugged ruig, hobbelig, ruw

ruin *zn* ondergang, verderf, ruïne, puinhoop • *ww* verwoesten, te gronde richten

rule *zn* (levens)regel • richtsnoer • bestuur • duimstok • *ww* regelen, regeren

ruler heerser • liniaal

rum *zn* rum • *bn* vreemd, raar

rumble rommelen, dreunen

ruminant herkauwend (dier)

rummage rommelen • doorzoeken

rumour gerucht

rumple verkreukelen

rumpsteak biefstuk

run *zn* (toe)loop, ren, bestorming • gang, vaart • uitstapje • traject • slag, type • punt (bij cricket) • *in the long ~*, op de (lange) duur • *ww* (ran; run) lopen, rennen • druipen, geldig zijn • vloeien • luiden

runaway vluchteling • deserteur • hollend paard

rung sport (van ladder) • zie ook *ring*

run in inrijden (auto)

runway start-, landingsbaan

rupture breuk, scheuring
rural landelijk, plattelands-
ruse list
rush *zn* haast, vaart • stormloop, bestorming • *ww* (voort)snellen, rennen, jagen, haast maken met
rush hours *mv* spitsuren *mv*
rusk beschuit(je)
Russia Rusland
Russian *zn* Rus • *bn* Russisch
rust *zn* roest • *ww* roesten
rustic boers, landelijk
rustle ritselen, ruisen
rusty roestig
rut wagenspoor • sleur
rye rogge
rye bread roggebrood

S

S.A. = 1 *South Africa* Zuid-Afrika • 2 *South America*, Zuid-Amerika • 3 *Salvation Army*, Leger des Heils
sabotage sabotage
sabre sabel
saccharin sacharine
sack *zn* zak • plundering • *ww* (uit)plunderen • *get, give the ~*, de bons (ontslag) krijgen, geven
sacrament sacrament
sacred heilig, gewijd (*to*, aan)
sacrifice *zn* offerande, offer, opoffering • *ww* opofferen
sacrilege heiligschennis
sad treurig, somber • donker

sadden bedroeven
saddle *zn* zadel • lendenstuk • *ww* zadelen
saddlebag fietstas
saddle soreness zadelpijn
safe *zn* brandkast • kluis • provisiekast • *bn* veilig, vertrouwd, solide
safe deposit box kluis
safeguard *zn* vrijgeleide • *ww* beschermen
safety veiligheid
safety belt veiligheidsgordel
safety brake noodrem
safety pin veiligheidsspeld
sag ineenzakken
sagacious schrander
sago sago
said voornoemd • zie *say*
sail *zn* zeil • *ww* zeilen
sailboat zeilboot
sailcloth zeildoek
sailing boat zeilboot
sailor matroos, zeeman
saint sint, heilige
sake doel • *for the ~ of*, ter wille van
salad salade
salad-dressing slasaus
salad oil slaolie
salary salaris, loon
sale verkoping • *~s mv*, uitverkoop • *for ~*, te koop
salesgirl verkoopster
salesman verkoper, vertegenwoordiger, handelsreiziger
saliva speeksel
sallow bleek, vuilgeel, vaal
salmon zalm
saloon zaal, salon • bar

salt *zn* zout • *ww* zouten • *bn* zout, gezouten
salt cellar zoutvaatje
salt fish zoutevis
salt-free zoutloos
salubrious heilzaam
salutary heilzaam
salutation groet, begroeting
salute *ww* salueren • (be)groeten • *zn* begroeting • groet • saluut
salvage berging • bergloon
salvation redding • zaligmaking
Salvation Army Leger des Heils
salver presenteerblad
same zelfde • gelijk • genoemde • *all the* ~, toch, hoe dan ook
sample *zn* monster • specimen • *ww* proeven
sanction *zn* goedkeuring, sanctie • *ww* bevestigen, bekrachtigen
sanctuary heiligdom
sand zand
sandal sandaal
sandbank zandbank
sandpaper schuurpapier
sandwich sandwich
sandwich (toasted) tosti
sandy zanderig
sandy beach zandstrand
sane gezond van verstand
sang zie *sing*
sanguinary bloeddorstig
sanitary hygiënisch, gezondheids-
sanitary towel maandverband
sank zie *sink*
sap sap • ondermijning
sarcastic sarcastisch
sardine sardine
sash ceintuur • (schuif)raam
sat zie *sit*

satchel (boeken)tas • ransel
satiate verzadigen
satin satijn
satisfaction voldoening, tevredenheid
satisfied tevreden
satisfy voldoen, bevredigen • verzadigen
saturate verzadigen
Saturday zaterdag
sauce saus
sauceboat sauskom
saucepan pan
saucer schotel(tje)
saucy brutaal • ondeugend
sauerkraut zuurkool
saunter slenteren
sausage worst
sausage roll saucijzenbroodje
savage wild, wreed
save redden, behoeden • besparen • *vz* behalve
savings spaargeld
savings bank spaarbank
saviour redder
savour *zn* smaak, geur • *ww* smaken
savoury smakelijk, geurig • *zn* snack
savoy (cabbage) savooiekool
saw *zn* zaag • *ww* zagen • zie ook *see*
sawdust zaagsel
Saxon *zn* Saks • *bn* Saksisch
say (said; said) zeggen
saying gezegde, zegswijze
scab korst (op wond)
scabies schurft
scaffold steiger • schavot
scaffolding steiger • stelling, stellage

scald zich branden
scale weegschaal • schaal • schilfer • schub • ketelsteen
scalp hoofdhuid
scaly schubbig, schilferig
scamp schelm
scamper hollen • *at a ~*, op een holletje
scandal ergernis, schande, laster • schandaal
scandalous schandalig
scanty krap, schaars
scapegoat zondebok
scar litteken • klip
scarce schaars, zeldzaam
scarcely nauwelijks
scare ver-, afschrikken
scarecrow vogelverschrikker
scarf sjerp, sjaal, hoofddoek
scarlet scharlaken-, vuurrood
scarlet fever roodvonk
scary eng, griezelig
scatter strooien, verspreiden
scene toneel • decor schouwspel • tafereel
scenery decor, natuurschoon, landschap
scenic area natuurgebied
scent *zn* reuk, geur • parfum • (reuk)spoor • *ww* ruiken (het wild) • geur geven aan
sceptical sceptisch, twijfelend
schedule lijst • programma, schema • agenda
scheme schema, plan • complot
schism breuk
scholar geleerde
scholastic school-, onderwijs-
school *zn* school • *ww* onderwijzen, oefenen
schoolmaster onderwijzer

schoolmistress onderwijzeres
science wetenschap • natuurwetenschappen *mv*
scientific wetenschappelijk
scintillate fonkelen
scion telg
scissors schaar
scoff *ww* schimpen • *zn* bespotting • beschimping
scold schelden, kijven, berispen
scoop *zn* schep • hoosvat • primeur • *ww* uitscheppen, uithozen • naar zich toe halen
scooter scooter
scope doelwit • ruimte • gezichtskring, gebied
scorch schroeien, (ver)zengen
score *zn* rekening, aantal behaalde punten • kerf, keep • twintigtal • partituur • *ww* optekenen • op noten zetten • (punten) behalen
scorn *zn* verachting, hoon • *ww* smaden, verachten
scornful honend
Scotch Schots
Scotchman Schot
scoundrel schurk
scour schuren • nauwkeurig doorzoeken
scourge *zn* gesel, plaag • *ww* geselen, teisteren
scout padvinder • verkenningsvaartuig, -vliegtuig
scouting padvinderij
scowl 't voorhoofd fronsen • *~ at*, dreigend aanzien
scramble grabbelen • klauteren
scrambled eggs *mv* roereieren *mv*

scrap snipper • afval • uitknipsel
• *scrapbook* plakboek

scrape *zn* verlegenheid,
moeilijkheid • gekras • schram
• *ww* schrappen, schrapen
• uitkrabben, afkrabben

scratch *zn* schram, krab • kras
• *ww* krabben, krassen

scrawl haal, krabbel

scream *zn* gil • *fig* giller • *ww*
gillen

screen scherm • beeldscherm
• rooster • voorruit • *ww*
afschutten • ziften • verfilmen
• uitzenden

screw *zn* schroef • vrek • loon
• *ww* schroeven

screwdriver schroevendraaier

screw-jack krik

scribble krabbelschrift

scribe schrijver, klerk

script geschrift • draaiboek

Scripture H. Schrift

scroll lijst

scrub schrobben, afboenen

scrubby dor • armzalig, miezerig
• borstelig

scruple schroom,
(gewetens)bezwaar

scrupulous nauwgezet
• angstvallig

scrutiny nauwkeurig onderzoek

scuffle handgemeen

scull roeiriem

scullery bijkeuken

sculptor beeldhouwer

sculpture beeldhouwkunst
• beeldhouwwerk

scum *zn* schuim • uitschot • *ww*
afschuimen

scurry haasten, reppen

scurvy *zn* scheurbuik • *bn* laag,
gemeen

scuttle (kolen)kit

scythe zeis

S.E. = *South East*, zuidoost

sea zee • *at* ~, ter zee • *be at* ~,
het spoor bijster zijn

sea-borne ter zee

seagull zeemeeuw

seal *zn* zegel • rob, zeehond • *ww*
verzegelen • ijken

sealing wax lak

seal-ring zegelring

sealskin robbevel

seam *zn* zoom • naad(je) • *ww*
zomen

seaman zeeman

seamstress naaister

seaplane watervliegtuig

seaport zeehaven

search *zn* onderzoek, speurtocht
• *ww* zoeken,, peilen
• onderzoeken • fouilleren

searchlight zoeklicht

seasick zeeziek

seasickness zeeziekte

seaside ~ *resort*, badplaats

season *zn* seizoen, jaargetijde
• *ww* kruiden

season (high) hoogseizoen

seasonable geschikt, gelegen

seasoned gekruid

seasoning kruiden

season ticket abonnementskaart
• ~*holder*, abonnee

seat *zn* zitting • (zit)plaats • zetel
• *ww* plaatsen • *be seated*,
zitten • gaat u zitten!

seats (book) plaats bespreken

sea urchin zee-egel

seaworthy zeewaardig

secateurs *mv* snoeischaar
secede zich afscheiden
secession afscheiding
seclude afzonderen, uitsluiten
second *zn* secondant • seconde
• *bn* tweede, ander • *ww*
bijstaan, steunen
secondary ondergeschikt
secondary school middelbare
school
second-hand tweedehands-
second-rate tweederangs-
secret *zn* geheim • *bn* heimelijk,
verborgen
secretary secretaris • minister
• *Secretary of State*, minister
• *Amer* Minister van
Buitenlandse Zaken
secrete verbergen • afscheiden
sect sekte, gezindheid
section sectie • afdeling
• onderdeel • (door)snede
• traject, baanvak
secular *bn* wereldlijk
• eeuwenoud • honderdjarig
• *zn* leek • wereldlijk priester
secure *bn* vast, zeker (van, *of*);
veilig • *ww* beveiligen,
vastmaken
security veiligheid, beveiliging,
waarborg, waarborgsom
• *handel* effect
Security Council Veiligheidsraad
sedate bezadigd, rustig
sedative kalmerend middel
sediment neerslag, bezinksel
sedition oproer, muiterij
seduce verleiden
see zien
see (saw; seen) zien, kijken
• begrijpen • zorg dragen

• bezoeken • ontvangen (iem.)
seed *zn* zaad • *ww* inzaaien
seedy *fig* sjofel
seek (sought; sought) zoeken
• *much sought after*, gezocht (v.
waren)
seem lijken (schijnen)
seen zie *see*
seesaw wip [speeltuig]
seethe (seethed of **sod;
sodden)** zieden, koken
segregation afscheiding
seize grijpen, in beslag nemen
seizure beslaglegging • aanval,
beroerte
seldom zelden
select *bn* uitgelezen, exclusief
• *ww* uitkiezen
self zelf
self-command zelfbeheersing
self-conceited verwaand
self-confidence zelfvertrouwen
self-conscious verlegen
self-evident vanzelfsprekend
self-ignition zelfontsteking
self-interested baatzuchtig
selfish egoïstisch
self-made door zichzelf iets
geworden • eigengemaakt
self-preservation zelfbehoud
self-starter automatische starter
sell *ww* **(sold; sold)** verkopen
semaphore seinpaal
semi half
seminary seminarie
semi-official officieus
semolina griesmeel
senate senaat
send (sent; sent) zenden,
verzenden • ~ *on*, doorsturen
(verder sturen)

sender afzender
senile seniel, ouderdoms-
senior ouder, oudste
sensation gewaarwording, opwinding, opzien, sensatie
sensational opzienbarend
sense *zn* gevoel • verstand • begrip • zin, betekenis • *make ~* zinnig zijn, iets betekenen • *ww* (aan)voelen, begrijpen
senseless zinloos
sensible verstandig • merkbaar
sensitive gevoelig, fijngevoelig
sensual sensueel
sent zie *send*
sentence zin (zinsnede) • vonnis
sentiment gevoel, gevoelens • mening
sentry schildwacht, post
sentry box schilderhuisje
separate *bn* apart, afzonderlijk • *ww* scheiden, afzonderen
separation scheiding
sepsis bloedvergiftiging
September september
sepulchre graf
sequence volgorde, reeks • *kaartsp* suite
Serb, Serbian Servisch • Serviër
serene kalm, helder, doorluchtig
sergeant sergeant • brigadier van politie
serial serie- • *serial number* serienummer
serial(-tale) feuilleton
series serie, reeks
serious ernstig, plechtig
sermon preek • vermaning
serpent slang
servant bediende • dienstmeisje
serve dienen, opdienen,

bedienen, baten • voorzien van
service dienst, bediening, nut • servies • kerkdienst
serviceable dienstig
service station pompstation
servile slaafs, kruipend
session zitting
set *zn* stel, garnituur • servies • partij • spel • span • *bn* gezet, bepaald, bestendig • *ww* (**set**; **set**) zetten plaatsen, stellen, bepalen • *~ in*, invallen • *~ up*, opzetten, oprichten
settle vestigen • regelen, bepalen • vereffenen
settlement vestiging • afrekening • kolonie, nederzetting • jaargeld
seven zeven
seventeen zeventien
seventy zeventig
sever scheiden, afsnijden, verbreken
several verscheiden
severe streng, hard, straf
sew (sewed; sewn of **sewed)** naaien
sewer riool
sewing machine naaimachine
sex geslacht, sekse • seks
sex appeal seksuele aantrekkingskracht
sex shop seksshop
sexton koster • doodgraver
sexual seksueel
sexually transmitted disease geslachtsziekte
Sh. = *shilling*
shabby kaal, haveloos, sjofel
shackles *mv* boeien

shade *zn* schaduw • kap, scherm
• nuance • *ww* schaduwen,
beschermen, arceren

shadow schaduw, schim

shady beschaduwd • schaduwrijk
• verdacht, louche

shaft schacht • steel • zuil • pijl
• as (auto)

shag shag • *gemeenz* seks hebben

shake *zn* schok • triller (muziek)
• *ww* **(shook; shaken)**
schudden, beven • ~ **hands,**
elkaar de hand geven

shaky beverig, onvast • wankel

shall (should) zal, zullen

shallow ondiep • oppervlakkig

sham *zn* bedrog, voorwendsel
• *bn* voorgevend • *ww*
simuleren

shame schaamte, schande • *ww*
beschamen

shameful schandelijk

shameless schaamteloos

shampoo shampoo

shamrock klaverblad

shape *zn* gedaante • vorm • *ww*
(shaped; shaped of **shapen)**
vormen

share *zn* deel, aandeel • *ww*
delen

shareholder aandeelhouder

shark haai • afzetter

sharp *bn* scherp, spits • bits
• scherpzinnig • bijtend • *zn*
muz kruis

sharpen scherpen

sharp-eyed scherpziend

sharpshooter scherpschutter

shatter verbrijzelen, verstrooien

shave (shaved; shaved of
shaven) scheren, (af)schaven

• het vel over de oren halen

shaver scheerapparaat

shaving krul (v. hout)

shaving brush scheerkwast

shaving cream scheercrème

shaving soap scheerzeep

shawl sjaal, omslagdoek

she *zn* zij • *zn* wijfje

sheaf schoof • bundel

shear (sheared; shorn) afsnijden
• (schapen) scheren

sheath schede

shed (shed; shed) *ww* vergieten
• laten vallen, afwerpen,
storten • verspreiden • *zn*
loods, schuur

sheep schaap

sheepskin schapenvacht

sheer louter • volslagen • steil

sheet beddenlaken • vel papier
• schoot (v. zeil)

shelf, shelves plank(en) • klip

shell *zn* schelp, schil, bolster, dop
• *mil* granaat • *ww* schillen,
pellen, doppen • beschieten

shellproof bomvrij

shell splinter granaatscherf

shelter *zn* schuilplaats
• bescherming • tramhuisje
• schuilkelder • *take* ~, schuilen
• *ww* beschermen, schuilen

shepherd herder

sheriff schout • *Amer* politiechef

sherry sherry

shield *zn* schild • *ww*
beschermen

shift *zn* verandering,
verschuiving • ploeg(en)dienst
• *ww* verwisselen • verleggen
• verruilen

shilling vroegere Eng. munt (1/

20 v.e. pond sterling)
shimmer glinsteren
shin scheen(been)
shinbone scheenbeen
shine *zn* schijn, luister • *ww* **(shone; shone)** schijnen, uitblinken
shiny glimmend
ship *zn* schip • *ww* inschepen, verschepen
ship broker cargadoor
shipload scheepslading
shipment verscheping, verzending • lading
shipowner reder
shipwreck schipbreuk
shipwrecked be ~, schipbreuk lijden
shipyard scheepstimmerwerf
shire (Engels) graafschap
shirk ontduiken
shirt overhemd
shit poep
shiver *zn* rilling • *ww* rillen
shoal *zn* school (vis) • ondiepte • *bn* ondiep • *ww* samenscholen
shock *zn* schok, botsing, schrik • *ww* schokken • ergeren
shock absorber schokbreker
shocking stuitend, ergerlijk
shoe schoen • hoefijzer
shoelace veter
shoemaker schoenmaker
shoe polish schoensmeer
shoeshine *Amer* schoensmeer
shoe shop schoenenwinkel
shone zie *shine*
shook zie *shake*
shoot *zn* filmopname • scheut • *ww* **(shot; shot)** schieten

• uitbotten
shooting range schietbaan
shop *zn* winkel • werkplaats • *ww* winkelen, inkopen doen
shop assistant winkelbediende
shop girl winkeljuffrouw
shopkeeper winkelier
shoplifter winkeldief
shopping boodschappen
shopping centre winkelcentrum
shopworn saai, afgedaan
shore *zn* kust, oever • stut • *ww* schoren, stutten
shorn zie *shear*
short *zn* kort, klein • bros • krap • *or* ~, kortheidshalve • *in* ~, kortom • *be* ~ *of*, tekortkomen
shortbread soort bros gebak
short-circuit kortsluiting
shorten verkorten, verminderen
shortening vet
shorthand stenografie
shortly weldra
shorts korte broek
short-sighted bijziend, kortzichtig
short-winded kortademig
shot schot • gooi • opname, kiekje • schutter • zie ook *shoot*
should zie *shall*
shoulder schouder
shoulder blade schouderblad
shout *zn* geroep, gejuich • *ww* roepen, juichen, schreeuwen
shove *zn* stoot, duw • *ww* stoten, duwen, schuiven
shovel schop
show *zn* vertoning, show, tentoonstelling • schijn • voorkomen • *ww* **(showed; shown)** tonen, laten zien

• aanwijzen, schijnen

showcase uitstalkast

shower *zn* regen-, stortbui
• douche • *ww* begieten,
stortregenen • douchen
• douche

shower-bath stortbad, douche

shown zie *show*

showroom toonzaal

show-window winkelraam

shrank zie *shrink*

shrapnel granaatscherven *mv*

shred lapje, flard, snipper

shrewd schrander • scherp

shriek *zn* gil, schreeuw • *ww*
gillen, gieren

shrill schel, snerpend, schril

shrimp garnaal

shrine heiligdom • reliekschrijn

shrink (shrank; shrunk)
ineenkrimpen, slinken,
terugdeinzen

shrivel verschrompelen

shroud *zn* (doods)kleed • sluier
• *ww* bedekken, omhullen

Shrovetide, Shrove Tuesday
vastenavond

shrub struik, heester

shrug de schouders ophalen

shrunk zie *shrink*

shudder huiveren, sidderen

shuffle *zn* geschuifel • *ww*
schudden • *kaartsp* wassen
• schuifelen

shun vermijden, schuwen

shunt *ww* rangeren • *elektr*
aftakken • *zn* aftakking

shut (shut; shut) *ww* (op)sluiten
• *bn* dicht, gesloten

shutter luik, blind • sluiter

shy schuw, verlegen • *ww*

schichtig worden

sibling broer en/of zus

sick *bn* misselijk, *Amer* ziek • beu
(van) • *be* ~, overgeven
(misselijkheid)

sickle sikkel

side *zn* zijde • kant • partij • *ww*
partij kiezen voor

sideboard buffet, dressoir

sidecar zijspan

sidelong, sideways, sidewise
zijdelings, zijwaarts

sidewalk *Amer* trottoir

siege belegering, beleg

sieve zeef

sift schiften, zeven

sigh *zn* zucht • *ww* zuchten

sight gezicht, zicht • schouwspel
• bezienswaardigheid

sight-seeing het bezoeken van
bezienswaardigheden

sightseeing tour uitstapje
(excursie)

sign *zn* teken, wenk • bord (met
opschrift) • uithangbord • *ww*
tekenen, ondertekenen • een
teken geven

signal *zn* teken • sein, signaal
• *ww* seinen • melden

signal box seinhuis

signal post seinpaal

signature handtekening

signature tune *rtv*
herkenningsmelodie

signboard uithangbord

signet ring zegelring

significance betekenis

significant veelbetekenend
• belangrijk

signify betekenen, beduiden • te
kennen geven

signpost wegwijzer

silence stilzwijgen • stilte • zwijg!, stil daar!

silencer knaldemper, geluiddemper (machine)

silent stil, stilzwijgend, rustig

silk *zn* zijde • *bn* zijden

silkworm zijderups

silky zijdeachtig, zacht

sill vensterbank

silly onnozel, dwaas, dom • kinderachtig

silver *zn* zilver • *bn* zilver

silverware tafelzilver

similar dergelijk, gelijksoortig, soortgelijk

similarity overeenkomst

simmer sudderen • *fig* smeulen

simple eenvoudig, enkelvoudig

simplicity eenvoud, onnozelheid

simplify vereenvoudigen

simulate veinzen • (bedrieglijk) nabootsen

simultaneous gelijktijdig

sin zonde • *original~*, erfzonde

since sinds

sincere oprecht

sinew pees, spier

sinful zondig

sing (sang; sung) (be)zingen

singe zengen, schroeien

singer zanger • zangeres

single enkel • éénpersoons • alleen, ongehuwd

single (ticket) enkele reis

single bed eenpersoonsbed

single room eenpersoonskamer

singular *bn* enkelvoudig, bijzonder, zonderling • *zn* enkelvoud

sinister onheilspellend

sink *zn* gootsteen • riool • *ww* **(sank; sunk)** zinken, zakken • verminderen • doen zakken • dalen

sinner zondaar, zondares

sinuous bochtig, kronkelig

sip *zn* teugje • *ww* nippen

siphon hevel • sifon

sir heer, mijnheer • predikaat (vóór doopnaam van baronet of knight)

siren sirene

sister zuster

sister-in-law schoonzuster

sit (sat; sat) zitten • zitting houden • poseren • *~ down*, gaan zitten

sit-down *~ strike*, bezettingsstaking

site ligging • plekje • terrein, bouwterrein

sitting zitting, seance

sitting-room huis-, zitkamer

situated gelegen

situation ligging, toestand • situatie, betrekking • toestand (situatie)

six zes

sixteen zestien

sixth zesde

sixty zestig

size *zn* grootte, omvang, formaat • maat, *ww* sorteren, rangschikken

skate *zn* schaats • *ww* schaatsen

skating schaatsenrijden

skating rink ijs-, rolschaatsbaan

skeleton geraamte, skelet • schema • *mil* kader

skeleton key loper

sketch *zn* schets • *ww* schetsen

ski ski
ski boots skischoenen
skid slippen
skiing skiën
ski jump skischans
skilful bekwaam, handig
ski lift skilift
skill bekwaam-, handigheid
skim (af)schuimen, afromen • scheren over
skimp beknibbelen
skin zn huid, vel • schil • ww stropen, villen
skinny broodmager
skip springen, huppelen
ski pole skistok
skirmish zn schermutseling • ww schermutselen
skirt zn rok • rand • ww omzomen • omzeilen
skittle kegel • ~s, kegelspel
skull schedel
skunk stinkdier
sky hemel, lucht, uitspansel
skylark leeuwerik
skylight dakraam
skyline silhouet [van een stad]
skyscraper wolkenkrabber
slab plaat, platte steen, schaal • plak, moot
slack zn slapte • bn slap, los, traag • ww verslappen • verminderen
slacken verslappen • vieren: (vaart) minderen
slacks mv lange broek
slain zie slay
slam dichtsmijten
slander zn laster • ww lasteren
slang groepstaal, jargon
slanting hellend, schuin

slap zn klap, mep • ww een klap geven
slash om zich heen slaan, ranselen • snijden
slate lei
slate pencil griffel
slattern slons, morsebel
slaughter zn slachting, bloedbad • ww slachten, vermoorden
slave slaaf, slavin • ww zich afsloven
slavery slavernij
slay (slew; slain) doden, vermoorden
sled, sledge slee, ar
sledgehammer voornamer
sleek glad, glanzend • fig glad
sleep zn slaap • ww (slept; slept) slapen • ~ late, uitslapen
sleeper slaper • slaapwagen • dwarsligger
sleeper train slaaptrein
sleeping bag slaapzak
sleeping car slaapwagen
sleeping compartment slaapcoupé
sleeping partner stille vennoot
sleeping pills slaappillen
sleeping place slaapplaats
sleepless slapeloos
sleepwalker slaapwandelaar
sleepy slaperig • slaapwekkend
sleet natte sneeuw
sleeve mouw • laugh in his ~, in zijn vuistje lachen
sleeve links mv dubbele manchetknopen mv
sleigh slede, ar
slender dun, slank • gering
slept zie sleep
sleuth speurhond, detective

slew zie *slay*
slice sneetje, schijfje, plak
slide zn glijbaan, hellend vlak
• schuif • ventiel • lawine • dia
• ww **(slid; slid** of **slidden)**
glijden, glippen, laten slippen
slide film diafilmpje
sliding door schuifdeur
sliding roof schuifdak
slight zn geringschatting • bn
dun • licht, gering,
onbeduidend • ww kleineren
slightly enigszins, ietwat
slim bn schraal • slank, tenger
• ww slank worden,
vermageren
slime slib • slijm
sling zn slinger, zwaai
• draagband • ww **(slung;
slung)** slingeren • werpen
• ophangen
slink (slunk; slunk) (weg)sluipen
slip zn vergissing • abuis • daling
• stek • reepje • (papier)strook
• slipje • ww slippen
(uit)glijden • sluipen, glippen
• dalen
slip-of-the-pen verschrijving
slippers slippers, pantoffels
slippery glad (weg), glibberig
slippery road slipgevaar
slip road rondweg • toegangsweg
tot autoweg
slipshod slordig
slit zn scheur, gleuf, spleet • split
• ww **(slit; slit)** splijten
slogan strijdkreet • leuze • slagzin
sloop sloep
slop ww morsen • zn vuil water
slope zn schuinte, helling • talud
• ww hellen • schuin aflopen

sloping hellend, schuin aflopend
sloppy morsig, slordig
slot gleuf, sleuf
sloth lui-, traagheid
slot machine (verkoop)automaat
slouchy slungelig, slordig
slovenly slonzig
slow bn langzaam, traag • be ~,
achterlopen • ww ~ down,
vaart minderen
slow-motion picture vertraagde
film
slug zn naakte slak • ww slaan
sluggard luiaard
sluggish traag, lui
sluice zn sluis • ww spoelen
slum achterbuurt, krottenwijk
slumber zn sluimering • ww
sluimeren
slump plotselinge of grote
prijsdaling, malaise
slung zie *sling*
slunk zie *slink*
slur zn smet, schandvlek • ww
besmeuren • onduidelijk
(slordig) uitspreken
slush blubber
slut slet
sluttish sletterig
sly listig, sluw, slim
smack zn klap • ww smakken
small klein, gering, weinig,
kleingeestig
smallpox waterpokken mv
smart bn scherp, pijnlijk, vinnig
• levendig, vlug, gevat, knap
• bijdehand • chic • ww zeer
doen • lijden, schrijnen, steken
smarten up mooi maken
smash zn smak, slag • bankroet,
ww breken, verbrijzelen

smear *zn* vlek, vette veeg • *ww* besmeren, bezoedelen, smeren

smell *zn* reuk, geur • *ww* **(smelt of smelled; smelt of smelled)** ruiken, rieken

smelt *zn* spiering • *ww* (erts) smelten

smile *zn* glimlachje • *ww* glimlachen

smirch besmeuren, bezoedelen

smirk meesmuilen, grijnzen

smite (smote; smitten) slaan

smith smid

smithy smederij

smoke *ww* roken • *zn* rook

smoked gerookt

smoker roker • rookcoupé

smoking het roken

smoking compartment rookcoupé

smooth *bn* glad, vlak • zacht • vleiend • *ww* glad maken • gladstrijken, effenen

smoothly vlot, gesmeerd

smote zie *smite*

smother *zn* damp, rook, walm • *ww* verstikken • inhouden

smoulder smeulen

smudge vlek, veeg

smug zelfgenoegzaam

smuggle smokkelen

smuggler smokkelaar

smutty vuil, smerig

snackbar snelbuffet

snag knoest • obstakel

snail slak

snake slang • slang (reptiel)

snap *ww* happen, klappen, knippen • *zn* snap, hap, knip

snappish snibbig

snapshot momentopname, kiekje

snare *zn* strik • *ww* verstrikken

snarl (toe)snauwen, grommen • verwikkeld raken

snatch *zn* ruk, greep • stukje eten • *ww* rukken, grijpen

sneak sluipen

sneaky geniepig

sneer *ww* grijnzen • *zn* grijns

sneeze niezen

sniff opsnuiven • snuffelen

snigger grinniken

sniper sluipschutter

snivel snotteren

snoop rondneuzen

snooze dutten

snore snorken, ronken

snorkel snorkel

snort briesen, snuiven

snout snuit

snow *zn* sneeuw • *ww* sneeuwen

snowboard snowboard

snow chain sneeuwketting

snowdrop sneeuwklokje

snowstorm sneeuwstorm

snub afsnauwen

snuff *zn* snuif • *ww* (op)snuiven • ~ *it*, het loodje leggen

snug knus, gezellig

so dus, zodanig, zulk, zo • ~ *that*, zodat

soak weken, inzuigen, opslurpen • doorweken

soap zeep

soapdish zeepbakje

soap-suds *mv* zeepsop

soar hoog vliegen, zich verheffen

sob *zn* snik • *ww* snikken

sober matig, sober, nuchter • nuchter

sobriety matigheid

Soc. = *Society*, vereniging
so called zogenaamd
soccer voetbal
sociable sociabel, gezellig
social maatschappelijk, sociaal
• gezellig
socialism socialisme
social worker maatschappelijk
werkster
society maatschappij • gezelschap
• vereniging, genootschap
• samenleving
sock sok
socket kas, holte • houder
• stopcontact
sod zode
soda soda • (koolzuurhoudend)
drankje
soda water spuitwater
sodden doorweekt
sofa bank (zitbank)
soft zacht, mals • slap (boord)
• verwijfd, zoetsappig • onnozel
• ~*drink*, frisdrank • ~ *soap*,
groene zeep
soften zacht maken (worden)
soil *zn* land, grond • *ww*
bezoedelen
sojourn (tijdelijk) verblijf
solace troost, verlichting
solar system zonnestelsel
sold zie *sell*
solder soldeersel • *ww*
solderen
soldier soldaat, krijgsman
sold out uitverkocht
sole *zn* zool • tong (vis) • *bn* enig
solemn plechtig, ernstig
solicit verzoeken, dingen naar
solicitor rechtskundig adviseur,
procureur

solicitous bezorgd • begerig
solicitude zorg, ongerustheid
solid vast, massief • stevig
• degelijk
solidarity solidariteit
soliloquy alleenspraak
solitary eenzaam
solitude eenzaamheid
soloist solist
soluble oplosbaar
solution oplossing
solve oplossen
solvent solvent, kredietwaardig
some enige, enkele, sommige
• ongeveer
somebody iemand
somehow op een of de andere
wijze
someone iemand
something iets
sometimes soms
somewhere ergens
son zoon
song zang, lied
son-in-law schoonzoon
sonorous welluidend
soon spoedig, vroeg, gauw
soot roet
soothe verzachten, sussen,
kalmeren
sop *ww* soppen • *zn* concessie
sophisticated wereldwijs
• verfijnd • geavanceerd
soporific *zn* slaapmiddel • *bn*
slaapverwekkend
soprano sopraan
sorbet sorbet
sorcery toverij, hekserij
sordid laag, gemeen • smerig
sore *zn* pijnlijke plek • *bn*
pijnlijk, zeer • hevig

sorely erg, ten zeerste

sorrow droefheid, smart • zorg

sorry bedroefd • armzalig • *I am ~*, het spijt mij • neem mij niet kwalijk, pardon!

sort *zn* soort, slag • wijze • aard • *ww* schikken, sorteren

S.O.S. = *Save our Souls*, noodsignaal v. schepen

sought zie *seek*

soul ziel

sound *zn* geluid, klank • *bn* gezond, gaaf, betrouwbaar • *ww* klinken, luiden • peilen

sound-damper, sound-deadener geluiddemper

sound-proof geluiddicht

soup soep

sour *bn* zuur, bitter • *ww* verzuren

source bron, oorsprong

south zuiden

South Africa Zuid-Afrika

southern zuidelijk • *~ latitude*, zuiderbreedte

South Pole zuidpool

souvenir souvenir

sovereign souverein

sow *zn* zeug • *ww* (**sowed**; **sown** of **sowed**) zaaien

spa badplaats

space wijdte, ruimte

space travel ruimtevaart

spacious ruim, uitgestrekt

spade spade, schop • schoppen (in het kaartspel)

Spain Spanje

span *zn* span • tijdsbestek • spanning van een boog of brug • *ww* spannen • zie ook *spin*

Spaniard Spanjaard

Spanish Spaans

spank op de broek geven

spanner schroefsleutel

spare *bn* schraal • reserve- • extra- • *~ (bed)room*, logeerkamer • *~ part*, reservedeel • *~ time*, vrije tijd • *~ wheel*, reservewiel • *ww* (be)sparen • missen

sparing zuinig, karig

spark vonk

sparkle fonkelen

spark plug bougie

sparrow mus

sparse dun gezaaid, ijl

spasm kramp

spasmodic krampachtig

spat zie *spit*

spatter bespatten

spawn *zn* viskuit • kikkerdril • *ww* voortbrengen

speak (spoke; spoken) spreken, zeggen, praten

speaker spreker • Voorzitter van het Lagerhuis • speaker

spear speer, spies

special *bn* bijzonder, extra, extra- • *zn* aanbieding • speciale editie (dagblad, televisieprogramma)

specialist specialist

speciality specialiteit

specially in 't bijzonder

species soort [dier of plant]

specific precies • speciaal • *~ gravity*, soortelijk gewicht

specify in bijzonderheden vermelden, specificeren

specimen proef, staaltje

speck vlekje

speckle spat, spikkel

spectacle schouwspel
spectacles *mv* bril
spectator toeschouwer
spectre spook
speculation speculatie
speech spraak • redevoering, toespraak
speechless sprakeloos
speed spoed, snelheid, haast
speed limit maximumsnelheid
speedometer snelheidsmeter
speedway (auto)snelweg • racebaan
speedy spoedig, snel
spell *zn* betovering • tijdje • beurt • *ww* (spelt of spelled; spelt of spelled) spellen • betoveren
spellbound gefascineerd
spelling spelling
spend (spent; spent) uitgeven, besteden
spendthrift verkwister
sphere sfeer • globe • bol
spice *zn* specerij • kruiderij • *ww* kruiden
spiced gekruid
spices kruiden
spick and span brandschoon, piekfijn
spicy gekruid, pikant
spider spin
spike aar • spijl • punt • ~s atletiekschoenen *mv*
spill *zn* spil • spijl • val • *ww* (spilt; spilt) morsen, vergieten
spin (span; spun) spinnen • ronddraaien
spinach spinazie
spinal van de ruggengraat
spinal column ruggengraat
spinal cord (marrow) ruggenmerg
spindle spil, as • spoel, klos
spin-drier centrifuge
spine ruggengraat • doorn, stekel
spinster ongehuwde vrouw, oude vrijster
spiral *zn* spiraal • *bn* spiraalvormig; ~staircase, wenteltrap
spire (toren)spits
spirit *zn* ziel, geest, bezieling • moed • spiritus • *ww* bezielen, aansporen
spirits *mv* sterke drank
spiritual geestelijk, geestes-
spirituous alcoholisch
spit *zn* spuug • braadspit • landtong • *ww* (spat; spat) spugen
spite *zn* wrok, wrevel • *ww* krenken • *in ~ of*, ondanks
spiteful nijdig, afgunstig
spittle speeksel
splash spatten, plassen
splashboard spatbord
spleen milt • zwaarmoedigheid
splendid prachtig, luisterrijk
splendour glans, pracht
splice splitsen (touw)
splint spalk
splinter *zn* splinter • *ww* versplinteren
split (split; split) *ww* splijten • *zn* spleet, scheur
spoil *zn* buit • *ww* (spoiled of spoilt; spoilt) bederven • beroven van
spoke spaak • zie *speak*
spokesman woordvoerder
sponge *zn* spons • *ww* sponsen

• spons
sponsor zn sponsor, begunstiger
• ww steunen
spontaneous spontaan
spoon lepel
sport zn sport, vermaak • spel
• ww dragen • er op na houden
• pronken met • do ~s, sporten
• sport
sportive vrolijk
sports articles sportartikelen
sports field sportterrein
sport shoes sportschoenen
sportsmanlike sportief
spot spat, vlek, plek, smet
• (biljart) acquit geven
• ontdekken, snappen
spotless smetteloos, onbevlekt
spotlight zoeklicht • voetlicht
• bermlamp
spotted gevlekt, gespikkeld
spouse echtgenoot, -note
spout zn spuit, pijp, tuit • straal
• ww spuiten • opspuiten
sprain verstuiken, verzwikken,
verrekken
sprang zie spring
sprat sprot
sprawl breeduit (gaan) liggen
• (zich) onregelmatig
uitbreiden, (zich) breed
uitstrekken
spray zn takje • spuit, verstuiver
• stofregen • ww sproeien
spread (spread; spread)
(ver)spreiden, strooien,
uitslaan
spree on a ~, aan de zwier
sprig twijg
sprightly levendig
spring zn bron, oorsprong • veer

• veerkracht • lente • fontein
• ww **(sprang; sprung)**
springen • (uit)spruiten,
ontstaan
sprinkle besprenkelen
sprinkler sproeier
sprint korte afstandswedloop
• ww sprinten
sprout zn spruit • loot • ww
(uit)spruiten
sprouts spruitjes
spruce bn netjes, knap • zn spar
sprung zie spring
spun zie spin
spur zn spoor • prikkel • uitloper
• ww de sporen geven
• aansporen
spurt ww spuiten • (sp) spurten
• zn straal, guts • uitbarsting
spy zn spion • ww bespieden
sq. = square, plein
squad (politie)patrouille
squadron eskadron, escadrille
• eskader • smaldeel
squalid morsig, vuil
squander verkwisten
square zn vierkant • plein • ruit
(op dambord enz.) • kwadraat
• winkelhaak • bn eerlijk,
ronduit • vierkant, rechthoekig
• ouderwets, bekrompen
squash kneuzen, platdrukken
squat [van huis] kraken
squat(down) hurken
squatter kraker, dakloze (die in
een leegstaand gebouw trekt)
squeak zn geschreeuw, gepiep
• ww schreeuwen, piepen
squeal krijsen • verraden,
doorslaan
squeamish overgevoelig

squeeze zn druk • afpersing • ww drukken, uitpersen

squint bn scheel, loens • ww ~ at, blikken naar

squire landedelman, landjonker

squirrel eekhoorntje

squirt spuiten

st = 1 *street* straat • 2 *saint* sint

stab zn steek • stoot • ww doorsteken, steken

stable zn stal • bn vast • stabiel

stack stapel • hoop • mijt, schelf

stadium stadium, stadion

staff personeel • staf, stok • schacht • notenbalk

stag hert

stage zn toneel • halte • etappe • fase, stadium • ww opvoeren, organiseren

stage manager regisseur

stagger wankelen, waggelen, versteld (doen) staan

stagnancy stilstand

stain zn vlek, smet • ww (be)vlekken, bezoedelen • verven, beitsen

stained-glass gebrandschilderd glas, glas-in-lood

stainless vlekkeloos

stain remover vlekkenwater

stair trede, trap • ~s, trap

stair-carpet traploper

staircase trap

stairs trap

stake zn staak, paal • inzet, inleg • at ~, op 't spel • ww inzetten, in de waagschaal stellen • afbakenen • steunen

stale oudbakken, muf

stalemate zn impasse • ww vastzetten

stalk zn stengel • steel • halm • ww (deftig) stappen • (be)sluipen

stall zn box (v. paard) • kraam • ww afslaan (motor), afglijden (vliegmachine) • uitstellen

stallion hengst

stalls mv stalles mv

stalwart fors, krachtig • trouw

stamina uithoudingsvermogen

stammer stamelen, stotteren

stamp zn stempel • (post)zegel • ww stampen • stempelen

stamp machine postzegelautomaat

stamp-paper gezegeld papier

stand zn stand, stilstand • standaard • standplaats • stelling • kraam • ww (stood; stood) staan, blijven, standhouden • ~still, stilstaan

standard zn standaard • principe • vlag • gehalte, klasse • bn standaard, normaal

standardization normalisatie

stand-by steun • reserve

stank zie **stink**

stanza couplet

staple zn hoofdproduct • stapel • markt • nietje • bn stapel-, hoofd-

star zn ster, gesternte • sterretje (*) • ww de hoofdrol vervullen

starboard scheepv stuurboord

starch zn stijfsel • zetmeel • ww stijven

stare zn starende blik • ww (aan)staren

stark hard • stijf • strak • geheel en al • ~ blind, stekeblind • ~ mad, stapelgek • ~ naked

spiernaakt
starling spreeuw
start zn vertrek • begin
• schrikbeweging • ww starten,
beginnen • aan de gang
brengen • vertrekken
• opschrikken
starter voorgerecht • startmotor
starting-point uitgangspunt
startle (ver)schrikken
startling verrassend
starvation verhongering,
hongerdood
starve (ver)hongeren
state zn staat, toestand • luister,
staatsie • ww opgeven,
vaststellen • constateren
• beweren
stately statig, deftig
statement mededeling,
bewering, verklaring • (bank)
overzicht, staat • opgaaf
statesman staatsman
station standplaats • post • rang,
stand • station
stationary stilstaand, vast
stationer kantoorboekhandelaar
stationery schrijfbehoeften mv
station master stationschef
statistics mv statistiek
statuary beeldhouwkunst • -werk
statue standbeeld, beeld
status status, positie
statute statuut, wet
staunch zn sterk, hecht
• verknocht, betrouwbaar • ww
stelpen • stremmen
stave notenbalk
stay zn verblijf • stilstand • steun
• ww blijven, logeren
• tegenhouden

stay down blijven zitten (school)
staying-power
uithoudingsvermogen
stays mv keurslijf, korset
stead plaats
steadfast standvastig • vast
steady vast, bestendig • solide
steak biefstuk • moot (vis)
steal (stole; stolen) stelen
• sluipen
stealthily tersluiks
steam zn stoom, damp • ww
stomen
steam boiler stoomketel
steam engine stoommachine
steamer stoomboot
steel zn staal • bn stalen, van
staal • ww stalen
steep zn steilte • bn steil
steeple spitse toren
steeplechase wedren met
hindernissen
steer sturen, stevenen
steerage stuurmanskunst
• tussendek
steering stuurinrichting
steering box stuurhuis
steering wheel stuurwiel
steersman stuurman, roerganger
stem zn staal • stengel • loot
• boeg, steven
stench stank
step zn trap • trede • (voet) stap
• ww stappen, treden
step-child stiefkind
step-in step-in
steps mv stoep (v. huis)
sterile onvruchtbaar, dor • steriel
stern zn scheepv achtersteven • bn
streng, bars
stew ww stoven, smoren • zn

gestoofd vlees • *Irish ~*, soort hutspot

steward *zn* steward • rentmeester • hofmeester

stewardess stewardess

stick *zn* stok • staaf • *ww* **(stuck; stuck)** kleven • plakken • steken, insteken • vastzitten • blijven steken • zich hechten

sticking plaster hechtpleister

sticky kleverig

stiff stijf, star, strak

stiffen stijven

stifle smoren, onderdrukken

stifling broeierig, verstikkend

stigma schandvlek • brandmerk • stempel (v. bloem)

stile deurstijl • overstap

still *zn* stil, zacht • *ww* stillen, kalmeren • *bijw* nog steeds, nog

still life stilleven

stimulate prikkelen, aansporen

sting *zn* prikkel, angel, stekel • steek • *ww* **(stung; stung)** steken, prikken • kwetsen • grieven

stingy vrekkig, schriel

stink *zn* stank • *ww* **(stank; stunk)** stinken

stint beknibbelen

stipulate bedingen, bepalen

stir *zn* geraas, opwinding, sensatie • *ww* bewegen, (om)roeren, (iemand) aansporen

stirrup stijgbeugel

stitch *zn* steek • *ww* stikken, hechten

stock *zn* voorraad • stam • blok • effecten *mv*, kapitaal • veestapel • bouillon • *ww* in

voorraad hebben, nemen, bevoorraden

stockbroker commissionair in effecten

stock exchange effectenbeurs

stockfish stokvis

stockings kousen

stole(n) zie *steal*

stolen gestolen

stolid bot, onaandoenlijk

stomach *zn* maag, buik • eetlust • *ww fig* kunnen verkroppen, slikken

stomach ache maagpijn

stone *zn* steen • pit • gewicht van 6.35 kg

stone-blind stekeblind

stone-deaf stokdoof

stony steenachtig, stenig • onbewogen, ijskoud

stood zie *stand*

stool taboeretje, kruk • *~s*, *mv*, ontlasting

stoop bukken, buigen

stop *zn* halte, tussenlanding, pauze • leesteken • *ww* beletten • ophouden, stoppen, staken • stelpen • *~!* stop! (halt)

stopover tussenlanding

stopper stop

storage berging, opslag

store *zn* voorraad • winkel • opslagplaats, magazijn • warenhuis • *ww* inslaan • voorzien • opbergen

storey verdieping

stork ooievaar

storm *zn* storm • aanval • onweersbui • *by ~*, stormenderhand • *ww* bestormen • stormen, razen

stormy stormachtig

story geschiedenis, verhaal
• leugentje

stout zn stout, zwart bier • bn
vastberaden, dapper
• corpulent

stove kachel, fornuis • kachel

stow stuwen, stouwen

stowaway verstekeling

straddle wijdbeens staan (lopen),
schrijlings zitten

straggle dwalen, zwerven

straight recht • glad • eerlijk,
betrouwbaar • in orde
• heteroseksueel

straight ahead rechtdoor

straighten recht maken • in orde
brengen

straightforward oprecht,
rond(uit) • ongecompliceerd

straight on rechtuit

strain zn (in)spanning • druk
• verrekking • erfelijk trekje
• ras ww inspannen, verrekken,
forceren

strainer zeef

strait, straits zee-engte, straat

strand zn streng • element • ww
stranden

strange vreemd, zonderling

stranger vreemdeling

strangle wurgen

strangulated ingesnoerd • med
beklemd

strap (schouder)riem • (tram) lus
• bandje

strapless zonder
schouderbandjes

strapping bn groot, stevig • zn
pak slaag

stratagem (krijgs)list

straw stro, rietje

strawberry(ies) aardbei

stray af-, verdwalen

streak streep • flits • tikkeltje

stream bn stroom • ww stromen

streamer wimpel

streamlined gestroomlijnd

street straat

street side straatkant

streetwalker prostituee

strength sterkte, kracht, macht

strengthen (ver)sterken

strenuous krachtig, energiek,
inspannend

stress zn nadruk, accent,
(geestelijke) spanning, druk,
stress • ww benadrukken • zich
druk maken

stretch zn rek, spanning
• uitgestrektheid • ww rekken,
strekken, spannen

stretcher draagbaar, brancard

strew (strewed; strewn)
(be)strooien

stricken geslagen, getroffen,
bedroefd • zwaar beproefd

strict nauwkeurig, strikt, stipt

stride zn schrede • ww (strode;
stridden)** schrijden

strife twist, strijd

strike zn slag • werkstaking • ww
(struck; struck of stricken)
slaan • munten • strijken
• opvallen, vóórkomen • inslaan
• werkstaken • ~ out,
schrappen

striking treffend, opvallend

string zn touw, koord • snaar,
pees • snoer • ww (strung;
strung)** snoeren, rijgen. van
banden of snaren voorzien

string beans sperziebonen
stringent strikt, bindend • schaars (geld)
stringy vezelig, draderig
strip zn reep, strookje • strip • ww uitkleden • afstropen
stripe streep • chevron
striptease striptease
strive (**strove**; **striven**) pogen, streven, zich inspannen • worstelen, strijden
strode zie stride
stroke zn slag, trek • streep • beroerte • ww strelen, strijken
stroll zn wandeling • ww slenteren, kuieren
strong sterk, flink, krachtig • pittig (van smaak)
stronghold burcht, bolwerk
strongroom kluis
strove zie strive
struck zie strike
structure structuur, bouw • gebouw, bouwsel
strung zie string
stub zn stompje • peuk • ww stoten • ~ out, uitdrukken (v. sigaret)
stubble stoppel
stubborn hardnekkig, onverzettelijk, weerspannig
stuck zie stick
stud knop • overhemds-, boordenknoopje • stoeterij • (ren)stal
student student • beoefenaar
studied geleerd, bestudeerd, onnatuurlijk
studies studie
studious vlijtig • nauwgezet

study zn studie • studeerkamer • ww (be)studeren
stuff zn stof, materiaal • goedje, spul • ww volstoppen, opzetten
stuffed opgezet • vol
stultify verstompen • belachelijk maken
stumble struikelen, strompelen
stump (boom)stronk, stomp • stump (cricketpaaltje)
stun bedwelmen, verdoven • verbluffen
stung zie sling
stunk zie stink
stunt toer, foefje • truc • stunt
stupefaction verdoving, stomme verbazing
stupendous kolossaal
stupid dom, stom
stupor verdoving
sturdy stoer, stevig
stutter stotteren, hakkelen
sty varkenshok, kot
style stijl, (schrijf)trant • genre
stylish chic, elegant
suave hoffelijk
subconscious onderbewust
subdue onderwerpen, bedwingen, beheersen • dempen, temperen
subject zn onderdaan • onderwerp • (leer)vak, motief • bn onderworpen, onderhevig • ww onderwerpen • blootstellen
subjugate onderwerpen
sublime hoog, verheven
submarine onderzeeboot
submerge onderdompelen, onder water zetten
submission onderwerping

submissive onderdanig
submit onderwerpen
subordinate ondergeschikt
subscribe inschrijven, intekenen
• onderschrijven ~ *to*, *zich* abonneren op
subscriber abonnee, intekenaar
• ondertekenaar
subscriber number abonneenummer
subscription ondertekening, intekening • contributie
• abonnement
subsequent volgend
subside zinken, zakken
• bedaren, gaan liggen (wind)
subsidiary hulp-, ondergeschikt
• ~ *company*, dochtermaatschappij
subsidy subsidie
subsistence bestaan, levensonderhoud
substance zelfstandigheid, stof
• substantie
substantial aanzienlijk • flink
• stoffelijk • stevig • solide
• welgesteld
substitute *zn* vervanger, vervanging, reserve; *ww* vervangen
subterraneous onderaards
subtitled ondertiteld
subtle fijn • spitsvondig, scherpzinnig
subtract aftrekken
suburb voorstad, buitenwijk
subvention subsidie
subvert omverwerpen
subway (perron) tunnel • *Amer* metro
succeed opvolgen • slagen

success succes • voorspoed
succession op(een)volging, reeks
• *in~*, achtereen
successive opeenvolgend
successor opvolger
succour bijstaan, helpen
succulent sappig
succumb bezwijken
such zodanig, zulk, zo • dergelijk
• ~ *a*, zo'n
suck zuigen
suckle zogen • grootbrengen
suckling zuigeling
suction zuiging
sudden plotseling
suds *mv* zeepsop
sue in rechten aanspreken, aanklagen
suffer lijden, dulden
sufficient voldoende, genoeg
suffix achtervoegsel
suffocate verstikken, smoren
• stikken
suffuse overvloeien, overstromen
sugar suiker • *lump of ~*, klontje suiker
sugar basin suikerpot
sugar beet suikerbiet
sugar cane suikerriet
sugar refinery suikerraffinaderij
suggest opperen, ingeven, doen denken aan
suggestion suggestie, ingeving, voorstel, idee
suicide zelfmoord
suit *zn* rechtsgeding, verzoekschrift, aanzoek
• *(kaartsp)* kleur • pak (kleren), kostuum • stel • *ww* passen, schikken, gelegen komen

suitable gepast, geschikt • gepast (geschikt)
suitcase koffer
suite vertrekken • gevolg, stoet • serie, stel • *muz* suite
suitor vrijer • *jur* eiser
sulk pruilen, mokken
sulky *zn* licht rijtuigje voor één persoon • *bn* pruilend, mokkend
sullen bokkig, nors
sulphur zwavel
sulphuric acid zwavelzuur
sultry zwoel, drukkend
sum som, bedrag • inhoud
summary samenvatting, kort overzicht
summer zomer • *Indian* ~, nazomer
summer school vakantiecursus
summing-up slotsom • *jur* requisitoir
summit top, kruin
summon(s) dagvaarden, bekeuren • oproepen
summons dagvaarding
sumptuous weelderig
sun zon • zonneschijn
sunbathe zonnebaden
sunbeam zonnestraal
sun-blind zonnescherm
sunburnt verbrand, gebruind
Sunday zondag
sundial zonnewijzer
sundry diverse, allerhande
sunflower zonnebloem
sung zie *sing*
sunglasses zonnebril
sun hat zonnehoed
sunk zie *sink*
sunlamp hoogtezon

sunlight zonlicht
sunny zonnig
sunproof kleurecht
sunrise zonsopgang
sunset zonsondergang
sunshade parasol • zonnescherm • zonneklep
sunshine zonneschijn
sunstroke zonnesteek
suntan cream zonnebrandcrème
suntan lotion zonnebrandolie
sup souperen
super *zn* superbenzine • *bn* zeer goed
superannuation pensionering
superb prachtig
supercilious verwaand
superficial oppervlakkig
superfluous overtollig
superintend het toezicht hebben op, controleren
superintendent opzichter, inspecteur • directeur
superior opper, opperst, bovenst, hoger, beter, over-
superiority meerderheid, overmacht • voortreffelijkheid • voorrang
superlative *bn* alles overtreffend, hoogste • *zn (gram)* overtreffende trap
supermarket supermarkt
supernumerary extra-
supersede vervangen • afschaffen • afzetten
superstition bijgeloof
supervision toezicht, controle
supine achteroverliggend • nalatig • laks • slap
supper avondmaal
supplant verdringen

supple zacht, lenig, buigzaam
supplement supplement, bijvoegsel, aanvulling
suppliant smekeling
supplicate smeken
supplication smeekbede
supplier leverancier
supply zn voorraad, aanvoer • versterking • leverantie • ~ and demand, vraag en aanbod • ww verzorgen, voorzien, aanvullen, bevoorraden
support zn ondersteuning • onderstand, steun • ww helpen, onderhouden, steunen, schoren verdragen
supporter aanhanger, voorstander • sp supporter
suppose (ver)onderstellen, vermoeden, aannemen
supposition onderstelling
suppository zetpil
suppress onderdrukken • bedwingen • verzwijgen
suppurate etteren
supremacy oppermacht, overmacht
supreme (aller)hoogst
surcharge zn toeslag • overlading ww overladen
sure zeker, veilig • ~! natuurlijk!
surety borg, borgtocht
surf zn branding (van de zee) • ww surfen
surface oppervlakte
surf board surfplank
surfeit overlading, oververzadiging
surfing surfsport
surge golf • hausse
surgeon chirurg

surgery chirurgie • spreekkamer (v. dokter) • ~ hours, mv spreekuur
surly nors, stug, bokkig, stuurs
surmise zn vermoeden, waan • ww vermoeden
surmount overkomen, te boven komen
surname achternaam
surpass overtreffen
surplus overschot
surplus population overbevolking • bevolkingsoverschot
surprise zn verrassing, verwondering • ww verrassen
surprised verbaasd
surrender zn overgave • ww overgeven, uitleveren
surround omringen, omgeven
surroundings omgeving
survey overzicht, inspectie, onderzoek • expertise • opmeting • onderzoeken • (op)meten (land)
surveyor opzichter • landmeter
survival overblijfsel, overleving, voortbestaan
survive overleven
susceptibility vatbaarheid, fijngevoeligheid
suspect bn verdacht • ww wantrouwen, verdenken • vermoeden
suspend ophangen • opschorten, schorsen
suspender sokophouder • jarretel • ~s mv, (ook) bretels mv
suspense spanning
suspension schorsing, staking • vering • ~ of arms,

wapenstilstand

suspicion achterdocht, argwaan
• vermoeden

suspicious argwanend, achterdochtig • verdacht

sustain onderhouden, ondersteunen, verdragen

sustenance (levens)onderhoud

swagger trots lopen

swallow zn zwaluw • slok • ww verzwelgen, slikken, opslokken

swam zie swim

swamp moeras

swan zwaan

swap zn ruil • ww ruilen (van), wisselen (van)

swarm zn zwerm • ww zwermen, wemelen

sway zn zwaai • heerschappij • overwicht • ww zwaaien, zwenken • leiden

swear (swore; sworn) zweren • beëdigen • vloeken • ~ off, afzweren

swear-word vloek

sweat (sweat of sweated; sweated) zweten, zwoegen • uitzuigen • zn zweet

sweater trui

Swede Zweed

Sweden Zweden

sweep zn veeg, zwaai • omtrek • ww (swept; swept) weg-, schoonvegen • vegen • zwenken, zwieren

sweet bn zoet, lief(e)lijk • zn toetje, snoepje, lekkers

sweetbread zwezerik

sweeten zoet maken • verzachten

sweetener zoetstof

sweetheart geliefde

sweetmeat bonbon

sweet pepper paprika

sweets snoep

swell zn zwelling • deining • ww (swelled; swollen of swelled) (op)zwellen • toenemen • bn chic • fijn, prima

swept zie sweep

swift snel, vlug

swiftness snelheid

swim (swam; swum) zwemmen • drijven

swimming bath (binnen)zwembad

swimming belt zwemgordel

swimming pool zwembad

swimming trunks zwembroek

swimsuit zwempak

swindle ww afzetten, oplichten • zn oplichterij

swine zwijn • smeerlap

swing zn schommel • schommeling, slingering • in full ~, in volle gang • ww (swung; swung) schommelen, zwaaien, zwenken

swing door tochtdeur

swirl warrelen, draaien

Swiss bn Zwitsers • zn Zwitser

switch zn wissel • schakelaar • ww schakelen • ~ on, off, aan-, uitzetten) • ~ to overschakelen (naar, op)

switchboard schakelbord

Switzerland Zwitserland

swivel draaien

swollen zie swell

swoon zn bezwijming, flauwte • ww flauwvallen

swoop neerduiken (op)

swop zn ruil; ww ruilen (van),

wisselen (van)
sword zwaard
swore, sworn zie *swear*
sworn beëdigd • gezworen
swot blokken
swum zie *swim*
swung zie *swing*
syllable lettergreep
symbol zinnebeeld, symbool
symmetrical symmetrisch
sympathy sympathie
symphony symfonie
symptom verschijnsel, symptoom
syringe (injectie)spuit
system stelsel, systeem • net
systematic(al) stelselmatig, systematisch

T

tab etiket, label • [van jas enz.] lus • [computer] tabulatortoets
table tafel • tabel, staat • register • plateau
tablecloth tafellaken
table-cover tafelkleed
tablet tablet (medisch)
tabloid sensatiekrant
taboo taboe
tabular tabellarisch
tacit stilzwijgend
taciturn stil, zwijgend
tack spijkertje
tackle *zn* tuig, takel • *ww* flink aanpakken
tact tact
tactics *mv* tactiek
tag *zn* label • aanhangsel • *sp*

tikkertje • *ww* aanhechten • ~ *along*, meelopen
tail *zn* staart • sleep • achterkant • gevolg • *ww* achtervolgen
tail-light achterlicht
tailor kleermaker
tailor-made op maat gemaakt
taint *zn* vlek, blaam • *ww* bederven • bezoedelen
tainted bedorven
take (took; taken) nemen, vatten, grijpen • innemen (pillen) • krijgen, ontvangen • gebruiken, bezigen • ~ *along*, meenemen • ~ *care*, pas op jezelf • ~ *off*, opstijgen (v. vliegmachine)
tale verhaal, sprookje
talebearer klikspaan
talent talent, gave
talk praten, spreken • ~ *rubbish*, zwammen • praten
talkative spraakzaam
talking picture, talkie sprekende film
tall lang, hoog
tallow talk, kaarsvet
talon talon
tame *bn* tam, gedwee • *ww* temmen
tamper knoeien, peuteren
tampon tampon
tan *zn* gebruinde huid (door zon) • run, taan • *ww* looien, tanen • zonnen
tangerine mandarijn
tangible tastbaar, voelbaar
tangle warboel, verwarring
tank (water)bak, reservoir • tank, gevechtswagen
tanner looier

tantrum kwaaie bui, driftbui
tap zn tikje • kraan • tap • ww (vat) opsteken • aftappen • tikken
tape zn lint, band • beeld- of geluidsdrager • ww opnemen (op band)
tape measure meetlint
taper spits toelopen
tape-recorder bandrecorder
tapestry wandtapijt
tapeworm lintworm
taproom gelagkamer
tap water leidingwater
tar teer
tardy traag • langzaam
tare tarra
target mikpunt, doel • schietschijf
tariff tarief
tarnish dof maken of worden • bezoedelen
tarpaulin dekzeil
tarry dralen
tart zn vruchtentaart • gebakje • bn wrang, zuur • bits
tartness wrangheid
tartserver taartschep
task taak
taste zn smaak • ww proeven • smaken
tasteful smaakvol
tasty smakelijk
tatter lap, vod, flard
tattle ww babbelen • zn gebabbel
tattoo zn tatoeage • ww tatoeëren
taught zie teach
taunt zn smaad, hoon • ww (be)schimpen, honen
taut strak, gespannen

tavern kroeg, herberg
tawdry opzichtig, smakeloos
tawny goudbruin
tax zn belasting • schatting, last • ww taxeren, belasten
taxation belasting, schatting
tax collector belastingontvanger
tax consultant belastingconsulent
taxes belasting
tax form belastingbiljet
tax free taxfree
taxi taxi
taxi, taxicab taxi
taxi driver taxichauffeur
taxi meter taximeter
taxi stand taxistandplaats
tea thee
teach (taught; taught) onderwijzen, leren
teacher onderwijzer
tea-cloth theedoek
tea-cosy theemuts
team ploeg, elftal
tea pot theepot
tea-pot theepot, trekpot
tear zn traan • scheur, torn • ww (tore; torn) scheuren • rukken • razen
tease plagen
tea-set theeservies
teaspoon theelepel
teat speen
tea towel theedoek
tea tray theeblad
technical technisch
technician technicus
tedious vervelend, saai
teenager tiener
teeny piepklein
teeth gebit, tanden

teetotaller geheelonthouder

telegraph zn telegraaf • ww telegraferen

telephone zn telefoon(toestel) • ww telefoneren

telephone (card) kaarttelefoon

telephone book telefoongids

telephone booth telefooncel

telephone call telefoongesprek

telephone company office telefoonkantoor

telephone directory telefoongids

telephone number telefoonnummer

telephoto lens telelens

teleprinter telex(toestel)

television televisie

television set televisietoestel

tell (told; told) zeggen, vertellen • bevelen • onderscheiden

teller kassier (in bank)

telltale zn verklikker • bn verraderlijk

telly Br tv

temerity roekeloosheid

temper zn stemming, humeur • hardheid (v. staal) • ww matigen, temperen

temperament temperament

temperance matigheid

temperate matig, gematigd

temperature temperatuur

tempest hevige storm

temple tempel • slaap (v. h. hoofd)

temporal wereldlijk • tijd-

temporary tijdelijk • ~ house, noodwoning

temporize dralen, draaien

temptation verzoeking

tempting verleidelijk

ten tien

tenable houdbaar

tenacious vasthoudend, hardnekkig • kleverig • taai

tenant pachter, huurder

tench zeelt

tend neigen, leiden tot • oppassen

tendency neiging

tender zn oppasser • aanbieding, offerte • bn teder, zacht • mals

tenderloin filet

tendon pees

tendril (hecht)rank

tennis tennis

tennis ball tennisbal

tennis court tennisbaan

tenor tenor • strekking

tense zn gram tijd • bn stijf, strak, gespannen

tension spanning, inspanning

tent tent

tentacle vangarm, tentakel

tentative voorlopig • voorzichtig

tenth tiende

tent peg tentharing

tent pole tentstok

tenuous onzeker, zwak

tenure eigendomsrecht, bezit

tepid lauw

term term, uitdrukking, voorwaarde • termijn • rechtszitting • collegetijd • lid (v. vergelijking) • on good ~s, op goede voet

terminate eindigen, beëindigen

terminus eindpunt, eindstation

terrace terras

terrestrial aards

terrible verschrikkelijk

terrify verschrikken, angst

aanjagen
territory gebied, landstreek
terror vrees, ontzetting
• schrikbeeld
terse kort, beknopt
test toetssteen • beproeving
• proef • proefwerk, test
testator erflater
testify getuigen
testimonial getuigschrift
testimony getuigenis, bewijs
test paper(s) reageerpapier
• schriftelijk examen,
proefwerk
test pilot testpiloot
test tube reageerbuisje
text inhoud, tekst
textile geweven (stof) • ~s, textiel
texture weefsel
than dan
thank zn dank • ww (be)danken
thankful dankbaar
thanks! dank u, bedankt!
thanksgiving dankzegging
• *Thanksgiving* feestdag in de
VS op de vierde donderdag in
november
thank you dank u
that dat, die, welke • zo
thatch stro-, rieten dak
thaw zn dooi • ww (ont)dooien
the de, het
theatre toneel • schouwburg,
theater
theatre show theatervoorstelling
thee (dichterlijk) u
theft diefstal
their vnw hun
them vnw hen
theme thema, onderwerp
theme park pretpark,

attractiepark
themselves mv zich(zelf), zij(zelf)
then toen, dan, vervolgens
theology godgeleerdheid
theory theorie
there daar, aldaar, er
thereabout daaromtrent
thereby daardoor • daarbij
therefore daarom, derhalve
thermometer thermometer
thermos (flask) thermosfles
these deze
thesis stelling • dissertatie
they zij, degenen
thick dik, dicht, troebel • mistig
• verstikt (stem) • dom
thicket kreupelhout
thickness dikte, dichtheid
thief/thieves dief(ven)
thigh dij(been)
thighbone dijbeen
thimble vingerhoed
thin dun, mager • schaars, ijl
thing ding, zaak
things spullen
think (thought; thought)
denken, bedenken • vinden
thinking zn gedachte • mening
• bn denkend
third derde • derde deel
third-party liability WA
(wettelijke aansprakelijkheid)
thirst dorst
thirsty dorstig • be ~, dorst
hebben
thirteen dertien
thirty dertig
this dit, deze
thistle distel
thither derwaarts
thorax borstkas

thorn doorn, stekel
thorough volledig • grondig
• doortastend • degelijk
thoroughbred volbloed
• welopgevoed
those die, diegenen
thou (dichterlijk) gij, u
though hoewel, ofschoon, al
thought gedachte, gevoelen • zie
ook *think*
thousand duizend
thrash afrossen • (ver)slaan
thread draad, garen
threadbare kaal, versleten
threat bedreiging
threaten (be)dreigen
three drie
threefold drievoudig
three-ply (wood) triplex
thresh dorsen
threshold drempel
threw zie *throw*
thrice driemaal
thrift zuinigheid
thrifty zuinig
thrill *zn* sensatie, opwinding • *ww*
opwinden, ontroeren
• huiveren, rillen
thriller sensatieroman, -stuk, -
film
thrive (throve; thriven) gedijen
thriving voorspoedig • bloeiend
throat keel, strot, bals • *soar* ~,
keelpijn • keel
throb kloppen (v. hart enz.)
throne troon
throttle *zn* klep, afsluiter,
luchtpijp • *ww* wurgen,
smoren
through door
throughout door en door

throve zie *thrive*
throw *zn* worp • gooi • *ww*
(**threw**; **thrown**) werpen,
gooien
throw-away *zn* wegwerpproduct
• *bn* wegwerp-
thrush lijster
thrust *zn* stoot • *ww* (**thrust**;
thrust) stoten, dringen
• indringen
thud plons, plof, bons
thumb duim
thumbtack punaise
thump stompen, bonzen
thunder *zn* donder • *ww*
donderen
thunderbolt donderslag
• blikseminslag
thunderstorm onweer
Thursday donderdag
thus dus, alzo, zo
thwart dwarsbomen
thy (dichterlijk) uw, uwe
thyroid gland schildklier
tick teek • tikje, getik • *ww*
tikken
ticket biljet, ticket, (trein)kaartje,
lot, prijsetiket
ticket window loket (op het
station)
tickle kietelen, kriebelen
ticklish delicaat, netelig
tidal getij- • ~ *wave* vloedgolf
tide (ge)tij • *high* ~, vloed
tidings *mv* tijding • nieuws
tidy netjes • omvangrijk, flink • ~
(up), opruimen
tie *zn* band, knoop, (strop)das
• *ww* binden, strikken, knopen
tie-pin dasspeld
tier rij, rang (stoelen)

tiger tijger

tight vast, strak • compact • gierig • dronken

tighten spannen • aan-, toehalen

tightrope het slappe koord (bij koorddansen)

tights *mv* tricot, maillot • panty

tigress tijgerin

tile dakpan • tegel

till *zn* geldla(de) • *vz* voegw totdat, tot aan • *ww* bebouwen

till money kasgeld

tilt *zn* huif, dekzeil • overhellen • *ww* overhellen, kantelen

timber timmerhout, hout

time tijd • tijdstip • keer • maal • maat

time (at the same) tegelijk

time (tell the) op de klok kijken

time exposure tijdopname

timely tijdig, op het juiste ogenblik

timepiece uurwerk, klok

times keer (maal)

time signal tijdsein

timetable dienstregeling • spoorboekje, lesrooster • agenda

timid schuchter, bang, bedeesd

timorous vreesachtig

tin tin • blik • blikje

tincture *zn* tinctuur • *ww* kleuren

tinfoil (aluminium) folie

tinge *zn* kleur, tint, zweem, vleugje • *ww* kleuren, tinten

tingle tintelen, prikkelen

tinker prutsen, sleutelen

tinkle tinkelen, klinken

tin-opener blikopener

tint *zn* tint • *ww* tinten, kleuren

tiny heel klein, miniem

tip *zn* tip • punt • top • fooi • inlichting • *ww* beslaan • (doen) kantelen • een fooi geven

tipsy aangeschoten, dronken

tiptoe *on* ~, op de tenen

tiptop prima, het beste

tip-up klapzitting, -stoel

tire *zn* (fiets)band • *ww* vermoeien, afmatten

tired vermoeid, moe • beu

tireless onvermoeid

tiresome vermoeiend • vervelend

tissue weefsel

tissues tissues

tit mees • *gemeenz* tiet

titbit versnapering • nieuwtje

title titel • recht

T.O. = *Turn Over*, z.o.z.

to te, tot, ter, aan, naar, tegen, in, tot aan, voor, bij • ~ *and fro*, heen en weer

toad pad

toadstool paddestoel

toast *zn* geroosterd brood • toost • *ww* roosteren • een toost uitbrengen

toaster broodrooster

tobacco tabak

tobacconist sigarenwinkel

tocsin alarmgelui, klok

today vandaag

today's special menu van de dag

toddler kleuter

toddy grogje (soort drankje)

toe teen

toe clip toeclip

together samen, tezamen, tegelijk

toil hard werken, zwoegen

toilet toilet
toilet paper toiletpapier
toilets toiletten
toilsome moeilijk, zwaar
token (ken)teken • bewijs, bon
told zie *tell*
tolerable draaglijk • redelijk, tamelijk
tolerant verdraagzaam
toll zn tol, schatting • gelui • ww luiden
toll road tolweg
tomato tomaat • tomaat
tomb tombe, grafkelder
tomboy robbedoes
tombstone grafsteen
tomcat kater
tome boekdeel
tomorrow morgen
tomorrow evening morgenavond
ton ton (maat)
tone toon, klank
tongs mv tang
tongue tong • taal • landtong
tonic tonic
tonight vanavond
tonnage tonnenmaat
tonsil (keel)amandel
too ook • te, al te
took zie *take*
tool gereedschap • werktuig
toot toeteren
tooth (mv **teeth**) tand, kies • *back ~*, kies
toothache tand-, kiespijn
toothbrush tandenborstel
toothpaste tandpasta
toothpick tandenstoker
top zn top • kruin, spits • bovenstuk, boveneinde

• *(scheepv)* mars • ww overtreffen, bedekken • toppen
top boot kaplaars
top hat hoge hoed
top-heavy topzwaar
topic onderwerp (van gesprek)
topical actueel
topless topless
topple over kantelen, omvallen
topsy-turvy ondersteboven
top up bijvullen
torch toorts • zaklantaarn
tore zie *tear*
torment zn foltering, kwelling, plaag • ww plagen, martelen
torn zie *tear*
torrent vloed, bergstroom
torrid heet, brandend
torsion verdraaiing, wringing
torso romp
tortoise schildpad
tortuous gekronkeld, gedraaid
torture zn foltering, pijniging • ww folteren, kwellen
toss zn het werpen • opgooi • ww opgooien • tossen • slingeren, woelen
tot zn peuter • borreltje • ww, ~ *up*, optellen
total geheel, totaal
total abstainer geheelonthouder
totalitarian totalitair, onder een dictator
totally helemaal
totter waggelen, wankelen
touch zn gevoel, aanraking • contact • ww (aan)raken, aanroeren • grenzen • *get in ~*, contact opnemen
touch-and-go riskant • op 't nippertje

touching roerend

touch-me-not kruidje-roer-mij-niet

touchstone toetssteen

touchy lichtgeraakt

tough taai • ruw, hard

tour reis • toer

tourist toerist

tourist card toeristenkaart

tourist class toeristenklasse

Tourist Information Office VVV-kantoor

tourist menu toeristenmenu

tourist tax toeristenbelasting

tourist traffic vreemdelingenverkeer

touristy toeristisch

tour manager reisleider

tournament toernooi

tousle woelen • in de war brengen

tow slepen

toward(s) naar toe, tegen, jegens, omtrent, om

tow boat sleepboot

towel handdoek

towelling badstof

towel rack handdoekenrekje

tower zn toren, burcht • kasteel • ww zich verheffen, uitsteken boven

town stad

town hall stadhuis

townsman stedeling • stadgenoot

tow rope sleepkabel

toxic giftig

toy zn speelgoed • ww spelen

trace zn (voet)spoor • streng • ww nasporen, nagaan • overtekenen • *without a ~*, spoorloos

tracing pen trekpen

track zn voet-, wagenspoor • pad • ww het spoor volgen • slepen

tracker dog speurhond

track suit trainingspak

tract uitgestrektheid, streek • verhandeling • pamflet • stelsel

tractable handelbaar

traction trekkracht, tractie

trade zn handel, ambacht, beroep • *black ~*, zwarte handel • ww handelen • (in)ruilen

trademark handelsmark

trader handelaar • koopvaardijschip

tradesman winkelier, leverancier

trade union vakbond

tradition overlevering, traditie

traduce (be)lasteren

traffic (koop)handel • verkeer

traffic jam file, verkeersopstopping

traffic light stoplicht

tragedy treurspel, tragedie

tragic(al) tragisch

trail zn sleep, spoor • staart • ww slepen

trailer aanhangwagen, oplegger

train zn (spoor)trein • stoet • gevolg • sleep • reeks • ww opleiden, oefenen, drillen

train connection treinverbinding

trained geoefend, geschoold • *~ nurse*, gediplomeerd verpleegster

trainer trainer, oefenmeester, dresseur • sportschoen

training opleiding • training, oefening, africhting

traitor verrader

tram tram

tramp gestamp • landloper, zwerver • wilde boot

trample (ver)treden • (ver)trappen, trappelen

tram stop tramhalte

tramway tramweg

tranquillity kalmte

transact verrichten, doen • zaken doen

transcend te boven gaan

transcribe overschrijven

transcript afschrift

transfer zn overdracht, overmaking, remise • overplaatsing • overstapkaartje • ww overboeken, -dragen, maken, -brengen • -plaatsen • gireren, afdrukken

transfer ticket overstapje

transform (van gedaante) veranderen

transformer transformator

transfusion bloedtransfusie

transgress overtreden, schenden

transient vergankelijk

transit doorvoer, doorreis

translate vertalen

translation vertaling

transmission transmissie • uitzending

transmit overzenden, overhandigen • overdragen • uitzenden

transmitter rtv zender, microfoon

transmitting set zendtoestel

transmute veranderen

transom dwarsbalk • bovenlicht

transparent doorzichtig

transpire gebeuren • it ~d that, het bleek dat

transplant verplanten • overbrengen, transplanteren

transport zn transport, vervoer • vervoeren • ww vervoeren • transporteren • in vervoering brengen

transport (regional) streekvervoer

trap zn val, strik, hinderlaag • ww verstrikken, vangen

trash uitschot, afval, prul • vodden mv

travel ww reizen, trekken • zn reis • reisbeschrijving

travel agency reisbureau

travel association reisvereniging • Vereniging voor Vreemdelingenverkeer

travel guide reisgids

travel insurance reisverzekering

travel items reisbenodigdheden

traveller reiziger • commercial ~, handelsreiziger • ~'s cheque, reischeque • reiziger

traveller's cheque travellercheque

traverse zn dwarsbalk • -stuk, -gang • ww kruisen, oversteken, dwarsbomen

trawl sleepnet

trawler treiler

tray presenteerblad

treacherous verraderlijk

treacle Br (suiker)stroop

tread zn gang, schrede, stap • ww (trod; trodden) trappen, (be)treden

treason verraad

treasure schat
treat zn onthaal • traktatie • ww onthalen • handelen • behandelen (met, with); trakteren
treatment behandeling
treaty verdrag, traktaat • ~ of peace, vredesverdrag
tree boom
trek zn lange tocht; ww [te voet] trekken
tremble beven, rillen, trillen
tremendous enorm • geweldig, indrukwekkend
tremulous sidderend, trillend
trench zn sloot, greppel • loopgraaf • ww doorsnijden
trend loop • trend, tendens • gang • richting
trespass zn overtreding • ww overtreden, zondigen
tress haarlok, vlecht
trial proef • verhoor • openbare behandeling • beproeving, bezoeking
trial order proeforder
triangle driehoek
tribe stam, geslacht
tribulation kwelling, leed
tribune tribuun • tribune • spreekgestoelte
tributary (river) zijrivier
tribute hulde, eerbetoon
trice in a ~, in een ommezien
trick zn streek, grap • trek, slag, zet, toer • kunstje • ww bedriegen
trickling druppelsgewijs
tricky lastig
tricycle driewieler
trifle een beetje, kleinigheid

trigger [van vuurwapen] trekker
trill zn triller • trilling • ww trillen, trillers maken
trim zn opschik • bn netjes, keurig • ww in orde brengen • bijknippen, opknappen • bijknippen
trinity drietal • drie-eenheid, the T~, de H. Drievuldigheid
trinket kleinood
trip zn struikeling, val • getrippel • uitstapje • reis • ww struikelen • trippelen • een beentje lichten • have a good ~!, goede reis!
triple drievoudig
tripod statief
trite alledaags, banaal
triumph zn zege, triomf • ww zegevieren
trivial alledaags, plat
trod(den) zie tread
trolley rolwagentje • lorrie • trolley(bus) • tram • bagagewagen
troop troep • bende
trooper cavalerist • troepentransportschip
trooping ~ the colour, vaandelparade
trophy trofee
tropic keerkring
tropic(al) tropisch
trot zn draf • ww draven
trouble zn onrust • moeite, moeilijkheid • storing • last • verdriet • ww storen, verontrusten, kwellen, verdrieten • be ~d by, last hebben van • car ~, panne (pech)

troublesome lastig
trounce afmaken (in wedstrijd)
troupe gezelschap (acteurs)
trousers broek (pantalon)
trousseau uitzet (v. bruid)
trout forel
truce wapenstilstand
truck *zn* vrachtwagen
  • steekwagen, open wagen
  • ruilhandel • onderstel • *ww*
  per vrachtwagen vervoeren
truculent woest, ruw
trudge sukkelen, sjokken
true waar, echt, oprecht
truly echt, inderdaad
trump *zn* troef (kaart) • kranige
  kerel • *ww* troeven • aftroeven
  • *declare* ~s troef maken
trumpet trompet, scheepsroeper
truncheon gummistok
trundle rollen • kruien
trunk (kast)koffer • romp • stam,
  slurf • ~s *mv*, zwembroek
trunk call interlokaal gesprek
trunk-road hoofdweg
trust *zn* vertrouwen • krediet
  • trust • *ww* vertrouwen
trustee beheerder,
  gevolmachtigde, curator
trustworthy betrouwbaar
trusty (ge)trouw, beproefd
truth waarheid
truthfully naar waarheid
try proberen
try (tried; tried) proberen,
  trachten • passen
  • onderzoeken, berechten • ~
  on, passen (kleding)
trying vermoeiend, moeilijk,
  lastig
T-shirt T-shirt

tub tobbe, badkuip • vat
tubby rond, dik
tube tube, buis, pijp
  • binnenband • *Br* metro
tuber knol
tuck *zn* snoep • *ww* ~ *in*,
  wegstoppen
Tuesday dinsdag
tuft bosje, kuif
tug *zn* ruk, haal • sleepboot • *ww*
  rukken, trekken • slepen
tuition onderwijs, lessen *mv*
tulip tulp
tumble *zn* buiteling • *ww*
  buitelen, tuimelen, gooien
tumbler buitelaar, tumbler
tumefaction zwelling
tumefy (doen) opzwellen
tummy buikje, maag
tumour gezwel
tumult oproer, oploop
tuna tonijn
tune *zn* toon
  • (herkennings)melodie • liedje
  • stemming • *ww muz*
  stemmen • ~ *in*, afstemmen op
tuneful melodieus
tunnel tunnel
turban tulband
turbot tarbot
turbulent onstuimig, woelig
turd drol
tureen (soep)terrine
turf zode • turf • renbaan
turgid gezwollen, hoogdravend
turkey kalkoen
Turkish Turks
turmoil onrust, beroering,
  opschudding
turn *zn* wending, bocht
  • verandering • neiging • beurt

• toer, draai • ww (om)draaien, keren, wenden • **veranderen** • ~ up, (voor de dag) komen

turning draai, bocht, keerpunt
• zijstraat

turnover omzet

turnpike tolhek • Amer tolweg

turnstile tourniquet

turret torentje

turtle zeeschildpad

tusk slagtand

tussle zn vechtpartij • ww vechten

tutor zn docent • voogd, huisonderwijzer, leermeester
• ww onderwijzen

tuxedo Amer smoking

T.V. tv

twaddle geklets, geleuter

tweak knijpen

tweezers pincet

twelfth twaalfde

twelve twaalf

twenty twintig

twice tweemaal

twig takje, twijg

twilight schemering

twin tweeling • dubbelganger

twin beds lits jumeaux mv

twin brother tweelingbroer

twine vlechten, (om)strengelen

twin-engined tweemotorig

twinge zn steek, scheut
• wroeging • ww steken, pijn doen

twinkle twinkelen, flikkeren

twins tweeling

twirl zn (snelle) draaiing • ww rondtollen, (rond)draaien

twist zn draaiing, kronkeling
• vlecht • ww draaien,

vlechten, strengelen, kronkelen

twitch zn ruk, zenuwtrek • ww trekken (v. spier)

twitter zn gekwetter, getjilp • ww kwetteren

two twee

twofold tweevoudig

two-seater tweepersoonswagen

two-stroke mixture mengsmering

two-way tweewegs-, tweerichtings-

type zn type, toonbeeld • zetsel
• ww drukken, typen, tikken

typesetter letterzetter, zetmachine

typewriter schrijfmachine

typhoid fever tyfus

typhus vlektyfus

typical typisch

typist typiste

tyrannical tiranniek

tyre luchtband, buitenband

tyre lever bandafnemer

tyre pressure bandenspanning

tyre trouble bandenpech

U

ubiquity alomtegenwoordigheid

udder uier

ugly lelijk

U.K. = United Kingdom, Verenigd Koninkrijk

ulcer zweer

ulterior later, in de toekomst liggend, verder • heimelijk,

verborgen
ultimate laatste, uiteindelijke
ultimately eindelijk, tenslotte
umbel (bloem)scherm
umbilical cord navelstreng
umbrage aanstoot, ergernis
umbrella paraplu
umpire scheidsrechter
U.N. = *United Nations*, Verenigde Naties
unabated onverminderd
unable onbekwaam, niet in staat, onvermogend
unacceptable onaanvaardbaar
unalterable onveranderlijk
unanimity eenstemmigheid, eensgezindheid
unanimous eenstemmig, unaniem, eensgezind
unapproachable ongenaakbaar
unapt onbekwaam
unattainable onbereikbaar
unattended onbewaakt
unavoidable onvermijdelijk
unaware onbewust
unawares onverwachts, onverhoeds
unbalanced onevenwichtig, in de war
unbearable ondraaglijk
unbeatable onverslaanbaar
unbelievable ongelooflijk
unbeloved ongeliefd
unbend ontspannen, losmaken
unceasing onophoudelijk
uncertain onzeker
unchain ontketenen
unchangeable onveranderlijk
uncharitable onbarmhartig
unchecked onbeteugeld, onbelemmerd

uncivil onbeleefd
uncivilized onbeschaafd
uncle oom
unclose ontsluiten, openen
uncomfortable ongemakkelijk, onbehaaglijk
uncommon ongewoon, bijzonder
unconcerned onbezorgd, onbekommerd • onverschillig
unconditional(ly) onvoorwaardelijk
unconnected ongerelateerd
unconscious onbewust
• bewusteloos
unconstitutional ongrondwettig
uncontrollable niet te beheersen, onbestuurbaar
uncontrolled onbedwongen, onbeteugeld
uncork ontkurken
uncover ontbloten • onthullen
unction zalving • oliesel
unctuous zalfachtig, vettig
uncultivated onbebouwd
• onbeschaafd
uncut on(aan)gesneden
• ongeknipt • onopengesneden
undaunted onverschrokken
undecided onbeslist • weifelend
undefinable ondefinieerbaar
undeliverable onbestelbaar
undeniable onontkenbaar
under onder, in, beneden
undercarriage onderstel
• landingsgestel
underclothes *mv* onderkleren *mv*
underdeveloped onderontwikkeld
underdone ongaar
undergo (underwent;

undergone) ondergaan
undergraduate student
underground *bn* onderaards, ondergronds • *fig* geheim • *zn, the* ~, *Br* metro, ondergrondse
undergrowth kreupelhout
underhand clandestien, slinks
undermine ondermijnen
undermost onderste
underneath onder, beneden
underpants *mv* onderbroek
underrate onderschatten
underscore onderstrepen
undersigned *I the* ~, ondertekende
understaffed onderbezet
understand (understood • understood) verstaan, begrijpen, vernemen
understanding *zn* begrip, verstandhouding • *bn* sympathiek, begripvol
understood zie *understand*
undertake (undertook • undertaken) ondernemen, op zich nemen
undertaker bezorger van begrafenissen • ~*'s man*, aanspreker
underway onderweg
underwear ondergoed
underwood kreupelhout
underwriter assuradeur
undesigning onopzettelijk
undesirable ongewenst
undetermined onbeslist
undeveloped onontgonnen • onontwikkeld
undisguised onverholen
undisputed onbetwist
undisturbed ongestoord

undo (undid • undone) losmaken, openen • ontbinden • ongedaan maken, ongeldig maken • vernietigen
undoing ondergang
undoubtedly ongetwijfeld
undress uitkleden
undressed ongekleed, niet gekleed
undrinkable ondrinkbaar
undue onredelijk, bovenmatig
undulate (doen) golven
unearth opgraven
uneasy ongerust, onbehaaglijk
unemployed werkloos
unemployment werkloosheid
unequal(ly) ongelijk
unequalled ongeëvenaard
unequivocal ondubbelzinnig
uneven oneven, ongeluk, oneffen, ongelijkmatig
unexpectedly onverwachts
unexposed onbelicht
unfair onrechtvaardig • oneerlijk
unfaithful ontrouw
unfaltering onwankelbaar
unfamiliar onbekend, vreemd
unfashionable niet naar de mode, niet chic
unfavourable ongunstig
unfeasible ondoenlijk
unfeigned ongeveinsd
unfit ongeschikt, onbekwaam
unfold ontvouwen • openbaren
unforgettable onvergetelijk
unforgivable onvergeeflijk
unfortunate ongelukkig
unfortunately helaas
unfounded ongegrond
unfriendly onvriendelijk
ungainly onbevallig, lomp

ungovernable ontembaar
• onbeheersbaar
ungrateful ondankbaar
unguarded onbewaakt
unguent zalf
unhappy ongelukkig
unharmonious onwelluidend
unhealthy ongezond
unheard of ongehoord
unholy onheilig, onzalig
unhurt ongedeerd,
ongeschonden
unicorn eenhoorn
uniform zn uniform • bn
eenvormig, eensluidend
unify één maken, verenigen
unimpeded ongehinderd
unimportant onbelangrijk
uninformed niet ingelicht,
onwetend
uninhabitable onbewoonbaar
uninhabited onbewoond
uninhibited ongeremd
unintelligible onduidelijk,
onverstaanbaar
unintentional onopzettelijk
uninterrupted onafgebroken
uninvited ongevraagd
uninviting weinig aanlokkelijk
union vereniging • verbond
• verbinding • unie
unique enig
unit eenheid, onderdeel
unite (zich) verenigen,
verbinden, samenvoegen
United Nations Verenigde Naties
United States of America (The)
de Verenigde Staten van
Amerika
unity eenheid, eendracht,
overeenstemming

universe heelal
university universiteit
university extension
volksuniversiteit
unjust oneerlijk • onrechtvaardig
unkempt ongekamd, slordig
unkind onvriendelijk
unknowingly zich (daarvan) niet
bewust
unknown onbekend
unlawful onwettig
unleaded loodvrij
unlearn afleren
unless tenzij, indien niet
unlike verschillend van, niet
gelijkend (op)
unlikely onwaarschijnlijk
unlimited onbegrensd
• onbeperkt
unload ontladen, lossen
unlooked for onverwacht
unluckily ongelukkig(erwijs)
unlucky ongelukkig
unmanageable onbestuurbaar
• lastig • onhandig
unmarried ongehuwd
unmask ontmaskeren
unmatched weergaloos, enig
unmistakable onmiskenbaar
unmitigated onverminderd
• absoluut
unmoved onbewogen
unnatural onnatuurlijk • ontaard
unnecessary onnodig, overbodig
unnerve ontzenuwen
unobserved onbemerkt
unobtrusive onopvallend,
bescheiden
unpack uitpakken, afladen
unpaid onbetaald
unpardonable onvergeeflijk

unperturbed onverstoord

unpleasant onaangenaam, onbehaaglijk

unpolished onbeschaafd

unprecedented zonder voorbeeld, weergaloos, ongekend

unprejudiced onbevooroordeeld

unprepared onvoorbereid

unprincipled beginselloos • gewetenloos

unprofitable onvoordelig

unprovided ~*for*, onverzorgd • ~ *with*, niet voorzien van

unqualified onbevoegd • onverdeeld, absoluut

unquestionable ontwijfelbaar

unreasonable onredelijk

unreliable onbetrouwbaar

unrighteous onrechtvaardig, slecht

unripe onrijp

unroll afrollen, -wikkelen

unruly lastig, onbeheersbaar

unsafe onveilig, onzeker

unsaleable onverkoopbaar

unsanitary onhygiënisch

unsatiable onverzadigbaar

unsatisfied onbevredigd, onvoldaan

unscathed ongedeerd, onbeschadigd

unscrupulous gewetenloos

unsearchable ondoorgrondelijk

unseasonable ongelegen

unsettle in de war sturen, onzeker maken

unsettled onbeslist, onbestendig (weer) • overstuur, in de war

unshak(e)able onwankelbaar

unshaken ongeschokt

unship ontschepen

unshrinkable krimpvrij

unsightly onooglijk

unskilled onbedreven • ongeschoold • geen vakkennis vereisend

unsociable ongezellig

unsound ongezond • wrak • incorrect • onbetrouwbaar

unspoiled onbedorven

unsporting onsportief

unstable onbestendig, onvast • labiel

unsteady wispelturig

unsuspecting argeloos

untangle ontwarren

untenable onhoudbaar

unthankful ondankbaar

untidy slordig

untie losmaken

until totdat, voordat • ~ *then*, tot die tijd toe • *not* ~ *then*, pas toen (dan)...

untimely ontijdig

untiring onvermoeid

unto tot, aan, tot aan

untrodden ongebaand

untroubled ongestoord • kalm

untrue onwaar • ontrouw

unusual ongewoon, -gebruikelijk

unvarying onveranderlijk

unwary onvoorzichtig

unwell ziek

unwholesome ongezond

unwieldy log, zwaar

unwillingness onwil

unwind afwikkelen • ontspannen

unwise onwijs

unwitting onwetend, onbewust

unworthy onwaardig

unzip openritsen

up op, boven, toe, bij uit, omhoog • ~ *and down*, op en neer • ~ *to*, tot aan

uphill bergop • moeilijk, zwaar • *go* ~, bergop gaan

uphold (upheld; upheld) ondersteunen • staande houden • *fig* verdedigen

upholsterer stoffeerder

uplift optillen, opheffen

upmost bovenste

upon op, aan, omtrent, nabij, ter, bij

upper opper, boven, over, hoogst

uppermost bovenst, hoogst

upraise opheffen, oprichten

upright rechtop, verticaal • oprecht

uproar lawaai, rumoer

upset *ww* (upset • upset) omverwerpen • verijdelen • omslaan • *bn* ontdaan, van streek

upside down ondersteboven

upstairs boven, naar boven

upstart parvenu

upstream stroomopwaarts

uptight erg gespannen, zeer nerveus

up-to-date modern • op de hoogte

uptown *zn* (rijke) buitenwijk • *bn* uit/van een (rijke) buitenwijk

upward(s) opwaarts

urban stedelijk, stads-

urchin dreumes, kleuter

urge aandringen, aansporen

urgent dringend • ~!, spoed!

urinal urinoir

urine urine

urn vaas, urn

us ons, aan ons

U.S.(A.) = *United States (of America)*, Verenigde Staten (v. Noord-Amerika)

usage gebruik, gewoonte • behandeling

use *zn* gebruik, nut, gewoonte, oefening • *ww* gebruiken, gewennen • plegen

useful nuttig

useless nutteloos, onbruikbaar

usher *zn* portier, suppoost • ceremoniemeester • *ww* binnenleiden

usherette ouvreuse

usual gebruikelijk, gewoon, gewoonlijk

usually meestal

usurer woekeraar

usurp zich toe-eigenen

usury woeker

utensil (keuken)gerei

utility nut, nuttigheid, bruikbaarheid

utilize benutten

utmost uiterste, hoogste

utter *bn* volslagen, geheel, uiterst • *ww* uiten, uitspreken

utterance uiting

utterly volslagen, geheel

V

vacancies (no) vol

vacancy ledigheid • ledige ruimte • vacature

vacant ledig, onbezet, vacant

vacation vakantie

vaccinate inenten, vaccineren
vaccination inenting
vaccination certificate inentingsbewijs
vacillate wankelen, weifelen
vacuum *zn* ledige ruimte, leegte, luchtledig • *bn* luchtledig, vacuüm
vacuum cleaner stofzuiger
vacuum flask thermosfles
vagina vagina
vagrant zwerver
vague vaag
vain vergeefs • ijdel • *in ~,* tevergeefs
valet kamerdienaar
valiant dapper
valid krachtig, deugdelijk, geldig, bindend
validity kracht, geldigheid
valley dal, vallei
valorous dapper
valour dapperheid
valuable kostbaar
valuation schatting, waardering
value *zn* waarde, prijs • *ww* waarderen, schatten
Value Added Tax (VAT) Belasting Toegevoegde Waarde (BTW)
valve klep, ventiel • radiolamp, -buis
valve hose ventielslangetje
van bestel-, verhuiswagen
vane vaantje, weerhaan • (molen)wiek
vanguard voorhoede • spits
vanilla vanille
vanish verdwijnen
vanity ijdelheid
vanquish overwinnen, weerleggen

vantage voordeel, winst
vapid flauw, suf • verschaald (bier)
vaporize verstuiven
vapour damp, wasem
variable veranderlijk
variance verschil, afwijking • *be at ~ with,* het oneens zijn • in strijd zijn met
variation variatie, verandering, afwijking • variëteit
variegation schakering
variety verscheidenheid, verandering, afwisseling
variety theatre variété (theater)
variola pokken *mv*
various verscheiden, verschillend
varnish *zn* vernis, lak • *ww* vernissen, verlakken
varsity *zn* roeiwedstrijd tussen Oxford en Cambridge • *bn* universitair
vary afwisselen, afwijken
vase vaas
vast uitgestrekt, veelomvattend
vat vat, kuip
VAT BTW
vault gewelf • kluis • kelder • *ww* (over)welven • springen (steunend op hand of stok)
vaunt pochen, bluffen
veal kalfsvlees
veal escalope kalfsoester
veer draaien (v. wind)
vegetable gewas • plant • groente • *bn* plantaardig • *raw ~s,* rauwkost
vegetable soup groentesoep
vegetarian *bn* vegetarisch • *zn* vegetariër
vegetation vegetatie

• plantengroei

vehemence hevigheid, drift

vehement hevig, geweldig

vehicle voertuig, rijtuig

veil *zn* sluier, voile • *ww* sluieren, bewimpelen

vein ader • stemming

velocity snelheid

velvet fluweel

velveteen katoenfluweel

vend verkopen

vending machine automaat

vendor verkoper

venerable eerbiedwaardig

vengeance wraak

Venice Venetië

venom venijn, vergif

venomous (ver)giftig, venijnig

vent *zn* gat, opening, uitweg • *ww* ruchtbaar maken • uiten

ventilate ventileren • luchten

ventilator ventilator, luchtkoker

venture *zn* waagstuk, risico • *ww* wagen

veracious waarheidlievend

verb werkwoord

verbal mondeling, woordelijk

verbose breedsprakig

verdict uitspraak, vonnis

verge *zn* rand, berm • *ww* hellen, grenzen (aan) • *on the ~ of*, op het punt om

verify verifiëren • nazien • bekrachtigen

veritable waar(achtig), echt

vermiform wormvormig

vermin ongedierte

vernacular *bn* inheems • *zn* spreektaal, dialect • vakjargon

vernal lente-, voorjaars- • jeugdig

versatile veelzijdig, veranderlijk

verse vers, versregel, strofe, poëzie

versed ervaren, bedreven

versify berijmen

version verhaal • versie • overzetting

versus tegen

vertebra wervel

vertebrate gewerveld (dier)

vertex toppunt, zenit

vertical loodrecht, verticaal

vertigo hoogtevrees

verve geestdrift, gloed

very *bijw* zeer, heel, erg • *bn* waar, echt

vessel vat • vaartuig • schip

vest hemd • vest

vestibule portaal • vestibule

vestige spoor

vet zie *veterinary surgeon*

veterinarian, veterinary surgeon dieren-, veearts

vex plagen, ergeren

vexation ergernis, kwelling

via via

viaduct viaduct

vibrate (doen) trillen

vicar predikant, dominee • vicaris

vicarage pastorie

vice *zn* fout, gebrek, slechtheid, ondeugd • bankschroef • *bn* onder-, plaatsvervangend, vice-

vice-chancellor rector magnificus

vicinity buurt, nabijheid

vicious slecht, verdorven

vicissitude wisselvalligheid

victim slachtoffer

victor overwinnaar

victorious zegevierend

victory overwinning, zege

victuals *mv* levensmiddelen *mv*,

proviand
video camera videocamera
video cassette videocassette
video recorder videorecorder
videotape videoband
vie wedijveren
Vienna Wenen
view *zn* uitzicht, kijk • opvatting • bezichtiging • bedoeling • *ww* beschouwen, bezichtigen
viewfinder zoeker
viewpoint gezichtspunt
vigilant waakzaam
vigorous sterk, krachtig
vigour kracht, sterkte
vile slecht, verachtelijk, laag
village dorp
villager dorpeling
villainous laag, gemeen
vindicate handhaven • bewijzen • rechtvaardigen
vindictive wraakzuchtig
vine wijnstok, wingerd • rank
vinegar azijn
vineyard wijngaard
vintage *zn* wijnoogst • jaargang (v. wijn) • *bn* kenmerkend, klassiek
violate schenden • verkrachten
violation schending, inbreuk, verkrachting
violence geweld, hevigheid
violent geweldig, hevig
violet *zn* viooltje • *bn* violet, paars
violin viool
violinist violist
violoncello violoncel
V.I.P. = *very important person*, belangrijk persoon
viper adder

virgin *zn* maagd • *bn* maagdelijk
virginal maagdelijk
virile mannelijk
virtual eigenlijk • feitelijk
virtue deugd, kracht, verdienste
virtuosity virtuositeit
virtuous deugdzaam
virulent kwaadaardig, venijnig
visa visum
viscount burggraaf
viscous kleverig
visible zichtbaar
visibly zichtbaar, merkbaar
vision visioen • visie • zicht
visit *zn* bezoek, visite • inspectie • *ww* bezoeken, bezichtigen
visiting card visitekaartje
visiting hours bezoekuren
visitors bezoek(ers), visite
vital vitaal, levens-
vitamin vitamine
vitreous glazen, glasachtig
vitriol gal, kwaadaardigheid
vituperate uitschelden
vivacious levendig, opgewekt
vivacity levendigheid
vivid levendig, helder
vivify verlevendigen, bezielen
vixen wijfjesvos • feeks
viz. = *videlicet*, namelijk, te weten
vocabulary woordenlijst, woordenschat
vocal stem- • mondeling
vocation roeping • beroep
vocational beroeps-
vociferate schreeuwen • tieren
vodka wodka
vogue mode • populariteit
voice *zn* stem, spraak • *ww* uiten, vertolken

void *zn* gat, ledige ruimte • *bn* ledig, nietig • ontbloot (van, *of*); *ww* ledigen, vernietigen
volatile vluchtig, instabiel
volcanic vulkanisch
volcano vulkaan
volley salvo, hagelbui • *sp* volley
voltage *elektr* spanning, voltage
voluble rad (v. tong)
volume volume • massa • boekdeel
voluminous omvangrijk, lijvig
voluntary vrijwillig
volunteer *zn* vrijwilliger • *ww* vrijwillig iets doen • vrijwillig dienen
voluptuous wellustig, wulps
vomit overgeven (misselijkheid), braken
voracious gulzig, vraatzuchtig
vote *zn* stem, votum • stemrecht • *ww* stemmen
voting paper stembiljet
vouch getuigen, verklaren
voucher bewijs, bon, reçu, coupon
vouchsafe zich verwaardigen • verlenen • toestaan
vow *zn* gelofte • *ww* een gelofte doen
vowel klinker
voyage *zn* zee-, ruimtereis • *ww* reizen, varen
vulcanize vulkaniseren
vulgar algemeen, gewoon, vulgair, ordinair • volks-
vulnerable kwetsbaar
vulture gier

W

wadding watten *mv*
wade waden, doorwaden
wafer wafel, ouwel
waffle wafel
wag *zn* grappenmaker • *ww* schudden • kwispelen
wage-earner loontrekker
wager *zn* weddenschap • *ww* (ver)wedden
wages *mv* loon
wagework loonarbeid
waggon vrachtwagen, wagon
wagtail kwikstaart
wail *zn* weeklacht • *ww* weeklagen, bewenen, jammeren • loeien (sirenes)
wainscot lambrisering
waist middel • lijfje • middendek
waistcoat vest
wait wachten • afwachten • bedienen
waiter kelner, ober
waiting room wachtkamer
waitress serveerster
waive afzien van
wake (woke of **waked; waked)** ontwaken • wekken • opwekken
walk *zn* wandeling, gang • voetpad • *ww* lopen • wandelen • rondwaren, spoken
walker voetganger • wandelaar
walking stick wandelstok
walking tour voetreis
walkman walkman
walkover wedstrijd zonder mededingers • gemakkelijke

overwinning

wall muur, wand

wallet portefeuille

wallflower muurbloem

Walloon *zn* Waal • *bn* Waals

wallow wentelen • zich rondwentelen • *fig* zwemmen in

wallpainting muurschildering

wallpaper behangselpapier

walnut walnoot

waltz *muz* wals

wan bleek, flets

wander zwerven, dwalen, afdwalen, raaskallen, ijlen

wanderer zwerver

wandering omzwerving • afdwaling • *bn* zwervend

wane afnemen (v.d. maan) • tanen

want *zn* gebrek, behoefte • *ww* nodig hebben • behoeven, moeten • willen • wensen • mankeren • gebrek hebben

wanted gevraagd, gezocht

wanton dartel, uitgelaten • baldadig, moedwillig • wulps

war *zn* oorlog • *ww* oorlog voeren

warble zingen

ward *zn* bescherming • hechtenis • pupil • voogdijschap • zaal (in hospitaal) • *ww* bewaken, beschermen

warden opziener, voogd • beheerder

warder cipier

wardrobe kleerkast • garderobe • ~ *trunk*, kastkoffer

ware waar

warehouse pakhuis, magazijn

warfare oorlogvoering

warily voorzichtig, behoedzaam

wariness behoedzaamheid

warm *bn* warm • verhit • vurig • *ww* verwarmen

warmth warmte

warn waarschuwen

warning waarschuwing • alarmsignaal • opzegging (v. dienst)

warning light controlelampje

War Office Ministerie, Departement van Oorlog

warp kromtrekken, verdraaien

warrant *zn* volmacht, proces-verbaal • bevel tot inhechtenisneming • dwangbevel • waarborg • *ww* garanderen • machtigen • waarborgen

warrior krijgsman

warship oorlogsschip

wart wrat

wary omzichtig, behoedzaam

was zie *be*

wash *zn* was, spoeling • toiletwater, waterverf • *ww* wassen • (be)spoelen • *have a ~*, opfrissen

washable wasbaar

wash and set watergolven

washbasin wastafel

washcloth washandje

washer wasmachine, afwasmachine

washing machine wasmachine

washing powder waspoeder

wash-out *gemeenz* flop

wash-stand wastafel

wasp wesp

waste *zn* verwoesting

- verkwisting • wildernis,
verlies • *bn* woest • onbebouwd
• *ww* verwoesten • verspillen,
verkwisten, vermorsen
• kwijnen

wastepaper scheurpapier

wastepaper basket prullenmand

watch *zn* wacht, waakzaamheid
• horloge • *ww* (be)waken,
bespieden • (be)kijken

watch-dog waakhond

watchful waakzaam

watchtower wachttoren

watchword wachtwoord

water *zn* water • *ww* besproeien,
water geven • watertanden
• drenken • *running ~*,
stromend water

water bike waterfiets

water bottle karaf • veldfles

watercloset toilet, wc

watercolour waterverf

waterfall waterval

water glass waterglas (stof)

watering can gieter

watering place wed • badplaats
(met geneeskrachtige wateren)

water level waterspiegel

water lily waterlelie

watermark watermerk

waterproof waterdicht

water ski waterski • waterskiën

water sports watersport

water supply wateraanvoer,
watervoorziening

watertight waterdicht

waterworks waterleiding,
waterwerken *mv*

wave *zn* golf • gewuif • *ww*
golven, onduleren • wuiven,
wenken, wapperen

wavelength golflengte

waver aarzelen, weifelen,
wankelen

wavering besluiteloos, weifelend

waves slagen (in haar)

wax *zn* was • *ww* **(waxed;
waxed** of **waxen)** met was
bestrijken, wassen • toenemen

waxy wasachtig

way weg, kant, richting, route
• manier, handelwijze • *~ out*,
uitgang • *~ back*, terugweg

wayside kant van de weg

W.D. = *War Department, Amer*
Ministerie van Oorlog

Wd. = *warranted* gewaarborgd
• gewettigd

we we (wij)

weak zwak, week

weaken verzwakken

weakness zwakte

wealth rijkdom, welstand

wealthy rijk

weapon wapen

wear *zn* kleding, mode • slijtage
• *ww* **(wore; worn)** dragen
• verslijten • zich goed houden
• *~ out*, afdragen, verslijten
• uitputten

weariness vermoeidheid

weary *bn* moe, mat • *ww*
vermoeien, afmatten

weasel wezel

weather weer

weather-beaten verweerd

weathercock weerhaan

weather forecast
weersverwachting

weather report weerbericht

weave (wove; woven) weven

web web, weefsel • vlies

wed trouwen, huwen
wedding huwelijk, bruiloft
wedding cake bruiloftstaart
wedding gift huwelijkscadeau
wedding ring trouwring
wedge zn wig • punt v. taart
　• ww een wig inslaan
wedlock huwelijk
Wednesday woensdag
weed zn onkruid • ww wieden
week week
weekend weekend
weekly zn weekblad • bn
　wekelijks
weep (**wept • wept**) wenen
weeping willow treurwilg
weigh wegen, overwegen
weigh(ing)-house waag
weight gewicht
weighty zwaar • gewichtig
weird spookachtig, griezelig,
　vreemd
welcome zn welkomst • ww
　verwelkomen • (int) welkom!
weld lassen, aaneensmeden
welfare welzijn • child~,
　kinderzorg • ~ state,
　verzorgingsstaat • ~ work,
　maatschappelijk werk
well zn wel, bron • bn gezond
　• bijw goed, wel, welnu, zeer
　• ww opwellen
well-being welzijn
well-bred welopgevoed
well-done doorbakken • goed
　• bravo!
wellington boots kaplaarzen
well-known bekend
well-to-do welgesteld
Welshman inwoner van Wales
welter wentelen

went zie *go*
wept zie *weep*
west zn westen • bn west
western westelijk, west
wet zn vocht • bn nat, vochtig
　• ww nat maken
wet-nurse min
whacking zn pak slaag • bn
　kolossaal
whale walvis
whalebone balein
wham dreun
wharf aanlegplaats, steiger
what wat, dat, welke
whatever hoedanig ook, wat ook
　• ~! 't maakt mij niet uit!
wheat tarwe
wheedle flikflooien, vleien
wheel zn wiel • stuur (auto)
　• (stuur)rad • ww kruien,
　draaien, voortrollen
wheelbarrow kruiwagen
wheel chair rolstoel
wheelchair rolstoel
wheel clamp wielklem
wheel rim velg
wheezy kortademig
when wanneer, toen, als
whence vanwaar, waaruit
whenever wanneer ook • telkens
　wanneer
where (al)waar, waarheen
whereabouts waar
whereas terwijl
wherefore waarom
wherein waarin
whereon waarop
where to waarheen
wherever waar ook
wherry wherry, roeiboot
whet wetten, slijpen • prikkelen

whether welk van beide • of, hetzij

whetstone slijpsteen

which welk(e), wie, wat • welk(e)

whiff vleugje, trekje

while tijdje, poos • *voegw* terwijl

whilst terwijl

whim gril, kuur

whimper jammeren, janken

whimsical grillig

whine gejank, gejammer

whinny hinniken

whip *zn* zweep • *ww* slaan, zwepen • wippen

whipped cream slagroom

whirl *zn* draai • wervelwind • *ww* snel ronddraaien, dwarrelen

whirlpool draaikolk

whirlwind wervelwind

whisk *zn* borstel • (eier)klopper • veeg, slag • *ww* wegvegen, -slaan • afborstelen • klutsen

whisker(s) bakkebaard(en) *mv*

whiskey and soda whiskysoda

whisky whisky

whisper *zn* gefluister • *ww* fluisteren

whistle fluitje • *ww* fluiten

whit *not a* ~, geen zier

white *zn* blanke • *bn* wit, blank • ~ *lie*, leugentje om bestwil

white-lead loodwit

whitewash *zn* witkalk • *ww* witten • *fig* schoonwassen

whither waarheen

Whit Monday Pinkstermaandag

Whitsuntide Pinksteren

whittle snijden, besnoeien

whiz(z) fluiten, snorren

who wie, die • wie

whoever wie ook, al wie

whole heel (geheel) • ongeschonden

whole-hearted oprecht, met hart en ziel

wholesale *zn* groothandel • *bijw* in het groot

wholesome gezond, heilzaam

wholly geheel, in 't geheel

whom wie, die

whomsoever (aan) wie ook

whooping cough kinkhoest

whore hoer

whose wiens, welks

whosoever wie ook

why waarom • wel, nu • ~! nee maar!

wicked goddeloos, slecht • boosaardig, ondeugend

wicket deurtje, poortje • *sp* wicket

wicket gate hekje, poortje

wide wijd, ruim, breed

wide awake klaar wakker

widen verwijden

widow weduwe

widower weduwnaar

width wijdte, breedte

wield zwaaien, hanteren, voeren

wife vrouw (echtgenote)

wig pruik

wiggle wiebelen

wild wild, verwilderd, woest

wilderness wildernis • woestijn

wile list, kunstgreep

wilful moedwillig • met voorbedachte rade

wiliness listigheid

will *zn* wil • wilskracht • testament • *ww* (**would**) willen • zullen

willing gewillig, willig

will-o'-the-wisp dwaallicht
willow wilg
wilt verwelken
wily listig, slim
win (won; won) winnen
• verdienen • krijgen • behalen
wince terugdeinzen, ineenkrimpen (v. schrik)
winch dommekracht, lier
• windas
wind zn wind • tocht, adem • ww **(wound; wound)** winden, wikkelen • wenden
windfall afgewaaid fruit
• buitenkansje, voordeeltje
winding zn kromming, bocht • bn draaiend, kronkelend
winding stairs mv wenteltrap
wind instrument blaasinstrument
windlass windas
windmill windmolen
window venster, raam • shop ~, etalage
window blind zonneblind
• rolgordijn • jaloezie
window pane (venster)ruit
windpipe luchtpijp
windscreen windscherm
• voorruit (van auto) • ~ wiper, ruitenwisser • ~ washer, ruitensproeier
windy winderig
wine wijn
wine list wijnkaart
wing vleugel, wiek • groep vliegers • spatbord • coulisse
wing mirror buitenspiegel
wing nut vleugelmoer
wink zn wenk • knipoogje • ww wenken, knipoogjes geven

winner winner
winning innemend
winsome innemend
winter zn winter • ww overwinteren
winter coat winterjas
winter sports wintersport
wipe zn veeg • ww vegen
• (af)wissen
wire (metaal)draad • telegram
wireless bn draadloos • zn radio
wiring bedrading
wisdom wijsheid
wise zn wijze, manier • bn wijs, verstandig
wiseacre wijsneus
wish zn wens, begeerte • ww wensen, verlangen
wished for gewenst, gewild
wisp sliert, piek • bosje
wistful peinzend • droefgeestig
wit vernuft, geest • geestig man
• geestigheid • to ~, te weten, namelijk
witch heks, ondeugend nest
witchcraft toverij, hekserij
with met, mede, bij, van, door
withdraw (withdrew; withdrawn) terugtrekken, onttrekken, herroepen
• opnemen (v. geld)
withdrawal terugtrekking
• intrekking • opname (v. geld)
wither verwelken, verdorren
withhold (withheld; withheld) achter-, terug-, weerhouden
within (van)binnen, in huis
without zonder, buiten, uit, van buiten • zonder
witness zn getuige • getuigenis
• ww getuigen, bijwonen

witty geestig • vernuftig
wives *mv* vrouwen *mv*
wizard tovenaar
wizened verschrompeld, dor
wobble hobbelen, wiebelen
woe wee, ellende
woke zie *wake*
wolf (*mv* **wolves**) *zn* wolf • *ww* verslinden, schrokken
woman (*mv* **women**) vrouw
womanlike, womanly vrouwelijk
womb baarmoeder
won zie *win*
wonder *zn* wonder, verwondering • *ww* zich verwonderen • benieuwd zijn
wonderful wonderbaarlijk • prachtig
woo vrijen, aanzoek doen om
wood hout, bos
woodcut houtsnede
woodcutter houthakker • houtgraveur
wooden houten, van hout
wood-engraving houtsnijkunst, houtsnede
woodlouse pissebed
wood-path bospad
woodpecker specht
woodwind houten blaasinstrument
wooing het dingen naar de hand (gunst) van
wool wol
woollen wollen
woolly wollig
word woord, bericht • bevel, commando
wore zie *wear*
work *zn* werk, arbeid, bezigheid • ~s, werkplaats, fabriek • *ww*

werken • bewerken
workday werkdag
worker werker • werkman
working capital bedrijfskapitaal
working plant bedrijfsinstallatie
workman werkman
workmanlike bekwaam, degelijk
workmanship bekwaamheid • techniek • bewerking
workshop werkplaats • workshop
worktop aanrecht
world wereld
world champion wereldkampioen
worldly werelds
world record wereldrecord
world-shaking wereldschokkend
worm worm • schroefdraad • wroeging
worm-eaten wormstekig
worn zie *wear*
worry *zn* zorg, bezorgdheid • plagerij, kwelling • *ww* kwellen • lastig maken, ongerust maken • zich bezorgd maken, tobben • piekeren
worse erger, slechter
worship *zn* aanbidding, eredienst • *ww* aanbidden, vereren
worst slechtste, ergste
worsted kamgaren
worth *zn* waarde, verdienste • *bn* waard
worthless waardeloos
worthwhile (be) de moeite waard zijn
worthy deugdzaam, achtenswaardig • waard, waardig
would zie *will*

would-be zogenaamd, voorgewend, vermeend
wound *zn* wond • *ww* verwonden • zie ook *wind*
wounded gewond • gewond
wove(n) zie *weave*
wrangle kibbelen
wrap inpakken, inwikkelen • ~ up, inpakken
wrapper omslag, kaft
wrapping omhulsel, verpakking
wrath woede
wreath krans, guirlande
wreathe bekransen, omstrengelen, kronkelen
wreck *zn* wrak • verwoesting, ondergang • *ww* vergaan • stranden • verwoesten
wreckage schipbreuk • wrakstukken *mv*
wrecked *be ~*, vergaan
wrench *zn* ruk • verstuiking, verwringing • schroefsleutel • *ww* wringen, rukken • verdraaien, verwringen
wrest verdraaien, verwringen • (ont)wringen, afpersen
wrestle *zn* worsteling • *ww* worstelen
wrestler worstelaar
wretch ongelukkige stakker • schelm, ellendeling
wretched ellendig, armzalig
wriggle wriemelen, kronkelen
wring (wrung; wrung) wringen • knellen, persen
wrinkle *zn* rimpel • *ww* rimpelen, fronsen
wrist pols
wristwatch armbandhorloge
writ geschrift • bevel, sommatie, dagvaarding
write (wrote • written) schrijven
writer schrijver, auteur • klerk
writhe (zich) draaien, kronkelen, (ineen) krimpen
writing geschrift, opschrift, schrijfwerk
writing pad schrijfblok
writing paper schrijfpapier
written zie *write*
wrong *zn* onrecht, kwaad • grief • *bn* verkeerd, slecht, mis, fout • *be ~*, ongelijk hebben
wrongly ten onrechte
wrote zie *write*
wrought bewerkt, gesmeed • zie ook *work*
wrung zie *wring*
wry scheef, verdraaid • bitter

X

X-rays *mv* x-stralen, röntgenstralen *mv*

Y

yacht jacht (schip)
yammer jammeren, mekkeren
Yankee Amerikaan
yap keffen • kwekken, kleppen
yard tuin, erf • Engelse el (0.914 m) • ra
yarn garen, draad • verhaal

yawn *zn* geeuw • *ww* geeuwen
yd = *yard*, 0.914 m
year jaar
yearly jaarlijks
yearn smachten, reikhalzen
yeast gist
yell *zn* gil • *ww* gillen
yellow geel
yelp janken, keffen
yeoman kleine landeigenaar
yes ja
yesterday gisteren
yet nog, vooralsnog, toch
(niettemin) • *not ~*, nog niet
yield opbrengen, opleveren
• onderdoen voor • zwichten
• wijken voor
Y.M.C.A. = *Young Men's Christian
Association*, Chr. Jonge
Mannen Vereniging
yoghurt yoghurt
yoke *zn* juk, span • *ww*
verenigen, onder het juk
brengen
yolk eierdooier
yonder ginder
you u, jij, jullie, jou, gij • je (jij)
young jong
young people jongeren
your je (jouw), uw
yours de (het) uwe, jouwe
yourself u, jij, jezelf
youth jeugd
youthful jeugdig
youth hostel jeugdherberg
Yule(-tide) kersttijd
yummy mmm!, lekker!

Z

zeal ijver, geestdrift
Zealand Zeeland
zealot ijveraar, dweper
zealous ijverig
zebra crossing zebrapad
zenith hoogtepunt
zephyr zacht windje • zefier
zero nul • nulpunt
zest animo • smaak, geur
zinc zink • *of~*, zinken
zip ritssluiting
zodiac dierenriem
zone zone, gebied
zoo dierentuin
zoological dierkundig,
zoölogisch

Nederlands – Engels

A

à at (at 10 cents each) • to (10 to 20 miles)

aaien stroke, caress

aal eel

aalbes currant

aalmoes alms

aalmoezenier chaplain

aambeeld anvil

aambeien *mv* haemorrhoids, piles

aan to, at, in, on, upon, near, against, of

aanbellen ring (the bell)

aanbesteden put out to contract

aanbesteding public tender, putting out to contract

aanbetaling down payment, initial deposit

aanbevelen recommend

aanbevelenswaardig recommendable

aanbeveling recommendation

aanbiddelijk adorable

aanbidden adore, worship

aanbieden offer, present

aanbieding offer

aanbinden tie on (a label) • fasten (skates) • *de strijd ~ tegen*, fight

aanblijven stay on

aanblik look, sight, aspect

aanbod offer, tender • *vraag en ~*, supply and demand

aanbouw construction (buildings) • building (ships)

aanbranden burn

aanbreken break into, cut into • (dag) break • (nacht) fall

aanbrengen bring, carry • place, fit • (klikken) denounce

aandacht attention

aandachtig attentive(ly)

aandeel share, portion, part

aandeelhouder shareholder

aandenken memory, remembrance • keepsake

aandienen announce • introduce

aandoen put on • cause • affect

aandoening emotion • affection

aandoenlijk moving, touching, pathetic

aandraaien tighten (a screw) • switch on (a light)

aandrang pressure

aandrift impulse • instinct

aandrijven *onoverg* be washed ashore • *overg* operate (a machine)

aandrijving drive

aandringen *~ op* insist (up)on

aanduiden indicate, point out

aandurven dare

aaneen together

aaneenschakeling sequence, series

aangaan go on • (vuur) catch fire • (huwelijk enz.) enter into • (betreffen) concern

aangaande about, concerning, as to

aangeboren innate, inborn, congenital

aangedaan touched, affected, moved

aangelegenheid matter, concern, affair

aangenaam agreeable, pleasant • *~! (kennis te maken)* pleased to meet you!

aangenomen accepted • (kind) adopted • (naam) assumed • (werk) contract
aangeschoten tipsy
aangetekende brief registered letter
aangeven give, hand, reach • indicate, mark • (douane) declare • (politie) denounce
aangezicht face, countenance
aangezien as, since
aangifte declaration, entry • ~ *doen*, report
aangrenzend adjacent, neighbouring, contiguous
aangrijpen seize, take hold of • effect, move
aangrijpend touching, moving
aangroei growth
aanhalen draw tighter • (citeren) quote • (liefkozen) caress
aanhalig caressing
aanhaling (citaat) quotation
aanhalingstekens quotation marks
aanhang followers, supporters
aanhangen hang on to, stick to • attach, hang (ornament)
aanhanger adherent, supporter • trailer
aanhangig maken lay (bring) before a court
aanhangsel appendix
aanhangwagen trailer
aanhankelijk attached (to), affectionate
aanhebben have on, wear
aanhef opening words *mv*
aanheffen start singing
aanhoren listen to
aanhouden stop, detain, arrest

• (volhouden) keep on, persevere
aanhoudend continual, incessant
aanhouding (persoon) arrest, (goederen) detainment
aankijken look at
aanklacht charge • complaint
aanklagen accuse of
aankleden dress
aankloppen knock
aanknopen open, enter into
aanknopingspunt point of contact • starting-point
aankomen arrive
aankomst arrival
aankomsthal arrivals hall
aankondigen announce
aankondiging advertisement, announcement
aankoop purchase, acquisition
aankopen acquire, buy, purchase
aankunnen be able
aanleg plan, aim • natural disposition, construction
aanleggen put, place • (spoorweg) construct • (kanaal) cut • (geweer) level • (schip) moor
aanlegplaats, -steiger landingstage
aanleiding inducement, occasion, motive
aanlokkelijk alluring, enticing, attractive
aanloop run, rush
aanlopen (bij iem.) drop in • ~ *tegen*, run into • *blauw* ~, turn blue • (haven) call at
aanmaak making, manufacture
aanmaken manufacture • (vuur) light • (sla) dress

aanmaning exhortation
aanmatigend presumptuous, arrogant
aanmelden announce • *zich ~*, apply (for), enter (for)
aanmerkelijk considerable
aanmerking remark • *in ~ komen*, qualify
aanmoedigen encourage
aanmoediging encouragement
aannemelijk acceptable, plausible, likely
aannemen accept • adopt (as child) • *(veronderstellen)* suppose • assume • *(in dienst nemen)* engage
aannemer contractor
aanpak approach
aanpakken seize • *(de gezondheid)* tell upon • *fig* handle
aanpassen try on • adapt (to)
aanpassing adjustment
aanpassingsvermogen adaptability
aanplakbiljet placard, poster
aanplakbord bill-board
aanplakken attach • post
aanplant planting • plantation
aanprijzen recommend
aanraden advise • recommend
aanraken touch
aanraking touch, contact
aanranden assault
aanranding assault
aanrecht working-top • kitchen-unit
aanreiken reach, hand, pass
aanrichten do, work, cause
aanrijden drive up • *op iem. ~*, drive up towards someone

• *tegen iem. ~*, run into someone
aanrijding collision
aanroepen call, hail • *(God)* invoke
aanschaffen purchase, buy
aanschaffing acquisition
aanschieten *(benaderen)* come up to someone • *(voetbal)* shoot • *aangeschoten*, tipsy
aanschouwelijk clear • *~ onderwijs*, object teaching
aanschouwen behold, regard
aanslaan *(motor)* start • *(noot)* strike • *(op kassa)* check
aanslag attempt • *(belasting)* assessment • *(pianist)* touch
aanslagbiljet notice of assessment
aansluiten connect, join • *(tel)* put on to • *(trein)* correspond
aansluiting *(van trein enz.)* connection
aansnijden cut (bread)
aanspannen tighten (a rope) • *(proces)* sue (someone)
aansporen spur on, incite
aansporing incitement, stimulation, excitation
aanspraak *(eis)* claim
aansprakelijk responsible
aansprakelijkheid liability • *wettelijke ~verzekering*, third-party insurance
aanspreken speak to, address
aanstaan be on • please
aanstaande *bn* next • *[de]* intended
aanstalten *mv* preparations *mv*
aanstekelijk infectious, contagious, catching

aansteken (lamp) light • (vuur) kindle • (ziekte) infect
aansteker lighter
aanstellen appoint • zich ~, pose
aanstellerig affected(ly)
aanstellerij posing
aanstelling appointment
aanstichten instigate
aanstonds presently
aanstoot offence, scandal
aanstotelijk offensive
aantal number
aantasten touch • affect
aantekenen make notes • note, put down • (brief) register
aantekening note
aantikken tap
aantocht in ~, coming, on the way
aantonen show, demonstrate
aantrappen kick
aantreffen meet (with), find
aantrekkelijk attractive
aantrekken attract • (vaster) draw tighter, tighten up • (kleren) put on • zich iets ~, take sth. to heart
aantrekking attraction
aantrekkingskracht attractive power
aanvaarden accept • assume • take possession of • take up
aanval attack, assault
aanvallen attack, assail
aanvaller attacker, assailant
aanvang beginning, commencement
aanvangen commence, begin
aanvangssalaris commencing salary
aanvankelijk bn initial • bijw in

the beginning, at first
aanvaren collide (with)
aanvaring collision
aanvechtbaar debatable
aanvechting temptation
aanvegen sweep
aanvoer supply
aanvoerder commander, chief, leader • (sp) captain
aanvoeren bring to, supply • command
aanvraag demand • inquiry
aanvraagformulier form of application
aanvragen apply for
aanvullen fill up, fill • replenish (one's stock) • complete
aanvulling amplification • supplement
aanvuren fire, stimulate
aanwaaien come in of up
aanwakkeren stimulate • increase
aanwas growth, increase
aanwenden use, employ, apply
aanwensel habit, trick
aanwezig present
aanwezigheid presence
aanwijzen show • point to
aanwijzing indication • instruction
aanwinst gain, acquisition
aanzetten switch on • start • ~ (tot) urge, incite
aanzien look, aspect • consideration • ten ~ van -, with respect to • ww look at • consider
aanzienlijk considerable, important, distinguished
aanzoek request • proposal

aap monkey
aar ear
aard kind • nature
aardappel potato • *gebakken ~en*, fried potatoes
aardappelpuree mashed potatoes
aardbei strawberry
aardbeving earthquake
aardbol globe
aarde (grond) (grond) ground • soil • (wereld) earth
aarden thrive • *elektr* earth
aardewerk earthenware, crockery, pottery
aardgas natural gas
aardig pretty, nice • pleasant
aardigheid pleasure, fun
aardleiding earth connection
aardolie petroleum
aardolieproduct oil product
aardrijkskunde geography
aards terrestrial, worldly
aardverschuiving landslide
aartsbisschop archbishop
aartsvader patriarch
aarzelen hesitate, waver
aarzeling hesitation
aas (lokmiddel) bait • (kaart) ace
abattoir slaughter-house
abc ABC, alphabet
abces abscess
abdij abbey
abnormaal abnormal
abonnee subscriber, seasonticket holder
abonneenummer subscriber number
abonnement subscription • (openbaar vervoer) seasonticket

abonneren op, zich subscribe to
abortus abortion
abrikoos apricot
absent absent
absoluut absolute • *bijw* absolutely
abstract abstract
absurd absurd
abt abbot
abuis mistake, error
academie academy, university college
academisch academic
accent accent, stress
accepteren accept
acceptgirokaart *Br* giro cheque • *Amer* check
accijns excise(-duty)
accordeon accordion
accountant (chartered) accountant
accu battery
accuraat exact, precise
ach ah, alas
achillespees Achilles tendon
acht *telw* eight • *zn: geef ~*, attention
achteloos careless, negligent
achten esteem • consider
achter behind
achteraan behind, at the back
achteraf later • out of the way
achteras rear (back) axle
achterbaks underhand, behind one's back
achterband back tyre
achterbank back seat
achterblijven stay behind
achterbuurt slum(s)
achterdeur backdoor
achterdocht suspicion

achterdochtig suspicious
achtereen in succession
achtereenvolgens successively
achtergrond background
achterhalen recover • trace
achterhoede rear-guard
achterhoofd back of the head
achterin in the back
achterkant back, rear • *aan de* ~, at the back
achterlaten leave behind • omit
achterlicht tail-light, rearlight
achterlijk backward • ~ *kind*, retarded child
achterlopen be slow
achterna after, behind
achternaam surname
achterneef great-nephew
achterom behind, back • ~ *kijken*, look back
achterop behind, at the back
achterover backward
achterruit rear window
achterstallig outstanding
achterstand arrears *mv*
achterste *bn* hind(er)most • bottom, behind
achtersteven stern
achterstevoren reversed, backward
achtertuin backyard
achteruit *bijw* backward(s) • ~! reverse! [*de*] reverse
achteruitgaan decline • reverse (a car) • retreat
achteruitgang rear-exit • (verval) decline
achteruitkijkspiegel rear-view mirror
achteruitrijden back
achteruitrijlicht reversing light

achtervoegsel suffix
achtervolgen run after • persecute
achtervork rear forks
achterwaarts backward
achterwege ~ *laten*, drop, omit
achterwiel rear wheel, back-wheel
achterwielaandrijving rear wheel drive
achterzijde back, rear
achting regard, esteem, respect
achtste eighth
achttien eighteen
acteren act
acteur actor, player
actie action • lawsuit
actief active, diligent
actiegroep action group
actieradius radius of action
activiteit activity
actrice actress
actueel of present interest • topical, timely
acuut acute(ly), prompt(ly)
adapter adapter
adder viper
adel nobility
adelaar eagle
adelborst midshipman
adellijk noble • (wild) high
adem breath
ademen, ademhalen breathe
ademhaling respiration, breathing
ademloos breathless
ademproef breath test
ader vein
adieu farewell
adjudant adjutant
administrateur administrator,

manager
administratie administration
administreren file
admiraal admiral
adopteren adopt
adres (brief) address, direction
• (memorie) petition • *per ~*, (to
the) care of, c/o
adresboek directory
adreskaart dispatch-note
adresseren direct • address
advertentie advertisement
adverteren advertise
advies advice
adviseren advise
adviseur adviser
advocaat solicitor, lawyer,
barrister(-at-law) • (drank) eggnog
af off, down
afbakenen trace (out), mark out
afbeelding picture, portrait
afbestellen cancel
afbetalen pay off
afbetaling payment • *op ~ kopen*,
buy on the instalment plan
afbijten bite back
afblijven let alone, leave alone,
keep one's hands off
afborstelen brush
afbraak rubbish, demolition
afbreken (huis) pull down,
demolish • (betrekking) break
off, cut
afbreuk damage, derogation • *~
doen aan*, damage, do harm to
afdak shed
afdalen (skiën) descend
afdanken dismiss • discard
afdeling division, section
• paragraph • department

afdingen haggle
afdoen take off • wipe • finish,
settle
afdoend conclusive, settling the
matter
afdraaien play
afdragen (kleren) wear out
• (geld) hand over
afdrijven drift off
afdrogen dry, wipe off
afdruk print • impression, copy
afdrukken (foto) print
afdwalen stray off (from)
afdwaling digression • aberration
afdwingen compel, command
• extort (from)
affaire affair, business
affiche poster, play-bill
afgaan be embarrassed • (trap)
go down(stairs) • (v.geweer) go
off • *op het uiterlijk ~*, judge by
appearance
afgang flop • embarrassment
afgelasten cancel, call off
afgeleefd decrepit
afgelegen distant, remote
afgelopen finished
afgemat weary, exhausted
afgemeten measured, formal
afgesproken! agreed!
afgevaardigde deputy, delegate,
representative
afgeven deliver, hand (in) • (pas
enz.) issue
afgezaagd trite • stale
afgezant ambassador, messenger
afgezonderd secluded, separate
afgifte delivery, issue
afgod idol
afgrijselijk horrible, atrocious
afgrijzen horror

afgrond abyss, precipice
afgunst envy, jealousy
afgunstig jealous (of)
afhalen fetch down • meet at (the station) • (bed) strip
afhandelen settle, conclude
afhangen depend
afhankelijk dependent
afhouden keep off, keep from • (geld) deduct
afkeer aversion, dislike
afkerig averse (from)
afkeuren disapprove • *mil* reject
afkeurenswaardig condemnable • objectionable
afkeuring disapproval • *mil* rejection
afkijken copy
afknappen snap • *fig* be disappointed
afknippen cut off
afkoelen cool (down)
afkomst descent, birth
afkomstig coming from
afkondigen proclaim, publish (the banns)
afkondiging proclamation
afkooksel decoction
afkoopsom ransom
afkopen buy off • redeem
afkorting abbreviation
afleggen lay down, take off • (visite) pay • (lijk) lay out • (verklaring) make
afleiden divert • distract • deduce, derive
afleiding distraction, diversion • derivation
afleren unlearn
afleveren deliver
aflevering delivery • (tijdschrift) number, part

afloop end, result
aflopen end • expire
aflosbaar redeemable
aflossen (wacht) relieve, (betalen) redeem, pay off
aflossing relief • redemption
afluisteren overhear
afmaken finish, complete, settle • (doden) kill
afmatten wear out
afmeting dimension
afnemen take away, off • (tafel) clear • wipe off, dust • diminish, decrease
afnemer client
afpakken take away
afpersen extort
afpersing extortion
afraden dissuade from
afranselen thrash
afrastering railing, fence
afrekenen pay the bill
afrekening settlement
afremmen slow down
africhten train
Afrika Africa
Afrikaan(s) African
afrit exit
afronden round off
afrossen thrash, trounce
afrukken tear off
afschaffen abolish • part with, give up
afscheid departure, leave • ~ nemen say goodbye
afscheiden separate, sever from • (vocht) secrete
afscheiding separation • secretion
afschepen *iem.* ~, put one off
afscheuren tear off

afschieten discharge • let off
afschilderen paint, portray
afschrift copy
afschrijven copy • finish • (verlies) write off
afschrijving writing off
afschrik horror
afschrikken discourage
afschrikwekkend forbidding
afschuw horror
afschuwelijk horrible
afslaan beat off • decline, refuse • (prijs) go down • (motor) cut out
afslag abatement
afsloven zich, slave
afsluiten shut (up), lock • (rekening) close • (contract) conclude
afsnauwen snarl at • snub
afsnijden cut off
afspiegeling reflection
afsplitsen split off
afspraak (akkoord) agreement • (om elkaar te ontmoeten) appointment, date • *volgens ~*, as agreed • by appointment
afspreken agree upon, arrange • meet • *afgesproken!*, done!
afspringen jump off • (v. parachutist) bale out • (mislukken) break down
afstaan yield, cede
afstammeling descendant
afstammen be descended from
afstamming descent
afstand distance • (v. troon enz.) abdication • cession
afstappen get off
afsteken contrast (with) • let off (fireworks)

afstellen adjust
afstemmen tune (in)
afstijgen alight, dismount
afstoffen dust
afstoten push down • repel
afstuiten rebound
aftakelen be on the decline
aftakken shunt • branch off
aftands ~ *worden*, to be on the decline • grow senile
aftappen draw off, (tel) tap, bug
aftekenen draw, mark
aftellen count off • count down
aftershave after shave
aftersun aftersun
aftocht retreat
aftreden resign, retire
aftrek deduction • (waar) sale, demand
aftrekken deduct • (wisk) subtract • (weggaan) withdraw
aftreksel extract, infusion
aftroeven trump
afvaardigen delegate, depute
afvaardiging delegation
afvaart sailing, departure
afval waste, refuse (matter) • (eten) left-overs, remains • (geloof) apostasy
afvalbak garbage-bin
afvallen fall down • (mager worden) lose weight • (spel) drop out • (geloof) apostatize
afvallig apostate, unfaithful
afvaren sail, leave
afvegen wipe (off)
afvoer conveyance • transport • carrying off
afvoeren carry off • transport
afwachten wait (stay) for, abide, await

afwachting expectation
afwas the dishes
afwasbaar washable
afwasmachine dishwasher
afwasmiddel detergent
afwassen (vaatwerk) wash up
afwateren drain
afweer defence
afweerstof anti-body
afwenden turn away • avert
afwennen unlearn
afwentelen roll off (away, down)
• *de schuld ~*, shift the blame
afweren keep off • (slag) parry
afwerken finish (off)
afwerking finishing (off)
afwezig absent
afwezigheid (absentie) absence
• (verstrooidheid) absent-
mindedness
afwijken deviate • diverge
afwijkend divergent • different
afwijking deflection, declination,
divergence, deviation
afwijzen reject, refuse, decline
afwijzing refusal, denial,
rejection
afwikkelen unroll, unwind
• (afhandelen) settle
afwisselen alternate
afwisselend alternate • varied
• *bijw* alternately, by turns
afwisseling change, variation
afzakken come down
afzeggen cancel
afzenden send off, away
• dispatch
afzender sender
afzet sale
afzetgebied outlet, market
afzetten (hoed) take off • (uit

bus) put down • (uit auto) drop
• (been) cut off, amputate
• (weg) close • (waar) sell
• (bedriegen) cheat • (vorst)
depose • (machine) shut off,
switch off
afzetterij swindling, extortion
afzichtelijk ugly, hideous
afzien ~ *van*, give up, renounce
afzienbaar *binnen ~bare tijd*, in
the near future
afzijdig *zich ~ houden*, hold aloof
afzonderen separate, put aside
afzondering separation,
retirement, isolation
afzonderlijk separate, private
• apart
afzweren swear off • abjure
afzwering abjuration
agenda diary • (v. vergadering)
agenda
agent agent, representative • (v.
politie) policeman
agentschap agency
aids aids
air air, look, appearance
airbag airbag
airconditioning air-conditioning
akelig dreary • nasty, dreadful
Aken Aix-la-Chapelle
akker field
akkoord arrangement,
agreement, settlement • *muz*
chord • *~!*, agreed!
akte document, deed • diploma,
certificate
aktetas brief case
al, alle *telw* all, every • *bijw*
already • *voegw* though, even
if
alarm alarm

alarmnummer emergency number
album album
alcohol alcohol
aldaar there, at that place
aldoor all the time
aldus thus, in this way
alfabet alphabet
alfabetisch alphabetic(al)
algemeen *bn, bijw* common(ly), universal(ly), general(ly) • public
alhier here, at this place
alhoewel although • though
alibi alibi
alimentatie alimony
alinea paragraph
alle all
allebei both
alledaags daily, every day • ordinary, commonplace • trite, trivial
alleen alone, single • (slechts) merely, only
alleenheerser autocrat
alleenspraak monologue, soliloquy
alleenstaand single, isolated
alleenverkoop sole sale
alleenvertegenwoordiger sole agent
allemaal, allen all, everyone
allengs gradually, by degrees
allerbest very best
allereerst *bijw* first of all
allergie allergy
allergisch allergic
allerhande of all sorts, all kinds of
Allerheiligen All-Saints' day
allerlei various

allerliefst charming, sweet
allermeest most of all
allerminst *bijw* least of all
allerwegen everywhere
Allerzielen All-Souls' day
alles all, everything
allesbehalve anything but
alleszins in every respect
allicht of course • probably
allooi alloy • kind, sort
all risk comprehensive
almachtig almighty, omnipotent
almanak almanac, calendar
alom everywhere
Alpen *de* ~, the Alps
als as, when, like • (indien) if
alsjeblieft please
alsnog yet, still
alsof as if • *doen* ~, pretend
alstublieft (bij geven) here is..., here you are • (bij verzoek) please
alt alto
altaar altar
althans at least, at any rate
altijd always
alvorens before
alweer (once) again
alwetend omniscient
amandel (noot) almond • (klier) tonsil
amateur amateur
ambacht trade, handicraft
ambassade embassy
ambassadeur ambassador
ambitie zeal • ambition
ambt office, place, post, function
ambtelijk official
ambtenaar official, civil servant
ambtgenoot colleague
ambtshalve officially

ambulance ambulance
amechtig out of breath
amendement amendment
Amerika America • USA
Amerikaan American
Amerikaans American
ameublement furniture
ammunitie (amer) munition
amnestie amnesty
amper hardly, scarcely
Amsterdam Amsterdam
amusant amusing
amusement entertainment
amuseren amuse • *zich ~,* enjoy oneself
ananas pine-apple
anatomie anatomy
ander other, another • *onder ~e,* among other things
anderhalf one and a half
anders other, different • otherwise, else
andersom the other way round
anderzijds on the other hand
andijvie endive
angel (insect) sting • (vishaak) hook
angst fear, terror
angstig fearful(ly)
angstvallig scrupulous
anijs anise
animeren encourage
animo gusto, energy
anjelier, anjer pink, carnation
anker anchor
annexatie annexation
annexeren annex
annuleren cancel
anoniem anonymous
ansichtkaart postcard
ansjovis anchovy

antenne aerial • antenna
anticonceptie contraception
anticonceptiepil contraceptive pill
antiek *bn* antique • antiques *mv*
antilope antelope
antipathie antipathy, dislike
antiquair antiquary, antiquarian
antiquariaat second-hand bookshop
antiquiteit antiquity, antique
antislipband non-skid tyre
antivries anti-freeze
antivriesmiddel anti-freeze
antivriesvloeistof anti-freeze
antraciet anthracite
Antwerpen Antwerp
antwoord answer, reply
antwoordapparaat answering machine
antwoorden reply • answer
anus anus
apart separate
aperitief drink, aperitive
apostel apostle
apotheek pharmacy, chemist's shop
apotheker (dispensing) chemist
apparaat apparatus
appartement appartment
appel apple
appelmoes apple-sauce
appelsap apple-juice
appeltaart apple-pie
applaudisseren applaud, cheer
applaus applause
après-ski après-ski
april April
aquarel water-colour (picture)
Arabier Arab(ian)
Arabisch Arabian, Arab

arbeid work, labour, toil
arbeider labourer • worker
arbeidsbureau labour exchange
arbeidscontract labour contract
arbeidsgeschil labour-dispute
arbeidsloon wage(s), pay
arbeidsongeschikt unfit for work
arbeidsvermogen energy
arbeidsvoorwaarden conditions
  mv of employment
arbeidzaam laborious,
  industrious, hard-working
arbitrage arbitration • (aan de
  beurs) arbitrage
arceren hatch, shade
archief archives *mv*
archipel archipelago
architect architect
arend eagle
argeloos innocent, harmless
  • unsuspecting
arglist craft(iness), cunning
arglistig crafty, cunning
argument argument
argwaan suspicion
argwanend suspicious
aria *muz* air, aria
aristocratie aristocracy
ark ark
arm [*de*] (lichaamsdeel) arm
  • (zijtak) branch • *bn* poor
armband bracelet
armbandhorloge wrist-watch
armleuning arm-rest
armoede poverty
armsgat arm-hole
armzalig pitiful, miserable
arrest custody, arrest • (besluit)
  decision
arrestant prisoner
arresteren arrest, take into
  custody
arriveren arrive
artiest, artieste artist
artikel article • (koopwaar, ook)
  commodity • (van wet) section
artillerie artillery
artisjok artichoke
artistiek artistic
arts doctor
as (bij wielen) axle • (aarde) axis
  • *techn* shaft • (na vuur)
  embers, cinders • (stof) ash(es)
asbak ash-tray
asfalt asphalt, bitumen
asiel asylum • home
aspect aspect
asperge asparagus
aspirine aspirin
assistent assistant
assortiment assortment
assuradeur insurer, underwriter
assurantie insurance, assurance
  (of life or property)
aster aster
astma asthma
astronaut astronaut
atelier studio • workshop
atheneum (type of) secondary
  school
atlas atlas
atletiek athletics *mv*
atmosfeer atmosphere
atoom atom
atoombom atomic bomb
atoomenergie atomic energy
atoomsplitsing nuclear fission
attent attentive • considerate
attentie attention • consideration
attest certificate, testimonial
attractiepark theme park
audiëntie audience

augurk gherkin
augustus August
aula auditorium
Australië Australia
auteur author
auteursrecht copyright
auto motor car • car
autobaan motorway
autoband (motor) tyre
autobus bus • coach
autodidact self-taught man
autogordel safety belt
autohuur car hire
automaat slot-machine
automatisch automatic, selfacting
automobiel (motor) car
automobilist motorist
auto-ongeluk motor-car accident
autopapieren car documents
autoped scooter
autorijden drive
autorijles driving lesson
autorijschool school of motoring
autoriteit authority
autosnelweg motorway
autotrein Motorail
autoweg motorway
averechts wrong • (breisteek) inverted
avond evening, night
avondblad evening paper
avondeten dinner
avondmaal dinner • *het Heilig A~*, the Lord's Supper
avondtoilet evening-dress
avondwinkel late-night shop
avonturier adventurer
avontuur adventure
avontuurlijk adventurous
Aziatisch Asiatic

Azië Asia
azijn vinegar

B

baai (inham) bay
baal bale, bag
baan path, way, road • (ren-) track • (planeet) orbit • (tennis) court • (werk) job
baanbrekend epoch-making
baantje job
baanvak section
baar *[de]* (lijkbaar) bier • (draag-) litter • (staaf) bar, ingot • *bn* ready (money), cash
baard beard
baarmoeder womb, uterus
baars perch
baas master, foreman, boss • (aanspreektitel) mister
baat profit, benefit • *te ~ nemen*, use, employ
babbelen chatter
babbeltje chat
baby baby
babysit, babysitter baby-sitter
bacil bacillus
bacterie bacterium
bad bath
baden have/take a bath
badhanddoek bath-towel
badhuis public baths *mv*
badjas bath-robe
badkamer bathroom
badkuip bath(-tub)
badmeester pool attendant
badmuts bathing-cap

badpak swimming-suit
badplaats watering-place, spa • (aan zee) seaside resort
badschuim bath foam
badstof towelling
badtas bathing-bag
bagage luggage • (amer) baggage
bagagedepot left-luggage department
bagagedrager luggage carrier
bagagekluis locker
bagagenet rack
bagageruimte (auto) boot
bagagewagen trolley
bagatel trifle
baggeren dredge • *fig* wade
baggerlaarzen *mv* waders *mv*
baggermolen dredger
bah yuk
bajonet bayonet
bajonetsluiting bayonet catch
bak bowl, basin • (water) tank • *voer~*, trough • (mop) joke
bakboord port
baken beacon
bakermat cradle
bakfiets carrier, (tri)cycle
bakkebaard whisker(s)
bakkeleien be at loggerheads
bakken fry • bake
bakker baker
bakkerij baker's shop, bakery
baksel batch, baking
baksteen brick
bal [*de*] (speelbal) ball • [*het*] (dansfeest) ball
balans balance, scales • (handel) balance-sheet
baldadig wanton
balhoofd head tube

balie counter
balk beam, joist • *muz* staff, stave
Balkan the Balkans
balkon balcony • (tram) platform • (theater) dress-circle
ballade ballad
ballast ballast
ballen play ball
ballet ballet
balletdanseres ballet-dancer, ballerina
balling exile
ballingschap exile, banishment
ballon balloon
ballpoint ballpoint
balpen ballpoint
balsem balm, balsam
balsemen embalm
balsturig obstinate, refractory
balustrade banisters *mv*
balzaal ballroom
bamboe bamboo
ban excommunication, interdict, ban • jurisdiction
banaal trite, commonplace
banaan banana
band tie • (boek) binding • (fiets enz.) tyre • (om arm) band • (biljart) cushion • *fig* tie, bond • *lopende ~*, conveyor bel • *lekke ~* puncture
bandeloos licentious, riotous
bandenlichter tyre-lever
bandenpech tyre trouble
bandenspanning tyre pressure
bandiet bandit, ruffian
bandrecorder tape recorder
bang afraid, fearful • *~ zijn*, afraid (of)
banier banner
bank (zit-) bench, seat, sofa •

(kerk-) pew • (school-) desk • ~ *van lening*, pawnshop

bankbiljet bank-note

banket (maaltijd) banquet • (gebak) pastry

banketbakker confectioner

banketbakkerij confectioner's (shop)

bankier banker

bankpapier paper currency

bankpas bank card

bankroet bankruptcy • *bn* bankrupt

bankschroef (bench-)vice

bankstel drawing-room suite

banneling exile

bannen banish, exile • (geesten) exorcise

banvloek anathema

bar [*de*] pub • inn • bar • *bn* barren, severe, rough

barak hut • barrack

barbaar barbarian

barbaars barbarous

barbecue barbecue

barbecuen have a barbecue

baren give birth to

baret cap, beret

barkas launch

barman *Br* barman • *Amer* bartender

barmhartig merciful

barmhartigheid mercy, charity

barnsteen amber

barometer barometer

baron baron

barones baroness

barrevoets barefooted

barricade barricade

bars stern, harsh

barst burst, crack

barsten burst, crack

bas (zanger) bass (singer) • (stem) bass • (instrument) double-bass

basalt basalt

baseren found, ground (on)

basis basis, base

basisschool elementary school

basketbal basketball

bassin basin

bast bark, rind

bastaard bastard • (dier) mongrel • (plant) hybrid

basterdsuiker moist sugar

bataljon battalion

bate *ten* ~ *van*, on behalf of

baten avail

batterij battery

baviaan baboon

bazaar baza(a)r • fancy fair

Bazel Basle, Basel, Bale

bazelen talk nonsense

bazig masterful

bazin boss

bazuin trombone • trumpet

beambte functionary, official

beantwoorden answer, reply to

bebloed covered with blood

beboeten fine

bebouwen build upon • cultivate, till

bed bed • *te* ~, in bed

bedaard composed, calm(ly)

bedachtzaam thoughtful

bedanken thank, return thanks • (afwijzen) decline, refuse • (ontslaan) dismiss

bedankt! thanks!

bedaren calm, appease

beddengoed bed-clothes *mv*

beddenlaken sheet

bedding bed • layer
bede prayer • supplication
bedeesd timed, bashful, shy
bedekken cover
bedelaar beggar
bedelarij begging
be'delen beg (for)
bede'len endow
bedelven bury
bedenkelijk critical, grave
bedenken remember • consider • invent • *zich* ~, change one's mind
bedenking consideration • (bezwaar) objection
bederf corruption, depravation, spoiling
bederven spoil, taint, deprave
bedevaart pilgrimage
bediende man-servant • (kantoor) clerk • (winkel) assistant • *jongste* ~, junior clerk
bedienen serve, attend to • wait upon
bediening service
beding condition
bedingen stipulate
bedisselen arrange
bedlamp bedside lamp
bedlegerig bed-ridden
bedoeld in question
bedoelen mean • intend
bedoeling (voornemen) intention, design • (betekenis) meaning
bedompt stuffy, close
bedorven bad, foul • (voedsel) tainted • (kind) spoiled
bedotten cheat
bedrag amount
bedragen amount to

bedreigen threaten, menace
bedreiging threat, menace
bedreven skilled, expert
bedriegen deceive, cheat, take in
bedrieger cheat, impostor
bedrieglijk deceitful, fraudulent • deceptive
bedrijf industry • business, trade • action, deed • (toneel) act • *in* ~, in operation
bedrijfseconomie business economics
bedrijfskapitaal workingcapital
bedrijfsleider working-manager, (works-)manager
bedrijfsleven industry
bedrijfsongeval occupational accident
bedrijven commit
bedrijvig active, busy
bedroefd sad, sorrowful
bedroeven grieve, distress
bedrog deceit, imposture, fraud
bedrukt printed • *fig* depressed
beducht afraid, apprehensive
beduusd taken aback
bedwang restraint, control
bedwelmd stunned
bedwelming stupefaction, stupor
bedwingen restrain, control • (toorn) contain
beëdigd sworn (in)
beëindigen finish, terminate
beek brook, rill
beeld image, picture • (stand~) statue
beeldbuis (televisie) television, box • (techniek) cathode-ray tube
beeldhouwen sculpt
beeldhouwer sculptor

beeldig lovely
beeldspraak figurative language
beeltenis image, portrait
been (ledemaat) leg • (bot) bone
beenbreuk fracture (of arm, leg)
beenkap legging
beenwindsel puttee
beer bear
beest animal • beast • brute
beestachtig beastly, bestial, brutal
beet bite • (hapje) bit
beetje a little (bit)
beetnemen take in
beetpakken take hold of
befaamd noted, famous
begaafd gifted, talented
begaan walk upon • commit
begaanbaar passable, practicable
begeerte desire
begeleiden accompany, escort
begeleiding accompaniment
begeren desire, want, covet
begerig desirous, covetous, greedy, eager
begeven (bezwijken) give way • zich ~ (naar), go, resort (to)
begieten water, sprinkle
begin beginning • opening, start
beginneling beginner, novice
beginnen begin, commence
beginsel principle
beginstadium initial stage
begraafplaats cemetery
begrafenis burial, interment, funeral
begrafeniskosten *mv* funeral expenses *mv*
begrafenisondernemer undertaker, mortician

begraven bury, inter
begrensd limited, bounded
begrenzen limit
begrijpelijk understandable, comprehensible
begrijpen understand
begrip idea, conception, notion, apprehension
begroeiing vegetation • overgrowth
begroeten greet, salute
begroeting greeting, salutation
begroting estimate, budget
begunstigen favour
beha bra
behaaglijk comfortable
behaagziek coquettish
behaard hairy
behagen *ww* please • pleasure
behalen obtain, win, carry off
behalve (uitgezonderd) except • (naast) besides
behandelen treat, deal with
behandeling treatment
behangen (kamer) paper
behanger paper-hanger
behangsel (wall)paper
behartigen look after
beheer management, direction, administration
beheerder warden
beheersen rule, govern • dominate • control (the market) • zich ~, control oneself
behelpen zich ~, make do
behendig dexterous, adroit
behept affected (with)
beheren manage • conduct
behoeden guard, protect
behoedzaam prudent, cautious

behoefte want, need
behoeftig indigent, poor
behoeve ten ~ van, in behalf of
behoorlijk proper, fit • decent
behoren belong to • (moeten) ought to
behoud preservation, conservation
behouden ww keep, preserve • bn safe
behoudend conservative
behoudens except (for), but (for)
behulp met ~ van, with the assistence (help) of
behulpzaam helpful
beide(n) both
beiderzijds on both sides
beige beige
beïnvloeden influence
beitel chisel
beitsen stain
bejaard aged, elderly
bejaarde senior citizen
bejammeren lament, deplore
bejubelen cheer
bek mouth • (vogel) beak
bekaaid er ~ afkomen, come off badly
bekaf done up, dog-tired
bekeerling convert
bekend known • well-known, notorious • ~ met, acquainted with
bekende acqaintance
bekendmaken announce
bekendmaking announcement, notice
bekennen confess, own
bekentenis confession, avowal
beker cup, mug, goblet
bekeren convert

bekering conversion • reform
bekerwedstrijd cup match
bekeuren fine
bekeuring fine
bekijken look at
bekken muz basin • (lichaam) pelvis
beklaagde defendant, accused
beklag complaint
beklagen (iem.) pity • (iets) lament • zich ~ over... bij, complain of... to
beklagenswaardig deplorable, lamentable
bekleden clothe, cover • (innemen) hold, occupy
bekleding clothing • covering
beklimmen climb, mount
beklonken settled, arranged
beknibbelen pinch, stint
beknopt concise, succinct, brief
bekoelen cool (down)
bekomen get, receive • suit
bekommerd anxious, uneasy
bekommeren zich ~ om, be anxious about, care about
bekomst zijn ~ hebben van, be fed up with
bekoorlijk charming
bekoren charm
bekoring charm, temptation
bekorten shorten, abridge
bekostigen bear the cost of
bekrachtigen confirm, ratify
bekritiseren criticize
bekrompen narrow-minded
bekwaam capable, able, fit
bekwaamheid capability, ability, skill
bekwamen qualify (for)
bel bell • (lucht-) bubble

belachelijk ridiculous
beladen load, burden
belang importance • interest
belangeloos desinterested
belangengroep pressure group
belanghebbende party
  concerned, party interested
belangrijk important
belangstelling interest
belangwekkend interesting
belasten burden, load • tax
belasteren calumniate
belasting (gewicht) weight, load
  • (fiscus) taxes
belastingbiljet notice of
  assessment
belastingconsulent tax
  consultant
belastingteruggave tax refund
belastingvrij tax-free, duty-free
beledigen offend, injure, insult
beledigend offensive, injurious
belediging insult, affront
beleefd polite, civil, courteous
  • *wij verzoeken u ~*, we kindly
  request you
beleefdheid politeness, civility,
  courtesy
beleg (sandwich) filling, spread
  • *mil* siege
belegen matured • (kaas) ripe
belegeren besiege
beleggen cover • (geld) invest
belegging investment
beleid policy • prudence
belemmeren hinder, obstruct
belemmering hindrance,
  impediment, obstruction
bel-etage first floor
beletsel hindrance • obstacle
beletten hinder • prevent from

beleven live to see • go through
belevenis experience
belezen well-read
Belg Belgian
België Belgium
Belgisch Belgian
belhamel ringleader
belichamen embody
belicht exposed
belichting illumination • (foto)
  exposure
belichtingsmeter exposure
  meter
believen please • *wat belieft u?*,
  what can I get (do) for you?
belijden avow, confess
belijdenis confession • profession,
  creed
bellen ring
belofte promise
belonen reward, recompense
beloning reward, recompense
beloven promise
beltegoed calling credit
beltoon ringtone
beluisteren listen to, hear
belust op eager for
bemachtigen manage to get
bemanning crew
bemerken perceive, observe
bemesten manure, dung • (met
  kunstmest) fertilize
bemiddelaar mediator
bemiddeld well-to-do
bemiddeling mediation
bemind loved, beloved
beminnelijk lovable • amiable
beminnen love
bemoedigen encourage
bemoeial busybody
bemoeien (zich) meddle,

interfere with

bemoeilijken hamper, hinder

bemoeiziek meddlesome

benadelen hurt, harm

benaderen (schatten) estimate • (nabijkomen) approximate

benadering approach

benaming name

benard critical

benauwd oppressed • (bang) fearful, anxious • (kamer) close, stuffy • (nauw) tight

benauwdheid anxiety • tightness of the chest, oppression • (kamer) closeness

bende band, troop, gang

beneden below, beneath, under • down, downstairs

benedenhuis ground-floor

benen *bn* bone

bengel (kwajongen) naughty boy, girl

bengelen dangle

benieuwd be curious to know • wonder

benig bony

benijden envy

benodigdheden *mv* needs, necessaries

benoemen appoint, nominate

benoeming appointment

benoorden (to the) north of

benul notion

benutten utilize, make use of

benzine petrol, (amer) gasoline

benzineblik petrol tin • (amer) jerrican

benzinemeter petrol gauge

benzinepomp petrol pump • filling station, garage

benzinestation petrol-station

benzinetank petrol tank

beoefenen study, practise

beoefening study, practice

beogen aim at, have in view

beoordelen judge, criticize

beoordeling judgment • (v. boek) review

bepaald fixed • definite • stated

bepaalde certain

bepalen (tijd enz.) fix, appoint • (vaststellen) ascertain • (omschrijven) define

bepaling fixing • definition • (in contract) stipulation • (onderzoek) determination • *taalk* adjunct

beperken limit, restrict

bepleiten plead, advocate

bepraten talk about, discuss • (overhalen) talk round

beproefd well-tried

beproeven try, attempt

beproeving trial, ordeal

beraad deliberation

beraadslagen deliberate

beramen devise • plot

beredeneren discuss, argue out

bereid ready, prepared • willing

bereiden prepare

bereidwillig ready, willing

bereik reach, range

bereiken reach, attain, arrive at, come at • *fig* achieve

berekenen calculate, compute • (aanrekenen) charge

berekening calculation

berg mountain, mount

bergachtig mountainous

bergaf downhill

bergbeklimmen mountaineering

bergbeklimmer mountaineer
bergen put • store • contain
berghelling mountain slope
berghok shed
berghut mountain hut
bergketen chain (range) of mountains
bergkloof cleft, gorge
bergop uphill
bergplaats store-room • depository
bergschoenen climbing boots
bergsport mountaineering
bergtop mountain top
bergwandeling mountain hike
bericht news, tidings • notice, advice • report • (in krant) paragraph
berichten send word • inform
berichtgever informant • (v. krant) reporter
berijdbaar (weg) practicable
berijden (paard) ride • (weg) ride over
berispen blame, reprove
berisping reproof, rebuke
berk birch
berm bank, verge
bermlamp spotlight
beroemd famous
beroemdheid fame, renown, celebrity
beroemen zich ~ op, boast (of)
beroep profession
beroepen zich ~ op, refer to
beroepskeuze voorlichting bij ~, vocational guidance
beroerd miserable, wretched
beroering commotion
beroerte stroke (of apoplexy)
berokkenen cause

berouw remorse
berouwen repent (of)
berouwvol repentant
beroven rob, deprive of
beroving robbery
berucht notorious
berusten ~ bij, rest with • ~ in, acquiesce in
berusting resignation
bes berry
beschaafd cultivated, civilized • refined
beschaamd ashamed
beschadigd damaged
beschadigen damage
beschadiging damage, lesion
beschaving civilization, culture
bescheiden mv (papieren) papers, documents • bn modest
bescheidenheid modesty
beschermeling protégé(e)
beschermen protect
bescherming protection
beschermingsfactor protection factor
beschieten fire at (upon), shell
beschikbaar available
beschikken over dispose of
beschikking disposal
beschimmeld mouldy
beschonken drunk, intoxicated
beschouwen look at • consider
beschouwing contemplation, consideration
beschrijven write upon • describe
beschrijving description
beschroomd timid, shy
beschuit rusk
beschuldigen accuse, charge with, incriminate
beschuldiging accusation,

charge
besef notion
beseffen realize
beslaan occupy, fill • (paard) shoe (a horse)
beslag (paard) horse-shoes • (deeg) batter • (beslagneming) seizure
beslagen (paard) shod • (ruit) steamy • (tong) coated
beslaglegging seizure
beslissen decide
beslissend decisive, final
beslissing decision
beslist decided, resolute
beslommering care, worry
besloten resolved, determined • (gezelschap) private
besluit resolution, decree, decision • conclusion
besluiteloos irresolute
besluiten end • determine, resolve, decide • (een gevolgtrekking maken) conclude
besluitvorming decision making
besmeren smear • (brood) spread
besmettelijk contagious
besmetting infection, contagion, contamination
besparen economize, save
bespeuren perceive
bespieden spy upon
bespoedigen accelerate, speed up
bespottelijk ridiculous
bespotten mock, ridicule
bespreekbureau booking office
bespreken talk about, discuss, talk over • (plaatsen) book
bespreking discussion • (recensie)

review
besproeien water, irrigate
bespuiten spray
bessensap berry juice
best best, excellent • *zijn ~ doen*, do one's best
bestaan *ww* be, exist, live • *~ uit*, consist of • being, existence
bestand stock, file • *mil* truce • *bn* proof (against)
bestanddeel element • ingredient
besteden (on) • use
bestedingsbeperking economic squeeze
bestek (eetgerei) cutlery • (schatting) estimate, specification(s) • (op zee) reckoning
bestelauto delivery van
bestelen rob
bestellen order
bestelling order
bestemd voor bound for
bestemmen destine
bestemming destination
bestemmingsplan development plan
bestendig continual, lasting • (weer) settled
bestijgen (berg) ascend, climb • (troon, paard) mount
bestoken batter • assail
bestolen robbed
bestormen storm, assail
bestraffen punish (for)
bestralen shine upon • *med* ray
bestrating paving, pavement
bestrijden fight against • (voorstel) oppose • (bewering) contest • (kosten) defray
bestrijding fight • control

bestrijdingsmiddel pesticide
bestrooien sprinkle, strew
bestuderen study
besturen (schip) steer • (auto) drive • (land) govern, rule • (zaak) manage
bestuur government, rule • direction, administration • *dagelijks ~,* (managing) board, executive committee
bestuurbaar dirigible
bestuurder governor, administrator • (auto) driver • (vliegtuig) pilot
bestuursfunctie executive function
bestuurslid member of the board
betaalbaar payable
betaalcheque pay cheque
betaalkaart cashpoint card
betaalpas guarantee card
betalen pay
betaling payment
betalingsbalans balance of payments
betamelijk decent, becoming
betasten handle, feel
betekenen mean
betekenis meaning
beter better • *~ maken,* set right • set up • *~ worden,* be getting well, improve
beterschap improvement
beteugelen bridle, check
beteuterd perplexed, puzzled
betichten accuse (of), charge (with)
betogen demonstrate, argue
betoging demonstration
beton concrete • *gewapend ~,*

ferro-concrete
betoog argument
betoveren bewitch, enchant, fascinate, charm
betoverend enchanting, charming
betrachten do (one's duty) • practise (virtue)
betrappen catch, surprise • *op heterdaad~,* catch red-handed
betreden set foot on, enter
betreffen concern, regard
betreffende concerning, regarding, as for
betrekkelijk relative
betrekken move into • order • involve in
betrekking relation, condition, situation, place • *met ~ tot,* with regard to
betreuren deplore, regret
betrokken (lucht) cloudy • (gezicht) clouded, gloomy • *~ bij,* concerned in
betrouwbaar reliable
betuigen express
betwijfelen doubt (whether)
betwistbaar disputable, contestable
betwisten dispute, contest
beu tired (of)
beugel (gebit, been) braces • (tas, fles) clasp • (tram) bow
beuk (boom) beech • (v. kerk) aisle
beul hangman, executioner
beunhaas dabbler
beurs [*de*] (portemonnee) purse • (gebouw) exchange • (studiebeurs) scholarship • *bn* bruised

beursberichten *mv* quotations *mv*

beurt turn

beurtelings alternately, by turns

beuzelen dawdle, trine

bevaarbaar navigable

bevallen be confined (of a child) • (behagen) please • *het bevalt mij,* I like it

bevalling confinement

bevangen overcome (with sleep) • seized (with fear)

bevattelijk (vlug) intelligent • (begrijpelijk) intelligible

bevatten comprise, contain • (begrijpen) comprehend

beveiligen secure, safeguard

bevel order, command

bevelen order, command, bid

bevelhebber commander

beven shake, tremble, shiver

bever beaver

bevestigen fix, fasten • confirm, affirm

bevestigend affirmative

bevinden (zich) be

bevlieging whim

bevloeien irrigate

bevochtigen wet, moisten

bevoegd competent, qualified

bevoegdheid competence, competency, power

bevolking population

bevolkingsregister register (of population)

bevolkt populated

bevooroordeeld prejudiced

bevoorraden supply

bevoorrecht privileged

bevorderen (zaak) further • (persoon) advance, promote

bevordering furtherance, advancement, promotion

bevorderlijk conducive (to)

bevrachten freight • charter

bevredigen satisfy • appease

bevredigend satisfactory

bevreemding astonishment, surprise

bevreesd afraid, fearful

bevriend friendly

bevriezen freeze, congeal

bevrijden free, deliver, release

bevrijding liberation

bevruchten (plant) fertilize

bevuilen dirty, soil

bewaakt guarded

bewaarder keeper, guardian, custodian

bewaarplaats depository

bewaken watch (over), guard

bewaker keeper, watch

bewaking guards

bewapening armament

bewaren keep, preserve

bewaring deposit • keeping, preservation, custody • *in ~ geven* deposit

beweegbaar movable

beweeglijk movable • lively

beweegreden motive

bewegen move • stir • (overhalen) move, persuade, induce

beweging movement, motion

bewegingsvrijheid freedom of movement • elbow room

beweren assert, maintain

bewering assertion • allegation

bewerken work • (grond) till • (tot stand brengen) operate • (iem.) influence

bewerking working, operation
• adaptation • (van grond) tillage

bewijs proof, evidence • (briefje) receipt • ticket

bewijsstuk evidence • exhibit

bewijzen prove, demonstrate • (betonen) show

bewind administration, government, rule

bewogen affected, moved

bewolking clouds

bewolkt clouded

bewonderen admire

bewondering admiration

bewonen inhabit, dwell in, live in, occupy

bewoner inhabitant • occupant

bewoonbaar (in)habitable

bewust conscious (of), aware (of) • (bedoeld) in question

bewusteloos unconscious

bewustwording awakening

bewustzijn consciousness

bezadigd sedate, staid

bezeerd hurt

bezegelen seal

bezem broom • besom

bezeren hurt, injure

bezet occupied • (plaats) taken

bezeten possessed

bezetten occupy, take, invest

bezetting occupation • (toneelstuk) cast

bezichtigen visit • see

bezielen animate, inspire

bezieling animation, inspiration

bezienswaardig worth seeing

bezienswaardigheid sight

bezig busy

bezigheid business, occupation

bezinksel sediment, deposit, dregs *mv*

bezinning reflection • *tot ~ komen* come to one's senses

bezit possession

bezitten possess, own

bezitter possessor, owner, proprietor

bezitting possession, property

bezoedelen soil, contaminate

bezoek visit, call

bezoeken visit • pay a visit, see, call on

bezoeker visitor, guest

bezoeking visitation, trial

bezoekuren visiting-hours

bezoldigen pay

bezoldiging pay • salary

bezorgd anxious, solicitous

bezorgen (brengen) deliver • (veroorzaken) give, cause

bezuiden (to the) south of

bezuinigen economize

bezuiniging economy

bezwaar problem • difficulty, objection, scruple, drawback

bezwaarlijk difficult, hard

bezwaarschrift petition

bezwaren burden, load, weight

bezweet perspiring

bezweren swear, conjure

bezwijken break down, give way, succumb (to) • *die (of)*

bibberen shiver

bibliothecaris librarian

bibliotheek library

bibs buttocks, bottom

bidden pray

biecht confession

biechtstoel confessional

biechtvader confessor

bieden offer • (verkoop) bid
biefstuk steak
bier beer
bierbrouwer brewer
bies rush • (op kleren) piping
bieslook chive
biet beet
big young pig, piglet
biggetje *Guinees* ~, guineapig
bij [*de*] (insect) bee • *vz bijw* by, with, at, near, about
bijbedoeling ulterior motive
bijbel bible
bijbels biblical
bijbetalen pay in addition
bijbetaling additional payment
bijbrengen (iem.) bring round • (iem. iets) teach
bijdehand smart, quick-witted
bijdrage contribution
bijdragen contribute
bijeen together
bijeenbrengen bring together, collect
bijeenkomst meeting, assembly
bijeenroepen call together, convoke
bijenkorf bee-hive
bijenteelt apiculture
bijgaand enclosed, annexed
bijgebouw outhouse, annexe
bijgeloof superstition
bijgelovig superstitious
bijgenaamd surnamed, nicknamed
bijgerecht side-dish
bijgeval by any chance
bijgevolg consequently
bijhouden keep up
bijkantoor branch-office • (post) sub-office

bijkeuken scullery
bijknippen trim
bijkomen come to
bijkomstig incidental
bijl axe, hatchet
bijlage appendix, enclosure
bijleggen add (to) • make up, accommodate
bijna almost, nearly • ~ *geen*, hardly any
bijnaam nickname
bijouterieën *mv* jewelry
bijpassend matching
bijschrift inscription, motto, postscript, legend
bijsmaak taste, flavour, tang • *fig* tinge
bijstaan help, assist, aid
bijstand assistance, aid
bijstellen adjust
bijster *het spoor* ~ *zijn*, be at sea
bijsturen correct
bijt gap
bijtanken refuel
bijten bite
bijtend biting • sarcastic
bijtijds in (good) time
bijval approval, applause
bijverdienste extra earnings *mv*
bijvoegen add, join, annex
bijvoegsel supplement, accessory, appendix
bijvoorbeeld for instance, for example
bijvullen fill up • top up
bijwonen be present at, attend
bijwoord adverb
bijzaak matter of secondary importance
bijziend near-sighted, myopic
bijzijn presence

bijzonder particular, special

bijzonderheid particularity • particular, detail

bikini bikini

bil buttock

biljart billiards

biljartbal billiard-ball

biljarten play (at) billiards

biljet ticket

billijk reasonable, just, fair • (prijs) moderate

billijken approve of

binden (bond • gebonden) bind, tie

binding tie, bond

binnen within, in • inside • indoors

binnenband inner tube

binnendringen penetrate

binnengaan enter

binnenhuisarchitect interior decorator

binnenin inside, within

binnenkant inside, inner side

binnenkomen enter

binnenkort shortly

binnenland interior

binnenlands inland, home, domestic • *Ministerie v. Binnenlandse Zaken*, Home Secretary

binnenlaten let in, admit

binnenplaats inner court, inner yard

binnenshuis indoors

binnensmonds under one's breath

binnenstad *Br* city centre • *Amer* downtown

binnenste inmost • inside

binnenvallen invade • drop in

binnenzak inside pocket

bioscoop cinema

biscuit biscuit

bisdom diocese, bishopric

bisschop bishop

bisschoppelijk episcopal

bits biting, snappy

bitter bitter

bivak bivouac

bizar bizarre

blaadje (v. boom) leaf • (dienblad) tray • (papier) sheet, piece of paper

blaam blame, blemish

blaar blister

blaas (in lichaam) bladder

blaasinstrument wind-instrument

blaasontsteking cystitis

blad (v. boom) leaf • (papier) sheet • (roeiriem) blade • (dienblad) tray • (krant) newspaper

bladwijzer bookmark

bladzijde page

blaffen bark

blakeren burn, scorch

blanco blank

blank white • (huid) fair

blanke white man/woman

blaten bleat

blauw blue

blauwtje *een ~ lopen*, get the mitten, be jilted

blazen blow • (kat) spit • (trompet) sound

bleek pale, pallid

bleekheid paleness, pallor

bleekmiddel bleach

blessure injury

bleu timid, shy, bashful
blieven zie *believen*
blij glad • happy
blijdschap joy, gladness
blijk token, mark, proof
blijkbaar apparent, evident, obvious
blijken be evident, be obvious • appear
blijkens as appears from
blijspel comedy
blijven stay, remain • continue, last • ~ *zitten*, miss his remove, stay down
blijvend lasting, permanent
blik [de] (oogopslag) glance, look • [het] (metaal) tin(-plate) • (bus) tin, (amer) can • (vuilnis) dustpan
blikgroente tinned vegetables
blikje tin, *Amer* can
blikken bn of tin • ww look, glance
blikopener tin-opener
blikschade bodywork damage
bliksem lightning
bliksemafleider lightning-conductor
bliksemen zn lightning
bliksemstraal flash of lightning
blind bn blind • (luik) shutter
blinddoek bandage
blinddoeken blindfold
blinde blind man (woman) • *kaartsp* dummy
blindedarm caecum • (wormvormig aanhangsel) appendix
blindedarmontsteking appendicitis
blindelings blindly

blindheid blindness
blinken shine, gleam, glimmer
blocnote jotter
bloed blood
bloedarmoede anaemia
bloeddorstig bloodthirsty
bloeddruk blood pressure
bloeden bleed
bloedgroep blood group
bloedig bloody
bloeding bleeding, hemorrhage
bloedneus bleeding nose
bloedonderzoek blood test
bloedsomloop blood circulation
bloedspuwing spitting of blood
bloedstelpend styptic
bloedtransfusie blood transfusion
bloeduitstorting effusion of blood
bloedvat blood-vessel
bloedvergieten bloodshed
bloedvergiftiging blood-poisoning
bloedverwant relation, relative
bloedworst black pudding
bloedzuiger leech
bloei flower(ing), bloom
bloeien bloom, blossom • *fig* flourish
bloeiend blossoming • *fig* flourishing, prosperous
bloem flower, blossom • (meel) flour
bloembol bulb
bloembollenkweker bulbgrower
bloembollenveld bulb-field
bloemist florist
bloemkool cauliflower
bloemlezing anthology
bloempot flowerpot

bloes blouse
bloesem blossom, bloom
blok block • (hout) log, billet
blokken plod (at), swot (at)
blokkeren blockade, block • (rekening) freeze
blond blond
blonderen bleach
bloot naked
blootshoofds bareheaded
blootstellen expose
blootsvoets barefooted
blos (gezondheid) bloom • (verlegenheid) blush • (opwinding) flush
blouse blouse
blozen blush, flush
bluf bragging, boasting
bluffen brag, boast (of)
blusapparaat fire-extinguisher
blussen extinguish
blut broke
blz. p(age)
bobine induction coil
bochel hump • hunch(back)
bocht bend, curve, turn • (zee) bay • (rommel) trash, rubbish
bochtig winding
bod offer • (verkoping) bid
bode messenger • usher
bodem bottom, ground, soil • territory • ship
boeddhisme Buddhism
boedel estate
boedelscheiding division of an estate
boef knave, rogue • convict
boeg bow
boegspriet bowsprit
boei handcuff • (drijf-) buoy
boeien put in irons • fig

captivate, fascinate
boeiend absorbing, fascinating
boek book
boekbinder bookbinder
boekdeel volume
boekdrukkerij printing-office
boeken book
boekenbon book token
boekenkast book-case
boekenrek book-rack
boekenstalletje bookstall
boekensteun book-end
boeket bouquet
boekhandel bookshop
boekhandelaar bookseller
boekhouden book-keeping
boekhouder book-keeper
boeking reservation
boekwinkel bookshop
boel a great deal • a lot
boeman bogy
boemelen knock about
boemeltrein slow train
boenen scrub
boenwas beeswax
boer peasant, farmer • (kaartsp) jack, knave
boerderij farm
boerenbedrijf farming
boerenkinkel yokel
boerenkool kale
boerin farmer's wife
boers rustic, boorish
boete penance • (geld-) penalty, fine, forfeit
boeten atone, expiate
boetseren model
boezem bosom • breast
bof (ziekte) mumps • (geluk) stroke of luck, fluke
boffen be lucky, be in luck

boiler (hot-water) heater

bok (he-)goat, buck • (rijtuig) box • (fout) blunder

bokking red herring, bloater

boksen box

bol *bn* (glas) convex • (zeil) bulging • (wang) chubby • [*de*] ball, globe • (bloem-) bulb

bolrond convex, spherical

bolvormig spherical, globular

bolwerk rampart • *fig* bulwark, stronghold

bom bomb

bomaanval bombing attack

bombardement bombardment

bombarderen bomb

bommenwerper bomber

bomvrij bomb-proof

bon ticket • cheek • coupon

bonboekje coupon-book

bonbon bonbon

bond alliance, league, union, confederation

bondgenoot ally, confederate

bondig succinct, concise

bonen beans

bons thump, bump • *de ~ geven*, jilt

bont fur • *bn* party-coloured, motley • mixed

bontjas, bontmantel fur coat

bonzen thump • (deur) knock at

boodschap (bericht) message • (opdracht) errand

boodschappen (inkopen) shopping

boodschappentas shopping bag

boog bow • (cirkel) arc • (gewelf) arch

boom tree • (paal) pole, bar

boomgaard orchard

boomkwekerij tree-nursery

boomstam tree trunk

boon bean • *bruine bonen*, kidney beans • *witte bonen*, white beans

boor drill

boord border, brim • (hals-) collar • board • *aan ~* on board

boordevol brimful, chock-full

boordwerktuigkundige flight engineer

boortoren derrick

boorwater boracic water

boorzalf boracic ointment

boos angry • cross (with) • (slecht) bad, evil, wicked

boosaardig malicious, malign

boosheid anger • wickedness

booswicht wretch, villain

boot boat

bootrein boat-train

bootreis cruise

bootsman boatswain

boottocht boattrip

bootwerker docker

bord (v. eten) plate • (school) blackboard • (m. opschrift) sign

bordeel brothel

bordes flight of steps

bordpapier cardboard, pasteboard

borduren embroider

boren bore, drill, pierce

borg (persoon) surety, guarantee • (zaak) security • bail

borgsom deposit

borgtocht security, bail

borrel drink

borst (v. vrouw) breast, (borstkas) chest

borstbeeld bust

borstel brush
borstelen brush
borstkas chest
borstplaat fudge
borstvoeding breast feeding
borstwering parapet
bos [de] (sleutels e.d.) bunch, bundle • (stro) truss • (haar) tuft • [het] (m. bomen) wood, forest
bosbessen bilberries
bosbouw forestry
bospad wood-path
bosrijk woody
boswachter forester
bot [de] (vis) flounder • [het] (been) bone • bn (niet scherp) blunt
boter butter
boterbloem buttercup
boterham slice of bread (and butter)
botervlootje butter-dish
botsen bump, dash (against)
botsing collision • crash
botweg bluntly
bougie spark-plug • vette ~, oily plug
bougiekabels ignition cable
bougiesleutel plug spanner
bouillon broth, beef-tea • clear soup
bouillonblokje beef-cube
bout (staaf) bolt, pin • (v. dier) quarter • (vogel) drumstick
bouw building • structure, construction
bouwen build, construct
bouwkunde architecture
bouwland farmland
bouwpakket building,

construction set
bouwterrein building-site
bouwvakker builder
bouwvallig tumble-down, ramshackle
bouwwerk building
• construction
boven vz above, upon, over • bijw upstairs • above
bovenaan at the top
bovenal above all
bovenbuur upstairs neighbour
bovendien besides, moreover
bovengenoemd above-mentioned
bovenhuis (upstairs) flat
bovenin at the top
bovenkant upper side
bovenlijf upper part of the body
bovenlip upper lip
bovennatuurlijk supernatural
bovenop on top
bovenstaand above(-mentioned)
bovenste upper(most)
bovenverdieping upper storey
bovenzijde upper side
bowlen bowl
box box • (auto) lock-up
• (kinderen) play-pen
• (luidspreker) speaker
braadpan frying-pan
braaf honest, good
braakmiddel emetic
braaksel vomit
braam blackberry
braden (pan) fry • (spit) roast
• (oven) bake
brak brackish, saltish
braken vomit • be sick
brancard stretcher
brand fire • blaze

brandbaar combustible
brandblusapparaat, brandblusser fire extinguisher
branden burn, be on fire • (koffie) roast
brander burner
branderig burning, burnt
brandewijn brandy
brandgevaar fire-risk
brandhout firewood
branding surf, breakers *mv*
brandkast safe
brandkraan fire-cock, fire-plug
brandladder fire-ladder, fireescape
brandmerk brand, stigma
brandnetel stinging nettle
brandpunt focus
brandspiritus methylated spirits
brandspuit fire-engine
brandstichter incendiary, fireraiser
brandstichting arson
brandstof fuel
brandstoffilter fuel filter
brandstofpomp fuel pump
brandtrap fire escape
brandverzekering fire insurance
brandweer fire brigade
brandweerman fireman
brandwond burn
brandzalf burn ointment
Brazilië Brazil
breed broad, wide
breedsprakig long-winded, verbose
breedte breadth • width • *geogr* latitude
breedvoerig ample, circumstantial
breekbaar breakable, fragile, brittle

breekijzer crow-bar, jemmy
breien knit
brein brain, intellect
breinaald knitting-needle
breken break
brem (struik) broom • (zout) pickle, brine
brengen bring, take, carry
bres breach
bretels braces, suspenders *mv*
breuk burst, crack • (arm, been) fracture • (v. lichaamsvlies) hernia • (vriendschap) rupture • (traditie) break • (rekenen) fraction • *tiendelige ~*, decimal fraction
breukband truss
brevet certificate, patent
brief letter
briefkaart postcard
briefopener paper-knife
briefpapier writing-paper
briefwisseling correspondence
bries breeze
brievenbesteller postman
brievenbus (aan huis) letter box • (op straat) pillarbox
brievenweger letter-balance
bril (pair of) glasses *mv*, spectacles *mv* • (wc) seat
briljant brilliant
Brit Briton
Brits British
Brittannië Britain
broche brooch
brochure brochure
broeden brood, sit on eggs • *~ over*, brood over
broeder brother
broederlijk brotherly, fraternal

broederschap brotherhood
broedsel brood, hatch
broeien (v. hooi) heat, get heated
• *er broeit iets*, there is something in the wind
broeierig stifling
broeikas hothouse
broek (pair of) trousers • *korte ~*, shorts *mv*
broekje (slipje) panties
broekpak trouser suit
broer brother
brok lump • piece, morsel
bromfiets moped
brommen hum • (knorren) grumble
bron spring, fountain, source • *uit goede ~*, (on) good authority
bronchitis bronchitis
brons bronze
bronwater mineral water
bronzen bronze
brood bread • *een ~*, a loaf • *een half ~* half a loaf of bread • *geroosterd ~*, toast
broodbakker baker
broodbeleg sandwich fillings and spreads
broodje roll • *~ ham* ham roll • *~ kaas* cheese roll
broodrooster toaster
broodtrommel bread-tin
broodwinning living
broom bromide
broos frail, brittle, fragile
bros crisp, brittle
brouwen brew
brouwer brewer
brouwerij brewery
brug bridge
Brugge Bruges

brugwachter bridge-man, -keeper
bruid bride
bruidegom bridegroom
bruidsmeisje bridesmaid
bruidspaar bride and bridegroom, newly-married couple
bruidsschat dowry
bruikbaar useful, serviceable
bruikleen (free) loan
bruiloft wedding(party) • *gouden, koperen, zilveren ~*, golden, brass, silver wedding
bruin brown • *~ brood* brown bread
bruisen (zee) seethe, roar • (drank) fizz
brullen roar
Brussel Brussels
brutaal cheeky, rude
bruto gross, gross weight
bruusk abrupt
bruut brute • brutish
BTW = *belasting toegevoegde waarde* V.A.T. (value added tax)
budget budget
buffel buffalo
buffer buffer
buffet bar, buffet • (kast) sideboard
buffetjuffrouw barmaid
bui (regen) shower • (gril) freak, fit
buidel bag, pouch
buigbaar flexible, pliable
buigen bend, bow
buiging bow • (v. dame) curts(e)y
buigtang pliers
buigzaam flexible

buik abdomen, belly
buikloop diarrhoea
buikpijn belly-ache
buikvliesontsteking peritonitis
buil bruise, bump, swelling
buis tube, pipe, conduit
buit booty
buitelen tumble
buiteling tumble
buiten without, out of • outside, besides, except • *van ~*, by heart
buitenband tyre
buitenboordmotor outboard motor
buitengewoon extraordinary
buitenhuis country-house
buitenissig excentric
buitenkansje (stroke of) good luck
buitenkant outside
buitenland foreign countries • *in, naar het ~*, abroad
buitenlander foreigner
buitenlands foreign, exotic • *Ministerie v. Buitenlandse Zaken*, Foreign Secretary
buitenlucht open air
buitenshuis outdoors, out
buitenslands abroad
buitenspel (voetbal) offside
buitenspiegel driving mirror
buitensporig extravagant, excessive
buitenstaander outsider
buitenste outmost
buitenwijk suburb
bukken stoop, bow
buks rifle
bulderen (kanon) boom • (mens) bellow • (zee) roar

bulletin bulletin
bult hunch, hump(back) • (buil)lump, bump
bumper bumper
bundel bundle
bungalow bungalow
bungalowpark holiday park
bungalowtent family tent
burcht castle
bureau writing-desk • (kantoor) office
burgemeester burgomaster, (in Engeland) mayor
burger citizen, commoner • (geen militair) civilian • *in ~*, in plain clothes
burgerbevolking civil(ian) population
burgerij citizens *mv*
burgerlijk civil • (functie) civic • (niet deftig) plain
burgeroorlog civil war
burgerrecht civil right, citizenship
bus (brieven enz.) box • (autobus) bus • coach • (blik) tin • can
buschauffeur bus driver
busconducteur ticket collector
busdienst bus service
bushalte bus stop
businessklasse business class
buslichting collection
busstation bus station
buste bust
bustehouder brassiere, bra
busverbinding bus connection
butagas calor gas
buur neighbour
buurman neighbour
buurt neighbourhood • quarter • *in de ~* in the neighbourhood

• near here
buurvrouw neighbour
b.v. = bij voorbeeld for example,
for instance, e.g.

C

ca. = *circa*, circa, about
cabaret cabaret
cabine cabin • (vrachtauto) cab
cacao cocoa
cactus cactus
cadeau present
cadeaubon gift token
café pub • café
cafetaria cafetaria, buffet
cake cake
camera camera
camoufleren camouflage
campagne campaign
camper camper
camping camping site
campinggas butane gas
Canadees Canadian
capabel able
cape cape
capitulatie capitulation
cappuccino cappuccino
capsule (pil) capsule
capuchon hood
caravan caravan
carbol carbolic acid
carburator carburetter,
carburettor
cardanas propellor-shaft
cargadoor ship-broker
carnaval carnival
carrière career

carrosserie coach-work
carte: à la - à la carte
carter crankcase
casino casino
cassatie cassation, appeal
cassette (v. foto's) cartridge • (v.
geluid) cassette
cassetterecorder cassette
recorder
catalogus catalogue
catarre catarrh
cavalerie cavalry
cd CD
cd-rom CD-ROM
cd-speler CD player
ceintuur belt, sash, scarf
cel cell
cello cello
cellofaan cellophane
cellulair cellular
cement cement
censuur censorship
cent cent
centimeter centimetre
centraal central • *centrale
verwarming* central heating
centrale (tel) exchange, *elektr*
power-station
centraliseren centralize
centrum centre
ceramiek ceramics *mv*
ceremonieel ceremonial
certificaat certificate
champagne champagne
champignons mushrooms
chantage blackmail
chaos chaos
charter charter flight
chartervliegtuig chartered
aircraft
chartervlucht charter-flight

chassis (auto) chassis • (foto) plate-holder
chatten chat
chauffeur driver
chef chief, head, leader • manager • boss
chemicaliën *mv* chemicals *mv*
chemicus chemist
chemie chemistry
cheque cheque
chic smart, stylish
China China
Chinees Chinese
chip chip
chips crisps
chirurg surgeon
chloor chlorine
chocola chocolate
chocolade chocolate
chocolademelk (koud) drinking chocolate • (warm) chocolate milk
choke choke
cholera cholera
christelijk christian
christen Christian
christendom Christianity
Christus Christ
chronisch chronic
cijfer figure
cilinder cylinder
cipier jailer, warder
circa about
circuit circuit
circulaire circular (letter)
circus circus
cirkel circle
citaat quotation
citroen lemon
citroenpers lemon-squeezer
civiel civil • (billijk) moderate, reasonable
clandestien clandestine
clausule clause
claxon horn
cliché block • *fig* cliché
cliënt client
cliëntèle clients *mv*, clientele, customers *mv*
closetpapier toilet-paper
club club
cognac brandy
cognossement bill of lading
cokes coke
colbert jacket • (kostuum) lounge-suit
collect call reverse-charge call
collecte collection
collega colleague
college (les) college-course • lecture
collegiaal brotherly
colonne columm
coltrui polo-neck sweater
combinatie combination
comfort comfort
comité committee, board
commandant commander
commanderen command
commando (word of) command
commentaar commentary
commercieel commercial
commissaris (v. maatschappij) director • (politie) superintendent
commissie committee, board • (loon) commission
commissionair commission agent • ~ *in effecten*, stockbroker
communicatie communication
communie communion

communisme communism
communist communist
compagnie company
compagnon partner
compenseren compensate
compleet complete
complex complex
compliment compliment
complot plot, intrigue
componeren compose
componist composer
compote stewed fruit
compromitteren compromise
computer computer
concentratiekamp concentration camp
concentreren concentrate
concert concert • (v. één kunstenaar) recital • (stuk) concerto
concessie concession
conciërge hall-porter, caretaker
conclusie conclusion
concreet concrete
concurrent competitor, rival
concurrentie competition
conditie condition
condoleren condole (on)
condoom condom
conducteur (trein) guard • (tram, bus) conductor
confectie ready-made clothes *mv*
conférencier compere
conferentie conference
conflict conflict
conform in conformity with
congres congress
conjunctuur economic situation, economic trend
connectie connection
connossement bill of lading

consciëntieus conscientious
consequent consistent
consequentie consistency
conservatief conservative
conservatorium school of music
conserven *mv* preserves *mv*
conserveren preserve, keep
consignatie consignment
consigne orders *mv* • pass-word
constant constant • *bijw* constantly
constateren state, establish
constipatie constipation
constitutie constitution
constructie construction
consul consul
consulaat consulate
consult consultation
consultatiebureau health centre
consument consumer
consumptie consumption
contact contact • ~ *opnemen* get in touch
contactlens contact lens
contactpunten contact-breaker points
contactsleutel ignition key
contant cash • à ~, for cash • ~*e betaling*, cash payment
continubedrijf continuous industry
contra contra, versus, against
contract contract
contrast contrast
contributie subscription
controle check
controlelampje warning light
controleren verify, check
controleur controller
conventioneel conventional
conversatie conversation

coöperatie co-operation • (zaak) co-operative store(s)
corps corps, body
corpulent corpulent, stout
correct correct
correspondent correspondent • correspondence clerk
correspondentie correspondence
corrupt corrupt
cosmetica cosmetics
couchette berth
coulisse side-scene, wings *mv*
coupé compartment
couperen cut
couplet stanza
coupon coupon • (stof) remnant, cutting
coureur racing motorist
courgette *Br* courgette • *Amer* zucchini
couturier designer
couvert cover • (v. brief ook) envelope
couveuse incubator
crank crank
crèche crèche • day nursery
creditcard credit card
crediteren credit (with)
crediteur creditor
crematie cremation
cremeren cremate
crimineel criminal
crisis crisis • turning-point
criticus critic
croissant croissant
crossfiets cross-country bicycle
crucifix crucifix
cruise cruise
cultureel cultural
cultuur culture
curatele guardianship

curator curator, guardian • trustee
curiosa curios
cursief in italics
cursus course • *schriftelijke ~*, correspondence course
cycloon cyclone
cyclus cycle
cynisch cynical

D

daad deed, act, action
daar *bijw* there • *voegw* as, since, because
daarbij near it • besides
daardoor through it • by that
daarentegen on the contrary, on the other hand
daarginds there • over there
daarna after that
daarom therefore, for that reason
daaromtrent thereabouts
daarop on that • upon (after) this, thereupon
daartoe for that purpose, to do so
daaruit from that
daarvan of that • from that
daarvoor for that • before that
dadel date
dadelijk direct • immediate • *bijw* at once, immediately • *zo ~* presently
dader perpetrator, author • (v. strafbaar feit) delinquent
dag day • *per ~* per day • a day

• *dezer* ~*en*, the other day • ~*!* (hallo) hi! • (tot ziens) bye!

dagblad daily paper, newspaper
dagboek journal, diary
dagelijks every day • daily
dagen (dagvaarden) summon • *het begint me te* ~ it begins to dawn upon me
dageraad dawn, daybreak
dagkaart day-ticket
daglicht daylight
dagloner day-labourer
dagretour day-return ticket
dagschotel today's special
dagtekenen date
dagtocht day trip
dagvaarden cite
dagvaarding summons, writ
dahlia dahlia
dak roof • *onder* ~ *zijn*, be under cover, be provided for
dakgoot gutter
dakloos homeless
dakpan tile
dal valley
dalen descend • (prijs, barometer) fall • (zon, prijs) go down
daling descent, fall, drop
dam dam, dike
damast damask
dame lady
damesblad women's magazine
damesmode ladies wear
damestoiletten ladies (room)
damesverband sanitary towels
dammen play draughts
damp vapour
dampkring atmosphere
damschijf draughtsman
damspel draughts

dan then • (vergelijking) than
dancing dance hall
dank thanks
dankbaar thankful, grateful
dankbaarheid thankfulness, gratitude
danken thank • *te* ~ *hebben*, owe • *dank u*, (bij aanneming) thank you • (bij niet-aanneming) no thank you
dankzij thanks to
dans dance
dansen dance
danser(es) dancer
dansles dancing-lesson
dapper valiant, brave, gallant
dapperheid bravery, valour
darm intestine, gut • *dikke, dunne* ~, large, small intestine
dartel frisky • playful
das (dier) badger • (kleding) (strop~) tie • (sjaal) scarf
dashboard dashboard
daspeld tie-pin
dat that • that one
dateren date
datgene that
datum date
dauw dew
daveren boom, thunder
de the
dealer dealer
debat debate, discussion
debatteren debate, discuss
debet debit
debiel mentally deficient
debiteren debit • *fig* retail
debiteur debtor
debrayeren declutch
debuut debut
december December

decimaalteken decimal point
decimeter decimetre
declameren recite
declaratie declaration • voucher
declareren charge • declare
decoratie decoration
deeg dough, paste
deel part, portion, share • volume
deelachtig worden obtain, participate in
deelbaar divisible
deelnemen partake, participate
deelneming participation • pity, sympathy, compassion
deels partly
deeltal dividend
deelwoord participle
deemoed humility, meekness
Deen Dane
Deens Danish
deerlijk grievously, piteously • badly
deernis pity, commiseration
defect *zn* defect, deficiency • *bn* broken down, out of order • *~ raken*, break down
definiëren define
definitief definitive
deftig grave, dignified, stately • portly
degelijk substantial, sound, thorough, solid
degen sword
degene he, she (who)
deining swell • excitement
dek cover, bed-clothes *mv* • (v. schip) deck
dekbed duvet
dekblad wrapper
deken blanket • *gewatteerde ~*, quilt

dekken cover • lay (the table) • *sp* mark
dekmantel *fig* cover
deksel cover, lid
dekstoel deck-chair
delen divide
deler divisor
delfstof mineral
delging extinction (of a debt), amortization
delicatessen delicatessen
deling partition • division
delven dig
dement demented
democratie democracy
demonstreren demonstrate
demonteren dismantle, take apart
dempen (gracht) fill up • (geluid) deaden • (licht) subdue • (oproer) quell
den fir, fir-tree • *grove ~*, pine(-tree)
Denemarken Denmark
Den Haag The Hague
denkbaar imaginable
denkbeeld idea, notion
denkbeeldig ideal, imaginary
denkelijk likely
denken think
denkwijze way of thinking
dennenboom fir-tree
deodorant deodorant
departement department, office • zie verder *ministerie*
deponeren put down • deposit
deposito deposit • *in ~*, on deposit
depot branch-establishment, depot
derailleur derailleur gear

derde third
deren harm, hurt, injure
dergelijk such, similar
derhalve consequently, so
dertien thirteen
dertiende thirteenth
dertig thirty
dertigste thirtieth
desalniettemin nevertheless
deserteren desert
deserteur deserter
desinfecteren disinfect
deskundig(e) expert
desnoods if need be
desondanks for all that
dessert dessert
des te all the • **so much the
destijds at (the) that time
detail detail • *en ~*, (by) retail
detective detective
detectiveroman detective-story,
   crime-story
deugd virtue
deugdelijk valid, sound • duly
deugdzaam honest, virtuous
deugniet rogue, rascal
deuk dent
deuntje air, tune
deur door
deurknop door-handle, knob
deurkruk door handle
deurwaarder process-server,
   usher, bailiff
devaluatie devaluation
devies decive, motto
deviezen *mv* (foreign) currency
deze this, these • *~ en gene*, this
   one and the other • *schrijver*
   ~s, the present writer
dezelfde the same
dia slide

diabetes diabetes
diafilmpje slide film
diagnose diagnosis
dialect dialect
dialoog dialogue
diamant diamond
diaraampje slide mount
diarree diarrhoea
dicht closed
dichtbij nearby
dichten (poëzie) write verses/
   poetry • (dichtmaken) close
dichter poet
dichterlijk poetic(al)
dichtstbijzijnd closest
dicteren dictate
die that • that one
dieet diet • *op ~* on a diet
dieetvoeding dietary food
dief thief/thieves
diefstal theft
dienaar servant
dienblad (dinner-)tray
dienen serve
dienst service
dienstmeisje maid
dienstregeling time-table
dienstweigeraar conscientious
   objector
diep deep
diepgang (scheepvaart)
   profundity, draught
   • (figuurlijk) depth
diepte depth
diepvries *zn* freezer
diepvries (voedsel) frozen (food)
diepzinnig profound, abstruse
dier animal
dierbaar dear, beloved
dierenarts veterinary surgeon,
   vet

dierenbescherming (society for the) prevention of cruelty to animals
dierentuin zoo
dierenwinkel pet shop
dierkunde zoology
dierlijk animal, brute, brutish
diesel diesel
dieselmotor Diesel engine
dieselolie diesel oil
diëtist(e) dietician
dievegge (female) thief
differentieel differential gear
difterie, difteritis diphtheria
digitaal digital
dij thigh
dijbeen thighbone
dijk dike, bank, dam
dik fat • thick
dikte thickness, bigness
dikwijls often
dimlicht dimmed headlight
dimmen dim (the headlights)
diner dinner
dineren have dinner
ding thing
dingen bargain • ~ *naar*, compete for
dinsdag Tuesday
diploma certificate, diploma
diplomaat diplomat
diplomeren certificate
direct at once, directly
directeur (bedrijf) (managing) director • (school) headmaster • (schouwburg) manager
directie board, management
directrice directress • manageress • (ziekenhuis) matron
dirigent conductor
discipline discipline

disco disco
discotheek disco, discotheque
discriminatie discrimination
discussie discussion
diskette floppy disk
dissertatie thesis
distantiëren move away from, dissociate
distel thistle
distilleren distil
distributie distribution • (bij schaarste) rationing
district district
dit this • this one
divan divan, couch
dividend dividend
divisie division
dobbelen play dice, gamble
dobbelsteen die (mv dice)
dobber float
dobberen float, fluctuate
docent teacher, lecturer
doch though
dochter daughter
doctor doctor
document document
dode (gedode) one dead (killed)
dodelijk mortal, deadly, lethal
doden kill
doedelzak bagpipe
doe-het-zelf do it yourself
doek [de] cloth • [het] (schilderij) canvas • (schouwburg) curtain • (bioscoop) screen
doel target, aim, mark • purpose, object • sp goal
doelbewust purposeful
doelloos aimless
doelmatig appropriate, efficient
doelpunt goal
doeltreffend effective

doelverdediger goal-keeper
doen do, perform, make
dof dull
dog mastiff, bulldog
dok dock
dokter doctor
dol mad, frantic, wild
dolen wander (about), roam
dolfijn dolphin
dolk dagger
dollar dollar
dom *bn* stupid, dull, silly • [*de*] (kerk) cathedral
domein domain, territory • (kroon-) crown land
domicilie domicile
dominee clergyman, minister
domineren dominate • play (at) dominoes
domkop blockhead
domoor dimwit
dompelen plunge, immerse
Donau Danube
donder thunder
donderdag Thursday • *Witte ~*, Maundy Thursday
donderen thunder
donker dark
donor donor
dons down, fluff
donzig downy, fluffy
dood [*de*] death • *bn* dead
doodgaan die
doodgeboren still-born
doodkist coffin
doodlopen come to a dead end
doodmaken kill
doodop dead-beat • knocked up
doods dead, death-like
doodsakte death certificate
doodsangst mortal fear, terror
doodsbleek deathly pale
doodshoofd skull
doodslaan kill, slay
doodslag manslaughter
doodsoorzaak cause of death
doodstil stock-still
doodstraf death-penalty
doodvonnis sentence of death
doof deaf
doofheid deafness
doofstom deaf and dumb
dooi thaw
dooien thaw
dooier yolk
doolhof labyrinth • maze
doom thorn, prickle
doop baptism, christening
doopsgezinde baptist
doopvont baptismal font
door by, through • *~ en ~*, to the core • thoroughly
doorbakken well-done
doorboren pierce, stab, perforate
doorbraak (dijk) breach • *mil* break-through
doorbranden burn on • burn through • (lamp) burn out • (zekering) blow
doorbrengen pass, spend
doordacht well-considered
doordat because
doordringen penetrate
dooreen pell-mell
doorgaan go on • *~ voor*, pass for
doorgaand continuous
doorgaans generally, usually
doorgang passage
doorgeven pass on
doorgronden fathom • see through
doorhaling erasure, cancellation

doorheen through
doorkneed versed in
doorkomen pass through
doorkruisen cross
doorlaten admit • go through
doorlichten X-ray
doorlopen move on • *doorlópen*, pass through
doorlopend continuous • (voorstelling) non-stop
doorn thorn
doornat wet through
doorregen streaky (bacon)
doorreis passage through • *op ~* en route
doorschijnend translucent, diaphanous
doorschrappen strike out
doorslaan (gek worden) go mad
doorslaand conclusive
doorslag (kopie) carbon copy • *dat geeft de ~*, that's what turns the scale
doorslaggevend decisive
doorsmeren lubricate
doorsnede section, diameter
doorstaan endure, stand
doorsteken pierce, stab
doorsturen (post) forward • (verder sturen) send on
doortastend energetic
doortocht passage
doortrapt cunning, sly
doortrekken flush (the toilet)
doortrokken permeated, soaked
doorvaart passage
doorverbinden put through
doorvoer transit
doorvoerhandel transit trade
doorwaden wade through
doorweekt soaked, sodden

doorwrocht elaborate
doorzenden forward, send on
doorzetten push on, persevere
doorzettingsvermogen perseverance
doorzichtig transparent
doorzien look through
doorzoeken search, go through
doos box
dop (ei) shell • (boon) pod • (pen) top, cap
dopen baptize, christen • dip
doperwten green peas
doppen shell
dopsleutel socket wrench
dor barren, dry, arid
dorp village
dorpel threshold
dorpsbewoner villager
dorsen thresh
dorst thirst • *~ hebben* be thirsty
dorstig thirsty
dosis dose
douane customs *mv*
douanebeambte customs officer
douanecontrole customs examination
douanekantoor customs office
douanier customes officer
douche shower
douchen (take a) shower
doven extinguish
dozijn dozen
draad (stof) thread • (metaal) wire
draadloos wireless
draadnagel wire-nail
draagbaar *[de]* litter, stretcher • *bn* portable, bearable
draagkracht ability to bear • (v. brug, schip) carrying capacity

draaglijk tolerable
draagtas carrier bag
draagvlak airfoil, plane
draai turn • twist, bend
draaibank lathe
draaiboek script
draaideur revolving door
draaien turn, spin, twist, wind
• (tel) dial • *fig* shuffle
draaierig giddy, dizzy
draaikolk whirlpool, eddy
draaimolen merry-go-round
draaiorgel barrel-organ
draak dragon
dracht (kleding) dress, costume
draf trot
dragen carry • bear • (kleren)
wear
dralen linger, loiter
drama drama
dramatisch dramatic(ally)
drang pressure, urgency
drank drink, beverage • *sterke ~,*
liquor
drankzuchtig dipsomaniac
drassig marshy, swampy
draven trot
dreef alley, lane • *op ~ zijn,* be in
splendid form
dreg grapnel, drag
dreigbrief threatening letter
dreigement threat
dreigen threaten, menace
drempel threshold
drenkeling drowned (drowning)
person
drenken water • drench
dresseren (paard) break (in),
(ander dier) train
dressoir sideboard
dressuur breaking-in, training

• *fig* drilling
dreumes mite, toddler
dreunen drone, rumble
drie three
driehoek triangle
driekwartsmaat three-four time
driemaal thrice, three times
driemaandelijks quarterly
driesprong three-forked road
driest bold, daring
drietal (number of) three
drievoud treble
drievoudig triple, threefold
driewieler tricycle
drift passion
driftbui tantrum
driftig passionate,
quicktempered
drijfijs drift-ice, floating ice
drijfriem driving-belt
drijfveer incentive, motive
drijven (op vloeistof) float, swim
• (doen voortgaan) drive
• (zaak) run • (nat zijn) be
soaking wet
drillen drill
dringen push • crowd, throng
• urge
dringend urgent, pressing
drinken drink
drinkglas drinking glass
drinkwater drinking water
droefenis sorrow, affliction
droefgeestig melancholy
droevig sad, sorrowful, doleful
drogen dry
drogist druggist, chemist
drogisterij druggist's (shop)
drogreden sophism
drom throng, crowd
dromen dream

dromerig dreamy
drommels! the deuce!
dronk drink • toast
dronkaard drunkard
dronken drunk
dronkenschap drunkenness
droog dry, arid • dull
droogdok dry-dock
droogkap (hood) hair dryer
droogleggen drain
droogte drought • dryness
droogtrommel tumble drier
droom dream
droombeeld vision
drop liquorice
droppel drop
drug(s) drug(s)
druif grape
druipen drip
druipnat dripping (wet)
druiven grapes
druivensap grape-juice
druivensuiker glucose, dextrose
druiventros bunch of grapes
druk bn busy, crowded • [de]
(spanning) pressure • (boek)
printing • (oplaag) impression,
edition
drukfout misprint, printer's
error
drukken press • print • squeeze
drukkend oppressive • (warm)
sultry
drukker printer
drukkerij printing-office
drukknoopje press-button
drukknop push-button
drukmeter pressure-gauge
drukpers (printing-)press
drukproef proof
drukte stir, bustle, fuss

drukverband pressure bandage
drukwerk printed matter
drumstel set of drums
druppel drop
D-trein corridor-train
dubbel double
dubbelganger double
dubbelzinnig ambiguous,
equivocal
duchten fear, dread
duchtig fearful, strong
duel duel
duet duet
duf fusty, stuffy
duidelijk plain, clear, distinct
duif pigeon, dove
duig stave • in ~en vallen, drop
to pieces • fig fall through
duikboot submarine
duikbril diving goggles mv
duiken dive
duiker diver
duikuitrusting diving equipment
duim thumb
duimstok (folding-)rule
duin dune
duister dark, obscure, gloomy,
dim • fig mysterious
duisternis darkness
Duits German
Duitser German
Duitsland Germany
duivel devil
duivels devilish, diabolical
duiventil pigeon-house, dovecot
duizelig dizzy • giddy
duizeling vertigo, fit of giddiness
duizend thousand
duizendtal a thousand
dulden bear, suffer, endure
dun thin, slender • (lucht) rare

dunk opinion
duo (motorfiets) pillion
duopassagier pillion-rider
duperen put out, harm
duplicaat duplicate, replica
duplo in ~, in duplicate
duren last
durf courage
durven dare
dus so, consequently, therefore
dusdanig such
duster overall
dutje doze, nap
duur [de] duration, length • op de lange ~, in the long run • bn dear, expensive, costly
duurte dearness, expensiveness
duurtetoeslag cost-of-living allowance
duurzaam durable, lasting
duw push
duwen push
dwaalspoor wrong track, red herring
dwaas [de] fool • bn foolish
dwalen roam, wander • err
dwaling error
dwang compulsion, constraint, coercion
dwangbevel warrant, writ
dwarrelen whirl
dwars transverse, cross- • fig contrary
dwarsbomen cross, thwart
dwarsstraat cross-street
dweepziek fanatic(al)
dweil floor-cloth, mop, swab
dweilen mop
dwepen met be all for, be enthusiastic about
dweper fanatic, devotee

dweperij fanaticism
dwerg dwarf, pygmy
dwingeland tyrant
dwingen constrain, compel, force, coerce
dwingend coercive
d.w.z. that is (to say), namely
dynamiet dynamite
dynamisch dynamic
dynamo dynamo
dynastie dynasty
dysenterie dysentery

E

eau de cologne eau de cologne
eb ebb, ebb-tide • low tide
ebbenhout ebony
echo echo
echt [de] (huwelijk) marriage, matrimony • bn real, legitimate, authentic, genuine • bijw really
echtbreuk adultery
echtelieden mv married people mv
echtelijk conjugal, matrimonial
echter however
echtgenoot husband
echtgenote wife
echtpaar couple
echtscheiding divorce
economie economy
economisch economic • (zuinig) economical
econoom economist
eczeem eczema
edel noble, precious

edelachtbaar honourable
edelman nobleman
edelmoedig generous
edelmoedigheid generosity
edelsteen precious stone • jewel
eed oath
eekhoorn squirrel
eelt callus
een a, an
één one
eend duck
eendracht concord
eenheid unit, unity
eenhoorn unicorn
eenjarig of one year • (plant)
annual
eenmaal once
eenparig unanimous • (snelheid)
uniform
eenpersoons for one person,
single
eenpersoonsbed single bed
eenpersoonskamer single room
eenrichtingsverkeer one-way
traffic
eens once, one day • *het ~ zijn*,
agree
eensgezind unanimous
eensklaps suddenly
eensluidend *~ afschrift*, a true
copy
eenstemmig unanimous
eentje one
eentonig monotonous
eenvoud simplicity, plainness
eenvoudig simple, plain
eenzaam solitary, lonely, alone
eenzelvig solitary, self-contained
eenzijdig partial, one-sided
eer *voegw* before • *zn* honour
eerbaar chaste, virtuous

eerbewijs honour, homage
eerbied respect
eerbiedig respectful
eerder sooner, before
eergevoel sense of honour
eergisteren the day before
yesterday
eerlijk honest, fair
eerlijkheid honesty
eerst first, firstly • *~e hulp*, first-
aid • *~e klas* first class
eerstdaags one of these days
eersteklas first-class
eersterangs first class
eerstgenoemd former,
firstmentioned
eerstvolgend next
eertijds formerly
eervol honourable
eerzucht ambition
eerzuchtig ambitious
eetbaar eatable, edible
eetgelegenheid eatery
eethuis eating-house • restaurant
eetkamer dining-room
eetlust appetite
eetservies dinner-service
eetwaar eatables
eetzaal dining-room
eeuw century, age
eeuwig eternal, perpetual
eeuwigheid eternity
eeuwwisseling turn of the
century
effect effect • success
effecten *mv* stocks *mv*, securities
mv
effectenbeurs stock exchange
effectenmakelaar stock-broker
effen (glad) smooth, even
• (kleur) plain

effenen smooth, level
efficiënt efficient, businesslike
eg harrow
egaal level, smooth
egel hedgehog
egoïsme egoism
EHBO first-aid
EHBO-doos first-aid kit
EHBO-post first-aid post
ei egg • *gebakken ~*, fried egg, *zacht (hard) gekookt ~*, soft- (hard-) boiled egg
eierdopje egg-cup
eierlepel egg-spoon
eierschaal egg-shell
eigen own, private • peculiar, proper
eigenaar owner, proprietor
eigenaardig peculiar
eigenbaat self-interest
eigendom property
eigenhandig with one's own hand, by hand
eigenliefde self-love
eigenlijk true, proper(ly) • properly speaking, actual(ly)
eigennaam proper name
eigenschap quality, property
eigenwaan conceitedness, presumption
eigenwijs opinionated
eigenzinnig wayward, wilful
eik oak
eikel acorn
eiland island, isle
eilandengroep archipelago
einddiploma leaving certificate
eind(e) end, extremity • termination, conclusion
eindelijk finally, at last
eindeloos endless, infinite

eindexamen leaving examination
eindigen end, finish, cease
eindje length, piece
eindpunt terminus
eindstreep finish
eis demand, claim
eisen demand, claim
eiser claimant
eiwit white of an egg • albumen
ekster magpie
eksteroog corn
el yard
eland moose
elastiek elastic
elastisch elastic
elders elsewhere
elegant elegant, stylish
elektra electricity
elektricien electrician
elektriciteit electricity
elektrisch electric
elektriseren electrify
elektrocardiogram electrocardiogram
elektrode electrode
elektronica electronics
elektronisch electronic
element element
elementair basic
elf eleven
elfde eleventh
elftal eleven
elimineren eliminate
elite elite, pick
elk every, each
elkaar each other, one another
elleboog elbow
ellende misery
ellendeling wretch
ellendig miserable

els (boom) alder • (naald) awl
email enamel
e-mail e-mail, E-mail
e-mailen e-mail
emancipatie emancipation
emballage packing
embolie embolism
emigrant emigrant
emigreren emigrate
emmer bucket
emotioneel emotional
en and
encyclopedie encyclopedia
end end
energie energy
energiek energetic
enerzijds on the one side (hand)
eng (nauw) narrow, tight
• (griezelig) creepy
engel angel
Engeland England
Engels English
Engelse Englishwoman
Engelsman Englishman
engte strait, defile
enig sole, single • (kind) only
• unique • (leuk) good,
marvellous • ~*e(n)*, some
enigermate in some degree
enigszins somewhat
enkel [*de*] (lichaamsdeel) ankle
• *bn* single • *bijw* merely, only
• ~*e* some • ~*e reis* single
(ticket)
enkeltje one-way ticket
enkelvoud singular
enkelvoudig singular
enorm enormous, huge
enquête inquiry, investigation
enten graft
enthousiast enthusiast, eager

entree entrance, admittance
entreebiljet ticket
entreeprijs admission fee
envelop envelope
enzovoort(s) (enz.) and so on
(etc.)
epidemie epidemic
epilepsie epilepsy
epileren depilate
epos epic (poem)
er there
erbarmelijk pitiful, pitiable
erbarmen pity, compassion
erbij ~ *zijn*, be there, ~ *komen*, be
added
ere honorary
eredienst worship
eren honour
erewoord word of honour
erf grounds, premises
erfdeel portion, heritage
erfelijk hereditary
erfelijkheid heredity
erfenis inheritance, heritage
erfgenaam heir
erfgename heiress
erfzonde original sin
erg bad, evil • very (much) • badly
(damaged, wanted) • *geen ~
hebben*, not be aware of
ergens somewhere, anywhere • ~
anders, somewhere else
erger worse
ergeren annoy
ergerlijk annoying, provoking,
shocking, irritating
ergernis annoyance
erheen ~ *gaan*, go there
erkennen acknowledge
• recognize • admit, own
erkenning acknowledg(e)ment,

recognition
erkentelijk thankful, grateful
ernst earnest(ness) • seriousness
  • (gevaarlijk) gravity
ernstig serious • bad
erop on(to) it, in(to) it
erotisch erotic
ertoe ~ *bereid zijn*, be willing
erts ore
ervaren experienced, skilled
ervaring experience
erven inherit
erwten peas
erwtensoep pea-soup
es (boom) ash
escalatie escalation
eskader squadron
espresso espresso
essentieel essential
estafetteloop relay race
esthetisch aesthetic
etage floor
etagewoning flat
etalage (shop-)window
etaleren display
etappe stage
eten eat
eten, etenswaar food
etenstijd dinner- (lunch-, supper-)
  time
ethica ethics
ethisch ethical
etiket label
etmaal twenty-four hours
ets etching
etsen etch
etter matter, pus
etui case
euro Euro
eurocard Eurocard
eurocheque Eurocheque

Europa Europe
Europeaan European
Europees European
evacueren evacuate
evangelie gospel
even *bn* (v. getal) even • *bijw*
  (gelijk) equal(ly) • (eventjes)
  just, one moment
evenaar equator
evenals (just) as
evenaren equal, match
eveneens also, likewise
evenement event
evenmin als no more than
evenredig proportional
eventjes a little while
eventueel *bn* contingent,
  possible, potential • *bijw* this
  being the case
evenveel as much
evenwel however
evenwicht equilibrium, balance
evenwijdig parallel
evenzeer as much
ex ex
examen examination
excellentie excellency
excentriek eccentric
exclusief exclusive
excursie excursion
excuseren excuse
excuses apologies • ~ *maken*
  apologize
excuus excuse
exemplaar specimen, copy
exerceren drill
exercitie drill
exotisch exotic
expediteur forwarding-agent,
  shipping-agent
expeditie expedition • despatch

• shipment, forwarding
expert expert
exploitatie exploitation, working
export export(ation)
exporteren export
exporteur exporter
expositie exposition
expres on purpose
expresse, per by express
exprestrein express train
extase ecstacy, rapture
extern non-resident
extra extra, special
extract extract
extratrein special train
extreem extreme
ezel donkey, ass • (v. schilder) easel

F

faam fame, reputation
fabel fable • *fig* myth
fabelachtig fabulous
fabriceren manufacture
fabriek (manu)factory • works • mill
fabrieksmerk trade-mark
fabrikaat make
fabrikant manufacturer, maker
factuur invoice
faculteit faculty
failliet bankrupt
faillissement failure, bankruptcy
fakkel torch, flare
falen fail
familie (gezin) family, (verwanten) relatives, relations

familielid family member
familiepension private boarding-house
fan fan
fanatiek fanatic(ally)
fantasie phantasy, fancy
fantastisch fantastic
fascinerend fascinating
fascisme fascism
fat dandy, swell, prig
fataal fatal
fatsoen (beleefdheid) good manners • (vorm) fashion, cut, shape
fatsoenlijk respectable, decent
fauteuil arm-chair
favoriet favourite
fax fax
faxapparaat fax machine
faxen fax
fazant pheasant
februari February
fee fairy
feest feast, festival • party • festivity
feestdag (public) holiday
feestelijk festive, festal
feestmaal banquet
feestvieren celebrate
feit fact, matter of fact
feitelijk actual, real
fel fierce
felicitatie congratulation
feliciteren congratulate (on)
fenomeen phenomenon
ferm sound, thorough, energetic
festival festival
feuilleton serial
fier proud
fiets bicycle • bike
fietsbel (bi)cycle-bell

fietsen cycle
fietsenhok bicycle shed
fietsenmaker bicycle repairer
fietsenrek bicycle-rack
fietsenstalling bicycle-shetler
fietser cyclist
fietsketting bicycle chain
fietspad cycle track
fietspomp bicycle pump
fietssleuteltje key to bicycle lock
fietstas saddle bag
fietstocht cycling-tour
figurant super
figuur figure, diagram
figuurlijk figurative
fijn (kwaliteit) fine, choice
 • (plezierig) nice, pleasant • ,
 swell
fijngevoelig delicate
fijnmaken grind
fiks good, sound • hard
file traffic jam
filet (vis) fillet • (vlees) undercut
filevorming traffic congestion
filiaal branch establishment
film film • movie • *vertraagde ~.*
 slow-motion picture
filmcamera camera
filmen film
filmjournaal newsreel
filmster film star
filosofie philosophy
filosoof philosopher
filter filter
filtersigaret filter-tip cigarette
finale *sp* final
financieel financial
financiën *mv* finance(s) • *Minister
 v. Financiën,* Chancellor of the
 Exchequer
finish finish

firma firm, house
firmant partner
fiscus treasury, exchequer
fit fit
fitness fitness training
fixeren fix • stare at
fladderen flutter, hover
flanel flannel
flank flank, side
flat *Br* flat • *Amer* apartment
flater blunder
flatgebouw apartment building,
 block of flats
flatteus flattering, becoming
flauw faint, weak, insipid • flat
flauwte swoon, fainting fit
flauwvallen faint
flensje thin pancake
fles bottle • *een halve ~...* half a
 bottle of
flesopener bottle-opener
flessengas Calor gas
flessenmelk bottled milk
flets faded, pale
fleurig *fig* bright
flikje chocolate-drop
flikkeren flicker, sparkle
flink good, considerable,
 thorough
flirten flirt
flitsblokje flashcube
flitsen flash
flitser flash
flitslampje flash bulb
flonkeren sparkle, twinkle
flop wash-out
fluisteren whisper
fluit flute
fluiten whistle • (in schouwburg)
 hiss
fluitist flute-player, flautist

fluitketel whistling-kettle
fluks quickly
fluor fluoride
fluweel velvet
foedraal case, sheath
foei fy!, for shame!
föhn hairdryer
föhnen blow dry
fokken breed, rear
folder flyer
folteren put to the rack • *fig* torture, torment
foltering torture
fonds fund, stock
fondsdokter panel doctor
fondue fondue
fonkelen sparkle
fonkelnieuw brand-new
fontein fountain
fonteintje wash-basin
fooi tip
foppen fool, cheat, hoax
forceren force
forel trout
forens commuter
formaat size
formaliteit formality
formeel formal
formule formula
formulier form
fornuis kitchen-range • cooker
fors robust, strong
fort fort
fortuin fortune
fosfaat phosphate
fosfor phosphorus
foto photo, picture
fotograaf photographer
fotograferen photograph • take pictures
fotografie photography

fotokopie photocopy
fototoestel camera
fouilleren search
fout [de] mistake • *bn* wrong
foyer foyer
fraai beautiful, pretty, handsome, fine
fractie fraction • group
framboos raspberry
frame frame
Française Frenchwoman
franco postfree, carriage paid
franje fringe
frankeren stamp, post-pay, prepay
frankering postage
Frankrijk France
Frans French
Fransman Frenchman
fraude fraud
frauduleus fraudulent
fresco fresco
Fries Frisian
fris fresh, cool • refreshing
frisbee frisbee
frisdrank soft drink
frisheid freshness
frites chips, *Amer* French fries
frituren fry
fronsen frown
front front
fruit fruit
frustratie frustration
fuif spree, party
fuiven feast, revel
functie function
functioneel functional
fundament foundation(s)
fungeren officiate
fusie merger
fut spunk, spirit

fysiotherapie physiotherapy

G

gaaf sound, whole, entire
gaan go
gaanderij gallery
gaar (doorbakken) well-done
gaas gauze
gadeslaan observe, watch
gading liking, choice
gal gall, bile
galant gallant
galavoorstelling gala night
galbulten *mv* hives
galerie picture gallery
galerij gallery
galg gallows
galm sound, resounding
galmen sound, resound
galop canter
gammel ramshackle
gang corridor • (mijn) gallery
  • (loop) gait, walk • (snelheid)
  speed, rate • (verloop, maaltijd)
  course
gangbaar current
gangmaker pace-maker
gangpad path • gangway • aisle
gans *bn* whole, all • [*de*] (vogel)
  goose (mv geese)
ganzenlever goose-liver
gapen yawn • *fig* gape
gaping gap, hiatus
gappen pinch
garage garage
garanderen guarantee
garantie guarantee

garantiebewijs warranty
garderobe (kleren) wardrobe
  • (theater) cloakroom
garen thread, yarn
garnaal shrimp
garnituur set
garnizoen garrison
gas gas
gasfabriek gasworks
gasfles gas-container
gasfornuis gas-cooker
gashaard gas-fire
gaskomfoor gas ring
gaskraan gas-tap
gaspedaal accelerator
gasstel gas ring, gas burner
gast guest
gastarbeider foreign worker
gastenboek guest book
gastheer host
gasthuis hospital
gastvrij hospitable
gastvrijheid hospitality
gastvrouw hostess
gat hole, opening, gap
gauw soon
gauwdief thief
gave gift
gazon lawn, green
geacht dear
geadresseerde addressee
Geallieerden *de ~*, the Allied
  Forces
geanimeerd lively, vivid
gearmd arm in arm
gebaar gesture
gebabbel prattle, chit-chat
gebak pastry, cake
gebakje tartlet
gebakken baked
gebed prayer

gebedenboek prayer-book
gebeente bones
gebergte mountain range
gebeuren happen, occur, chance, come about
gebeurtenis event, occurrence
gebied territory, area • region
gebieden command, order
gebiedend imperative, imperious
gebit (set of) teeth
gebod command • (bijbels) commandment
geboeid spell-bound
gebonden bound, tied • (soep) thick
geboorte birth
geboorteakte birth-certificate
geboortebeperking birth-control
geboortedatum date of birth
geboorteplaats birth-place
geboren born
gebouw building, edifice
gebraden roasted
gebrek (tekort) want • (fout) defect, default • (lichaam) infirmity • ~ aan, shortage of, lack of, want of • ~ lijden, be in want
gebrekkig defective, faulty • (persoon) invalid, infirm
gebroken broken
gebruik use, usage • habit, custom • employment • voor eigen ~ for personal use
gebruikelijk usual, customary
gebruiken use, employ • take
gebruiksaanwijzing directions mv for use
gebrul roaring
gecompliceerd complicated, complex

gedaagde defendant
gedaante shape, form, figure
gedaanteverwisseling metamorphosis
gedachte thought, idea
gedachtenis memory • (voorwerp) memento, keepsake
gedeelte part
gedeeltelijk bn partial • bijw partly, in part
gedenken remember
gedenkschrift memoir
gedenkwaardig memorable
gedeponeerd registered
gedeprimeerd depressed
gedeputeerde deputy
gedesoriënteerd disorientated
gedetailleerd detailed
gedicht poem
gedienstig obliging
gedijen thrive, prosper
gediplomeerd qualified
gedogen allow
gedrag behaviour, conduct, demeanour • bearing
gedragen (zich) behave
gedrang crowd, throng
gedrocht monster
gedrongen (stijl) compact • (mens) thick-set
gedruis roar, roaring
gedrukt (boek) printed • (stemming) depressed
geducht formidable
geduld patience, forbearance
geduldig patiënt
gedurende during, for
gedurig continual
gedwee meek, submissive

geel yellow
geelfilter light-filter
geelzucht jaundice
geen no, none, not any, not one
geenszins not at all, by no means
geest spirit, soul, mind, genius • wit • ghost, spectre • *de Heilige G~*, the Holy Ghost
geestdrift enthusiasm
geestelijk spiritual, intellectual • ecclesiastic, clerical
geestelijke minister • priest
geestelijkheid clergy
geestes- mental
geestesstoornis mental derangement
geesteziek mentally ill
geestig witty, smart
geestkracht energy, strength of mind
geestverwant congenial spirit • (political) supporter
geeuwen yawn
gefeliciteerd! congratulations!
gefluister whispering
geforceerd forced
gegadigde interested party • candidate
gegarandeerd warranted
gegeneerd embarrassed
gegeven fact
gegevens mv details • data
gegoed well-to-do • well-off
gegrond (well) founded
gehaat hated, hateful
gehakt minced meat
gehaktbal meat-ball
gehalte quality • percentage • (good) alloy
gehandicapt handicapped

gehard hardened, hardy
gehecht attached (to)
geheel whole, all, entire, full
geheim *zn* mystery • secret • *bn* secret, hidden
geheimzinnig mysterious
gehemelte palate
geheugen memory
gehoor hearing • (toehoorders) audience, auditory
gehoorapparaat hearing aid
gehoorzaam obedient
gehoorzaamheid obedience
gehoorzamen obey
gehucht hamlet
gehuwd married
geïnteresseerd interested
geïrriteerd annoyed
geiser geyser
geit goat
geitenkaas goat cheese
gejaagd hurried, agitated
gejuich shouting, cheering
gek [de] fool, madman • *bn* foolish, mad • *~ op*, very fond of • *voor de ~ houden*, make a fool of
gekheid folly, foolery • madness
gekkenhuis madhouse
gekleed dressed • elegant
geklets twaddle, gossip
gekletter clattering
gekleurd coloured • stained (glass)
geknoei bungling • mess
gekoeld cooled • chilled
gekookt cooked • boiled
gekreukeld crumpled, creased
gekruid seasoned • spiced
gekunsteld artificial
gel gel

gelaat face, countenance
gelaatskleur complexion
gelach laughter, laughing
gelag 't ~ betalen, pay for the drinks • fig pay the piper
gelang naar ~ van, according to
gelasten order, instruct
gelaten resigned
gelatenheid resignation
geld money
geldautomaat cash dispenser
geldboete fine
gelden be worth • (geldig zijn) be in force • hold (good) • (betrekking hebben) concern, apply to
geldgebrek want of money
geldig valid
geldigheid validity
geldigheidsduur period of validity
geldstuk coin
geldswaarde money value
geleden past • ago, since • een week ~ a week ago
geleerd learned
geleerde scholar, learned man
gelegen situated • (passend) convenient
gelegenheid opportunity, occasion
gelegenheids- occasional
gelei jelly, jam
geleide guidance • escort
geleidehond guide-dog
geleidelijk gradual(ly)
geleiden lead, conduct, convoy
geleider conductor
geleiding leading, conducting • conducting wire
geletterd literary

geliefd beloved, dear
gelieve please
gelijk similar, alike, equal • (vlak) even, level, smooth • ~ hebben, be right
gelijken resemble, be like, look like
gelijkenis resemblance • (bijbels) parable
gelijkluidend identical, true
gelijkmaken level
gelijkmatig equable, even • uniform
gelijknamig of the same name
gelijkschakelen synchronize
gelijksoortig similar, homogeneous
gelijkstellen assimilate
gelijkstroom direct current
gelijktijdig simultaneous
gelijkvloers (on the) groundfloor
gelijkwaardig equivalent
gelinieerd ruled
gelofte vow, promise
geloof faith • belief • creed
geloofsbrieven credentials
geloofwaardig credible, trustworthy
geloven believe • think
gelovig faithful, believing
geluid sound, noise
geluidsbandje cassette tape
geluidsbarrière sound-barrier
geluidshinder noise pollution
geluimd in the mood for • goed ~, in a good temper
geluk happiness • (bof) fortune, (good) luck • op goed ~, on the off-chance, at random
gelukken succeed
gelukkig happy • (v. kans) lucky

• fortunate(ly), successful

geluktelegram greeting telegram

gelukwens congratulation

gelukwensen congratulate

gemaakt made • *fig* affected

gemachtigde deputy, proxy

gemak comfort, ease, convenience • *op zijn ~,* at ease

gemakkelijk easy

gemaskerd masked

gematigd moderate, temperate

gember ginger

gemeen (vals) dirty • (algemeen) common

gemeenschap community, society • communication

gemeenschappelijk *bn* common, joint • *bijw* in common, jointly

gemeente municipality • (kerk) parish

gemeentebestuur municipality

gemeentelijk municipal

gemeenteraad town council

gemeenzaam familiar

gemenebest commonwealth

gemengd mixed, miscellaneous

gemeubileerd furnished

gemiddeld average

gemis want, lack

gemoed mind, heart

gemoedelijk kind

gemotoriseerd motorized

genaamd named, called

genade grace, mercy

genadeloos merciless

genadeslag finishing stroke

genadig merciful, gracious

gene that, the former • *aan ~ zijde van,* beyond

geneesheer doctor, physician

geneeskrachtig medicinal

geneeskunde medicine

geneeskundig medical

geneesmiddel medicine

genegen inclined, disposed to

genegenheid inclination

geneigd inclined to

generaal general

generaliseren generalize

generatie generation

generen, zich feel embarrassed

Genève Geneva

genezen *ww* (patiënt) cure • (wond) heal • (beter worden v. persoon) recover • (v. wond) heal • *bn* cured, better

genezing cure, recovery, healing

geniaal of genius, briljant

genie [*de*] *mil* eigineering • [*het*] (begaafd persoon) genius

geniepig sneaky

genieten enjoy

genitaliën *mv* genitals *mv*

genius genius

genodigde guest

genoeg enough, sufficient(ly)

genoegdoening satisfaction

genoegen pleasure, delight • *het doet mij ~,* I am very glad to hear it

genoeglijk pleasant

genoegzaam sufficient

genoemd mentioned, said

genootschap society, corpora

genot enjoyment, delight

geoefend trained, expert

geografisch geographical

geoorloofd permitted

geopend open

gepast fit, proper, suitable • *~ geld* exact money • the exact sum • *met ~ betalen!* no change given • (in bus) exact fare

gepeins musing, pondering

gepensioneerd retired

gepeupel mob, rabble

gepraat talk

geraakt hit, touched • offended

geraamte skeleton • frame

geraas noise, clamour, din

geraffineerd refined

geraken come to, arrive

gerant manager

gerecht (court of) justice • tribunal • (eten) course, dish

gerechtelijk judicial, legal

gerechtigd authorized, qualified, entitled (to)

gerechtshof court of justice

gereed ready • *~ geld,* cash

gereedmaken make ready, prepare

gereedschap tools, utensils, instruments

gereformeerd Calvinist

geregeld regular, orderly

geremd inhibited

gereserveerd reserved • booked

gerief(e)lijk convenient, comfortable

gering slight • small • low

geringschatting disdain, disregard

gerinkel jingling

geritsel rustling

geroezemoes bustle

geronnen curdled, clotted

gerookt smoked

geroosterd roasted

geroutineerd expert

gerst barley

gerucht rumour, noise

geruim *~e tijd,* a long (considerable) time

gerust quiet, easy

geruststellen set at ease, reassure

gescheiden separated • divorced

geschenk present, gift

geschiedenis history

geschikt apt, fit, able, suitable, suited to, for

geschil difference, quarrel

geschoold trained, skilled

geschreeuw cries, shouts

geschrift writing

geschut artillery, guns

geselen whip, flog

geslaagd successful

geslacht generation, family • sex

geslachtsdelen *mv* genitals *mv*

geslachtsgemeenschap coition

geslachtsziekte venereal disease, sexually transmitted disease

geslepen sly, cunning • sharp

gesloten shut, closed • (mens) uncommunicative, close

gesorteerd assorted

gesp clasp

gespannen tight • tense

gespierd muscular, sinewy

gesprek conversation, talk • (tel) call • (tel) *in ~,* number engaged • *een ~ aanknopen* start a conversation

gespuis rabble, scum

gestadig continual, steady

gestalte figure, shape, stature, size

gesteente stone, rock

gestel constitution

gesteld (verondersteld) supposed • *~ op,* be fond of

gesteldheid nature • state, condition, situation

gestemd disposed

gesternte star(s), constellation

gesticht establishment • home

gestoffeerd furnished

gestolen stolen

gestommel noise

gestoord disturbed • *geestelijk ~,* mentally deranged

gestroomlijnd stream-lined

getailleerd waisted

getal number

getij tide

getikt nuts, daft

getiteld entitled

getrouw faithful, true, loyal • exact

getrouwd married

getuige witness • (huwelijk) best man

getuigen testify, witness

getuigenis evidence, testimony

getuigschrift certificate, testimonial • (servant's) character

geul channel, gully

geur smell, odour

geurig sweet-smelling, fragrant

gevaar danger, peril, risk • *~ lopen om,* run the risk of.. ing • *op het ~ af,* at the risk of

gevaarlijk dangerous, perilous

geval case, event • *in ieder ~,* in any case • *in geen ~,* on no account

gevangen imprisoned

gevangene prisoner, captive

gevangenis prison, jail

gevangennemen apprehend • capture

gevangenschap captivity, imprisonment

gevarendriehoek advance warning triangle (sign)

gevarieerd varied

gevat quick-witted, clever

gevecht fight, combat, action, battle

geveinsd feigned, simulated

gevel front, façade

geven give • present with • (kaartsp) deal

gever giver

gevestigd established

gevoel feeling, sentiment • (zin) feeling, touch

gevoelens *mv* sentiments *mv*

gevoelig sensitive

gevoelloos unfeeling, insensible, numb

gevogelte fowl, poultry

gevolg consequence • (personen) train, retinue • *ten ~e van,* in consequence of

gevolgtrekking conclusion

gevolmachtigde plenipotentiary • proxy

gevonden voorwerpen lost property

gevorderd advanced

gevreesd dreaded

gewaad garment, garb

gewaagd hazardous, risky

gewaarworden perceive

gewaarwording sensation • (vermogen) perception

gewapend armed • *~ beton,* reinforced concrete

gewas crop

geweer gun, rifle

gewei horns, antlers *mv*

geweld force, violence
gewelddadig violent
geweldig powerful, mighty • ~!, wonderful!, terrific!
gewelf vault, arched roof
gewend accustomed, used (to)
gewennen accustom (to)
gewenning habituation
gewenst wished for, desirable
gewest region, province
geweten conscience
gewetenloos unscrupulous
gewetensbezwaar scruple, conscientious objection
gewettigd justified
gewezen late, former
gewicht weight • *fig* importance • *soortelijk ~*, specific gravity
gewichtig weighty • important
gewijd consecrated, sacred
gewild (in trek) much sought after, popular • (gekunsteld) affected
gewillig willing
gewis certain, sure
gewoel stir, bustle
gewond injured • wounded
gewonde injured person • wounded person
gewoon usual • common, ordinary, plain, normal
gewoonlijk usually, as a rule
gewoonte custom • habit
gewricht joint, articulation
gezag authority, power
gezagvoerder captain
gezamenlijk joint • *bijw* jointly, together
gezang song • (kerk) hymn
gezant minister
gezantschap embassy, legation

gezegde saying, expression
gezellig (persoon) sociable • (huis) homely • cosy
gezelschap company, society
gezelschapsspel round game
gezet corpulent, stout
gezeten well-to-do
gezeur complaining
gezicht (ogen) sight, look • (gelaat) face • (zicht) view, sight
gezichtsvermogen eye sight
gezien esteemed
gezin family
gezind disposed, inclined
gezindheid inclination • persuasion
gezindte sect
gezinshoofd head of the family
gezinshulp home help
gezinsverzorgster (trained) mother's help
gezocht (artikel) in demand, sought after • (argument) farfetched • (niet-natuurlijk) studied
gezond healthy, sound • (voedsel) wholesome
gezondheid health • *op uw ~* here's to you! cheers!
gezwel tumour • swelling
gezwollen swollen • bombastic
gids (persoon) guide • (boekje) handbook
giechelen giggle
gier vulture
gieren scream • (v. wind) whistle
gierig miserly, avaricious, stingy
gierigaard miser, niggard
gierigheid avarice
gieten pour, (ijzer) cast

gieter watering-can
gietijzer cast iron
gif poison
gift gift • present • donation
giftig poisonous, venomous
gijzelaar hostage
gil shriek, yell
gilde guild, corporation
gillen yell, shriek
ginder (over) there
ginds yonder
gips plaster (of Paris)
giraf(fe) giraffe
gireren transfer
giro clearing • giro
girobetaalkaart Giro cheque
giropas Giro cheque guarantee card
girorekening transfer account, giro account
gissen guess, conjecture
gist yeast
gisten ferment, work
gisteren yesterday • ~avond, last night, yesterday evening • ~morgen, yesterday morning
gitaar guitar
glaasje small glass
glad smooth, polished • (straat) slippery • fig cunning
gladgeschoren clean-shaven
gladheid smoothness • slipperiness
glans (haar) gloss • (schoen) shine • fig splendour, brilliancy, glory, glamour
glas glass
glasblazerij glass-works
glashard hard as nails
glashelder crystal clear
glazen of glass

glazenwasser window-cleaner
glazig glassy
glazuur glaze, enamel
gletsjer glacier
gleuf groove, slot
glibberig slippery
glijbaan slide
glijden glide, slide, slip
glimlach smile
glimlachen smile
glimmen glimmer, glow, shine
glinsteren glitter, sparkle
globaal rough
gloed blaze, glow • fig ardour, fervour
gloednieuw brand-new
gloeien glow, be red-hot
gloeilamp glow-lamp, bulb
glooiing slope
glorie glory, splendour
gluiperig sneaky
glunderen beam
gluren peep, leer
goal goal
God God
goddelijk divine • heavenly
goddeloos impious, ungodly, unholy
godheid deity
godin goddess
godsdienst religion
godsdienstig religious
godsdienstoefening divine service
godslastering blasphemy
godvruchtig pious, devout
goed (waar) goods • (kleren) clothes, things • (landgoed) estate • bn good • (goedhartig) kind • wees zo ~, be kind enough • ~ zo, well done! • zo

~ *als*, all but, practically
goedemiddag good afternoon
goedemorgen good morning
goedenacht good night
goedenavond (bij aankomst) good evening • (bij vertrek) good night
goedendag (bij afscheid) goodbye • (begroeting) good day
goederen (bezittingen) goods, property • (koopwaar) merchandise
goederentrein goods train
goedhartig kind-hearted
goedheid goodness
goedig good-natured
goedkeuren approve (of)
goedkeuring approval
goedkoop cheap
goedmaken repair • *fig* make (it) up
goedpraten gloss over
goedschiks willingly
goedsmoeds of good cheer
goedvinden approval
gokautomaat fruitmachine
gokken gamble
golf [*de*] wave, billow • (inham) bay, gulf • (spel) golf • *Golf van Biskaje*, Bay of Biscay
golfen play golf
golflengte wave-length
golfslag dash of the waves
golfterrein golf-links *mv*
golvend waving, undulating
gom gum
gonzen hum, buzz
goochelaar juggler, conjurer
goochelen show tricks
gooien cast, throw, fling

goor dingy, nasty
goot gutter, drain, gully
gootsteen sink
gordel girdle, belt
gordelroos shingles
gordijn curtain • *ijzeren* ~ iron curtain
gorgelen gargle
gort groats, barley
goud gold
gouden gold(en)
goudenregen laburnum
goudmijn gold-mine
goudsmid goldsmith
goudvis gold-fish
gouvernante governess
graad degree, rank, grade
graaf earl • (buiten Engeland) count
graafschap county, shire
graag *bn* eager • *bijw* gladly • willingly • *hij doet het* ~, he likes to do it • ~*!* yes, please • thank you
graan grain, corn
graat fish-bone, bone
grabbelen scramble for
gracht canal, ditch, moat
gracieus graceful
graf grave, tomb, sepulchre
grafkelder vault
grafschrift epitaph
grafsteen tombstone
gram gramme
grammatica grammar
grammofoon gramophone
grammofoonplaat (gramophone) record
granaat *mil* shell, (hand-) grenade
graniet granite

grap joke
grapefruit grapefruit
grappenmaker joker, buffoon
grappig funny, facetious, comic
gras grass
grasperk lawn, plot of grass
gratie pardon, grace
gratis gratis, free (of charge)
grauw grey
graven dig
graveren engrave, carve
gravin countess
gravure engraving
grazen graze
greep grip, clutch, handle
greintje particle, atom
grendel bolt
grendelen bolt
grens frontier, border • limit
grensgeval borderline case
grenspaal boundary-post, landmark
grensplaats border town
grenzeloos boundless, unlimited
grenzen border (on) • verge (on), confine
greppel ditch, trench
gretig avid, eager, greedy
grief grievance
Grieks Greek, Grecian
griep influenza • flue
grieperig ill with flu
griesmeel semolina
grieven grieve, offend
griezelen shiver, shudder
griezelig gruesome, creepy
grif readily, promptly
griffier clerk (of the court), secretary, recorder
grijns grin, grimace
grijnzen grin

grijpen catch, lay hold of, grasp
grijs grey
grijsaard old man
gril caprice, whim, fancy
grillig capricious, whimsical
grimas grimace
grimeren make up
grimmig grim
grind gravel
grindweg gravel-road
groef groove, furrow
groei growth
groeien grow
groen bn green • ~e kaart green card • [de] (stud.) freshman
groente vegetables
groenteboer greengrocer
groenteman greengrocer
groentesoep vegetable soup
groentewinkel greengrocer's shop
groep group
groepering grouping
groet greeting, salutation, salute
groeten ww greet, salute • mv regards
grof coarse, rough
grommen grumble, growl
grond land • ground, earth, soil • bottom • fig reason, cause
grondbeginsel principle
grondgebied territory
grondig thorough, profound
grondlegger founder
grondpersoneel luchtv ground staff
grondslag foundation
grondstof raw material
grondverf primer
grondvesten found
grondwet constitution

grondwettig constitutional
grondzeil ground sheet
groot big, large, great, tall, high • *in 't* ~, wholesale
Groot-Brittannië Great Britain
grootgrondbezitter large landowner
grootheidswaanzin megalomania
grootmoeder grandmother
grootmoedig magnanimous
grootouders *mv* grand-parents
groots grand, grandiose, majestic • (trots) proud
grootspraak boast(ing)
grootste biggest • largest
grootte largeness, bigness • greatness • size, magnitude
grootvader grandfather
gros gross • *fig* main body
grossier wholesale dealer
grot grotto, cave
grotendeels greatly
gruis grit • coal-dust
gruweldaad atrocity
gruwelijk abominable, horrible
GSM mobile phone
guit rogue
gul generous, liberal • (hartelijk) cordial, open-hearted
gulden (vroegere munt) guilder
gulp zip, fly
gulzig greedy, gluttonous
gulzigaard glutton
gummi (india-)rubber
gunnen grant • not envy
gunst favour • *te mijnen* ~*e*, in my favour
gunstig favourable, propitious
guur bleak, raw
gymnasium grammarschool

gymnastiek gymnastics
gympen *Br* trainers • *Amer* sneakers
gynaecoloog gynaecologist

H

Haag *Den* ~, The Hague
haag hedge
haai shark
haak hook
haakje (leesteken) bracket, parenthesis • *tussen twee* ~*s*, by the way
haakpen crochet-needle
haaks slanting
haakwerk crochet-work
haal stroke
haan cock • ~*tje de voorste* the cock of the walk
haar *vnw* her • hair
haarborstel hairbrush
haard hearth
haardroger hair-drier
haarkloverij hair-splitting
haarlak hair spray
haarnetje hair-net
haarspeld hairpin
haarspeldbocht hairpin turn
haarstuk hairpiece, toupee
haarversteviger setting lotion
haas (dier) hare • (vlees) fillet, tenderloin
haasje-over leap-frog
haast (spoed) haste, speed, hurry • *bijw* (bijna) almost, nearly
haasten (zich) hasten, make haste, hurry up

haastig hasty, hurried
haat hatred
haatdragend resentful, rancorous
hachee hash
hachelijk precarious, perilous
hagedis lizard
hagel hail • (om te schieten) small shot
hagelbui hailstorm
hagelen hail
hak heel
haken hook • (handwerk) do crochet-work
hakkelen stammer, stutter
hakken chop, hew, hash, mince
hal hall • (hotel) lounge
halen fetch, get • draw • pull • (trein) catch
half half • ~ acht, half past seven
halfbloed half-caste
halfgaar half-done
halfpension half board
halfrond hemisphere
halfstok at half-mast
halfvol half-and-half
halfweg half-way
hallo! hello!
halm stalk, blade
hals neck, throat • (sul) simpleton • ~ over kop, head over heels
halsband collar
halsslagader carotid (artery)
halsstarrig headstron, obstinate
halswervel cervical vertebra
halt halt • ~ houden, halt
halte stop
halvemaan half-moon, crescent
halveren halve
halverwege half-way
ham ham

hamburger hamburger
hamer hammer
hamster hamster
hamsteren hoard
hand hand • de ~ geven, shake hands with • van de ~ doen, dispose of • wat is er aan de hand?, what is up?
handbagage hand luggage
handbal handball
handboek manual
handdoek towel
handdoekenrek towel-rack
handdruk handshake
handel trade, commerce • zwarte ~, black market • (kruk) handle
handelaar merchant, dealer, trader
handelbaar tractable, manageable
handelen act, do • ~ in, trade, deal (in)
handeling action, act • ~en, proceedings • H~en der Apostelen, Acts of the Apostles
handels- commercial
handelsbalans balance of trade
handelscorrespondentie commercial correspondence
handelsmerk trade mark
handelsreiziger commercial traveller, salesman
handelsverkeer commerce, trade
handelwijze proceeding, method
handenarbeid manual labour
handgebaar gesture
handgeklap applause
handgeld earnest-money, handsel
handgemaakt hand-made
handgemeen worden come to

blows
handgranaat (hand-)grenade
handhaven maintain
handicap handicap
handig handy, skilful
handigheid skill, adroitness
handkar barrow, hand-cart
handlanger helper • accomplice
handleiding manual, guide
handrem hand brake
handschoen glove
handschrift handwriting
• manuscript
handtas hand-bag
handtastelijk : ~ *worden* use
violence, paw, become
intimate
handtekening signature
handvat handle
handvol handful
handwerk trade, handicraft
• (naaien) needlework
handwerksman artisan
handwijzer hand-post, sign-post
handzaam handy
hangen hang
hanger hanger
hangerig listless
hangkast hanging wardrobe
hangmat hammock
hangslot padlock
hanswost Punch, buffoon
hanteren handle
hap bit(e), morsel
haperen not function properly
hapering (bij het spreken)
hesitation • (storing) hitch
hapje bite, snack
happen snap, bite
happig ~ *op*, keen upon
hard hard • (snel) fast • (woorden)

harsh • (stem) loud
harddraverij trotting-race
harddrug hard drug
harden harden
harde schijf hard disk
hardgekookt hard-boiled
hardhandig hard-handed, rough,
rude
hardheid hardness, harshness
hardhorend hard of hearing
hardlijvig constipated
hardnekkig obstinate, stubborn
hardop aloud
hardvochtig hard-hearted
harig hairy
haring (vis) herring • (voor tent)
tent peg
hark rake
harken rake
harlekijn harlequin, buffoon
harmonica harmonica
harnas cuirass, armour
harp harp
hars resin
hart heart
hartaanval heart attack
hartelijk hearty • cordial
harten hearts
hartenaas ace of hearts
hartgrondig wholehearted
hartig salt, hearty
hartinfarct cardiac infarct
hartkloppingen palpitations of
the heart
hartkwaal heart condition
hartpatiënt cardiac patient
hartroerend pathetic, moving
hartslag heart-beat
hartstocht passion
hartstochtelijk passionate
hartverlamming heart failure

hartverscheurend heart-rending
hasj hashish
hatelijk hateful, odious
haten hate, detest
hausse rise
haveloos ragged, shabby
haven port, harbour
havenen damage
havenhoofd pier, mole
haver oats *mv*
havermout rolled oats • oatmeal porridge
havik hawk
hazelnoot hazelnut, filbert
hazenpeper jugged hare
hazewind greyhound
hebben have (got)
hebzucht greed, covetousness
hebzuchtig greedy, covetous
hecht solid, firm, strong
hechten fasten, attach
hechtenis custody, confinement • *in ~ nemen*, arrest
hechtpleister sticking-plaster
hectare hectare
heden *bijw* to-day, this day • the present
hedenavond this evening
hedendaags present, modern
heel (geheel) whole, entire • (erg) very • *~ wat*, a good deal(of)
heelal universe
heelhuids unscathed
heen away • *~ en terug*, there and back • *~ en weer*, to and fro
heen-en-weer back-and-forth
heengaan go away, leave
heenreis outward journey
heer lord, gentleman, master • (kaartsp) king

heerlijk delicious
heerlijkheid (pracht) magnificence, glory • (landgoed) manor
heerschappij dominion, rule
heersen rule, reign
heerszuchtig dictatorial
hees hoarse
heester shrub
heet hot
heethoofd hothead
hefboom lever
heffen raise, lift • (belasting) levy
heffing raising • levying
hefschroefvliegtuig helicopter
heft handle, haft
heftig vehement
heg hedge
heide (landschap) heath, moor • (plant) heather
heiden heathen, pagan
heidens heathen, pagan
heien ram
heiig hazy
heil welfare • *rel* salvation • *veel ~ en zegen!*, a happy New Year
Heiland Saviour
heilig holy, sacred
heiligdom sanctuary
heilige saint
heiligheid holiness, sanctity
heiligschennis sacrilege
heilwens felicitation
heilzaam (geneeskrachtig) curative, healing • (weldadig) beneficial
heimelijk secret, clandestine
heimwee home-sickness
heinde en ver far and near
hek fence, railing, gate
hekel dislike • *een ~ hebben aan,*

dislike, hate
hekelen criticize
heks witch • *fig* vixen
hel *[de]* hell • *bn* bright, glaring
helaas! alas!, unfortunately held
hero
held hero
heldendaad heroic deed
heldenmoed heroism
helder clear, bright • (rein) clean
helderziend clear-sighted
• (medium) clairvoyant
heldhaftig heroic
heldin heroine
heleboel many, a lot
helemaal wholly, totally, entirely,
quite
helen (beter maken) heal, cure
• (beter worden) heal
• (gestolen goed) receive
helft half
helikopter helicopter
hellen incline, slant, slope
helling slope
helm (hoofddeksel) helmet
• (gras) bentgrass
help! help (me)!
helpen help, assist, aid, be of use
• *wij kunnen het niet ~*, it is not
our fault
hels hellish, infernal
hem him
hemd (overhemd) shirt
• (ondergoed) vest
hemel sky • (godsd.) heaven
• (troon) canopy
hemellichaam heavenly body
hemels divine
Hemelvaartsdag Ascension-day
hen *[de]* (kip) hen • *vnw* them
hengel fishing-rod

hengelen angle
hengelsport angling
hengsel hinge, handle
hengst stallion
hennep hemp
herademen breathe again
herberg inn, pub(lic house)
herdenken commemorate
herdenking commemoration
herder shepherd
herdershond sheep-dog
herdruk reprint
herenboer gentleman-farmer
herenigen reunite
herenkleding men's wear
herentoilet gents
herexamen re-examination
herfst autumn
herfstdraden *mv* gossamer
herhaaldelijk again and again,
repeatedly
herhalen repeat
herhaling repetition
herinneren *zich ~*, remember,
recollect • *iem. ~ aan*, remind
one (of)
herinnering memory,
remembrance, recollection
herkauwer ruminant
herkennen know again,
recognize
herkenningsmelodie signature
tune
herkiezen re-elect
herkomst origin
herleiden reduce
herleiding reduction
herleven revival
herleving revival
hermelijn ermine
hermetisch hermetic

hernia slipped disc
hernieuwen renew
hernieuwing renewal
heroïne heroin
heroveren reconquer, recapture
herrie noise
herroepen recall, revoke
herscheppen regenerate, transform
hersenen *mv* brain(s)
hersenschudding concussion
hersenvliesontsteking meningitis
herstel repair • (zieke) recovery
herstellen mend, repair • (fout) correct • (schade) make good • (zieke) recover
herstelling repairing, recovery
herstellingsoord sanatorium
herstructurering restructuring
hert deer, stag
hertog duke
hertogdom duchy
hertogin duchess
hertrouwen marry again, remarry
hervatten resume
hervormd reformed
hervorming reform • (kerk) reformation
herwaarts hither, this way
herzien revise
herziening revision het the, it, he, she heten
het the • it
heten name, call • be named, be called • *ik heet...* my name is ... • *hoe heet je/u?* what's your name? • *hoe heet het?* what's it called?
heterdaad *op ~,* red-handed

hetgeen what, which
hetzelfde the same
hetzij either... or • whether... or
heuglijk joyful • memorable
heulen be in league with
heup hip • (v. dier) haunch
heus *bn* courteous, kind • *bijw* really
heuvel hill
heuvelachtig hilly
hevel siphon
hevig vehement, violent
hevigheid vehemence
hiaat hiatus • gap
hiel heel • *iem. op de ~en zitten,* be close upon one's heels
hier here • *~ en daar,* here and there
hierbij enclosed, hereby
hierdoor by this
hierheen hither • this way
hiermede herewith, with this
hierna after this
hiernaast next door
hiernamaals hereafter
hierop upon this, hereupon
hiervan of that, about this
hij he
hijgen pant, gasp
hijsen hoist
hik hiccup, hiccough
hikken hiccup, hiccough
hinde hind, doe
hinder nuisance, trouble
hinderen hinder, impede, inconvenience, trouble
hinderlaag ambush
hinderlijk annoying, troublesome
hindernis obstacle, hindrance
hinderpaal obstacle

hinkelen (kinderspel) hop
hinken limp
hinniken neigh, whinny
historie history
historisch historic
hitte heat
hittegolf heat wave
hobbel bump
hobbelig rugged, uneven
hobbelpaard rocking-horse
hobby hobby
hockey hockey • *(Amer)* field hockey
hoe how • ~ *eerder* ~ *liever*, the sooner the better • ~ *langer* ~ *erger*, worse and worse • ~ *langer* ~ *meer*, more and more
hoed hat
hoedanigheid quality, capacity
hoede guard, care • *op zijn* ~, on one's guard
hoef hoof
hoefijzer horseshoe
hoek corner
hoekplaats corner-seat
hoektand eye-tooth
hoen hen
hoepel hoop
hoer whore
hoera hurray
hoes cover, dust sheet
hoeslaken fitted sheet
hoest cough
hoestdrank cough mixture
hoesten cough
hoeve farm
hoeveel how much/many
hoeveelheid quantity
hoeven need
hoewel although
hof [*de*] (tuin) garden • [*het*] (v.

vorst) court
hoffelijk courteous
hofhouding court
hofmeester steward
Hogerhuis House of Lords
hogeschool university
hogesnelheidstrein high-speed train
hok (hond) kennel • (varken) sty • (kolen) shed • (kamer) hole, den
hol cave • (dier) hole, den • *bn* hollow, empty
Holland Holland, the Netherlands
Hollander Dutchman • *de* ~*s*, the Dutch
Hollands Dutch
Hollandse Dutchwoman
hollen run
holletje *op een* ~, at a scamper
holte cavity • (hand) hollow
hom milt, soft roe
hommel drone, bumble-bee
homo gay
homoseksueel homosexual, gay
homp lump • (brood) chunk
hond dog
hondenhok (dog-)kennel
hondenweer beastly weather
honderd hundred
honderdste hundredth
honderdtal a (one) hundred
honds doggish • brutal
hondsdolheid rabies
honen jeer at, insult
Hongaar(s) Hungarian
Hongarije Hungary
honger hunger • ~ *hebben*, be hungry
hongerig hungry

hongersnood famine
honing honey
honingraat honeycomb
honkbal baseball
honorarium fee
honoreren pay • honour
hoofd head • chief, leader
• (school) headmaster • (artikel)
heading
hoofd- principal, main
hoofdarbeider brainworker
hoofdartikel leading-article,
leader
hoofdbureau head-office • police
office
hoofddeksel head-gear
hoofddoek scarf
hoofdeinde head
hoofdfilm feature, (main) film
hoofdgerecht main course
hoofdkussen pillow
hoofdkwartier headquarters *mv*
hoofdletter capital
hoofdpersoon principal person
hoofdpijn headache
hoofdpostkantoor main post
office
hoofdredacteur editor-in-chief
hoofdrol leading part
hoofdstad capital
hoofdstuk chapter
hoofdzakelijk principally,
chiefly, mainly
hoofdzaak main point
hoofdverkeersweg mainroad,
arterial road
hoofdweg major road
hoofdzuster head-nurse
hoofs courtly, court
hoog high • tall, lofty • exalted
hoogachtend yours faithfully

hoogachting respect, esteem
hoogconjunctuur boom
hoogdravend high-flown,
pompous
hooggeacht ~e *heer*, Dear Sir
hooghartig proud, haughty
hoogheid highness
Hooglander Highlander
hoogleraar professor
hoogmis high mass
hoogmoed pride
hoogoven blast-furnace
hoogseizoen high season
hoogspanning high tension
hoogstaand superior
hoogstens at (the) most
hoogte height • elevation, hill
• altitude • *op de* ~ *zijn*, be well
informed
hoogtepunt culminating point
hoogtevrees vertigo
hoogtezon sunlamp
hoogvlakte plateau, tableland
hooi hay
hooiberg haystack
hooien make hay
hooikoorts hayfever
hoon insult, taunt
hoop (stapel) heap, pile • (massa)
crowd, multitude
• (verwachting) hope
hoopvol hopeful
hoorbaar audible,
hoorn horn • bugle
hoorspel radio play
hopeloos hopeless
hopen hope (op, for)
horde *sp* hurdle • (troep) horde,
troop, band
horeca hotel and catering
industry

horen *ww* hear • *zn* zie *hoorn*
horizon horizon
horizontaal horizontal
horloge watch
horlogebandje watch-strap
horzel horse fly
hospita landlady
hospitaal hospital, infirmary
hossen jig
hostie host
hotel hotel
hotelier hotel-keeper
houdbaar tenable • ~ *zijn* (be) non-perishable
houden hold • keep • ~ *van*, (iets) like, (iem.) love
houding bearing, carriage, posture, attitude
housen house dance
houseparty house party
hout wood • timber
houten wooden
houthakker wood-cutter
houtskool charcoal
houtsnede woodcut
houtvester forester
houvast hand hold • *fig* hold
houw cut, gash
houweel pickaxe
houwen hew
hozen scoop
huichelaar hypocrite
huichelachtig hypocritical
huichelen dissemble • feign
huid skin • hide
huidarts dermatologist
huidig present, modern • current
huig uvula
huilen (dier) howl, whine • (mens) cry, weep
huis house • home • *naar* ~,

home
huisarts general practitioner
huisbaas landlord
huisbewaarder care-taker
huisdier pet
huisdokter zie *huisarts*
huiselijk domestic, homely
huisgenoot housemate
huisgezin family
huishoudelijk economical • domestic
huishouden household
huishoudgeld housekeeping money.
huishoudster housekeeper
huishuur house-rent
huiskamer sitting-room, living-room
huisknecht man-servant • (hotel) boots
huisraad furniture
huissleutel latchkey
huisvesting lodging, accommodation
huisvrouw housewife
huiswaarts homeward
huiswerk home tasks
huiszoeking house search
huiveren shiver • (vrees) shudder
huiverig shivery • *fig* shy
huivering shiver(s), shudder
huiveringwekkend horrible
huizen house, live
hulde homage, tribute
huldigen do (pay) homage to
hullen wrap (up)
hulp aid, help, assistance • *eerste* ~, first-aid
hulpbehoevend needy, infirm
hulpbron resource
hulpeloos helpless

hulpmiddel expedient, makeshift
hulpvaardig helpful
hulpwerkwoord auxiliary verb
huls pod • cartridge-case
hulst holly
humeur humour, mood
humeurig moody
humor humour
hun *bez vnw* their, *pers vnw* them
hunkeren hanker after
huppelen hop, skip
hups nice, kind
huren rent • hire
hurken squat (down)
hut hut • cottage • *scheepv* cabin
hutkoffer cabin-trunk
huur rent, hire • lease • *te ~,* to let
huurauto rental car
huurder hirer, tenant
huurhuis rented house
huurkoop hire-purchase (system)
huurprijs rent
huwelijk marriage
huwelijksaanzoek proposal
huwelijksreis wedding-trip, honeymoon
huwelijksvoorwaarden *mv* marriage contract
huwen marry, wed
huzaar hussar
hyacint hyacinth
hygiëne hygiene
hygiënisch hygienic
hyperventilatie hyperventilation
hypotheek mortgage
hypotheekbank mortgage bank

I

ideaal ideal
idee idea, notion
idem the same, ditto, do
identificatie identification
identificeren identify
identiteitsbewijs identity paper
idioot *bn* idiot • *bijw* idiotic
idylle idyl
ieder (een ieder) each one • (elke) each • every
iedereen everybody, everyone
iemand somebody, any body • someone
iep elm(tree)
Ier Irishman
Ierland Ireland
Iers Irish
iets something, anything
ijdel vain
ijdelheid vanity
ijken gauge
ijl thin, rare
ijlen basten, hurry on • (in koorts) rave, wander
ijlings hastily
ijs ice • (consumptie~) ice-cream
ijsbaan skating-rink
ijsbeer polar bear
ijsblokje ice-cube
ijsco ice-cream
ijscoman ice-cream vendor
ijselijk horrible, frightful
ijsje ice-cream, ice
ijskast refrigerator
ijskegel icicle
ijskoud cold as ice, icy
ijslolly ice lolly

ijspegel icicle
ijssalon ice-cream bar
ijsschots floe
ijver zeal, diligence, ardour
ijverig diligent
ijzel black ice
ijzen shudder, shiver
ijzer iron
ijzerdraad iron wire
ijzeren iron
ijzergieterij iron-foundry
ijzerwaren *mv* hardware
ijzig icy • gruesome
ik I
illegaal illegal, clandestine
illegaliteit resistance movement
illusie illusion
illustratie illustration
illustreren illustrate
imitatie imitation
immers for
immuun immune
imperiaal roof-rack
imponeren impress
import import
importeren import
importeur importer
in (binnen) in • inside • (naar
binnen) into
inademen breathe, inhale
inbeelding imagination
• selfconceit
inbegrepen included
inbinden bind • *fig* climb down
inblazing instigation • suggestion
inboedel furniture
inboezemen inspire
inboorling native
inborst character, nature
inbraak burglary
inbreker burglar

inbreuk infraction • ~ *maken*,
encroach upon
incasseren cash, collect
incassobureau collection agency
incheckbalie check-in desk
inchecken check in
incident incident
inclusief including
inconsequent inconsistent
indachtig mindful of
indelen divide, group, class
• incorporate in
indeling division, classification
inderdaad indeed
indertijd at the time
indexcijfer index figure
indiaan (Red) Indian
indien if, in case
indienen present • bring in
individu individual
individueel individual
indoctrinatie indoctrination
Indonesië Indonesia
indopen dip in(to)
indringen penetrate into
indringer intruder
indringerig intrusive
indruk impression
indrukwekkend impressive
industrialiseren industrialize
industrie industry
industrieel [*de*] manufacturer • *bn*
industrial
ineens all at once, suddenly
ineenstorting collapse
ineenzakken collapse
inenten vaccinate
inenting vaccination
inentingsbewijs vaccination
certificate
infanterie infantry, foot

infecteren infect
infectie infection
inflatie inflation
influenza influenza, flu
informatie information
informatiebureau inquiry-office
informeren inquire
ingaan enter, go into
ingang entrance • *met ~ van*, as from, with effect from
ingelegd (vloer) inlaid • (zuur) preserved, pickled
ingenaaid paper bound
ingenieur engineer
ingesloten enclosed • included
ingetogen modest
ingeval in case
ingeving prompting, suggestion, inspiration
ingevolge pursuant to
ingewanden *mv* bowels, entrails, intestines
ingewijde initiate, insider
ingewikkeld intricate, complicated
ingeworteld inveterate
ingezetene inhabitant
ingrediënt ingredient
ingrijpen intervene, encroach (upon)
ingrijpend radical
inhaalverbod overtaking prohibition
inhalen take in, haul in • (oogst) gather in • (verkeer) overtake • (tijd) make up for
inhaleren inhale
inhalig greedy, covetous
inham creek, bay
inhechtenisneming arrest
inheems native, indigenous

• home-bred
inhoud contents
inhouden contain • hold, keep back
initiatief initiative
injectie injection
injectiespuit (injection) syringe
inkijken look into
inklaren clear
inkomen income • *ww* enter
inkomsten revenu
inkomstenbelasting income tax
inkoop purchase • *inkopen doen* shop
inkoopsprijs cost price
inkopen buy, purchase
inkt ink • *Oost-Indische ~*, Indian ink
inktkoker inkstand
inktvis octopus
inktvlek ink-blot, ink-stain
inkwartieren billet, quarter
inladen load • put on board
inlander native
inlands native, home-, home-made • home-bred
inlassen insert, intercalate
inleg stake, deposit
inleggen put in
inlegkruisje panty liner
inleiding introduction
inleveren deliver up, send in
inlichten inform
inlichting information • *~en geven*, inform • *~en inwinnen*, make inquiries • *~en vragen* make inquiries
inlichtingenbureau inquiry-office
inlijsten frame
inlijving incorporation
inlopen enter • *schoenen ~*, break

in shoes
inlossen redeem
inmaak preservation • preserves
inmaken preserve
inmenging meddling, interference • intervention
inmiddels in the meantime, meanwhile
innemen take (in) • (medicijn) take • *fig* captivate, charm
innemend taking, winning
innen collect, cash
innerlijk inward, internal
innig tender, fervent
inpakken pack (up), wrap up
inpolderen reclaim
inprenten imprint, impress
inramen (dia's) mount
inrichten arrange • (huis) fit up • furnish • (winkel) fit
inrichting arrangement, layout • (huis) furniture • (gebouw) establishment
inrijden (auto) run in
inroepen invoke
inruilen exchange (for)
inschakelen throw into gear • *rtv* switch on • *fig* include (in), introduce (into)
inschenken pour out
inschepen embark, ship
inscheping embarkation
inschikkelijk obliging, compliant, accommodating
inschrijfgeld registration fee
inschrijven inscribe, book • enroll, enter
inschrijving subscription • enrollment • entry
insect insect
insectenpoeder insect powder

insgelijks likewise • ~!, the same to you!
insigne badge
inslaan (paal) drive in • (ruit) smash • (opdoen) lay in • (weg) take
inslapen fall asleep
inslikken swallow (down)
insluiten lock in • (brief) enclose
insmeren grease, smear
insnijding incision
inspannen *zich* ~, exert oneself, do one's utmost
inspanning exertion
inspecteren inspect
inspecteur inspector
inspectie inspection
inspraak participation
inspuiting injection
instaan voor answer for, guarantee, vouch tor
installeren install
instandhouding maintenance, preservation
instantie instance, resort
instapkaart boarding card
instappen get in, get on, take seats
instellen institute • make (inquiries to) • establish
instelling institution
instemmen agree (with)
instemming approval
instituut institute
instorten pour in (into) • fall down • collapse • (zieken) relapse
instorting collapse, relapse
instructie instruction
instrument instrument
instrumentenbord dash-board

integendeel on the contrary
integer honest, upright
intekenen (op) subscribe (to)
intellectueel intellectual
intelligent intelligent
intercity express (train)
interessant interesting
interest interest • *samengestelde ~*, compound interest
interlokaal gesprek trunk call
intern internal
internationaal international
internet Internet
internetcafé cyber café
internetten surf (on) the Net
internist specialist in internal medicine
interview interview
intiem intimate
intocht entry
intrede entrance • beginning
intrek *zijn ~ nemen in*, put up at
intrekken draw in • (*order enz.*) cancel • withdraw • (*in huis*) move in
intrigant intriguer
intrige intrigue • plot
introducé visiting member
introduceren introduce, present
intussen meanwhile, in the meantime
inval (*v. vijand*) invasion • (*politie*) raid • *fig* fancy, brainwave
invalide *bn* invalid • [*de*] disabled person
invalidenwagentje wheel chair
invallen fall • tumble down • (*kou*) set in • *mil* invade
invasie invasion
inventaris inventory
investering investment

invitatie invitation
invloed influence
invloedrijk influential
invoegen insert
invoer importation, import
invoeren import • *fig* introduce
invoerhandel import trade
invoerrechten *mv* import duty
invoervergunning import licence
invorderen collect
invulformulier (blank) form
invullen fill in
inwendig internal
inwerking action, influence
inwijden inaugurate
inwijding consecration, initiation, inauguration
inwilligen grant
inwinnen (*inlichting*) gather • (*raad*) take
inwisselen change • exchange for
inwonend resident
inwoner inhabitant, lodger, resident
inwrijven rub (in)
inzage inspection • *ter ~*, on approval • open to inspection
inzakken collapse
inzamelen gather, collect
inzegenen bless, consecrate
inzenden send in, forward • *ingezonden stuk*, letter to the editor
inzepen lather
inzet first bid • stake(s)
inzicht insight, view
inzien look into, feel, consider • *mijns ~s*, in my opinion
inzittende occupant

inzonderheid especially
ironie irony
ironisch ironical
islam Islam
isolatieband insulating tape
isoleren isolate • *elektr* insulate
Israëliet Israelite
Israëlisch Israeli
Italiaan Italian
Italiaans Italian
Italië Italy
ivoor, ivoren ivory

J

ja yes
jaar year
jaarbeurs industries fair
jaargang file, volume
jaargetij(de) season
jaargetijde season
jaarlijks yearly, annual(ly)
jaartal year, date
jaartelling era
jaarverslag annual report
jacht [de] (het jagen) hunting, shooting • [het] (schip) yacht
jachtakte shooting-licence
jachthaven marina
jachtterrein hunting-ground
jack jacket
jacketkroon jacket crown
jagen hunt, chase • (haasten) race, rush
jager hunter • *luchtv* fighter
jaloers jealous
jaloezie jealousy • (zonneblind) window-blind, Venetian blind

jam jam
jammer misery • *het is ~*, it is a pity
jammeren lament, wail
jammerlijk miserable, piteous
janken yelp, whine
januari January
Japanner Japanese, Jap
Japans Japanese
japon dress, gown
jarig *ik ben ~*, it is my birthday
jarretel suspender
jas coat
Javaan(s) Javanese
jawel yes • indeed
je (jij) you • (jouw) your
jegens towards, to
jenever jenever
jengelen whine
jeugd youth
jeugdherberg youth hostel
jeugdig youthful, juvenile
jeuk itching
jeuken itch
jicht gout
jij you
jodin Jewess
jodium iodine
jodiumtinctuur tincture of iodine
Joegoslavië Yugoslavia
joggen jog
jokken fib, teil fibs (stories) • lie, teil lies
jol yawl, dinghy
jolig jolly, merry
jong [het] young one • cub • *bn* young
jongeman young man
jongen boy
jongeren young people
jongst youngest, latest

jongstleden last
jood Jew
joods Jewish, Judaic
jou you
journaal news
journalist journalist
jouw your
jubelen jubilate
jubilaris person celebrating his jubilee
jubileum jubilee
juchtleer Russia leather
judo judo
juf miss
juffrouw miss
juichen shout, exult
juist just, exact, correct
juk yoke, cross-beam
juli July
jullie *pers vnw* you • *bez vnw* your
juni June
junkie junkie
juridische hulp legal aid
jurist barrister, lawyer
jurk dress
jury jury
jus gravy
jus d'orange orange juice
juskom gravy-boat
justitie justice
juweel jewel, gem
juwelier jeweller

K

kaak jaw
kaal bald, bare, naked • (kleren) threadbare • *fig* shabby
kaap cape, headland
kaars candle
kaart card • (land-) map • (plattegrond) plan • (entree-) ticket • (ansicht-) postcard
kaarten play at cards
kaartje (visite-)card • (toegangs-) ticket
kaartsysteem card index
kaarttelefoon card telephone
kaas cheese
kaasmarkt cheese-market
kaatsen play at fives
kabaal din, row
kabbelen ripple, babble
kabel cable
kabelbaan telpher • cable railway
kabeljauw cod(fish)
kabinet cabinet • (regering) cabinet, government
kabouter elf, gnome
kachel stove
kade quay
kader cadre, frame
kadetje French roll
kaf chaff
kaft wrapper, cover
kajuit cabin
kakelen cackle • *fig* chatter
kakkerlak cockroach
kalender calendar
kalf calf
kalfsgehakt minced veal

kalfsleer calf (leather)
kalfsoester veal escalope
kalfsvlees veal
kalfszwezerik sweetbread
kalk lime
kalkoen turkey(-cock)
kalksteen limestone
kalm calm, quiet
kalmeren *overg* soothe • *onoverg* calm down
kalmte calm, calmness
kam (haar) comb • (vogel) crest • (viool) bridge • (berg) ridge
kameel camel
kamer room, chamber • K~ *van Koophandel*, chamber of commerce
kameraad mate, comrade
kamerjas dressing gown
kamermeisje chambermaid
kamerscherm draught-screen
kamfer camphor
kamferspiritus camphorated spirits
kamgaren worsted
kamille camomile
kammen comb
kamp camp
kampeerbenodigdheden camping equipment
kampeerbus camper
kampeerterrein camping site
kampeerwagen caravan
kamperen camp
kamperfoelie honeysuckle
kampioen champion
kampioenschap championship
kampvuur campfire
kampwinkel camping shop
kan jug, can, mug
kanaal canal • *het K~*, the Channel
kanarie canary
kandelaar candlestick
kandidaat candidate • (voor betrekking) applicant • ~ *in de letteren, rechten*. Bachelor of Arts (Laws)
kaneel cinnamon
kangoeroe kangaroo
kanker cancer
kano canoe
kanoën canoe
kanon gun, cannon
kans chance
kansel pulpit
kanselarij chancery
kanselier chancellor
kant (zijde) side, border, edge • (richting) direction • (bladzijde) margin • (handwerk) lace
kantelen topple over, capsize
kantine canteen
kantonrechter justice of the peace
kantoor office
kantoorbediende office-clerk
kantooruren *mv* office-hours
kanttekening marginal note
kap cap, hood • cover • (laars) top • (auto) bonnet
kapel chapel • (vlinder) butterfly • (muziek) band
kapelaan curate
kapelmeester bandmaster
kapen hijack
kaping hijacking
kapitaal capital
kapitalisme capitalism
kapitein captain
kaplaarzen wellington boots

kapok capoc
kapot broken, gone to pieces • ~ *maken*, break
kappen chop • (boom) cut down • (haar) dress
kapper hairdresser
kapseizen capsize
kapsel head-dress
kapstok coat-stand, hall-stand • row of pegs
kaptafel dressing-table
kapucijner Capuchin, grey friar • (erwt) marrowfat pea
kar cart
karaat carat
karabijn carbine
karaf carafe
karakter character, nature
karakteristiek characteristic
karate karate
karavaan caravan
karbonade chop, cutlet
kardinaal cardinal
karig scanty, sparing
karikatuur caricature
karnemelk buttermilk
karnen churn
karper carp
karpet carpet
karrenspoor rut
kartel cartel
kartelen notch
karton cardboard, paste-board
kartonnen cardboard, paste-board
karwei job
kas case • (broei-) hothouse • (v. geld) cash • pay-office
kasboek cash-book
kasgeld till-money
kassa (cash-)desk, pay-desk

• (schouwburg) box-office • *per* ~, net cash
kassabon receipt
kassier cashier
kast cupboard • (boeken) bookcase • (kleer-) wardrobe
kastanje chestnut
kasteel castle
kastekort deficiency, deficit
kastelein inn-keeper, landlord
kastijden chastise
kat cat
kater tom cat
katheder pulpit
kathedraal cathedral
katholiek catholic
katoen cotton
katrol pulley
kattenbak cinder tray
katterig ~ *zijn*, feel unwell
kauwen chew
kauwgom chewing gum
kazerne barracks *mv*
keel throat
keelgat gullet
keelpijn pain in the throat, sore throat
keep notch
keer turn • (maal) times
keerkring tropic
keerpunt turning-point
keerzijde reverse, back
keet shed • ~ *maken* make a mess
keffen yap
kegel cone • (spel) skittle, ninepin
kegelbaan skittle-alley, bowling-alley
kegelen play at skittles
kegelvormig conic(al)

kei boulder
keizer emperor
keizerin empress
keizerlijk imperial
keizerrijk empire
kelder cellar
kelk cup, chalice • (bloem) calyx
kelner waiter
kelnerin waitress
kenbaar knowable, recognizable
kengetal *tel* code number
kenmerk characteristic
kenmerkend characteristic
kennelijk apparent, evident
kennen know • be acquainted
  with
kenner connoisseur
kennis knowledge • (persoon)
  acquaintance, friend • ~
  maken, meet, make someone's
  acquaintance
kennisgeving notice, notification
kennismaken meet • be
  introduced to
kenschetsen characterize
kenteken distinctive mark,
  badge, token
kentekenbewijs registration
  certificate
kentering turning, change
kerel fellow, chap
keren turn • (tegengaan) stop
kerk church
kerkdienst church service
kerkelijk ecclesiastical
kerker dungeon, prison
kerkgenootschap denomination
kerkhof churchyard
kerktoren steeple
kermen moan, groan
kermis fair

kern (noot) kernel • (perzik) stone
  • (cel, atoom) nucleus • *fig*
  pith, core
kern- nuclear
kernachtig pithy, terse
kerndeling nuclear fission
kernenergie nuclear power
kernreactor atomic pile
kerrie curry (-powder)
kers cherry • *Oost-Indische ~,*
  nasturtium
kerstavond Christmas Eve
kerstboom Christmas-tree
kerstlied Christmas carol
Kerstmis Christmas, X-mas
kersvers quite fresh
kerven carve
ketel kettle • (groter) boiler
keten chain
ketter heretic
ketting chain • (hals-) necklace
kettingbeschermer chain guard
kettingbotsing pile-up
kettingkast gear case
keu (billiard-)cue
keuken kitchen
keukenmeisje cook
Keulen Cologne
keur choice • selection
keuren inspect, taste • (arts)
  examine
keurig nice, exquisite
keuring examination, inspection
keus choice, selection
keuvelen chat
keuze zie *keus*
kever beetle
kibbelarij squabble, quarrel
kibbelen bicker, wrangle
kiekje snap(shot)
kiel (hemd) blouse • (schip) keel

kiem germ
kiemen germinate
kier narrow opening • *op een ~*, ajar
kies [*de*] (back) tooth • *bn* delicate, considerate
kieskeurig dainty, particular
kiespijn tooth-ache
kiesrecht franchise
kietelen tickle
kieuw gill
kievit lapwing, pewit
kiezel gravel
kiezelsteen pebble
kiezen choose • (bij verkiezingen) elect
kiezer constituent, voter
kijf *buiten ~*, beyond dispute
kijk look, aspect
kijken look
kijker looker-on, spectator • (glas) telescope • opera-glass
kijkgat peep-hole
kijven quarrel, wrangle
kikker, kikvors frog
kil chilly
kilo, kilogram kilogram
kilometer kilometre
kilometerteller mileage recorder
kim horizon
kimono kimono
kin chin
kind child, infant, baby
kinderachtig childish
kinderarts pediatrician
kinderbed cot
kinderbijslag family allowance
kinderboerderij mini zoo
kinderfilm children's film
kinderjuffrouw nurse
kinderkamer nursery

kinderkleding children's clothes
kinderlijk childlike, childish
kindermenu children's menu
kinderspel children's game
kinderstoel high chair
kinderverlamming infantile paralysis, polio(myelitis)
kinderwagen pram
kinderzitje (op fiets) child's seat
kinds doting
kindsbeen *van ~ af*, from a
kinine quinine
kinkel clown • bumpkin
kinkhoest (w)hooping-cough
kiosk kiosk
kip hen • (gerecht) chicken
kipfilet chicken (breast) fillet
kippenhok hen-house
kippensoep chicken soup
kippenvel *fig* goose-flesh
kippig short-sighted
kist case • chest, box • (doodkist) coffin
kitsch kitsch
kittig smart
kiwi kiwi
klaar (af) ready • (helder) clear
klaarblijkelijk evident, obvious
klaarkomen get ready
klaarmaken make ready, prepare
klacht complaint
klachtenboek complaint book
klad [*de*] (vlek) stain, blot • [*het*] (ontwerp) rough draught
kladden stain, blot
klagen complain (of)
klakkeloos gratuitous
klam clan-imy, moist
klandizie custom, clientele
klank sound • ring
klant customer

klap slap, smack, blow
klapbes gooseberry
klappen smack, clap, applaud
klapper (vrucht) coco-nut
 • (register) index
klappertanden *hij klappertandt,
his teeth chatter*
klaproos (corn)poppy
klapstoel folding chair, tip-up
seat
klaren clarify • (goederen) clear
klarinet clarinet
klas(se) class • (op school) form
 • class-room
klassenstrijd class-war
klasseren classify
klassiek classic
klateren rattle • (water) splash
klatergoud tinsel, Dutch gold
klauteren clamber, climb
klauw clutch, paw
klavecimbel harpsichord
klaver clover, trefoil, shamrock
klaverblad clover-leaf
klaveren (kaartsp) clubs
klavier keyboard • piano
kleden dress, clothe • *geklede jas*,
frock-coat
klederdracht costume
kleding clothes, dress
kledingzaak clothing shop
kleed (vloer) carpet • (tafel)
tablecover • (kleding) garment,
dress
kleedhokje changing cubicle
kleefstof glue, gluten
kleerborstel clothes-brush
kleerhanger coat-hanger
kleerkast wardrobe
kleermaker tailor
klei clay

klein little, small
Klein-Azië Asia Minor
kleinbeeldcamera 35 mm
camera
kleindochter granddaughter
kleineren belittle
kleingeestig narrow-minded
kleingeld change
kleinigheid trifle
kleinkind grandchild
kleinood jewel, trinket, gem
kleinzerig squeamish about pain
kleinzielig small-minded
kleinzoon grandson
klem (val) catch, mantrap
 • (nadruk) stress, emphasis
klemmen pinch, clench, clasp
klemmend cogent
klemtoon stress • accent
klep (in motor) valve
kleren *mv* clothes *mv*
klerenhanger clothes-hanger
klerk clerk
kletsen talk (nonsense)
kletskous chatterbox
kletsnat soaking wet
kletspraat silly talk
kletteren clatter • (wapens) clash
kleumen shiver
kleur colour • (gelaats-)
complexion
kleurboek painting-book
kleurecht sun-proof, fast-dyed
kleuren colour • (blozen) blush
kleurenblind colour-blind
kleurendiafilm colour slide film
kleurenfilm colour film
kleurenfoto colour print
kleurenfotografie colour
photography
kleuren-tv colour TV

kleurig colourful, gay
kleurling coloured man
kleurpotlood coloured pencil
kleuter toddler
kleuterschool infant-school
kleven cleave, stick • adhere
kleverig sticky
kliek clique, set, coterie
kliekje(s) *mv* left-overs
klier gland
klieven cleave
klikken inform, tell tales
klimaat climate
klimmen climb, ascend, mount
klimop ivy
kliniek clinic
klink latch
klinken sound, clash, ring • touch
  (glasses) • (klinknagels) rivet
klinker (letter) vowel • (steen)
  brick
klinknagel rivet
klip rock, crag, reef
klittenband velcro
kloek hen
klok clock • (toren-) bell • *op de ~*
  kijken tell the time
klokhuis core
klokkenspel carillon, chimes *mv*
klokslag stroke
klomp lump • (goud) nugget
  • (schoeisel) wooden shoe, clog
klont lump
klontje (suiker) lump • *~ suiker*
  lump of sugar
kloof deft, gap, chasm
klooster cloister • (v. mannen)
  monastery • (v. vrouwen)
  convent
kloosterbroeder friar
kloostergang cloister

klop knock
kloppen knock • tap • beat • (op
  deur) rap • *~ met*, agree with,
  tally with
klos bobbin, spool • reel
kloven cleave • (hout) chop
klucht farce
kluchtig comical, droll
kluif bone
kluis safe
kluister fetter, shackle
kluit clod, lump
kluiven pick, gnaw
kluizenaar hermit
klus job
klutsen beat up (eggs)
kluwen ball
knaagdier rodent
knaap boy, lad, chap
knabbelen nibble
knagen gnaw
knak crack • blow, injury
knakken snap • crack
knakworst frankfurter
knal crack, bang, detonation,
  report
knaldemper, knalpot silencer
knap (intelligent) clever
  • (uiterlijk) handsome, good-
  looking
knarsen creak, grind
knarsetanden gnash one's teeth
knecht (man-)servant
kneden knead
kneep pinch
knel *in de ~*, in a scrape
knellen pinch, squeeze
knetteren crackle
kneuzen bruise
kneuzing bruise, contusion
knevel moustache • (van dier)

whiskers
knibbelen haggle
knie knee
knielen kneel
knieschijf knee-cap
kniezen mope, fret
knijpen pinch • *fig* squeeze
knikken nod
knikker marble
knikkeren play at marbles
knip cut, dip • (slot) catch • (met vinger) fillip
knipkaart ticket book
knipmes clasp-knife
knipogen wink, blink
knippen cut
knipperlicht flashing light
knipsel snippet
knobbel bump • knob, knot
knoeien mess, make a mess • tamper • *fig* bungle
knoest knot, gnarl
knoflook garlic
knokkel knuckle
knol (gewas) turnip • (v. plant) tuber • (paard) jade
knoop (in touw) knot • (aan kleding) button
knooppunt junction
knoopsgat buttonhole
knop (deur) knob • (v. bel, apparaat) button, push • (v. bloem) bud
knopen knot, tie
knopje button
knorren grunt • *fig* grumble
knorrig grumbling
knuffelen hug, cuddle
knuppel cudgel, club, bludgeon
knutselen potter
koddig droll, odd, funny

koe cow
koek cake
koekbakker confectioner
koekenpan frying-pan
koekje biscuit
koekoek cuckoo • skylight
koel cool
koelbloedig cool, level-headed
koelhuis cold store
koelkast refrigerator, fridge
koelte coolness
koeltje breeze
koelvloeistof coolant
koelwaterleiding coolant duct
koen bold, daring
koepel dome, cupola
koerier courier
koers (richting) course, direction • (markt-) quotation • (geld) (exchange) rate
koerslijst list of quotations
koest quiet
koesteren cherish, nurse
koets coach, carriage
koetsier coachman, driver
koevoet crowbar
koffer trunk, suit-case
kofferbak boot
kofferruimte boot
koffie coffee • ~ *met melk* white coffee • ~ *met melk en suiker* coffee with milk and sugar • ~ *met room* coffee with cream • ~ *met suiker* coffee with sugar • *espresso*~ espresso coffee • *zwarte* ~ black coffee
koffiebar coffee bar
koffiedrinken lunch
koffiehuis café
koffiemelk coffee cream
koffiemolen coffee grinder

koffiepot coffee-pot
koffiezetapparaat coffee machine
kogel (kanon) ball • (geweer) bullet
kogellager ball-bearing
kogelrond globular, spherical
kok cook
koken (water) boil • (eten) cook
koker case, sheath
koket coquettish
kokosnoot coco-nut
kolen *mv* coal(s)
kolendamp carbon monoxide
kolenkit coal-scuttle
kolenmijn coal-mine, coal-pit. colliery
kolf (geweer-) butt (-end)
koliek colic
kolom column
kolonel colonel
kolonie colony, settlement
kolos giant
kolossaal colossal(ly), huge
kom basin, bowl
komedie comedy
komeet comet
komen come, arrive • *kom hier!* come here! • *kom mee!* come along!
komfoor chafing-dish, brazier
komiek clown, comedian
komisch comic(al), funny
komkommer cucumber
komkommersla sliced-cucumber salad
komma comma
kommer trouble, sorrow
kompas compass
kompres compress
komst coming, arrival

konijn rabbit
koning king
koningin queen
koningsgezind royalist
koninklijk royal, regal
koninkrijk kingdom
konkelen plot, intrigue
kont behind • butt
konvooi convoy
kooi cage • (op schip) berth • bunk
kookboek cookery book
kookkunst cookery, art of cooking
kookpunt boiling-point
kool (groente) cabbage • (brandstof) coal • *rode ~,* red cabbage
koolhydraat carbohydrate
koolmonoxide carbon monoxide
koolstof carbon
koolzaad (plant) rape • (zaad) cole-seed
koolzuur carbonic acid
koop purchase • *te ~,* for sale
koopje bargain
koopman merchant, dealer
koopvaarder merchantman
koopwaar merchandise, commodities
koor choir, chorus
koord cord, string, rope
koorddanser rope-dancer
koorts fever
koortsachtig feverish • hectic
koortsthermometer clinical thermometer
koorzang choral song
kop head • (verstand) brains, sense • (kom) cup • (in krant) head-line

kopen buy, purchase
kop-en-schotel cup and saucer
koper [de] (iem. die koopt) buyer • [het] (metaal) copper • geel~, brass • rood~, copper
koperdraad brass-wire
koperen copper, brass
kopergravure copperplate
kopie copy • (v. kunstwerk) replica
kopiëren copy
kopij manuscript, copy
kopje cup
koplamp headlight
koppel (riem) belt • (paar) couple
koppelen couple
koppeling clutch
koppelingskabel clutch operating cable
koppelteken hyphen
koppig headstrong, obstinate • (v. dranken) heady
koptelefoon headphones
koraal (zang) choral • (stof) coral
koralen coral
koran Koran
kordaat resolute
koren corn, grain
korenbloem cornnower, bluebottle
korenschoof sheaf of corn
korf basket, hamper
korfbal korfball
korporaal corporal
korps corps, body
korrel grain
korrelig granular
korset corset, stays
korst crust • (op wond) scab • (v. kaas) rind
korstdeeg short pastry

kort short, brief • te ~ komen, be short of • ~e broek shorts
kortademig short of breath
kortaf curt
kortegolf short-wave
kortheidshalve for the sake of brevity, for short
korting discount
kortom in short, in a word
kortsluiting short-circuit
kortstondig short, of short duration
kortwieken clip the wings
kortzichtig shortsighted
korzelig crabbed, crusty
kosmonaut cosmonaut
kost board, food • ~ en inwoning, board and lodging • aan de ~ komen, make a living • in de ~ doen, put out to board
kostbaar expensive, costly, dear
kostbaarheden mv valuables
kostelijk exquisite
kosteloos free, gratis
kosten mv expenses, cost • op mijn ~, at my expense • alle ~ inbegrepen, all-in-cost • ww cost • ww cost • hoeveel kost het? how much does it cost?
koster sexton
kostganger boarder
kostgeld board
kosthuis boarding-house
kostprijs cost-price
kostschool boarding-school
kostuum costume • (v. man) suit • (v. vrouw) costume • (gemaskerd bal) fancy-dress
kostwinner bread-winner
kostwinning livelihood
kotelet chop

kou cold
koud cold
koudvuur gangrene
koukleum chilly body
kous stocking
kousenband garter
kouvatten catch (a) cold
kouwelijk chilly, sensitive to cold
kozijn window-frame
kraag collar
kraai crow
kraaien crow
kraakbeen cartilage
kraal bead
kraam booth, stall
kraamvrouw woman in childbed
kraan (water enz.) tap • (hef-) crane, derrick
kraanvogel crane
kraanwagen breakdown lorry
krab (dier) crab, crab-fish • (haal) scratch
krabbelen scribble, scrawl
krabben scratch
kracht energy, power, strength, force
krachteloos powerless • invalid
krachtens by virtue of
krachtig powerful, strong
krakeling pretzel
kraken crack, creak
kram cramp(-iron)
kramp cramp, spasm
krampachtig spasmodic, convulsive
kranig brave
krankzinnig crazy, mad, lunatic
krankzinnigengesticht lunatic asylum
krankzinnigheid craziness, madness, lunacy

krans wreath
krant newspaper
krantenjongen newsboy
krantenknipsel press cutting
krap tight, narrow
kras [de] scratch • bn strong, vigorous • stiff
krassen scratch • scrape
krat crate
krater crater
krediet credit
kredietwaardig solvent
kreeft (zee-) lobster • (zoetwater-) crawfish • (in dierenriem) Cancer
kreet cry, scream, shriek
kregel peevish, cross
krekel cricket
krenken hurt, offend, injure
krent currant
krentenbol currant-bun
krenterig mean, niggardly
kreuk crease
kreukelen crease, crumple
kreukvrij crease-resisting
kreunen moan, groan
kreupel lame
kreupelhout underwood
kriebelen tickle
krijgen get, receive, obtain
krijgsgevangene prisoner of war
krijgsgevangenschap captivity
krijgshaftig martial, warlike
krijgsman warrior
krijgsraad council of war • (recht) court-martial
krijgstucht military discipline
krijsen scream, shriek
krijt chalk • (teken-) crayon
krik screw-jack
krimpen shrink • writhe (with

pain)
krimpvrij unshrinkable
kring circle, ring
kringloop recycling
krioelen swarm
kristal crystal
kristallisatie crystallization
kritiek [de] criticism, critique
• review • bn critical, crucial
kritisch critical
kroeg pub
kroes cup, mug • (smelt-)
crucible
kroeshaar frizzled hair
kroket croquette
krokodil crocodile
krokus crocus
krom crooked, curved
krommen (zich) bend, bow,
curve
kromming bend, curve
kronen crown
kroniek chronicle • (in krant)
column
kroning coronation
kronkelen wind, meander
kronkeling winding, coil
kroon crown • (licht-) chandelier,
lustre
kroonprins crown-prince
kroos duckweed
kroost children mv, offspring
kropsla cabbage-lettuce
krot hovel, den, hole
kruid herb
kruiden mv spices
kruidenier grocer
kruidenierswaren mv groceries
kruidenrekje spice rack
kruidenthee herb-tea
kruidje-roer-mij-niet touch-me-

not
kruidnagel clove
kruien trundle a wheelbarrow
• (ijs) drift
kruier porter
kruik jar • pitcher • warme ~, hot-
water bottle
kruimel crumb
kruin crown, top
kruipen creep • crawl
kruis cross • (v. broek) seat • muz
sharp
kruisbeeld crucifix
kruisbes gooseberry
kruisen cross • (v. schip) cruise
kruiser cruiser
kruisiging crucifixion
kruising (v. rassen) cross, cross-
breeding • (v. wegen)
crossroads, crossing
kruispunt intersection • (v.
spoorweg) crossing
kruissnelheid cruising speed
kruistocht crusade
kruisvaarder crusader
kruisverhoor cross-examination
kruisweg rk Way of the Cross
kruiswoordpuzzel crossword
puzzle
kruiswoordraadsel crossword
puzzle
kruit (gun)powder
kruiwagen wheelbarrow • fig
protection
kruk (deur) handle • (v. invalide)
crutch • (mach) crank • (mens)
bungler, blunderer
krukas crank-shaft
krul curl • (hout) shaving
krullen ww curl
krulspeld curler

kubiek cubic
kubus cube
kuchen cough
kudde herd • (schapen) flock
kuieren stroll
kuif tuft, crest
kuiken chicken
kuil pit, hole
kuip tub
kuipbad tub-bath
kuipen cooper • *fig* intrigue
kuiperij intrigue
kuis chaste
kuisheid chastity
kuit (v. vis) roe, spawn • (v.h. been) calf
kunde knowledge
kundig able, clever, skilful
kunnen be able, can, may
kunst art • (kunstje) trick
kunstenaar artist
kunstgebit dentures
kunstgeschiedenis history of art
kunstgreep artifice, knack, trick
kunstig ingenious
kunstje trick
kunstleer artificial leather
kunstmatig artificial
kunstmest artificial manure • fertilizer
kunstnijverheid industrial arts *mv*
kunstrijden (schaatsen) figure-skating
kunstvaardig skilful
kunstwerk work of art
kurk cork
kurkentrekker corkscrew
kus kiss
kussen cushion • (bed) pillow • *ww* (zoenen) kiss

kussensloop pillowcase
kust coast, shore
kustplaats coastal town
kuststreek coastal region, littoral
kustvaarder coaster
kut cunt
kuur whim, freak, caprice
kwaad wrong, evil • mischief • harm, injury • *bn* (slecht) bad, ill • evil • (boos) angry • ~ *zijn op*, be angry with
kwaadaardig ill-natured, malicious
kwaadspreken talk scandal, slander
kwaadwillig malevolent
kwaadwilligheid malevolence
kwaal disease
kwadraat ((eend) (naughty) boy
kwakzalver quack, charlatan • quack
kwal jelly-fish
kwalijk nemen hold against • take amiss, take in bad part • *neem me niet ~*, beg your pardon, sorry
kwaliteit quality
kwantiteit quantity
kwark curds
kwart fourth (part), quarter • ~ *over...* a quarter past ... • ~ *voor...* a quarter to ...
kwartaal quarter of a year, three months
kwartel quail
kwartet quartet(te)
kwartier quarter (of an hour) • *eerste, laatste ~*, first, last quarter
kwarts quartz
kwast (verf-) brush • (v. gordijn)

tassel • (in hout) knot) • *fig* fop, fool

kweken (plant) grow • (groente) raise • *fig* breed, foster

kwekerij nursery

kwellen vex, tease, torment

kwestie question, matter

kwetsbaar vulnerable

kwetsen injure, hurt • *fig* offend

kwiek lively, spry

kwijlen drivel, slaver

kwijnen pine away, languish

kwijt *het ~ zijn*, (bevrijd) be rid of • (verloren) lost • *ik ben... ~* I've lost ...

kwijten (zich) acquit oneself (of)

kwijtraken lose, get rid of

kwijtschelden remit • let off

kwik quicksilver, mercury

kwikstaart wagtail

kwinkslag witticism, jest

kwispelstaarten wag the tail

kwistig lavish, liberal

kwitantie receipt

L

la drawer, till

laadbak carrier

laadvermogen carrying-capacity

laag [de] bed, layer, row • *bn* low, base, mean

laaghartig mean, base-minded

laagspanning low tension

laagte lowness • valley

laagvlakte low-lying plain

laagwater low tide

laakbaar blamable, condemnable

laan avenue, alley

laars boot

laat late • *hoe ~ is het?*, what time is it? • *te ~* (too) late

laatst last • *op zijn ~*, at the latest • (onlangs) the other day

laatstgenoemd latter

label label

laboratorium laboratory

lach laugh, laughter

lachen laugh (om, at)

lachwekkend ludicrous

ladder ladder

lade drawer, till

ladekast chest of drawers

laden load, charge • *~ en lossen*, load and discharge

lading cargo, charge • load

laf (flauw) insipid • (niet moedig) cowardly

lafaard coward

lafenis refreshment, comfort

lafheid cowardice • insipidity

lagedrukgebied low-pressure area

lager *bn* lower, inferior • bearing(s)

Lagerhuis House of Commons

lagerwal lee-shore • downhill

lak (verf) lac(quer)

laken cloth • (bedden-) sheet • *ww* blame, censure

lakenzak sheet sleeping bag

lakken lacquer

lakleer patent leather

laks indolent, lax

lam *zn* (dier) lamb • *bn* (verlamd) paralytic

lambrisering wainscot

lamp lamp • bulb

lampenkap lamp-shade
lampion Chinese lantern
lamsbout leg of lamb
lamskotelet lamb cutlet
lamsvlees lamb
lanceren launch
land land • (staat, platteland) country • (akker) field • *hier te ~e*, in this country • *het ~ hebben aan*, hate, dislike
landbouw agriculture
landbouwer farmer
landeigenaar landowner
landelijk rustic, rural
landen land • disembark, alight
landengte isthmus
landerig blue
landerijen *mv* landed estates
landgenoot fellow-countryman
landgoed estate, country-seat
landhuis country-house
landing landing • disembarkation
landingsbaan runway
landingsgestel (under) carriage
landkaart map
landklimaat continental climate
landloper vagebond, tramp
landmacht land-forces
landmeter surveyor
landschap landscape
landstreek region, district
landverhuizer emigrant
landverraad high treason
landvoogd governor
landweg country road
landwijn simple, regional wine
landwinning reclamation of land
lang long, tall, high
langdradig long-winded, lengthy
langdurig long • prolonged
langharig long-haired

langlaufen cross-country skiing
langlopend long-term
langparkeerder long-term parker
langs along
langspeelplaat long-playing record
languit full length
langwerpig oblong
langzaam slow
langzamerhand gradually, by degrees
lans lance
lantaarn lantern • (v. fiets) lamp
lantaarnpaal lamp-post
lap rag • patch • (poets-) cloth
lapje (vlees) collops
lappen *ww* mend • (sp) lap
laptop laptop, notebook
larderen lard
larie nonsense, fiddle-sticks
larve larva, grub
lassen weld, join
last load, burden, weight • (overlast) trouble • *ten ~e leggen*, charge with • *~ hebben van* be troubled by
lastdier pack-animal
laster slander, calumny, defamation
lasterlijk slanderous, blasphemous
lastgever principal
lastig (moeilijk) difficult • (veeleisend) exacting • (moeilijk te regeren) troublesome • (vervelend) annoying • *~ vallen*, trouble
lastpost nuisance
lat lath
laten let • leave • (toelaten) let, allow, permit • (nalaten) omit

• (gelasten) make, have... do, get... to • ~ vallen, drop • ~ zien, show
later later
Latijn(s) Latin
latwerk trellis, lattice
laurier laurel, bay
lauw tepid
lauwerkrans wreath of laurels
lava lava
lavement enema
laven refresh
lavendel lavender
laveren tack • *fig* manoeuvre
lawaai noise, tumult, din
lawaaierig noisy
lawaaiig noisy
lawine avalanche, snowslide
laxeermiddel laxative
laxeren purge
leasen lease
lectuur reading-matter
ledematen *mv* limbs
ledenlijst list of members
lederwaren leather goods
ledigen empty
ledikant bedstead
leed grief, sorrow
leedvermaak enjoyment of others' mishaps
leefregel regimen • diet
leeftijd age
leeg empty, vacant • (niets inhoudend) idle
leeghoofdig empty-headed
leeglopen deflate • empty out
leegloper idler, loafer
leegmaken empty
leegte emptiness
leek layman
leem loam, clay

leemte gap
leen loan
leengoed feudal estate
leep sly, cunning
leer [de] (theorie) doctrine • [het] (stof) leather
leerboek text-book
leergierig eager to learn
leerjongen apprentice
leerling pupil, disciple
leerling-verpleegster probationer
leerlooier tanner
leermeester teacher
leerplicht compulsory education
leerrijk instructive
leerstelling dogma, tenet
leerwaren *mv* leather goods *mv*
leerzaam (boek) instructive
leesbaar legible • readable
leesbibliotheek lending-library
leesboek reading-book
leest last, boot-tree
leeszaal reading-room • *openbare* ~, public library
leeuw lion
leeuwerik (sky)lark
leeuwin lioness
lef guts
legaal legal
legaat legacy, bequest
legalisatie legalization
legateren bequeath
legatie embassy, legation
legen empty
legende legend
leger army • *L~ des Heils*, Salvation Army
legerafdeling unit
legeren encamp
legering alloy

legerleiding (army) command
legerplaats camp
leggen lay • put • place
legging leggings
legioen legion
legitimatiebewijs identity card
legitimeren *zich* ~, prove one's identity
legpuzzel jigsaw puzzle
lei slate
leiden lead, guide, conduct,
leider leader, manager
leiding leadership, conduct, direction, management • (concreet) pipe
leidingwater tap water
leidraad guide(-book)
leidsel rein
lek leak • (band) puncture • *bn* leaky, punctured
lekkage leakage
lekken leak
lekker nice, delicious • (geur) nice, sweet
lekkerbek gourmand
lekkernij dainty, delicacy
lekkers sweets, sweetmeats
lelie lily
lelietje-van-dalen lily of the valley
lelijk ugly
lemmet blade
lende loin
lendenstuk loin
lendenwervel lumbar vertebra
lenen (aan) lend to • (van) borrow (from) • *zich* ~ *tot*, lend oneself to...
lengen lengthen
lengte length • (aardrijkskunde) longitude

lenig lithe, supple, pliant
lenigen alleviate, relieve
lenigheid litheness
lening loan
lens lens
lente spring
lepel spoon • (om te scheppen) ladle
leraar teacher
lerares (woman) teacher
leren learn • study • (onderwijzen) teach • *bn* (of) leather
lering instruction
les lesson • ~ *geven*, give lessons, teach
lesbienne lesbian
leslokaal class-room
lessen quench, slake
lessenaar desk
let op! look out!
letsel hurt, damage, harm
letten mind, attend (to), pay attention (to)
letter letter, character, type
letteren *mv* literature
lettergreep syllable
letterkunde literature
letterkundige man of letters
letterlijk to the letter, literal(ly)
leugen lie
leugenaar liar
leugenachtig lying, mendacious
leugentje ~ *om bestwil*, white lie
leuk amusing, funny, nice
leunen lean (*op*, on)
leuning rail, banisters • (brug) parapet • (stoel) back, armrest
leunstoel easy chair
leus slogan, catchword
leuteren twaddle, drivel

leven life • (lawaai) noise • *ww* live, exist
levend alive, living
levendig lively, animated, vivacious, keen
levenloos lifeless
levens- vital
levensbehoeften *mv* necessaries of life
levensbeschrijving biography
levensduur lifetime
levensgevaar danger (peril) of life
levensgroot life-size(d)
levenslang for life, lifelong
levensloop course of life
levenslustig cheerful
levensmiddelen *mv* provisions, victuals, groceries
levensmiddelenbedrijf grocer's shop
levensonderhoud livelihood, living
levensstandaard standard of living
levensverzekering life insurance
levenswijze mode of life
lever liver
leverancier supplier, dealer, purveyor, contractor
leverantie supply(ing)
leveren supply, deliver, furnish
levering delivery, supply
leverpastei liver-pie
levertijd delivery period
levertraan cod-liver oil
leverworst liver sausage
lezen read
lezing reading, lecture
libel dragon-fly
liberaal liberal

lichaam body
lichaamsbeweging physical exercise
lichaamsbouw build, stature
lichaamsdeel part of the body
lichaamsoefening bodilby exercise
lichaamstemperatuur body temperature
lichamelijk corporal, bodily • ~e opvoeding physical education
licht *bn* light • (kleur) pale • (tabak) mild • (helder) clear, bright • *bijw* lightly, slightly, easily • light, lighting
lichtblauw light blue
lichtblond fair
lichtbundel pencil of rays, beam
lichten lift • raise, heave • (bus) clear • (anker) weigh • (weerlichten) lighten
lichterlaaie ablaze
lichtgelovig credulous
lichtgeraakt touchy
lichtgevend luminous
lichting (post) collection • (leger) draft, class
lichtmeter photometer
lichtnet (electric) mains
lichtpunt connection • *fig* bright spot
lichtreclame illuminated sign(s)
lichtsterkte light intensity
lichtstraal ray (beam) of light
lichtvaardig rash
lichtzinnig frivolous
lid limb • (vinger) phalanx • (vereniging) member • (gewricht) joint
lidmaatschap membership
lidwoord article

lied song • (in kerk) hymn
liederlijk dissolute • debauched
lief dear, beloved • (aantrekkelijk) sweet, pretty
liefdadig charitable
liefdadigheid charity
liefde love • (christelijk) charity
liefdeloos loveless
liefderijk charitable
liefelijk lovely, sweet
liefhebben love
liefhebbend affectionate, loving
liefhebber amateur, lover
liefhebberij hobby
liefje love, sweetheart
liefkozen caress, fondle
liefkozing caress
lieflijk lovely
liefst rather
lieftallig sweet
liegen lie
lieveling darling, pet
liever rather • ~ *hebben*, rather have • prefer (a thing)
lift lift, *Amer* elevator
liften hitch-hike
lifter hitch-hiker
liftjongen lift-boy
liggen lie, be situated
ligging situation • position
ligstoel deckchair
lijdelijk passive
lijden ww suffer, endure, bear • suffering
lijdend suffering • *taalk* passive
lijder sufferer, patient
lijdzaam patient, meek
lijf body
lijfrente life-annuity
lijfwacht bodyguard

lijk corpse, (dead) body
lijkdienst funeral service
lijken be like • seem, appear • (aanstaan) like • ~ *op* look like
lijkkoets hearse
lijkschouwing post mortem
lijkverbranding cremation
lijm glue
lijmen glue together
lijn line
lijndienst regular service
lijnolie linseed oil
lijnrecht straight
lijnvliegtuig air-liner, liner
lijnvlucht regular flight
lijst list • register • (v. schilderij) frame • (rand) border, edge
lijster thrush
lijsterbes mountain-ash
lijvig voluminous, bulky
lik lick
likdoorn corn
likeur liqueur
likken lick
lila lilac
limiet limit • reserve price
limonade lemonade
linde lime(-tree), linden
liniaal ruler
linie line
linker left
linkerhand left hand
linkerzij left side
links *bijw* left • to, at the left • at the left-hand (side) • *bn* left-handed • (politiek) left • (onhandig) clumsy, awkward
linksaf (to the) left • ~ *slaan* turn left
linnen linen
linnengoed linen

linoleumsnede linocut
lint ribbon • tape
lintbebouwing ribbon development
lintworm tapeworm
linze lentil
lip lip
lippenstift lipstick
lipssleutel Yale key
liquidatie liquidation, winding-up
liquideren wind up, liquidate
lispelen lisp
list craft, cunning • trick, ruse
listig cunning, sly, wily
liter litre
literatuur literature
lits jumeaux *mv* twin beds
litteken scar • cicatrice
locomotief engine
lodderig drowsy, lazy
loden lead(en)
loef luff • *iem. de ~ afsteken*, get the better of
loeien (runderen) low, moo, bellow • (wind) roar
loens squint-eyed
loep magnifying-glass
loer *op de ~ liggen*, lie in wait
loeren peer, spy
lof [de] praise • [het] Brussels ~, chicory
loffelijk laudable, praise-worthy
log heavy, unwieldy
loge (theater) box • (vrijmetselarij) lodge
logé guest
logeerkamer guest-room, spare room
logement inn, hotel
logenstraffen give the lie to,

belie
logeren stay
logies lodging, accommodation
logisch logical
loipe piste
lok lock, curl
lokaal room, locality • *bn* local • *~ gesprek*, local call
lokaas bait, decoy
lokaliteit locality
loket (bank, postkantoor) window • counter • (station) ticket window • (v. kaartjes) booking/box office
lokken lure, decoy, entice
lol fun
lolly lolly
lommer shade • foliage
lommerd pawnbroker's shop
lomp [de] (vod) rag, tatter • *bn* clumsy, awkward • (v. gedrag) rude
lomperd boor, lout
Londen London
lonen pay
long lung
longarts lung specialist
longontsteking pneumonia
lonken wink
lont fuse • *~ ruiken*, smell a rat
loochenen deny
loochening denial
lood lead • (dieplood) plumb • (schietlood) plumb-line
loodgieter plumber
loodlijn perpendicular
loodrecht perpendicular
loods *scheepv* pilot • (schuur) shed • hangar
loodvrij unleaded
loofboom foliage tree

looien tan

loom slow, heavy, dull

loon wages, salary • reward

loonbelasting pay-as-you-earn, income-tax

loonsverhoging rise in wages

loop run • (persoon) walk • (zaken) course • (geweer) barrel

loopbaan career

loopgraaf trench

loopjongen errand-boy

looppas double-quick (time)

loopplank gang-board

loos dummy, false • ~ *alarm*, false alarm

loot shoot • *fig* scion

lopen walk • (hard) run • (bewegen) go

lopend running • (jaar) current (year)

loper runner • (sleutel) masterkey • (schaak) bishop • (tapijt) carpet

lor rag, patch

los loose, free

losbandig licentious

losbarsten break out, explode

losbarsting explosion, outbreak

losbol loose liver

losgeld ransom

loslaten let loose, let go

loslippig indiscreet

losmaken loosen, untie

lossen unload • (wapen) discharge • fire

lot (noodlot) fate, destiny, lot • (in loterij) lottery-ticket

loten draw lots

loterij lottery

lotgenoot, -genote companion in distress

lotgeval adventure

loting drawing of lots

lotion lotion

lounge lounge

louter pure, mere

loven praise

lozen (water) drain • (zucht) heave • (persoon) get rid of

LPG LPG

lucht air • (hemel) sky • (reuk) smell, scent

luchtaanval air-raid

luchtalarm air-raid warning

luchtballon balloon

luchtband pneumatic tyre

luchtbasis air-base

luchtbed air-bed

luchtbel air bubble

luchtdicht air-tight

luchtdruk atmospheric pressure

luchten air, ventilate

luchtfilter air filter

luchtfoto air photograph

luchthartig light-hearted

luchthaven airport

luchthavenbelasting airport tax

luchtig airy, light

luchtje *een ~ scheppen*, take an airing

luchtkasteel castle in the air

luchtklep air-valve

luchtlandings- airborne

luchtledig void of air • ~e *ruimte*, vacuum

luchtlijn air line

luchtmacht air force

luchtpijp windpipe • (in lichaam) trachea

luchtpost air mail

luchtstreek climate, zone

luchtstrijdkrachten *mv* air force
luchtvaart aviation
luchtvaartmaatschappij airline (company)
luchtverversing ventilation
luchtvervuiling air pollution
luchtziek air sick
lucifer match
lucifersdoosje match-box
luguber sinister
lui *bn* lazy • *mv* (mensen) people
luiaard sluggard, lazy-bones
luid loud
luiden sound • ring, be ringing
luidkeels aloud
luidruchtig loud, noisy
luidspreker loudspeaker
luier napkin • nappy
luieren be idle, idle
luifel awning
luik (v. raam) shutter • (v. vloer) trap-door • batch
Luik Liege
luilak lazy-bones
luilekkerland land of plenty
luim humour, mood • whim, caprice, freak • temper
luipaard leopard
luis louse
luister lustre, splendour
luisteraar listener
luisteren listen
luisterrijk glorious, splendid
luistervergunning radio licence
luistervink eavesdropper
luit lute
luitenant lieutenant
luitenant-generaal lieutenant-general
luitenant-kolonel lieutenant-colonel

lukken succeed, do
lukraak at random
lul dick
lullig *Da's ~*, that's too bad
lummel lout
lunapark fun fair • amusement park
lunch lunch
lunchen have lunch
lunchpakket packed lunch
lus (v. touw) noose • (in tram) strap
lust desire, appetite • (neiging) inclination, liking
lusteloos listless
lusten like • enjoy
lustig cheerful, merry
luthers Lutheran
luttel little, few
luwen abate • calm down
luxe luxury
luxueus luxurious
lynx lynx
lyriek lyric poetry, lyrics
lyrisch lyric(al)

M

ma mum, mom
maag stomach
maagd maid(en), virgin
maagdelijk maidenly, virgin
maagkramp spasm of the stomach
maagpijn stomach-ache
maagzuur gastric acid
maagzweer gastric ulcer
maaien mow, cut

maak *in de ~ hebben*, have... made

maaksel make

maal [*de*] (keer) time(s) • [*het*] (maaltijd) meal

maaltijd meal

maan moon • *halve ~*, crescent • *nieuwe, volle ~*, new, full moon

maand month

maandag Monday

maandblad monthly

maandelijks monthly

maandverband sanitary towel

maar (doch) but • (slechts) only, merely

maarschalk marshal

maart March

maas (v. net) mesh

maat (vriend) mate, comrade • (om te meten) measure • (muz en vers) measure • (grootte) size • *de ~ slaan*, beat time • *maten en gewichten*, weights and measures

maatafdeling bespoke department

maatregel measure

maatschappelijk social • *~ werk*, welfare work

maatschappij society • (handel) company

maatstaf standard • measure

macaroni macaroni

machinaal mechanical

machine engine, machine

machinist engine-driver • (schip) engineer

macht power • authority • might, force(s)

machteloos powerless • impotent

machtig mighty, powerful • (v. eten) rich

machtigen authorize

machtiging authorization

madelief daisy

madeliefje daisy

magazijn storehouse, warehouse • (winkel) store(s)

mager lean, thin

magie magic

magistraat magistrate

magneet magnet • (v. motor) magneto

magnetisch magnetic

mahoniehout mahogany

maillot leotard

maïs maize, (Indian) corn • *gepofte ~*, popped corn, popcorn

majesteit majesty

majoor major

mak tame • gentle, meek

makelaar broker

maken make, manufacture • (repareren) mend, repair • *niets te ~ met*, nothing to do with

maker maker

make-up make-up

makkelijk easy

makker comrade, mate

makreel mackerel

mal model, mould • *bn* foolish

malaise depression, slump

malaria malaria

malen grind • (geven om) care • (gek zijn) be mad, crazy

mals tender

mama mam(m)a

man man • (echtgenoot) husband

manchet cuff • (vast) wristband

manchetknoop sleeve-button
• (dubbele) sleeve-link
mand basket, hamper
mandarijn tangerine
manege riding-school
manen *ww* dun • *mv* mane
maneschijn moonlight
mango mango
manhaftig brave
manicuren manicure
manie mania
manier fashion, way
manieren manners
manifestatie demonstration
mank lame, crippled
mankement defect
mankeren fail
mannelijk male, masculine
mannelijkheid manliness
• masculinity, manhood
mannequin (fashion) model
mannetje (v. dier) male
manoeuvre manoeuvre
manschappen *mv* men
mantel coat
mantelpak coat and skirt
manufacturen *mv* drapery, soft
  goods *mv*
map portfolio • folder
maquette model
marathon marathon
marcheren march
marechaussee constabulary
margarine margarine
margriet ox-eye (daisy)
Maria-Hemelvaart Assumption
marihuana marihuana
marine navy
marineofficier naval officer
marinier marine
markies (edelman) marquis

• (scherm) awning
markt market
marktprijs market-price
marmelade marmalade
marmer marble
marmot marmot
Marokko Morocco
mars march
marsepein marchpane
marskramer pedlar, hawker
martelaar martyr
martelen torment, torture
marteling torture
marter marten
masker mask
maskerade masquerade, pageant
maskeren mask
massa mass
massage massage
masseren massage
massief solid, massive
mast mast • pole
mat *[de]* (kleed) mat • *bn* (moe)
  tired, weary • *[het]* (schaken)
  checkmate
match match, game
materiaal material(s)
materieel material(s) • *bn*
  material
matglas ground glass
matig sober, moderate • (prijs)
  reasonable
matigen temper, moderate
matigheid moderation,
  temperance
matras mattress
matrijs matrix
matroos sailor, blue-jacket
m.a.w. in other words
maximaal maximum
maximum maximum

maximumprijs maximum price
maximumsnelheid maximum speed
mayonaise mayonnaise
mazelen *mv* measles *mv*
mecanicien mechanic
mechaniek mechanism
mechaniseren mechanize
Mechelen Mechlin, Malines
medaille medal
mede also
mede- zie ook *mee-*
medeburger fellow citizen
mededeelzaam communicative
mededelen inform, tell
mededeling announcement
mededingen compete
mededinger competitor, rival
mededogen compassion, pity
medeklinker consonant
medeleven sympathy
medelijden pity, compassion
medelijdend compassionate
medemens fellow-man
medeminnaar rival
medeplichtige accomplice, accessory
medewerken cooperate
medewerker associate
medewerking cooperation
medeweten knowledge
medezeggenschap right of say
medicijn medicin
medio ~ *mei*, mid-May
medisch medical
medische hulp medical assistance
mee also, along
meebrengen bring along • *fig* entail
meedoen ~ *aan*, join in

meedogenloos pitiless
meegaan go along (with), accompany
meegaand accommodating, compliant
meegaande yielding, compliant
meehelpen help out
meel flour
meeldauw mildew
meeldraad stamen
meelopen (vergezellen) walk with
meelspijs spoon-meat
meenemen take away, take along
meer *telw* more • (waterplas) lake
meerdere superior
meerderheid majority • *fig* superiority
meerderjarig of age
meerijden ride along
meermalen repeatedly
meermin mermaid
meerstemmig polyphonic
meervoud plural
mees titmouse
meeslepen drag along
meespelen play along
meest most
meestal mostly, usually
meestbiedende highest bidder
meester master • teacher • *iets ~ zijn*, have... in hand
meesteres mistress
meesterlijk masterly
meesterstuk masterpiece
meetbaar measurable
meetkunde geometry
meetlat ruler
meetlint measuring tape

meeuw (sea-)gull
meevallen turn out better than was expected, exceed expectations
meevaller piece of good luck
meewarig compassionate
mei May
meid girl • (dienstmeisje) maid-servant
meidoorn hawthorn
meikever cockchafer
meineed perjury
meisje girl • (vriendin) girl-friend • (dienstbode) maid-servant
meisjesnaam maiden name
mejuffrouw miss, lady
melaats leprous
melaatsheid leprosy
melancholiek melancholy
melden mention • inform of
melding mention • report
melk milk
melkboer milkman
melken milk
melkinrichting dairy
melkkan milk-jug
melksalon creamery
melktand milk-tooth
melkweg Milky Way
melodie melody, tune
meloen melon
me (mij) me
memorie (geheugen) memory • (geschrift) memorial
men one, they, we, people
meneer Mr ... • Sir
menen mean • (denken) suppose, think
mengeling mixture
mengelmoes medley, jumble
mengen mix, blend • *zich ~ in*,

meddle with, interfere
mengsel mixture
mengsmering two-stroke mixture
menie red-lead
menig many, several, quite a few
menigeen many a man
menigmaal many times
menigte (mensen) multitude, crowd • abundance
mening opinion
mennen drive
mens man, woman, person
mensdom mankind
menselijk human
mensen people
mensenhater misanthrope
mensenkennis knowledge of men
mensenliefde philanthropy
mensenschuw shy
mensheid mankind
menslievend philanthropic, humane
menstruatie menstruation
mentaliteit mentality
menu menu • *~ van de dag* today's special
menukaart menu
merel blackbird
merendeels mostly
merg marrow • *door ~ en been*, to the very marrow
mergel marl
meridiaan meridian
merk mark • (fabrieks-) brand
merkbaar perceptible, noticeable
merken mark • (bemerken) perceive
merkteken mark, sign, token
merkwaardig remarkable

merrie mare
mes knife
messenlegger knife-rest
messing brass
mest dung, manure
mesten dung, manure • (dieren) fatten
mesthoop dunghill
met with, by, at, on, upon, of
metaal metal
metaalindustrie metal (of. metallurgic) industry
metalen metal
meteen at once • at the same time
meten measure, gauge
meteoor meteor
meter metre
metgezel companion, mate
methode method
metro Underground
metselaar bricklayer
metselen lay bricks
mettertijd in (course of) time
meubel piece of furniture
meubelmaker furniture-maker, joiner
meubilair furniture
meubileren furnish
mevrouw Mrs ... • madam
m.i. in my opinion
miauwen mew, miaow
microfoon microphone
microscoop microscope
middag noon, midday • afternoon • *'s ~s* in the afternoon
middageten lunch
middagmaal dinner
middel means, expedient, (genees-) remedy • (taille) middle • waist • *door ~ van*, by means of • *een ~ tegen* a remedy for
middelbaar middle, middling • *van ~bare leeftijd*, middle-aged • *~bare school*, secondary school
middeleeuwen *mv* middle ages *mv*
middeleeuws medieval
middelen *mv* means *mv*
Middellandse Zee Mediterranean
middellijn diameter
middelmaat medium size
middelmatig moderate, mediocre
middelpunt centre
middelste middle
midden middle, midst • centre
middenberm centre strip
middenin in the middle
middenrif diaphragm
middenstand middle class
middenvinger middle finger
middenweg middle course, middle ground
middernacht midnight
mie noodles
mier ant
migraine migraine
mij me • *van ~* me, mine
mijden avoid, shun
mijl mile (1609 m)
mijlpaal milestone
mijmeren muse, dream • brood
mijn *vnw* my • [de] (explosief • v. delfstoffen) mine
mijnbouw mining
mijnenlegger mine-layer
mijnenveger mine-sweeper

mijnerzijds on my part
mijnheer Mr ... • sir
mijnwerker miner
mijt (insect) mite • (hooi) stack
mikken aim (op, at)
mikpunt aim • target
Milaan Milan
mild liberal, generous • soft, genial
milddadig liberal, generous
milieu milieu, surroundings
milieubescherming environmental control (protection)
milieuhygiëne environmental sanitation
milieuverontreiniging environmental pollution
militair military
miljard milliard
miljoen a million
millimeter millimetre
milt spleen, milt
min *bn* (gemeen) mean • ~ *of meer*, more or less
minachtend disdainful
minachting contempt, disdain
minder less, fewer • inferior
mindere inferior (to)
minderheid minority
minderjarig minor, under age
minderjarigheid minority • infancy
minderwaardig inferior
mineraal mineral
mineraalwater mineral water
miniatuur miniature
minimaal minimal
minimum minimum
minirok mini-skirt
minister minister, secretary • ~

president, prime minister
ministerie ministry • department, Office • ~ *v. Binnenlandse Zaken*, Home Office • ~ *v. Buitenlandse Zaken*, Foreign Office • *(Amer)* State Department • ~ *v. Financiën*, The Treasury
ministerraad cabinet
minnaar lover
minst least • *ten ~e*, at least
minstens at least
minuut minute
minvermogend poor, indigent
minzaam affable
mis *[de] rk* mass • *bn* amiss, wrong
misbaar uproar, clamour
misboek missal
misbruik abuse, misuse • ~ *maken van*, abuse
misdaad crime
misdadig criminal
misdadiger criminal
misdragen *zich ~*, misbehave
misdrijf crime, offence
misgreep mistake, error
misgunnen grudge
mishandelen ill-treat, maltreat
mishandeling ill-treatment
miskenning lack of appreciation
miskoop bad buy
miskraam miscarriage, abortion
misleiden mislead • deceive
mislukken miscarry, fail
mislukking failure
mismaakt deformed, mis-shapen
mismoedig disheartened, dejected
misnoegd discontented, displeased

misnoegen discontent
misplaatst out of place • *fig* misplaced, mistaken
misrekening miscalculation
misschien perhaps, maybe
misselijk sick • *fig* disgusting
missen miss • fail • lack • do without
missie mission
misstand abuse
misstap false step
mist fog • mist
misten be misty
misthoorn siren, fog-horn
mistig foggy, misty
mistlamp fog lamp
mistroostig disconsolate
misvatting misapprehension
misverstand misunderstanding
misvormd deformed, mis-shapen
mitrailleur machine-gun
mits provided, on condition that
mixen mix
mixer mixer
mms MMS
mobiel mobile
mobieltje mobile phone
mobilisatie mobilization
mobiliseren mobilize
mobilofoon radiotelephone, walkie-talkie
modder mud, mire
modderig muddy
modderpoel puddle
mode fashion
model model, pattern
modern modern
moderniseren modernize
modeshow fashion show
modezaak fashion business
modieus fashionable

modiste milliner
moe tired, weary (of)
moed courage, heart, spirit
moedeloos dejected, spiritless
moeder mother
moederlijk maternal, motherly
moedertaal mother tongue
moedervlek mole, birth-mark
moedig courageous, brave
moedwil wantonness • *uit ~*, wantonly
moedwillig wanton
moeilijk difficult, hard
moeilijkheid difficulty, trouble
moeite trouble, pains, labour, care • *~ hebben met* find it difficult to • *het is de ~ waard*, it is worthwhile
moer nut
moeras marsh, swamp
moerassig marshy
moerbei mulberry
moes pulp
moesson monsoon
moestuin kitchen garden
moeten must, have to, be obliged
mogelijk possible, may be • *bijw* possibly • *zo ~*, if possible
mogelijkheid possibility
mogen be allowed to, may • like
mogendheid power • *grote ~*, great power
mohammedaan Mohammedan
mok mug
mokken sulk
mol mole • *muz* flat
molecule molecule
molen mill
molenaar miller
molensteen millstone

molenwiek wing of a mill, vane
mollig plump, chubby
molm mould
molshoop mole-hill
molton swanskin
moment moment
mompelen mutter, mumble
mond mouth
mondeling oral, verbal
mond- en klauwzeer foot-and-mouth disease
mondheelkunde dental surgery
mondig of age
monding delta
mond-op-mondbeademing mouth-to-mouth resuscitation
mondstuk mouthpiece • (cigarette) tip
mondvoorraad provisions
monnik monk, friar
monopolie monopoly
monotoon monotonous
monster (gedrocht) monster • (proef) sample • ~ *zonder waarde*, sample of no value
monsterachtig monstrous
monsteren muster
montage mounting, assembly
montagewoning prefabricated house • *gemeenz* prefab
monter brisk, cheerful, lively
monte'ren erect • (auto) assemble
monteur mechanic
montuur frame
monument monument
mooi beautiful, fine, nice • lovely
moord murder
moorddadig murderous
moordenaar murderer
moot slice • (vis) fillet

mop (grap) joke • (vlek) blob
mopperen grumble (at)
moraal moral
moreel moral
morfine morphine
morgen [de] morning • *bijw* tomorrow • *'s ~s*, in the morning • *tot ~* see you tomorrow
morgenavond tomorrow evening
morgenmiddag tomorrow afternoon
morgenochtend tomorrow morning
morgenrood dawn
morren grumble, murmur
morsen make a mess
morsig dirty, untidy
mortier mortar
mos moss
moskee mosque
moslim, moslem Muslim
mossel mussel
mosterd mustard
mot moth
motel motel
motie motion, vote • ~ *van wantrouwen*, vote of no-confidence
motief motive • (in kunst) motif
motiveren motivate • account for
motor engine
motorboot motorboat
motorfiets motor cycle, motorbike
motorkap bonnet
motorolie engine oil
motorophanging engine mounting
motorpech engine trouble

motorrijder motor cyclist
motregen drizzling rain
motto motto, device
mountainbike mountain bike
mousseren effervesce • ~*de wijn*, sparkling wine
mouw sleeve • *iem. iets op de ~ spelden*, make one believe something
mozaïek mosaic (work)
mud hectolitre
muf dingy
muffig musty, fusty
mufheid fustiness
mug mosquito
muggenzifter hair-splitter
muil mouth • (*pantoffel*) slipper
muildier mule
muilezel hinny
muilkorf muzzle
muilpeer box on the ears
muis mouse
muiten mutiny, rebel
muiter mutineer, rebel
muiterij mutiny
muizenval mousetrap
mul loose
mummelen mumble
mummie mummy
munitie ammunition
munt coin, money • (*gebouw, plantje*) mint
munten coin
munttelefoon payphone
murmelen murmur
murw soft, tender, mellow
mus sparrow
museum museum • (*schilderijen*) gallery
musicus musician
muskaatnoot nutmeg

muskiet mosquito
muskietennet mosquito-net
muts beret
muur wall
muurbloem (ook *fig*) wallflower
muurschildering mural painting
muziek music
muziekkorps band
muzikaal musical
muzikant musician
mysterie mystery
mystiek mysticism
mythe myth

N

na after
naad(je) seam
naaf hub
naaidoos sewing-box
naaien sew
naaigaren sewing-thread
naaimachine sewing-machine
naaister seamstress, needlewoman
naakt naked, bare, nude
naaktheid nakedness, nudity
naaktstrand nudist beach
naald needle
naaldboom conifer
naam name, (*roep*, ook) reputation
naambordje name-plate
naamgenoot namesake
naamkaartje visiting-card
naamval case
naamwoord noun • *bijvoeglijk ~*, adjective • *zelfstandig ~*,

substantive
na-apen ape, imitate
naar *vz* to, according to, after • *op weg* ~ on the way to • *bn* disagreeable, unpleasant, nasty • *(ziek)* queer
naarmate according as
naarstig diligent, assiduous
naast *bn* next, nearest • *vz* next (to), beside
naaste neighbour, fellowcreature
naasten nationalize • seize
nabestaande relative
nabestelling repeat order
nabij near, close to
nabijgelegen adjacent
nabijheid vicinity, neighbourhood, proximity
nabootsen imitate, mimic
naburig neighbouring
nacht night • *'s* ~*s*, at night, in the night-time, during the night • *per* ~ per night
nachtbus night bus
nachtclub night club
nachtegaal nightingale
nachtelijk nocturnal
nachthemd nightshirt
nachtjapon nightdress, nightie
nachtmerrie nightmare
nachtpon night gown
nachtrust night's rest
nachttarief night rate
nachttrein night train
nachtverblijf accommodation for the night
nachtvlucht night flight
nadat after
nadeel disadvantage • harm, hurt, loss

nadelig disadvantageous • detrimental (to)
nadenken *ww* think (about), reflect (upon) • reflection
nadenkend thoughtful, pensive
nader nearer • further
naderbij nearer
naderen approach, draw near
naderhand afterwards, later on
nadering approach
nadien since, afterwards
nadoen imitate, mimic
nadruk emphasis, stress
nadrukkelijk emphatic(ally)
nagaan follow, trace • go through, look into
nageboorte placenta
nagedachtenis memory
nagel nail
nagelborstel nail-brush
nagellak nail polish
nagelschaar nail scissors
nagelvijl nail-file
nagemaakt counterfeit, forged, faked
nagenoeg almost, nearly
nagerecht dessert
nageslacht posterity
nagesynchroniseerd dubbed
naïef naive, artless
naijver emulation, jealousy
najaar autumn
najagen chase, pursue • hunt for
najouwen call after
nakijken check
nakomeling descendant
nakomen come afterwards • follow • (belofte) fulfil
nalaten leave (behind) • (nietdoen) omit, neglect, fail
nalatenschap inheritance, estate

nalatig negligent, careless
naleven observe, fulfil
nalopen run after, follow
namaak imitation
namaken (nadoen) copy, imitate • (vervalsen) forge
namelijk namely, viz
namens in the name of, on behalf of
namiddag afternoon
naoorlogs post-war
napraten echo • remain talking
nar fool, jester
narcis narcissus, daffodil
narcose anaesthesia
narcotiseur anaesthetist
narekenen check
naseizoen late season
naslagwerk book of reference
nasleep train (of consequences) • aftermath (of war)
nasmaak after-taste
nasnuffelen search • ferret (in)
nasporen trace, investigate
nastaren gaze after
nastreven strive after • pursue
nat wet, liquid • *bn* wet, moist, damp
natie nation
nationaal national
nationaliteit nationality
naturalisatie naturalization
naturaliseren naturalize
natuur nature
natuurbehoud conservation of nature
natuurbescherming preservation of natural beauty
natuurgebied scenic area
natuurkunde physics *mv*
natuurkundige natural

philosopher, physicist
natuurlijk *bn* natural • *bijw* naturally • of course
natuurramp natural disaster
natuurreservaat nature reserve
natuurverschijnsel natural phenomenon
natuurwetenschappelijk scientific
nauw *bn* narrow, tight, close • *bijw* narrowly, closely, strictly • *in het ~ brengen*, press hard
nauwelijks scarcely, hardly
nauwgezet punctual, conscientious
nauwkeurig exact, accurate
navel navel
navolgen imitate, follow
navorsen investigate, search into
navraag inquiry, demand
naweeën *mv* after-pains *mv* • *fig* after-affects *mv*
nawerking after-effect(s)
nazaten *mv* descendants
nazenden send after, forward
nazien look after • examine • (machine) overhaul • (schoolwerk) correct, mark
nazomer Indian summer
nazorg after-care
neder- zie ook *neer-*
nederig humble, lowly
nederlaag defeat
Nederland The Netherlands, Holland
Nederlander Dutchman
Nederlands Dutch
Nederlandse Dutchwoman
nederzetting settlement
nee no
neef (neefzegger) cousin

• (oomzegger) nephew
neer, neer- down
neerdalen come down, descend
neerhalen pull down
neerhurken squat (down)
neerknielen kneel (down)
neerkomen land
neerleggen lay down • (ambt) resign • (werk) strike • zich ~ bij, accept
neerslachtig dejected
neerslag precipitation • fall (of rain, snow etc.)
neerstorten fall down • luchtv crash
neerzetten put down
negatief bn negative
negen nine
negende ninth
negentien nineteen
negentig ninety
neger negro
negéren cut, ignore
negerin negress
neigen (tot) incline, tend to
neiging inclination, bent
nek neck
nemen take, accept • op zich ~, undertake to do it
nep swindle, fake
nerf rib, vein • grain
nergens nowhere
nerts mink
nerveus nervous, agitated
nest nest • (roofvogel) aerie
nestel tag, lace
nestelen nest • zich ~, nestle
net (vis-) net • (boodschappen) string bag • (in trein) rack • (spoorweg, telefoon enz.) network • bn neat • (proper) tidy • (fatsoenlijk) decent, respectable • clean • bijw just, precisely
netelig thorny, ticklish
netheid neatness, tidiness
netjes neatly, nicely • tidy
netnummer dialling code
netto net
netvlies retina
netwerk network
neuken fuck
neuriën hum
neuroloog neurologist
neus nose • (schoen) toe-cap
neusbloeding nosebleed
neusgat nostril
neushoorn rhinoceros
neusklank nasal sound
neutraal neutral
neutraliteit neutrality
neuzen look around
nevel haze
nevelig hazy, misty
nicht (neefzegster) cousin • (oomzegster) niece
niemand nobody, no one
nier kidney
niersteen renal calculus
niesen sneeze
niet not • ~ meer, no more, no longer
nietig (onbelangrijk) insignificant, paltry • null
nietje staple
niets nothing
nietsnut good-for-nothing
nietszeggend meaningless • inexpressive
niettegenstaande notwithstanding
niettemin nevertheless

nieuw new
nieuweling novice • new-comer • new boy
nieuwerwets new-fashioned
nieuwigheid novelty, innovation
nieuwjaar New Year • *gelukkig ~!*, I wish you a happy New Year!
nieuwjaarsdag New Year's Day
nieuws news, tidings
nieuwsberichten *mv* news
nieuwsgierig curious, inquisitive
nieuwsgierigheid curiosity
nieuwtje novelty • piece of news
niezen sneeze
nijd envy
nijdig angry
nijlpaard hippopotamus
nijpend biting • acute
nijptang (pair of) pincers
nijver industrious, diligent
nijverheid industry
nikkel nickel
niks nothing
niksen slack (out)
nimmer never
nippertje *op het ~*, touch-and-go, in the nick of time
nis niche
niveau level
nivelleren level
n.l. = namelijk namely, viz.
noch... noch neither... nor
nochtans yet, nevertheless
nodeloos needless
nodig necessary, needful • *~ hebben*, need, want • *~ zijn* be needed
noemen name, call
noemenswaard(ig) worth mentioning

noemer denominator
nog yet, still, besides, further
noga nougat
nogal rather, fairly
nogmaals once more
nok ridge
nokkenas camshaft
nominaal nominal
non nun
non-alcoholisch non-alcoholic (drinks)
nonchalant careless
nonsens nonsense, rot
non-stop non-stop
non-stopvlucht direct flight
nood need, necessity, distress, want
nooddeur emergency door
nooddruftig needy, indigent
noodgeval emergency (case)
noodhulp temporary help
noodkreet cry of distress
noodlanding forced landing
noodlijdend indigent • poor
noodlot fate, destiny
noodlottig fatal
noodrem safety brake
noodsein distress-signal
noodstop emergency stop
noodtoestand emergency
nooduitgang emergency exit
noodvulling temporary filling
noodweer *uit ~*, in self-defence
noodwoning temporary house
noodzaak necessity
noodzakelijk necessary
noodzaken oblige, compel, force
nooit never
noord north
noordelijk northern
noorden north

noordenwind north wind
noorderbreedte North latitude
noorderlicht northern lights
noordoost north-east
noordpool north pole
noordwest north-west
Noordzee North Sea
Noors Norwegian
Noorwegen Norway
noot (vrucht) nut • (anders) note
nootmuskaat nutmeg
nop nothing • *voor* ~, free
nopen induce, oblige
norm norm
normaal normal
nors gruff, surly
nota (rekening) bill • note, memorial • ~ *nemen van*, note, take note of
notabelen *mv* notabilities
notarieel notarial
notaris notary
notenbalk staff, stave
notenboom walnut-tree
notendop nutshell
notenhout walnut
notenkraker (pair of) nutcrackers
noteren write down
notering *handel* quotation
notie notion
notitie note, memorandum • notice
notitieboekje note-book
notulen *mv* minutes *mv*
nou well • now
novelle short novel
november November
nu now
nuchter sober
nudistenkamp nudist camp
nuffig affected

nuk freak, whim, caprice
nul naught, zero • (in telefoonnummers) o • *fig* nonentity, mere cipher
nummer number • (kledingstuk) size
nummerbord number-plate
nummerschijf *tel* dial
nut use, profit, benefit
nutteloos useless • in vain
nuttig useful, profitable
nuttigen take • partake of
nuttigheid utility
nylon nylon

O

o.a. = *onder andere* among other things
oase oasis
ober waiter
obligatie bond, debenture
obsceen obscene
obstakel obstacle
oceaan ocean
och oh!, ah!
ochtend morning • *'s* ~*s* in the morning
ochtendblad morning-paper
ochtendjas dressing gown
octaaf octave
octrooi patent
odeur perfume, scent
oedeem oedema
oefenen exercise, practise, train
oefening exercise, practice
oeroud ancient
oerwoud primeval forest

oester oyster
oeuvre body of work
oever (zee) shore • (rivier) bank
of or • if, whether • *of... of*, either... or
offer offering, sacrifice
offeren sacrifice
offerte offer
officieel official
officier officer • ~ *van gezondheid*, army surgeon • ~ *van justitie*, Public Prosecutor
officieus semi-official
ofschoon (al)though
oftewel or
ofwel or
ogenblik moment
ogenblikkelijk immediate
ogenschijnlijk apparent
ogenschouw *in ~ nemen*, inspect, have a look at
o.i. = *ons inziens* in our opinion
oké okay
oksel armpit
oktober October
olie oil • ~ *en azijn* oil and vinegar • ~ *verversen* change the oil
olieachtig oily
oliebol ± fried, round cake
oliedrukmeter oil-pressure gauge
olie- en azijnstelletje cruetstand
oliefilter oil filter
oliegoed oilskins
oliepeil oil level
oliepomp oil pump
oliesel *rk* extreme unction
oliespuit oil syringe
olieverf oil-paint
olifant elephant
olijf olive

olijfolie olive-oil
olijk roguish
olm elm
om round, at, about, for • to, in order to, of, on • (voorbij) up • (opdat) in order to
oma granny
omarmen embrace
ombrengen kill
ombuigen bend
omdat because
omdraaien turn
omelet omelet
omgaan go about • ~ *met*, associate with • (v. voorwerp) handle
omgaande *per ~*, by return (of post)
omgang (social) association, company • (toren) gallery
omgekeerd turned upside down • reversed
omgeven surround
omgeving surroundings *mv*
omgooien knock over, overturn
omhaal ceremony, fuss
omheen (round) about
omheining fence, enclosure
omhelzen embrace
omhoog on high • aloft • up
omhullen envelop, wrap round
omhulsel wrapping, cover
omkeer change, turn • reversal • revolution
omkeren turn round
omkijken look back
omkomen perish
omkopen bribe, corrupt
omlaag below, down
omlegging (weg) diversion
omleiding diversion (of traffic)

omliggend surrounding
omloop (bloed) circulation • (aarde) revolution • (toren) gallery • *in ~ brengen*, put into circulation
omlopen go round • (make a) detour
ommezien *in een ~*, in a trice
ommezijde *zie ~*, please turn over • P.T.O.
ompraten talk round
omrastering railing
omreis detour
omrijden make a detour
omringen surround, encircle
omroep broadcast(ing)
omroeper *rtv* announcer
omroepstation broadcasting station
omroeren stir
omscholen retrain
omschrijven define, describe • circumscribe
omschrijving definition
omsingelen surround
omslaan overthrow, overset, turn over • throw on (a cloak) • (weer) change, break
omslachtig cumbersome
omslag (boek) cover, wrapper • (v. mouw) cuff • (v. broek) turn-up • *(med)* compress • *fig* fuss, ado • *hoofdelijke ~*, poll-tax
omspoelen rinse, wash up
omstander bystander
omstandig circumstantial
omstandigheid circumstance
omstreden disputed • controversial
omstreeks about
omstreken *mv* surroundings *mv*

omtrek circumference, contour, outline • (omstreken) environs, neighbourhood
omtrent about, concerning, with regard to
omvallen fall down, be upset
omvang compass, extent • (stem) range • (boom) girth
omvangrijk voluminous, extensive
omvatten span • include, embrace
omver down, over
omverwerpen upset • (regering) overthrow
omweg roundabout way • detour
omwenteling revolution, rotation
omwerken remould • rewrite
omwisselen change
omzet turnover, sale
omzichtig circumspect, cautious
omzien look back (about) • *~ naar*, look out for
onaangenaam disagreeable, unpleasant
onaantrekkelijk unattractive
onaardig unpleasant, unkind
onachtzaam inattentive, negligent, careless
onafgebroken uninterrupted
onafhankelijk independent
onafscheidelijk inseparable
onbaatzuchtig disinterested, unselfish
onbedaarlijk uncontrollable, inextinguishable
onbedachtzaam inconsiderate, thoughtless
onbedorven unspoiled, innocent
onbeduidend insignificant

onbedwingbaar uncontrollable
onbegaanbaar impassable
onbegonnen ~ *werk*, an endless task
onbegrensd unlimited
onbegrijpelijk inconceivable, incomprehensible
onbehaaglijk uncomfortable, uneasy
onbeheerd ownerless
onbeholpen awkward, clumsy
onbehoorlijk unseemly, improper, indecent
onbehuisd homeless
onbekend unknown • *Ik ben hier* ~, I'm a stranger here
onbekookt inconsiderate
onbekrompen unsparing, lavish • (v. geest) broad-minded
onbekwaam incapable, unable
onbeleefd impolite, uncivil
onbelemmerd unimpeded
onbelicht unexposed
onbemiddeld without means
onbenul nonentity
onbenullig fatuous
onbepaald indefinite
onbeperkt unlimited
onbereikbaar unattainable
onberekenbaar incalculable
onberispelijk blameless, irreproachable, flawless
onbeschaafd ill-bred • uncivilized
onbeschaamd impudent, bold, impertinent
onbescheiden impudent
onbeschoft impolite
onbeschrijfelijk indescribable
onbeslist undecided • *sp* drawn
onbesproken blameless
onbestelbaar undeliverable

onbestemd indeterminate, vague
onbestendig unstable, inconstant, variable
onbestuurbaar unmanageable
onbesuisd rash, hot-headed
onbetaalbaar priceless, invaluable • (grap) capital
onbetamelijk unbecoming, indecent, improper
onbetekenend insignificant
onbetrouwbaar unreliable
onbetwist undisputed
onbevaarbaar innavigable
onbevoegd incompetent
onbevooroordeeld unprejudiced, unbiassed
onbevreesd fearless
onbewaakt unattended
onbeweeglijk motionless
onbewoond uninhabited, unoccupied, not occupied
onbewust unconscious • unaware (of)
onbezoldigd unsalaried
onbezorgd care-free
onbillijk unjust, unfair
onbrandbaar incombustible
onbreekbaar unbreakable
onbruik *in* ~ *geraken*, go out of use
onbruikbaar useless • (persoon) inefficient
ondank ingratitude
ondankbaar ungrateful
ondanks in spite of
onder under, among, during • *bijw* down
onderaan at the bottom (the foot) of
onderaards underground

onderafdeling subdivision • subsection
onderarm fore-arm
onderbelicht under-exposed
onderbewust subconscious
onderbreken interrupt, break
onderbreking interruption, break
onderbroek pants
onderdaan subject
onderdak shelter
onderdanig submissive
onderdeel part, fraction, section
onderdirecteur sub-manager
onderdompelen submerge, immerse
onderdrukken keep down, oppress, suppress
onderdrukking oppression • suppression
onderduiken dive • *fig* go into hiding
ondereinde lower end
óndergaan go down • (zon) set
ondergáán undergo, suffer
ondergang ruin
ondergeschikt subordinate • minor • inferior
ondergetekende undersigned
ondergoed underwear
ondergronds underground • ~e *spoorweg*, the Underground • *(amer)* subway
onderhandelen negotiate
onderhandeling negotiation
onderhands private
onderhevig subject, liable (to)
onderhorig dependent, subordinate
onderhoud (v. weg enz.) upkeep • (levens-) maintenance,

support, sustenance • (gesprek) conversation, talk, interview
onderhouden (in 't leven) support • (aan de gang) keep up, maintain • (praten) entertain
onderhoudend entertaining, amusing
onderhoudsbeurt overhaul
onderhuurder subtenant
onderin at the bottom
onderjurk petticoat
onderkaak lower jaw
onderkant bottom
onderkin double chin
onderkomen shelter, lodging
onderkruiper blackleg
onderlijf belly, abdomen
onderling mutual
onderlip lower lip
ondermijnen undermine, sap
ondernemen undertake, attempt
ondernemend enterprising
ondernemer owner
onderneming undertaking, enterprise • (zaak) concern • (plantage) estate, plantation
onderofficier non-commissioned officer • (marine) petty officer
onderpand pledge, guarantee, security
onderricht instruction
onderschatten undervalue, underrate
onderscheid difference • distinction
onderscheiden *ww* discern, distinguish • *zich ~*, distinguish oneself • *bn* different, various • distinct
onderscheiding distinction

• decoration
onderscheidingsteken badge
onderscheppen intercept
onderschrift subscription
• signature
ondershands privately, by private contract
onderstaand undermentioned
onderste lowest, bottom, undermost
ondersteboven upside down
onderstel (v. vliegtuig) undercarriage
onderstelling supposition, hypothesis
ondersteunen support
ondersteuning support, relief
onderstrepen underline
ondertekenen sign
ondertekening signature
ondertiteld subtitled
ondertrouw betrothal
ondertussen meanwhile
onderverhuren sublet
ondervinden experience
ondervinding experience
ondervoeding malnutrition
ondervoorzitter vice-chairman
ondervragen interrogate, question
ondervraging interrogation, examination
onderweg underway
onderwerp subject • topic
onderwerpen subject • submit
onderwerping subjection, submission
onderwijl meanwhile, the while
onderwijs education
onderwijzen teach
onderwijzer teacher • instructor

onderworpen submissive
• subject (to)
onderzeeboot submarine
onderzeeër submarine
onderzoek inquiry, investigation, examination
onderzoeken investigate
• examine
ondeskundig inexpert
ondeugd vice • (persoon) scamp
ondeugdelijk defective
ondeugend naughty, mischievous • wicked
ondiep shallow
ondier brute, monster
onding absurdity
ondoenlijk impracticable, unfeasible
ondoordacht inconsiderate, thoughtless
ondoordringbaar impenetrable
ondoorgrondelijk inscrutable
ondoorschijnend opaque
ondraaglijk unbearable, intolerable, insupportable
ondrinkbaar undrinkable
ondubbelzinnig unequivocal
onduidelijk indistinct • obscure
onecht not genuine, false
• forged • (kind) illegitimate
oneens *het ~ zijn*, disagree
oneerbaar indecent
oneerbiedig irreverent
oneerlijk dishonest, unfair
oneindig endles, infinite
onenigheid discord, disagreement
onervaren inexperienced
oneven odd
onevenredig disproportionate
onfatsoenlijk indecent, improper

onfeilbaar unfailing, infallible
ongaar underdone
ongaarne unwillingly
ongeacht regardless of
ongebaand unbeaten, untrodden
ongebonden dissolute, loose
ongebruikelijk unusual
ongedeerd unhurt
ongedierte vermin
ongeduld impatience
ongeduldig impatient
ongedurig restless
ongedwongen unconstrained, unrestrained, free
ongeëvenaard unequalled
ongegeneerd unceremoniously
ongegrond groundless
ongehoord unheard of
ongehoorzaam disobedient
ongehuwd unmarried
ongekuist unexpurgated
ongekunsteld ingenuous
ongeldig invalid, not valid
ongelegen inconvenient
ongelijk ~ *hebben*, be wrong • *bn* unequal, unlike
ongeloof unbelief, disbelief
ongelooflijk incredible
ongelovig unbelieving
ongelovige infidel, unbeliever
ongeluk (pech) misfortune • (gemoedstoestand) unhappiness • (ongeval) accident, mishap • (toeval) bad luck • *bij* ~, accidentally
ongelukkig unhappy, unfortunate, unlucky
ongeluksvogel unlucky person
ongemak inconvenience • (gebrek) trouble

ongemakkelijk not easy, uncomfortable
ongemanierd ill-mannered
ongemerkt unperceived, imperceptible • unmarked
ongemoeid undisturbed, unmolested
ongenaakbaar inaccessible, unapproachable
ongenade disgrace
ongeneeslijk incurable
ongenegen disinclined
ongenoegen displeasure
ongeoorloofd illicit, unallowed
ongepast unseemly, improper
ongeregeld irregular
ongerept untouched • pure
ongerief inconvenience
ongerijmd absurd, preposterous
ongerust uneasy
ongerustheid uneasiness, anxiety
ongeschikt unfit, inapt • unsuitable, improper
ongeschonden undamaged, unviolated
ongeschoold unskilled
ongesteld indisposed, unwell • ~ *zijn* (v. vrouwen) menstruate, have one's period
ongesteldheid indisposition • (v. vrouwen) menstruation
ongestoord undisturbed
ongetwijfeld undoubtedly, doubtless
ongevaarlijk harmless, safe
ongeval accident, mishap
ongevallenverzekering accident insurance
ongevallenwet employers' liability act

ongeveer about
ongeveinsd unfeigned
ongevoelig unfeeling, insensible
ongewoon unusual, uncommon
ongezellig unsociable • cheerless
  • (huis) not cosy
ongezond (klimaat) unhealthy
  • (voeding) unwholesome
  • (lucht) insalubrious
ongunstig unfavourable
onguur inclement, rough
onhandelbaar intractable
  onhandig awkward, clumsy
onhandig clumsy, awkward
onhebbelijk unmannerly, rude
onheil calamity, disaster
onheilspellend ominous
onherbergzaam inhospitable
onherkenbaar unrecognizable
onherroepelijk irrevocable
onherstelbaar irreparable
  • (verlies) irrecoverable
onheuglijk immemorial
onhoorbaar inaudible
onhoudbaar untenable
onhygiënisch insanitary **onjuist**
  inaccurate • inexact
onjuist incorrect
onkies indelicate
onkosten *mv* charges, expenses
  mv
onkruid weeds *mv*
onkunde ignorance
onkundig van ignorant of
onkwetsbaar invulnerable
onlangs the other day, lately,
  recently
onleesbaar (schrift) illegible
  • (boek) unreadable
onlogisch illogical
onlusten *mv* troubles,

disturbances, riots *mv*
onmacht impotence • (flauwte)
  swoon, fainting fit
onmatig immoderate,
  intemperate
onmeetbaar immeasurable
onmens monster, brute
onmenselijk inhuman, brutal
onmerkbaar imperceptible
onmetelijk immense,
  immeasurable
onmiddellijk immediate • *bijw*
  directly, immediately, at once
onmin *in ~*, at variance (with)
onmisbaar indispensable
onmogelijk impossible
onnadenkend thoughtless,
  inconsiderate
onnauwkeurig inaccurate
onnodig needless, unnecessary
onnozel simple, silly
onomstotelijk irrefutable
onomwonden explicit, plain
onontbeerlijk indispensable
onooglijk unsightly
onopgevoed ill-bred
onophoudelijk incessant,
  ceaseless, unceasing
onoplettend inattentive
onopvallend inconspicuous
onopzettelijk unintentional
onordelijk disorderly, unruly
onovergankelijk intransitive
onoverwinnelijk invincible
onoverzichtelijk unclear
  • complex, intricate
onpartijdig impartial
onpasselijk sick
onraad trouble, danger • *ik ruik
  ~*, I smell a rat
onrecht injustice, wrong • *ten ~e,*

wrongly
onrechtmatig unlawful
onrechtvaardig unjust
onredelijk unreasonable
onregelmatig irregular
onrein unclean, impure
onrijp unripe, immature
onroerend ~*e goederen*, *mv* real property, real estate
onrust restlessness, unrest
onrustbarend alarming
onrustig restless, unquiet
ons *pers vnw* us • *bez vnw* our • *van ~* ours • 100 grams
onsamenhangend incoherent
onschadelijk harmless, inoffensive
onschatbaar invaluable
onschendbaar inviolable
onschuld innocence
onschuldig innocent
onsterfelijk immortal
onstuimig boisterous *fig*, impetuous, dashing
onsympathiek uncongenial
ontaard degenerate
ontactvol tactless
ontberen be in want of, lack
ontbering want, privation
ontbieden summon, send for
ontbijt breakfast
ontbijten have breakfast
ontbinden undo • (huwelijk enz.) dissolve • (lichaam) decompose
ontbinding dissolution, decomposition
ontbloot bare • devoid (of)
ontboezeming effusion
ontbranden take fire, ignite
ontbreken be wanting, be absent • miss

ontdaan disconcerted • upset • taken aback
ontdekken discover • find out
ontdekking discovery
ontdoen *zich ~ van*, get rid of, dispose of, part with
ontdooien thaw, *fig* melt
ontduiken (slag, wet) elude • (moeilijkheid) evade
ontegenzeglijk incontestable, unquestionable
onteigenen expropriate
ontelbaar countless, innumerable
ontembaar untamable, indomitable
onteren dishonour
onterven disinherit
ontevreden discontented (with)
ontevredenheid discontent
ontfermen *zich ~ over*, take pity on
ontgaan escape
ontginnen (bossen) clear • (land) reclaim • (mijn) work, exploit
ontginning reclamation, exploitation
ontgoochelen disillusion(ize)
ontgroeien outgrow
onthaal treat, entertainment
onthalen treat (to)
ontharden soften
ontharen depilate
ontheemde displaced person
ontheffen relieve (of)
ontheffing exemption, dispensation, exoneration
onthouden withhold, keep from • (niet vergeten) remember • *zich ~ van*, abstain from
onthouding abstinence • (bij

stemming) abstention
onthullen reveal, disclose
• (standbeeld) unveil
onthutst disconcerted, upset
ontijdig untimely, premature
ontkennen deny
ontkenning denial, negation
ontketenen unchain • (aanval)
launch
ontkiemen germinate
ontkleden undress
ontkomen escape
ontkoppelen declutch
• disconnect
ontladen unload
ontlasting (uitwerpselen) stools
• (leniging) relief
ontleden dissect, anatomize
• (redekundig) analyse
• (taalkundig) parse
ontleding analysis • (anatomie)
dissection • (taalkundig)
parsing
ontlenen borrow, derive (from)
ontluiken open, expand
ontmaskeren unmask
ontmoedigen dishearten,
discourage
ontmoeten meet • encounter
ontmoeting meeting • encounter
ontnemen take away, deprive
ontoegankelijk inaccessible
ontoelaatbaar impermissible
ontoereikend inadequate
ontoerekenbaar not imputable,
irresponsible
ontoonbaar not fit to be seen
ontploffen explode, detonate
ontploffing explosion,
detonation
ontplooien unfold

ontraden dissuade from
ontroerd moved
ontroering emotion
ontroostbaar disconsolate
ontrouw zn unfaithfulness
• infidelity • bn disloyal,
unfaithful
ontruimen evacuate, vacate
ontruiming evacuation, clearing
ontscheping disembarkation
ontsieren disfigure, mar
ontslaan discharge, dismiss • ~
van, release, free (from)
ontslag discharge, dismissal
ontslagaanvrage resignation
ontsmetten disinfect
ontsnappen escape
ontsnapping escape
ontspannen unbend, relax
ontspanning relaxation
• distraction • relief
ontsporen (van trein) be derailed
• (figuurlijk) go off the rails
ontsporing derailment
ontspringen rise, originate
ontstaan arise, proceed • ~,
origin
ontsteken kindle, light • become
inflamed
ontsteking (ziekte) inflammation
• (auto) ignition • (vuur)
kindling
ontsteld alarmed
ontstellend terrible, awful
ontsteltenis consternation,
dismay, alarm
ontstemd out of tune • fig put
out
ontstemming displeasure
ontstentenis default
onttrekken withdraw from • zich

~ *aan*, withdraw from

ontucht lewdness
ontvangbewijs receipt
ontvangen receive
ontvanger (goederen) consignee, recipient • (belasting) tax-collector
ontvangst receipt, reception
ontvelling abrasion
ontvlambaar inflammable
ontvlekken clean, remove stains from
ontvluchten fly, escape
ontvoeren carry off, kidnap
ontvoering abduction, kidnapping
ontvouwen unfold
ontvreemden steal
ontwaken awake, get awake, wake up
ontwapenen disarm
ontwapening disarmament
ontwarren untangle
ontwerp project, plan
ontwerpen draft, draw up, design, project
ontwijfelbaar unquestionable
ontwijken evade • (iem.) avoid
ontwikkelaar developer
ontwikkeld *fig* educated
ontwikkelen develop
ontwikkeling development • *algemene ~*, general education
ontwikkelingshulp developing aid, development aid
ontwikkelingsland developing country, development country
ontwrichten dislocate
ontzag awe, respect
ontzaglijk awful, tremendous

ontzeggen deny
ontzet relief • rescue
ontzettend dreadful, terrible, appalling
ontzetting (uit ambt) dismissal • (schrik) horror
ontzien respect, spare
onuitputtelijk inexhaustible
onuitsprekelijk unspeakable, inexpressible
onuitstaanbaar insufferable • intolerable
onuitvoerbaar impracticable
onvast unstable, unsteady
onvatbaar immune (from)
onveilig unsafe, insecure • *~!*, danger!
onveranderlijk unchangeable, unalterable
onverantwoordelijk not responsible • injustifiable, irresponsible
onverbeterlijk incorrigible
onverbiddelijk inexorable
onverdraaglijk intolerable
onverdraagzaam intolerant
onverenigbaar incompatible
onverflauwd unabated
onvergankelijk imperishable, undying
onvergeeflijk unforgivable, unpardonable
onvergelijkelijk incomparable, matchless
onvergetelijk unforgettable
onverhoeds sudden, unexpected
onverhoopt unexpected
onverklaarbaar inexplicable
onverkoopbaar unsal(e)able
onvermijdelijk unavoidable • inevitable

onvermoeibaar indefatigable
onvermoeid untired, tireless
onvermogen inability, impotence • (geld) indigence
onverrichter zake without success
onverschillig indifferent, careless
onverschrokken intrepid, undaunted, dauntless
onverslijtbaar everlasting
onverstaanbaar unintelligible
onverstandig unwise
onverstoorbaar imperturbable
onvertogen unseemly, indecent
onvervaard undaunted
onverwacht(s) unexpectedly, suddenly, unawares
onverwijld immediate
onverzadigbaar insatiable
onverzettelijk immovable, stubborn, obstinate
onverzoenlijk irreconcilable, implacable
onverzorgd (arm) unprovided for • (slordig) untidy
onvoldaan unsatisfied
onvoldoend insufficient(ly) • ~e (school) unsufficient mark
onvoldoende unsatisfactory mark
onvolkomen imperfect
onvolledig incomplete
onvoltooid unfinished, incomplete
onvoorbereid unprepared
onvoordelig unprofitable
onvoorstelbaar incredible
onvoorwaardelijk unconditional
onvoorzichtig imprudent
onvoorzien unforeseen, unexpected

onvriendelijk unkind
onvruchtbaar infertile • sterile, barren
onwaar untrue
onwaardig unworthy
onwaarheid untruth, lie
onwaarschijnlijk improbable • unlikely
onwankelbaar unshakable, unwavering
onweer thunder-storm
onweersbui (thunder-)storm
onweerstaanbaar irresistible
onwel indisposed, unwell
onwelvoeglijk indecent
onwetend ignorant
onwetendheid ignorance
onwettig unlawful, illegal
onwijs unwise, foolish
onwil unwillingness
onwillekeurig involuntary
onwrikbaar immovable • fig unshakable
onze our • de ~, ours
onzedelijk immoral
onzeker uncertain • insecure • (hand, stem) unsteady
onzekerheid uncertainty, insecurity
onzerzijds on our part
onzevader the Lord's Prayer
onzichtbaar invisible
onzijdig neutral • taalk neuter
onzijdigheid neutrality
onzin nonsense
onzindelijk uncleanly, dirty
onzinnig absurd, nonsensical
onzuiver impure
oog eye • met het ~ op, in view of • onder vier ogen, in private
oogarts ophthalmologist, eye-

doctor
oogbol eye-ball
oogdruppels *mv* eye drops *mv*
ooggetuige eye-witness
ooghaar eyelash
ooglid eyelid
oogluikend *iets ~ toestaan*, connive at
oogmerk aim, intention, purpose
oogpunt point of view
oogst harvest, crop
oogsten reap, gather, harvest
oogwenk wink
ooievaar stork
ooit ever
ook also, too
oom uncle
oor ear
oorarts otologist, ear specialist
oorbel earring, eardrop
oord place, region
oordeel judgment, sentence, opinion, discretion
oordeelkundig judicious
oordelen judge *(over, of)* • think
oorkonde charter, deed, document
oorlelletje earlobe
oorlog war
oorlogsinvalide disabled exsoldier
oorlogskerkhof war cemetery
oorlogsschip man-of-war, warship
oorlogsverklaring declaration of war
oorlogszuchtig bellicose, eager for war
oorlogvoerend belligerent
oorontsteking inflammation of the ear, otitis

oorpijn ear-ache
oorsprong origin, source
oorspronkelijk original
oorverdovend ear-deafening
oorvijg box on the ears
oorworm earwig
oorzaak cause, origin
oost east
oostelijk eastern
oosten East, Orient
Oostenrijk Austria
Oostenrijks Austrian
oostenwind east wind
oosterlengte East longitude
oosters oriental, eastern
Oostzee, de The Baltic (Sea)
op on, upon, at, in about, up • *hij is ~*, he is out of bed • he is finished • *mijn geld is ~*, my money is spent • *de wijn is ~*, the wine is finished • *~ en neer*, up and down
opa granddad
opbellen ring • phone
opbergen put (stow) away
opblazen blow up
opbouwen build up
opbrengen bring in • (dief) run in
opbrengst produce, proceeds *mv*
opdat that • *~ niet*, lest
opdienen serve
opdoen (voorraden) lay in • buy • (opdissen) bring in • (krijgen) get, gain, acquire
opdracht dedication • (last) charge, mandate, commission • *~ geven*, instruct
opdrijven force up
opdringen thrust, force upon
opdringerig obtrusive, intrusive

opdrinken drink, finish
opdrogen dry up
opeen together, in a heap
opeenhoping accumulation, congestion, agglomeration
opeens suddenly, all at once
opeenvolgend successive
opeenvolging succession
opeisen claim, summon
open open • (betrekking) vacant • ~ *haard* open hearth
openbaar public • ~ *vervoer* public transport
openbaarmaking publication
openbaring revelation
opendoen open • answer the bell
openen open
opengaan open
openhartig frank, openhearted
opening opening • (gat) aperture • hole
openingstijden opening-hours
openlijk open, public
openluchttheater open-air theatre
openmaken open
opentrekken open • (gordijn) draw back
opera opera
operateur operator
operatie operation
operatiekamer operating room, operating theatre
opereren operate
operette operetta, musical comedy
opeten eat
opfrissen refresh • freshen, brush up • have a wash
opgaan rise, go up • run out

opgang rise • ~ *maken*, catch on
opgave statement • (taak) task • (school) exercise
opgeblazen *fig* bumptious, inflated
opgebroken (weg) road works
opgeruimd cheerful, in high spirits
opgetogen elated *(van,* with)
opgeven give up • (vermelden) mention • state • *zich* ~ *voor* enrol for
opgewassen a match for • equal to
opgewekt cheerful • in high spirits • (gesprek) animated
opgewonden excited
opgezet stuffed
opgraving exhumation • (archeologisch) excavation
opgroeien grow up
ophaalbrug drawl ridge
ophalen draw up, pull up • pick up • (schouders) shrug • (inzamelen) gather
ophangen hang (up) • suspend
ophef fuss
opheffen lift up, raise • (afschaffen) abolish
opheffing elevation • (afschaffing) abolition, closing
ophelderen clear up, explain
opheldering explanation, elucidation
ophijsen hoist (up)
ophitsen set on • incite
ophogen heighten
ophopen heap up, accumulate
ophoping accumulation
ophouden hold up • (afhouden

v.) detain • (eindigen) cease, stop

opjagen rouse, start • *fig* run up

opkijken look up

opklapbed folding bed

opklaren clear up

opklimmen climb, mount • *fig* rise

opknappen tidy up • patch up • (beter worden) regain strength

opkomen get up • rise • ~ *tegen*, protest against

opkomst rise • (van vergadering) attendance

opkweken breed, bring up

oplaag impression

opleggen lay on, impose, charge with

oplegger trailer

opleiden bring up, train

opleiding education, training

opletten pay attention, attend

oplettendheid attentiveness, attention

opleven revive

opleveren produce, yield • (moeilijkheden) present • (afleveren) deliver

opleveringstermijn term of delivery

opleving revival

oplichten (bedriegen) swindle • (optillen) lift (up), raise

oplichter swindler

oplichting fraud

oploop tumult, riot, row

oplosbaar (vloeistof) soluble • (vraag) solvable

oploskoffie instant coffee

oplossen (in vloeistof) dissolve

• (vraag) solve

oplossing solution

opluchting relief

opluisteren add lustre to

opmaken (verteren) spend • (haar) dress • (verslag) draw up • (gelaat) make-up

opmars advance

opmerkelijk remarkable

opmerken (waarnemen) note, notice • (opmerking maken) observe, remark

opmerking observation, remark

opmerkzaam attentive, observant

opmeten measure

opname record(ing)

opnemen take up • (reiziger) pick up • (patiënt) admit • (voedsel) take • (geld) draw

opnieuw again

opnoemen name, mention

opoffering sacrifice

oponthoud delay

oppakken pick up, take up • (arresteren) run in

oppas babysitter

oppassen take care, be careful (*of,* voor) • *pas op!*, take care!, beware of...!

oppassend well-behaved

oppasser attendant • caretaker

opper upper, chief, superior

opperbevelhebber commander-in-chief

opperen propose, suggest

opperhoofd chief, head

oppermacht supremacy

oppermachtig supreme

oppersen press

opperste uppermost, supreme

oppervlak surface
oppervlakkig superficial
oppervlakte surface
oppompen pump up
oppositie opposition
oprapen pick up, take up
oprecht sincere, straightforward
oprechtheid sincerity
oprichten set up, erect • *fig* establish, found
oprijlaan drive
oprisping belch
oprit drive
oproep *tel* call • summons
oproepen call up • convoke, summon
oproer insurrection, revolt
oproerig rebellious
oproerling rebel, insurgent
oproerpolitie riot police
oprollen roll up
oprotten get lost
opruien incite
opruier agitator, inciter
opruimen clear away • (voorraad) clear off
opruiming clearing away • (uitverkoop) sales
opscheppen (eten) serve out • boast, brag
opschieten get on • hurry up
opschik finery, trappings
opschorten suspend, adjourn
opschrift inscription • heading
opschrijfboekje note-book
opschrijven write down
opschudding bustle, tumult • commotion
opschuiven push up • move up
opslaan put up • (boek) open • (tent) pitch • (prijs) raise

• (inslaan) lay in • store • (hoger worden) rise
opslag rise • (in pakhuis) storage
opslagplaats store
opsluiten lock up • confine
opsluiting confinement
opsnijden brag
opsnij(d)er braggart
opsommen enumerate, sum up
opsporen trace, find out
opspraak in ~ brengen, compromise
opspringen jump (leap) up
opstaan· get up, stand up, rise • revolt
opstand insurrection, revolt
opstandeling insurgent, rebel
opstanding resurrection
opstapelen heap up, pile up
opstappen get on board
opsteken hold up • lift • (paraplu) put up • (sigaret) light • (geld) pocket
opstel composition • paper • essay
opstellen (instrument, machine) mount • (soldaten) post • (redigeren) draft, draw up
opstijgen rise • ascend, mount • (v. vliegtuig) take off
opstoken poke (up) • *fig* incite, instigate
opstootje riot
opstopper cuff, slap
opstopping congestion
opstropen tuck up
opsturen send on, forward
optekenen note (down)
optellen cast up, add (up)
opticien optician
optillen lift up

optocht parade
optreden appear • ~ *tegen*, take action against
optrekken draw up, raise • march • (auto) accelerate • (van mist) lift
opvallend striking
opvangen catch • (woorden) overhear • *rtv* pick up
opvatten *fig* understand
opvatting conception, idea, view, opinion
opvegen sweep up
opvliegend short-tempered
opvoeden educate, bring up
opvoeding education
opvoedkunde pedagogy
opvoeren carry up, raise • increase • (motor) speed up • (toneel) perform
opvoering performance
opvolgen follow • succeed
opvolger successor
opvouwbaar collapsible, folding
opvouwen fold up
opvrolijken brighten, cheer up
opvullen fill up, stuff
opwaarts upward
opwachten wait for
opwachting *zijn ~ maken*, pay one's respects to
opwegen *tegen* counterbalance
opwekken excite, stimulate
opwekkend exciting, stimulating
opwekking stimulation • (v. stroom) generation
opwelling outburst
opwinden wind up • *fig* excite
opwinding excitement
opzeggen say, recite (a lesson) • (intrekken) denounce • (uit

betrekking) give notice
opzegging denunciation, withdrawal • (ontslag) notice
opzenden send
opzet design, intention • *met ~*, on purpose
opzettelijk intentional, wilful • *bijw* designedly, purposely
opzetten put on • (v. tent) set up, pitch • (v. dier) stuff
opzicht supervision • *in alle ~en*, in every respect • *ten ~e van*, with respect to
opziener overseer • superintendent
opzichtig gaudy, showy, garish
opzien look up • ~ *tegen*, shrink from • ~ *baren*, make a stir
opzienbarend sensational
opzij aside, to the side
opzoeken seek • look up • (bezoeken) call on
opzwellen swell
oranje orange
orde order • *aan de ~ zijn*, be under discussion • *in ~*, all right • *niet in ~* out of order • *in ~ brengen*, put right • *in ~ komen*, come right
ordelijk orderly
ordeloos disorderly
order order, command
ordinair cheap
orgaan organ
organisatie organization
organisch organic
organiseren organize, arrange
orgel organ
origineel *zn bn* original
orkaan hurricane
orkest orchestra, band

orthopedisch orthopaedic
os ox
ossenhaas fillet of beef
ossenvlees beef
otter otter
oud old, aged • (antiek) antique, ancient • *hoe ~ bent u?* how old are you?
oudbakken stale
oudejaarsavond New Year's Eve
ouder *bn* older • *zn* parent
ouderdom (old) age
ouderling elder
ouders *mv* parents *mv*
ouderwets old-fashioned
oudheid antiquity
oudoom great-uncle
ouds *van ~*, of old
oudste oldest • eldest
oudtante great-aunt
ouverture overture
ouvreuse usherette
ouwel wafer • (om poeder) cachet
ouwelijk oldish
ovaal oval
oven oven, furnace
over over • (aan overzijde v.) beyond • opposite • *~ en weer*, to and again
overal everywhere
overal(l) dungarees
overbelichten over-expose
overbevolking surplus population
overblijfsel remainder, remnant, remains, rest
overblijven be left • remain
overbluffen bluff
overbodig superfluous
overboeken transfer

overboord overboard
overbrengen carry, transfer, transport
overbuur opposite neighbour
overcompleet surplus
overdaad excess
overdadig superabundant • excessive
overdag in the daytime
overdenking consideration, reflection, meditation
overdoen do over again • (wegdoen) part with
overdracht transfer
overdragen carry over • *fig* hand over, transfer
overdreven exaggerated
overdrijven exaggerate
overdrijving exaggeration
overeenkomen agree, harmonize (with)
overeenkomst (gelijkenis) resemblance • conformity • (verdrag) agreement
overeenkomstig *bn* corresponding • similar • *vz* in accordance with
overeenstemmen (overeenkomst vertonen) correspond to • (gelijkgestemd zijn) agree (with)
overeenstemming harmony, agreement • *in ~ met*, in accordance with
overgaan go • (voorbijgaan) pass off, wear off • (op school) be removed • *~ tot*, proceed to
overgang transition • change • (spoorweg) crossing
overgankelijk transitive
overgave surrender • delivery

overgeven hand over • pass
• (afstaan) give over, yield
• (braken) vomit • *zich ~*,
surrender
overgooier pinafore dress
overgordijn curtain
overgrootvader great-
grandfather
overhaasten hurry
overhalen fetch over
• (overreden) persuade, gain
over
overhand *de ~ hebben*, have the
upper hand, prevail
overhandigen hand over
overheen over, across
overheersen dominate
overheersing domination
overheid the authorities, the
Government
overhellen incline (to), hang
over (to), lean over (to)
overhemd shirt
overhoop in a heap • *~ halen*,
turn over • *~ liggen met*, be at
variance with
overhouden save
overig other
overigens for the rest
overijld rash, in a hurry
overijlen rash, in a hurry
overjas overcoat
overkant other side
overkant (aan de -) across the
street
overkapping roof
overkomen come over • get
across
overkómen befall, happen to
overkomst visit, coming
óverladen transship
overláden overload • (maag)

surfeit, overeat
overlast inconvenience,
annoyance
overlaten leave
overleden deceased
overleg deliberation
óverleggen (tonen) hand over,
produce
overléggen deliberate, discuss,
consider
overleven survive, outlive
overleveren transmit, deliver
overlevering tradition
overlijden death, decease • *ww*
die
overlijdensakte death certificate
overlijdensdatum date of death
overloop landing • (water)
overflow
overlopen run over • (deserteren)
go over, desert
overmaat excess
overmacht superior power • force
majeure
overmaken do over again • (geld)
remit, make over
overmeesteren overpower,
overmaster, conquer
overmoedig reckless
overmorgen the day after
tomorrow
overnachten spend the night
overnachting stay
overname takeover
overnemen take over
overoud very old, ancient
overpeinzing meditation
overplaatsen transfer
overreden persuade
overreiken hand, reach
overrijden run over

overrompeling surprise
overschakelen switch over
• (auto) change gear, shift
overschatten overrate, overestimate
overschieten remain, be left
overschoen overshoe, galosh
overschot remainder, rest
• surplus • *handel* balance • *het stoffelijk* ~, the mortal remains
overschrijden *fig* exceed
overschrijven write out, copy out
• (geld) transfer
overslaan omit, pass over
overspannen overstrung, overstrained, overwrought
overspel adultery
overstapje correspondence-ticket, transfer
overstappen cross, step over
• (trein) change
overste lieutenant-colonel • (v. klooster) prior
oversteekplaats zebra-crossing
oversteken cross
overstelpen overwhelm
overstromen inundate, flood
overstroming inundation, flood
overstuur upset
overtocht passage • crossing
overtollig superfluous
overtreden contravene, break
overtreding contravention
• transgression, trespass
overtreffen surpass, excel, outdo
overtrek case, cover
overtrekken cross • pull across
overtroeven overtrump
overtuigen convince (one of)
overtuiging conviction
overuren *mv* overtime

overval raid
overvalwagen police van
overvloed abundance, plenty
overvloedig copious, abundant, profuse
overvracht excess luggage
overvragen ask too much, overcharge
óverweg level crossing
overwegen consider
overwegend preponderant
overweging consideration • *in* ~ *geven*, suggest
overweldigen overpower
overwerk extra work, overwork
óverwerken work overtime
overwérken *zich* ~, overwork oneself
overwicht overweight
overwinnaar conqueror
overwinnen conquer, vanquish
• overcome
overwinning victory
overwinteren winter
overzee overseas
overzees oversea(s)
overzetten take across
overzicht survey • general view
overzichtelijk clearly (arranged)
overzijde other side

P

pa dad
p.a. = **per adres** (to the) care of, c/o
paal stake, pile, pole • ~ *en perk stellen aan*, set bounds to

paar (twee) pair, couple • (enkele) some • a few
paard horse • *te ~*, on horseback
paardebloem dandelion
paardenkracht (pk) horsepower (HP)
paardenslager horse butcher
paardensport equestrian sport
paardrijden horseback riding
paarlemoer mother of pearl
paars purple
paarsgewijs two and two
paasdag Easter Day
paasvakantie Easter holidays *mv*
pacht rent • lease
pachter tenant-farmer
pad [*de*] (dier) toad • [*het*] (weggetje) path
paddestoel toadstool • (eetbare) mushroom
padvinder (boy-)scout
padvindster (girl) guide
page page • foot-boy
pagina page
pak package, bundle, parcel • (kostuum) suit
pakhuis warehouse
pakje parcel, packet
pakken (inpakken) pack • (grijpen) size
pakket packet, parcel
pakketpost parcel post
pakking packing
pakpapier packing paper
pal *zn* click, pawl • *bn* firm
paleis palace
paling eel
paljas clown, buffoon
palm (boom) palm • (hand) palm
Palmzondag Palm Sunday
pamflet pamphlet

pan (frying-)pan • saucepan • (dak-) tile • (herrie) row • *in de ~ hakken*, cut up • wipe out
pand (onder-) pawn, pledge, forfeit • (aan jas) flap, tail • (huis en erf) premises
pandbrief mortgage bond
pandjeshuis pawnshop
paneel panel
paneermeel breadcrumbs *mv*
paniek, panisch panic
panne (car-) trouble
pannenkoek pancake
pannenlap potholder
pannenspons scourer
pantalon trousers *mv*
panter panther
pantoffel slipper • *onder de ~ zitten*, be henpecked
pantoffelheld henpecked husband
pantser armour
panty pair of tights
pap porridge • dad
papa dad
papaver poppy
papegaai parrot
papier paper
papieren paper
papiergeld paper currency
papiermand waste-paper basket
paplepel dessertspoon
paprika sweet pepper
paraaf paraph, flourish • initials
paraat ready
parachute parachute
parachutist parachutist, paratrooper
parade parade, show
paradijs paradise
paraferen initial, paraph

paragraaf paragraph
paraplu umbrella
parasiet parasite
parasol parasol
parcours circuit, course
pardon pardon • ~!, sorry, beg pardon! excuse me!
parel pearl
parelmoer mother of pearl
parelsnoer pearl-necklace
paren couple, match, unite • (v. dieren) mate
parfum perfume, scent
parfumerie (zaak) perfumery
pari par • *a* ~, at par • *beneden, boven* ~, below par, above par
Parijs Paris • *bn* Parisian
park park, gardens
parkeerautomaat parking ticket dispenser
parkeergarage parking garage
parkeerlicht parking light
parkeermeter parking meter
parkeerplaats car park
parkeerschijf parking disk
parkeerverbod no parking
parkeerwacht car park attendant
parkeren park
parket parquet • public prosecutor's department
parketvloer parquet floor(ing)
parlement parliament
parmantig pert
parochie parish
parodie parody, skit
parool parole • password
part part, portion, share
parterre (huis) ground floor • (in theater) pit
particulier *zn* private person • *bn* private

partij party • (goederen) lot • *sp* game • ~ *kiezen voor*, take part with
partijdig partial
partijdigheid partiality, bias
partituur score
partner partner
party party
parvenu upstart
pas *zn* (stap) pace, step • (berg-) pass • (paspoort) passport • *bijw* scarcely, hardly, only
pascontrole passport-control
Pasen Easter
pasfoto passport-photo
paskamer changing room
pasklaar ready for trying on
pas op! careful! look out!
paspoort passport
passage passage • (winkelgalerij) arcade
passagebureau booking-office
passagier passenger
passen (juiste maat zijn) fit, become, suit • (kleding proberen) try on • (geld) give exact change
passend suitable, fit
passer (pair of) compasses
passerdoos case of mathematical instruments
passeren pass (by) • happen
passief passive
pasta pasta
pastei pastry, pie
pasteitje patty
pastoor parish priest
pastorie parsonage, rectory, vicarage • *rk* presbytery
patat *Br* chips, *Amer* fries
patates frites chips

paté pâté
patent licence, patent
patiënt patient
patrijs partridge
patrijspoort port-hole
 • (oorlogsschip) scuttle-port
patriot patriot
patroon [de] (chef) employer,
 master, principal
 • (beschermheer) patron
 • (vuurwapen) cartridge • [het]
 (model) pattern, design
patrouille patrol
pauken mv kettledrums
paus pope
pauselijk papal
pauw peacock
pauze break, pause
pauzeren take a break
paviljoen tent, pavilion
pech car trouble / bad luck
pedaal pedal
pedant zn pedant • bn pedantic
pedel beadle
pedicure chiropodist
peen carrot
peer pear
pees tendon, sinew, string
peetoom godfather
peettante godmother
pegel Amer buck
peignoir dressing gown
peil gauge, water-mark • fig
 standard
peilen gauge, sound, fathom
peinzen ponder, meditate, muse
 (upon)
pek pitch
pekel pickle, brine
pelgrim pilgrim
pellen peel, hull

pels fur (coat)
peluw bolster
pen pen • (brei-) needle
pendelen commute
penhouder penholder
penicilline penicillin
penis penis
pennemes pen-knife
penning medal • badge
penningmeester treasurer
pens paunch • (gerecht) tripe
penseel paint-brush, pencil
pensioen pension • met ~ gaan,
 retire
pension boarding house
pensioneren pension off
peper pepper
peperbus pepper-box
pepermunt peppermint
pepmiddel stimulant
peppil pep pill
per by
perceel (huis) premises • (grond)
 plot
percent per cent • percentage
percentage percentage
perenboom pear-tree
perfect perfect
periode period
periodiek bn zn periodical
perk (bloem-) bed • (grens)
 bound, limit
perkament parchment
permanent bn permanent,
 lasting, standing • permanent
 wave
permanenten zich laten ~, have
 one's hair permed, have a
 perm
permissie permission • (voor
 soldaten) leave

perplex perplexed
perron platform
Pers Persian
pers press
persconferentie press conference
persen press, squeeze
personeel servants, staff, personnel
personenauto car
persoon person
persoonlijk personal • in person
persoonsbewijs identity card
perspectief perspective
Perzië Persia
perzik peach
Perzisch Persian
pessarium pessary, diaphragm
pest plague, pestilence
pesten tease
pet cap
petekind godchild
peterselie parsley
petroleum petroleum, oil
petroleumblik oil-tin
petroleumkachel oil-stove
peuk cigarette
peul husk • shell
peultjes *mv* podded peas *mv*
peuter toddler
peuteren niggle, fumble
piano piano
pianostemmer piano-tuner
piccolo (in hotel) buttons
picknick picnic
pick-up record player
piek pike • (top) peak • (haar) wisp
piekeren brood
piekfijn spick and span
piekuur peak hour, rush hour

pienter clever, smart
piep (v. muizen) squeak • (v. scharnier) creak
piepen peep, chirp, squeak
pier (dier) earth-worm • (havendam) pier, jetty
pierenbadje paddling pool, wading pool
piesen pee
pijl arrow
pijler pillar, column • pier
pijn pain
pijnbank rack
pijnboom pine, pine-tree
pijnigen torture, torment
pijniging torture
pijnlijk painful
pijnloos painless
pijnstillend soothing
pijnstiller painkiller
pijp (orgel-, rook-) pipe • (buis) tube • (schoorsteen) funnel
pijpleiding pipe-line
pijptabak pipe tobacco
pik dick
pikant piquant, spicy
pikdonker pitch-dark
pikken pick, peck
pil pill (ook anticonceptie-)
pilaar pillar
piloot pilot
pils lager
pin peg
pincet tweezers
pincode PIN
pinda peanut
pindakaas pea-nut butter
pinguïn penguin
pink little finger
pinksterbloem cuckoo-flower
Pinksteren Whitsuntide

pinnen use one's PIN
pinpas PIN card
pioenroos peony
pion pawn
pionier pioneer
piraat pirate
piramide pyramid
pis piss
pisang banana
pissebed woodlouse
pissen piss
pistool pistol
pit (noot) kernel • seed, stone • *fig* pith • (lamp) wick
pittig pithy • lively • (v. smaak) strong
pizza pizza
pizzeria pizzeria
plaag plague • nuisance
plaat (prent) print • picture
 • (grammofoon-) record
 • (ondiepte) shoal • sands
 • (ijzer e.d.) sheet, plate
plaatijzer sheet-iron
plaatje picture • plate
plaats place • (binnen-) court, yard • (betrekking) place, situation • (in boek) passage • (trein, bus, theater) seat • ~ *bespreken* book seats • *in* ~ *van*, instead of
plaatsbespreking booking
plaatsbewijs ticket
plaatsbureau booking-office
 • (theater) box-office
plaatselijk local
plaatsen place, put, set • (geld) invest • (advertentie) insert
plaatshebben take place
plaatsing placing • insertion
plaatskaart ticket

plaatsvervanger substitute
plaatsvinden take place
plafond ceiling
plagen tease • (boosaardig) vex
plaid plaid
plak (kaas) slice • (chocola) slab
plakband adhesive tape
plakboek scrap-book
plakken stick • paste, glue
 • *blijven* ~, stay long
plan plan, intention • project • *van* ~ *zijn*, plan, intend
planeet planet
plank plank • (dunner) board • (in kast e.d.) shelf
plankzeilen surf
plant plant
plantaardig vegetable
plantage plantation, estate
planten plant
plantengroei vegetation
plantentuin botanic garden
planter planter
plantkunde botany
plantsoen park
plas puddle, pool
plassen (urineren) make water, pee • (in water spelen) splash
plastic (van -) plastic (made of -)
plat flat • *bn* flat • level • *fig* broad, trivial • vulgar
plateau plateau
platform platform
platina platinum
plattegrond map
platteland (op het -) country (in the -)
plaveisel pavement
plechtig solemn, stately
plechtigheid ceremony
pleegkind foster-child

pleegmoeder foster-mother
pleegvader foster-father
plegen (gewoon zijn) use, be accustomed • (een misdrijf) commit, perpetrate
pleidooi pleading, plea
plein square • (rond) circus
pleister plaster
pleisterplaats pull-up
pleiten plead
pleiter pleader, barrister
plek spot • (vlek) stain
plenzen splash
pletten crush
pleuris, pleuritis pleurisy
plezier pleasure
plicht duty, obligation
plichtsbesef sense of duty
plichtverzuim neglect of duty
ploeg plough • (groep) shift, gang • *sp* team
ploegbaas foreman
ploegen plough
ploert snob, cad
ploertendoder bludgeon
ploeteren toil (and moil), drudge, plod
ploffen flop
plomberen (goed) lead • (tand) fill a tooth
plomp clumsy
plonzen flop • splash
plooi fold • (in broek) crease • (in voorhoofd) wrinkle
plooibaar pliable
plotseling sudden(ly)
pluche plush
pluim plume, feather
pluimpje compliment
pluimvee poultry
plukken (bloemen) pick, gather

• (vogel) pluck
plunderen plunder • pillage
plunjezak kit
plus plus
plusminus about
pluspunt advantage
po chamber-pot
pochen boast, brag
pocketboek paperback
podium platform • stage
poedel (hond) poodle • (misgooi) miss
poeder powder
poederdons powder-puff
poederdoos powder-box
poederen powder
poedermelk powdered milk
poel puddle, pool
poelier poulterer
poep shit
poepen poo
poes cat, puss(y), pussy-cat
poëtisch poetic(al)
poets trick • prank • *een ~ bakken*, play a trick upon
poetsen polish
poëzie poetry
poffertje fritter
pogen endeavour, try
poging endeavour, attempt, effort
poken poke
pokken *mv* smallpox
pol clump (of grass)
polaroidfilm Polaroid film
polder polder
polemiek polemic, controversy
Polen Poland
poliep (dier) polyp • (gezwel) polypus
polijsten polish, burnish

polikliniek policlinic
polis policy
politicus politician
politie police
politieagent policeman, constable
politiebureau police station
politiek politics *mv*
pollepel ladle
pols (polsslag) pulse • (gewricht) wrist
polsen sound
polshorloge wrist-watch
polsslag pulsation
polsstok leaping-pole
pomp pump
pompen pump
pompoen pumpkin
pond (munt en gewicht) pound
ponsen punch
ponskaart punched card
pont ferry
pony pony
pook poker
Pool Pole
pool pole
poolcirkel polar circle
poolster polar star
poort doorway, gate(way)
poos while, time
poot paw, foot, leg
pop (speelgoed) doll, puppet
popconcert pop concert
popcorn popcorn
popmuziek pop music
poppenhuis doll's house
poppenkast puppet-show
poppenwagen doll's carriage
populair popular
populier poplar
poreus porous

porie pore
porno porn
porren poke, stir • (wekken) knock up, call up
porselein china(-ware), porcelain
port [*de*] port(-wine) • [*het*] postage
portaal landing • porch, hall
portefeuille wallet • (v. minister) portfolio
portemonnee purse
portie portion
portiek porch
portier [*de*] (persoon) door-keeper, porter • [*het*] (v. auto) door
portierslot door lock
porto postage
portret portrait, photo(graph)
Portugees Portuguese
portwijn port(-wine)
poseren pose • sit
positie position
positief positive
post (betrekking) post, office • (schildwacht) sentry • (posterijen) post
postauto postal van
postbode postman
postbus (post-office) box
postcheque postal check
postcode postcode
postduif carrier-pigeon
postelein purslane
posten (brief) post • (bij staking) picket
poste restante post restante
poste-restante to be called for
postgirorekening postal clearing account, giro account
postkantoor post office

postpakket parcel
postpapier note-paper
postrekening Br current account
• Amer checking account
postspaarbank post-office savings-bank
postwissel post-office order
postzegel (postage) stamp
postzegelautomaat stamp machine
postzegelverzamelaar stamp collector
pot pot • jar • (speelpot) stakes, pool • wat de ~ schaft, potluck
potdicht close(-shut)
poten (planten) plant • (vis) set
potig strong, robust
potlood pencil
potsierlijk ludicrous
pottenbakkerij pottery
pousseren push
pover poor, shabby
Praag Prague
praal pomp, magnificence
praalgraf mausoleum
praatje talk • een ~ maken, have a chat • ~s, fiddlesticks
praatpaal emergency telephone
praatziek talkative
pracht splendour, magnificence
prachtig magnificent, splendid, beautiful
praktijk practice
praktisch practical
pralen shine, glitter • ~ met, make a show of
prat proud
praten talk
precedent precedent
precies exactly
predikant clergyman, minister

• **vicar**
prediken preach
prediker preacher • P~, Ecclesiastes
preek sermon
preekstoel pulpit
prefereren prefer
prei leek
preken preach
premie premium, bonus
premier Prime Minister
première première, first night
prent print, picture
prentbriefkaart picture postcard
prentenboek picture-book
preparaat preparation
present bn present • (cadeau) present
presenteerblad salver, tray
presenteren offer • present
presentielijst attendance register
president president
pressen press (into the service)
presse-papier paper-weight
pressie pressure
prestatie performance, achievement
presteren achieve
prestige prestige
pret pleasure, fun
pretendent pretender, claimant
pretentieus assuming
pretpark theme park
prettig pleasant, nice
preuts prudish, demure
prevelen mutter, mumble
preventief preventive
prieel bower, arbour
priem pricker, awl • bodkin
priester priest
prijken shine, glitter, blaze

prijs (waarde) price • (beloning) prize • (lof) praise
prijscourant price-current, price-list
prijslijst price list
prijsnotering quotation
prijsstijging rise in prices
prijsverhoging increase, rise in prices
prijsverlaging price-reduction • price-cutting
prijsvraag competition
prijzen praise, commend
prijzenswaardig praiseworthy, commendable
prik prick, sting
prikkel fig stimulus
prikkelbaar irritable
prikkeldraad barbed wire
prikkeldraadversperring wire entanglement
prikkelen prickle • fig stimulate • (irriteren) irritate
prikken prick
priklimonade aerated lemonade
prima fine
primitief primitive
primus primus stove
principe principle
principieel fundamental
prins prince
prinses princess
print printout
printen print
printer printer
prisma prism
privaat privy • bn private
privaatles private lesson
privé private, personal
privé-secretaresse private (confidential) secretary

pro pro
proberen try
probleem problem
procédé process
procederen be at law
procent per cent
proces lawsuit
processie procession
proces-verbaal official report
procuratie proxy, procuration
procuratiehouder proxy, confidential clerk
procureur solicitor, attorney
procureur-generaal Attorney General
producent producer
product product
productie production, output
productief productive
proef proof • (experiment) trial, test • experiment • (monster) sample
proefkonijn experimental rabbit • fig guinea-pig
proefmonster (testing) sample
proefnummer specimen copy
proefondervindelijk experimental
proefrit trial run
proefschrift thesis
proeftijd probation
proefvlucht test flight
proefwerk (test) paper
proesten sneeze
proeven taste, try
profeet prophet
professor professor
professoraat professorship
profiel profile
profiteren van profit by
programma programme

• (schouwburg) play-bill.
progressief progressive
projecteren project
projectiel projectile, missile
projector projector
proletariër proletarian
promotie promotion • *univ* graduation
promoveren *sp* be promoted • *univ* take one's doctoral degree
prompt ready, prompt
pronk show, ostentation
pronken show off
prooi prey
proost! cheers!
prop stopple, stopper • (van papier) pellet • (van watten) wad • (in keel) lump
propaganda propaganda
proper neat, tidy, clean
proportie proportion
propvol crammed
prospectus prospectus
prostituee prostitute
protest protest(ation)
protestant(s) protestant
protesteren protest (against)
prothese prosthesis
proviand food
provinciaal provincial
provincie province
provisie (voorraad) stock, supply • (loon) commission
provisiekamer pantry, larder
provisorisch provisional
provoceren provoke
proza prose
prozaïsch prosaic
pruik wig
pruilen pout, sulk, be sulky

pruim plum
pruimen chew (tobacco)
prul bauble, trash
prullenbak waste basket
prullenmand wastepaper basket
prutsen potter, tinker (at)
pruttelen simmer • *fig* grumble
psalm psalm
psychiater psychiatrist
psychoanalyse psychoanalysis
psychologie psychology
puber adolescent
publicatie publication
publiceren publish, make public
publiek *bn* public • public • (toneel enz.) audience
pudding pudding
puik choice, excellent
puimsteen pumice-stone
puin rubbish
puinhoop heap of rubbish • ruins
puist pimple, pustule, boil
pul jug, vase
punaise drawing-pin, thumbtack
punt point • (neus) tip • (schoen) toe • (leesteken) full stop • (op i) dot • point • *dubbele ~*, colon • *op het ~ staan*, be about to
puntenslijper pencil-sharpener
puntig pointed, sharp
puntje point • (neus, tong) tip • *in de ~s*, shipshape
pupil pupil, ward • (van oog) pupil
puree puree • (van aardappelen) mashed potatoes
purgeermiddel purgative
purper purple
put well • (kuil) pit, hole
putten draw
puur pure, plain • *fig* mere

puzzel puzzle
pyjama pyjamas

Q

qua as (in)
quantum quantity
quarantaine quarantine
quasi quasi
queue Br queue • Amer line
quitte quits
quiz quiz
quotiënt quotient

R

ra yard
raad (advies) advice • (lichaam) council • iem. om ~ vragen, ask someone's advice
raadgevend advisory, consultative
raadhuis town hall
raadplegen consult
raadsel riddle, enigma
raadselachtig enigmatic
raadsheer councillor
raadslid (town-)councillor
raadsman counsel
raadzaam advisable
raaf raven
raak telling • effective
raakvlak tangent plane
raam window
raap turnip

raar strange, odd
raaskallen rave, talk nonsense
rabarber rhubarb
race race
racebaan race-course
racen race
racewagen racing-car
rad (wiel) wheel • bn (van tong) glib
radar radar
raddraaier ringleader
radeloos desperate
raden (raad geven) advise • (goed gissen) guess
raderen erase
raderwerk wheel-work
radiaalband radial tyre
radiateur radiator
radiator radiator
radicaal radical
radijs radish
radio radio
radioactief radioactive
radio-omroep broadcasting
radiotoestel wireless set
radiozender radiotransmitter
rafel ravel
rafelen fray, unravel
raffinaderij refinery
rag cobweb
ragout ragout
rails rails
rakelings ~ gaan (strijken) langs graze
raken hit, touch • fig concern
raket racket • rocket
rakker rascal, rogue
ram ram • (dierenriem) Aries
ramen estimate (at)
raming estimate
rammelen rattle, clatter

ramp disaster, calamity, catastrophe
rampzalig wretched • fatal
rancune rancour, grudge
rand (hoed) brim • (boek) margin • (tafel) edge • (afgrond) brink • (bos) skirt, border • *fig* verge
randweg ring road
rang rank, degree, grade
rangeerterrein shunting-yard
rangeren shunt
ranglijst army list
rangorde order
rangschikken arrange, range
rangschikking classification
ranja orangeade
rank *zn* tendril • *bn* slender
ransel knapsack • (slaag) flogging, drubbing
ranselen wallop, drub
rantsoen ration
rantsoeneren ration
rap nimble, quick, agile
rapen pick up, gather
rapport statement, report
rapporteren report
rariteit curiosity, curio
ras (mensen) race • (dieren) breed • *bn* quick, swift • *bijw* soon, quickly
rashond pedigree dog
rasp rasp, grater
raspaard thorough-bred
rassendiscriminatie racial discrimination
rasterwerk trellis-work
rat rat
ratel rattle
rationeel rational
rattenkruit arsenic, rat's bane
rauw raw, uncooked • (stem) raucous, hoarse
rauwkost raw vegetables
ravage havoc • wreckage
ravijn ravine
ravotten romp
rayon area • territory
razen rage, rave
razend raving, mad • wild
razernij rage • frenzy
reactie reaction (to)
reactionair reactionary
reageerbuisje test-tube
reageren react (to)
realiseren realize
realiteit reality
rebel rebel, mutineer
rebus picture puzzle
recensent critic, reviewer
recensie criticism, critique, review
recept recipe • *med* prescription
receptie reception
receptionist receptionist
receptioniste receptionist
recherche detective force
rechercheur detective
recht *bn* right • (lijn) straight • right • (rechtspraak) law, justice • (belasting) duty, custom • ~ *hebben op*, be entitled (have a right) to
rechtbank law court
rechtdoor straight ahead
rechter judge, justice
rechterhand right hand
rechterlijk judicial • legal
rechterzij right side
rechterzijde right side
rechthoek rectangle
rechthoekig right-angled, rectangular

rechtmatig rightful, lawful, legitimate
rechtop upright, erect
rechts *bn* right • right-handed • *bijw* (on, at) the right
rechtsaf to the right
rechtsbijstand legal assistance
rechtschapen honest, upright
rechtsgeleerde lawyer
rechtsgeleerdheid jurisprudence
rechtsom to the right
rechtsomkeert ~ *maken* turn about
rechtspersoonlijkheid incorporation
rechtspraak jurisdiction
rechtstreeks direct
rechtuit straight on • *fig* frankly
rechtvaardig righteous, just
rechtvaardigen justify
rechtvaardigheid justice, righteousness
rechtvaardiging justification
rechtzetten straighten • *fig* correct
reclame advertising, publicity
reclamebiljet poster
reclameren complain • claim
record record
recreatie recreation
rector headmaster • ~ *magnificus*, vice-chancellor
reçu (luggage)ticket • receipt
redacteur editor
redactie editorial staff
reddeloos not to be saved
redden save, rescue
redding saving, rescue • deliverance, salvation
reddingsboei life buoy
reddingsboot lifeboat

reddingsbrigade rescue party
reddingsgordel lifebelt
rede (toespraak) speech, discourse • (verstand) reason, sense • (ankerplaats) road(s), roadstead
redelijk rational, reasonable • moderate
redeloos irrational
reden reason, cause, motive • (verhouding) ratio
redenaar orator
redeneren reason, argue
redenering reasoning
reder (ship-)owner
rederij shipping company
redetwisten argue, dispute
redevoering speech, address
redmiddel remedy, expedient
reduceren reduce
reductie reduction
ree roe, hind
reeds already
reëel real
reeks series, sequence, train • (wiskunde) progression
reep rope, strip, string, line • bar (of chocolate)
reet (kier) cleft, crack, split • (achterwerk) ass
referentie reference
refrein chorus, refrain
regel rule • line • *in de ~*, as a rule
regelen arrange, order, settle
regeling regulation, arrangement, settlement
regelmatig regular
regelrecht straight
regen rain
regenachtig rainy

regenboog rainbow
regenbui shower of rain
regenen rain
regenjas raincoat
regent regent • (v. inrichting) governor
regeren rule, govern, reign over
regering government • reign
regie (toneel) staging • (film) direction
regime regime
regiment regiment
regionaal regional
regisseur stage-manager • (film) director
register register • (van een boek)index
registratie registration
reglement regulation(s), rules *mv*
reglementair prescribed
reiger heron
reiken reach, extend
rein pure, clean • chaste
reinigen clean(se), purify
reiniging cleansing
reis journey • (zee- ook) voyage • trip • *op ~*, on a journey • *op ~ gaan*, go on a journey • *goede ~!*, have a good trip! a pleasant journey!
reisbenodigdheden travel items
reisbureau travel agency
reischeque traveller's cheque
reis- en verblijfkosten *mv* hotel and travelling expenses
reisgeld travelling-money
reisgids guide-book, travel guide
reiskosten *mv* travelling-expenses
reiskredietbrief circular letter of credit

reisleider tour manager
reisroute route, itinerary
reisvaardig ready to set out
reisverzekering travel insurance
reiswagen touring-car
reizen travel
reiziger traveller
reizigersverkeer passenger traffic
rek clothes-horse • (v. borden enz.) rack • (in elastiek) spring
rekbaar extensible, elastic
rekenen count, reckon, calculate • *~ op*, depend upon, rely upon
rekening bill, account • (het rekenen) calculation • reckoning • *in ~ brengen*, charge • *~ houden met*, take into account
rekening-courant account current
rekeningnummer account number
rekenkunde arithmetic
rekenmachine calculator
rekenschap account • *zich ~ geven van*, realize
rekest petition
rekken stretch • draw out
rekruut recruit
rekstok horizontal bar
rekwest petition
rel riot, row
relaas account, story
relatie relation
reliëf relief
religie religion
religieus religious
relikwie relic
reling rail(s)
rem brake

remblokken brake pads
rembours cash on delivery
remise *sp* draw, drawn game
  • (loods) shed • (van tram) depot
remkabel brake cable
remlicht brake light
remmen brake
remming *fig* inhibition
remolie brake oil
remover (nagellak) remover
rempedaal brake
remschijf brake disc
ren run, course
renbaan race-course
rendabel paying, remunerative
rendement yield • output
rendier reindeer
rennen run, race
renoveren renovate
renpaard race-horse
renstal racing-stable
rente interest
renteloos without interest
rentevoet rate of interest
rentmeester steward, bailiff
reorganisatie reorganization
reorganiseren reorganize
reparateur mechanic
reparatie repairs
repareren repair
repertoire repertory
repeteren repeat • (les) go over
  • (toneel) rehearse
repetitie repetition • (toneel) rehearsal • (op school) test-paper • *generale ~*, dress rehearsal, final rehearsal
reportage reporting
reporter reporter
reppen *~ van*, make mention of

  • *zich ~*, hurry
represaille reprisal
reptiel reptile
republiek republic
republikein(s) republican
reputatie reputation
reservaat reservation
reserve reserve(s)
reserveonderdeel spare part
reserveren reserve • book
reservering reservation
reservewiel spare wheel
reservoir tank, container
residentie residence
resp., respectievelijk respectively
respect respect
ressorteren onder come within, fall under
rest rest, remainder
restant remainder, remnant
restaurant restaurant
restauratie (herstel) restoration, renovation • (restaurant) restaurant • (op station) refreshment room • buffet
restauratierijtuig dining-car
restauratiewagen buffet car
restaureren restore
restitutie repayment
resultaat result, outcome
resumeren sum up, summarize
retour return
retourbiljet return ticket
reu (male) dog
reuk smell, odour, scent
reukloos scentless, inodorous
reuma reumatism
reumatiek reumatism
reus giant
reusachtig gigantic • enormous
reuzel lard

revalidatie rehabilitation

revaluatie revaluation

revisie revision • (v. drukproef) revise • (v. auto) overhaul(ing)

revolutie revolution

revolutionair revolutionary

revolver revolver

revue (toneel) revue

riant comfortable

rib rib • (kubus) edge

ribbel ridge

ribfluweel corduroy

richel ledge, border, edge

richten direct, point, aim

richting direction

richtingaanwijzer indicator

richtlijn directive

ridder knight

ridderlijk chivalrous

ridderorde decoration, order of knighthood

rieken smell

riem (leren band) strap • (gordel) belt • (roei-) oar

riet reed, cane • (voor daken) thatch

rietje (drinking) straw

rietsuiker cane sugar

rij row, range, series, file • in de ~ staan, queue

rijbaan carriage-way, lane

rijbewijs driving licence

rijden (te paard, fiets) ride • (rijtuig, auto) drive

rijexamen driving-test

rijgen lace • (op koord) string • (naaiwerk) baste

rijk (land) empire • realm • bn rich • wealthy • copious • ~e landen, affluent countries

rijkaard rich fellow

rijkdom riches, wealth

rijkelijk richly, copiously

rijksambtenaar civil servant, government official

rijlaars riding-boot

rijles (auto) driving lesson • (paard) riding lesson

rijm rhyme

rijmen rhyme

Rijn Rhine

Rijnwijn Rhine-wine, hock

rijp (ijzel) hoar-frost • bn ripe, mature

rijpaard riding-horse

rijpen ripen, mature

rijpheid ripeness, maturity

rijschool riding-school • driving-school, school of motoring

rijst rice

rijstebrij rice-milk

rijsttafel rice-table, tiffin

rijtoer drive

rijtuig carriage, coach

rijweg carriage-road

rijwiel (bi)cycle

rijwielhandel bicycle shop

rijwielhersteller cycle repairer

rijwielpad cycle-track

rijwielstalling bicycle-shelter

rijzen rise

rijzig tall

rijzweep horsewhip

rillen shiver (van, with), shudder (at)

rilling shiver, shudder

rimboe jungle

rimpel wrinkle

ring ring

ringtoon ringtone

ringvinger ring-finger

ringvormig ring-like, ring-shaped

rinkelen jingle, tinkle
riolering sewerage
riool sewer, drain
risico risk
riskant risky, hazardous
rit ride
ritme rhythm
ritmisch rhythmic
ritselen rustle
ritssluiting zip
ritueel ritual
rivaal rival
rivier river
robbedoes tomboy
robber rubber
robijn ruby
rochelen hawk, clear one's throat • (van stervende) rattle
roddelen gossip
rodehond German measles *mv*
rodekool red cabbage
Rode Kruis Red Cross
roe(de) (straf-) rod, birch
roeiboot row boat
roeien row
roeiriem oar, scull
roeitocht row
roeiwedstrijd boat-race
roekeloos reckless, rash
roem glory, renown, fame
roemen praise • boast
roemrijk illustrious, glorious
roep call, cry
roepen call, cry
roeping call, calling, vocation
roepstem call
roer rudder, helm
roereieren *mv* scrambled eggs *mv*
roeren stir • (*fig* ook) touch, move

roerend moving, touching
roerganger helmsman
roerloos motionless
roes drunken fit • *fig* intoxication
roest rust
roesten rust
roestig rusty
roestvrij rust-proof, stainless
roestwerend anti-corrosive
roet soot
roffel roll (of drums)
rog ray
rogge rye
roggebrood rye-bread
rok (heren) dress-coat • (vrouwen) skirt
roken smoke • *niet ~* no smoking
rol roll • (toneel-) part, role
rolgordijn roller-blind
rollade collared beef
rollager roller-bearing
rollator rollator (walker), rolling walker
rollen roll, tumble
rolluik rolling-shutter
rolmops collared herring
rolpens minced meat in tripe
rolschaatsen rollerskates
rolstoel wheel-chair, Bath chair
roltrap escalator
rolveger carpet sweeper
roman novel
romanschrijver novelist
romantisch romantic
Romein(s) Roman
rommel lumber, rubbish
rommelig untidy
romp (lichaam) trunk • (schip) hull
rond round • circular

rondborstig candid, frank
rondbrengen take round
ronddolen, ronddwalen wander, roam (about)
ronde round • (v. politieagent) beat
rondgaan go about
rondgang circuit, tour, round
rondje round
rondkijken look round
rondkomen make (both) ends meet
rondleiden lead about, take round
rondleiding guided tour
rondom round about
rondreis (circular) tour
rondrijden drive about
rondrit sightseeing-tour
ronduit frankly, plainly
rondvaart boat trip
rondvlucht circuit
rondzenden send out
rondzwerven wander (roam) about
ronken snore • (machine) roar
ronselen recruit
röntgenfoto X-ray photograph
röntgenstralen *mv* X-rays *mv*
rood red
roodborstje robin
roodharig red-haired
roodhuid redskin, red Indian
roodvonk scarlet fever
roof robbery, plunder • (op wond) scab
roofdier beast of prey
roofvogel bird of prey
rooien dig up • (bomen) pull up
rooilijn alignment
rook smoke

rookcoupé smoking-compartment, smoker
rookspek smoked bacon
rookvlees smoked beef
rookworst smoked sausage
room cream
roomboter dairy-fresh butter
roomijs ice-cream
roomservice room service
rooms(-katholiek) Roman Catholic
roos (bloem) rose • (op 't hoofd) dandruff • (op schijf) bull's eye
rooskleurig rosy
rooster gridiron, grill • (lijst) list, time-table
roosteren roast
ros steed • *bn* reddish
rosbief roast beef
rose pink
rosé rosé
rossig reddish, ruddy
rot rotten, putrid
rotonde roundabout
rots rock
rotsachtig rocky
rotten rot, putrefy
rotting putrefaction
rotzooi mess
route way
routine routine
rouw mourning
rouwbeklag condolence
rouwen be in mourning
roven rob, plunder • steal
rover robber
royaal liberal, handsome, generous
royeren cancel, strike off the list
roze pink
rozemarijn rosemary

rozenhout rose-wood
rozenkrans rosary
rozijnen raisins
rubber rubber
rubriek head, column
ruchtbaar ~ *maken*, make public, make known • ~ *worden*, get abroad
rug back • (berg-) ridge
rugby rugby
ruggelings backwards
ruggegraat backbone, spine
ruggenmerg spinal marrow
ruggensteun support
ruggespraak ~ *houden met*, consult
rugleuning back (of a chair)
rugpijn back-ache
rugwervel dorsal vertebra
rugzak rucksack
ruien moult
ruif rack, manger
ruig hairy, shaggy • rough
ruiken smell, scent
ruil exchange, barter
ruilen exchange
ruilhandel barter
ruim (schip) hold • *bn* large, wide, roomy, spacious • ample
ruimen empty, clear
ruimschoots largely, amply
ruimte space
ruimtevaart space travel
ruïne ruin
ruïneren ruin
ruisen (water) murmur • (bladeren) rustle
ruit wisk rhomb • (glass-) pane • (venster) window • (in stof) check
ruiten *kaartsp* diamonds

ruitensproeier windscreen washer
ruitenwisser windscreen wiper
ruiter horseman
ruiterlijk frank
ruk pull, tug, jerk
rukken pull, tug, jerk • (uit de handen) snatch
rukwind gust of wind, squall
rum rum
rumoer noise, uproar
rumoerig noisy, tumultuous
rund cow, ox
runderlap beefsteak
rundvee (horned) cattle
rundvlees beef
rups caterpillar
Rus Russian
Rusland Russia
Russisch Russian
rust rest • quiet • tranquillity, *sp* half-time
rustbank couch
rustdag day of rest • holiday
rusteloos restless
rusten rest, repose • ~*d*, retired
rusthuis rest home
rustig quiet
rustplaats resting-place
ruw (stoffen) raw • (onbewerkt) rough • (grof) coarse, crude • (oneffen) rugged
ruzie quarrel, brawl

S

saai dull, tedious
sabbelen suck
sabel sabre, sword
saboteren sabotage
sacrament sacrament
safe strong room, safe-deposit
safeloket safe deposit
sage legend, tradition
sago sago
Saksen Saxony
Saksisch Saxon
salade salad
salami salami
salaris salary, pay
saldo balance • *batig ~*, credit
balance • *nadelig ~*, deficit
salon drawing-room • saloon
salueren salute
salvo volley, round, salvo
sambal chilli pepper sauce
samen together
samendrukken press together,
compress
samengesteld compound
samenhang coherence,
connection • (zin) context
samenhangen cohere • be
connected
samenkomst meeting
samenleving society
samenloop concourse • (rivieren)
confluence, concurrence • *~
van omstandigheden*,
coincidence
samenscholing gathering, riot
samenspanning conspiracy, plot
samenspraak dialogue

samenstellen compose, compile
samenstelling composition
• *taalk* compound (word)
samentrekken contract
• concentrate
samentrekkend astringent,
constringent
samentrekking contraction,
concentration
samenvatten sum up
samenvatting résumé, summing
up
samenvoegen join, unite
samenweefsel texture • (ook *fig*)
tissue
samenwerking co-operation
samenwonen live together
samenzweren conspire, plot
samenzwering conspiracy
sanctie sanction
sandaal sandal
sandwich sandwich
saneren reorganize
sanitair plumbing
sap juice
sappig sappy, juicy
sarcastisch sarcastic
sardine sardine
sarren provoke, vex, tease
satelliet satellite
saucijsje sausage
saucijzenbroodje sausage-roll
sauna sauna
saus sauce
sauskom sauce-boat
's avonds in the evening
savooiekool savoy (cabbage)
saxofoon saxophone
scène scene
scepter sceptre
sceptisch sceptical

schaaf plane
schaafwond abrasion of the skin, chafe, graze
schaak check • ~ spelen, play (at) chess
schaakbord chess-board
schaakmat checkmate
schaakspel (game of) chess • set of chess-men
schaaktoernooi chess-tournament
schaal (v. schaaldier) shell • (schotel) dish, bowl • (v. collecte) plate • (verhouding) scale • op grote, ruime ~, on a large scale
schaaldier crustacean
schaamte shame
schaamteloos shameless
schaap sheep
schaapherder shepherd
schaapskooi sheep-fold
schaar (knip-) (pair of) scissors • (v. schapen, gras) shears • (v. kreeft) pincer • (menigte) crowd
schaars scarce, scanty
schaarste scarcity • shortage
schaats skate
schaatsen ice-skating
schaatsenrijden ice-skating
schacht (mijn) shaft • (laars) leg • (pijl-) stem
schade damage • harm • tot ~ van, to the detriment of • ~ lijden, suffer a loss
schadelijk harmful, injurious • noxious
schadeloosstelling indemnification, compensation
schaden damage, hurt

schadevergoeding indemnification, compensation
schaduw shade, shadow
schaduwrijk shady, shadowy
schaduwzijde fig drawback
schaften eat
schafttijd meal-time
schakel link
schakelaar switch
schakelbord switch-board
schakelen switch • (auto) change gear
schaken play chess • (vrouw) run away with
schakering variegation, shade
schaking elopement, abduction
schalks arch, roguish
schallen sound
schamel poor
schamen zich ~, be ashamed, feel shame (over, of)
schamper scornful, sarcastic
schampschot grazing shot
schandaal scandal, shame, disgrace
schandalig disgraceful, scandalous
schande shame, disgrace • scandal
schandelijk disgraceful, shameful
schandvlek stain, blemish
schapenbout leg of mutton
schapenkaas sheep-cheese
schapenvlees mutton
schappelijk tolerable, moderate, reasonable
scharen zich ~, range oneself
scharenslijper knife-grinder
scharlaken scarlet
scharnier hinge
scharrelen scrape, rout,

rummage

schat treasure

schateren roar with laughter

schaterlach burst of laughter

schatkamer treasury

schatkist exchequer, (public) treasury

schatplichtig tributary

schatrijk wealthy, very rich

schatten appraise • assess • value • estimate • (afstand) gauge

schattig sweet

schatting valuation, estimation

schaven plane • (zijn vel) abrade, graze

schavot scaffold

schavuit rascal, rogue

schede sheath • scabbard

schedel skull

scheef oblique • slanting

scheel squinting • *schele hoofdpijn*, migraine

scheen shin

scheenbeen shin-bone

scheep *~ gaan*, go on board

scheepsarts ship's surgeon

scheepsbouw ship-building

scheepsbouwkunde naval architecture

scheepvaart navigation

scheerapparaat shaver

scheercrème shaving-cream

scheergerei shaving-tackle

scheerkwast shaving-brush

scheermes razor

scheermesje blade

scheerzeep shaving soap

scheiden divorce • separate

scheiding separation • partition • (haar) parting • (echt-) divorce

scheidsrechter *sp* referee, umpire • *recht* arbiter, arbitrator;

scheikunde chemistry

scheikundige chemist

schel *zn* bell • *bn* (geluid) shrill • (licht) glaring

schelden call names, scold • *~ op*, abuse, revile

scheldnaam nickname

scheldwoord invective, term of abuse

schelen (verschillen) differ • (mankeren) want • *wat scheelt je?*, what is the matter with you?, what's wrong? • *het kan me niet ~*, I don't care a damn

schellen ring the bell

schellinkje the gallery, the gods

schelm rogue, knave, rascal

schelp shell

schelpdier shell-fish

schelvis haddock

schema diagram, outline

schematisch in outline

schemer(acht)ig dim, dusky

schemeren ('s ochtends) dawn • ('s avonds) grow dusk

schemer(ing) twilight, dusk

schemering twilight, dusk

schenden disfigure • damage • (wet, eed, heiligdom) violate

schenken (gieten) pour • (geven) give, present with • *aandacht ~ aan*, pay attention to

schenker donor

schenking donation, gift

schennis violation • outrage

schep spade, scoop, shovel

schepen alderman

scheppen create • ladle, scoop

• *adem ~*, take breath • *een luchtje ~*, take an airing
schepper creator
schepping creation
schepsel creature
scheren (mensen) shave • (schapen) shear • *~ over*, skim
scherf fragment, splinter
scherm screen • (bloem) umbel • (toneel) curtain • *achter de ~en*, behind the scenes
schermen fence
schermutseling skirmish
scherp sharp • keen, acute
scherpen sharpen
scherpschutter sharp-shooter
scherpte sharpness, edge
scherpziend sharp-sighted
scherpzinnig acute, sharpwitted
scherts jest, joke • pleasantry
schertsen joke, jest
schets draught, sketch • outline
schetsen sketch • draw, outline
schetteren (trompet) bray, blare
scheur tear, rent, slit • cleft
scheuren tear (up) • rend
scheuring rupture, schism
scheut shoot • (v. vloeistof) dash • (v. pijn) twinge
scheutje dash
schichtig shy, skittish
schiereiland peninsula
schieten fire • shoot
schietlood plumb
schietschijf target
schiften sort, separate • (melk) curdle
schijf (vlees) slice, fillet • (dam-) man • (schiet-) target • (v. wiel) disc
schijn shine • appearance, show,

pretence • *de ~ redden*, keep up appearances
schijnbaar seeming(ly), apparent(ly)
schijnen (v. zon) shine • (lijken) appear, seem, look
schijnheilig hypocritical
schijnsel glimmer • sheen
schijnwerper searchlight, projector • (v. auto) dazzle lamp
schik *~ hebben*, amuse oneself • *in zijn ~ zijn*, be pleased
schikken order, arrange • adjust • *zich ~ naar*, submit to • conform to
schikking arrangement, settlement, compromise
schil (aardappel, banaan) skin • (sinaasappel) peel • *~len, mv* peelings, parings *mv*
schild shield, buckler
schilder painter
schilderachtig picturesque
schilderen paint • picture • depict
schilderij painting, picture
schilderkunst painting
schildklier thyroid gland
schildknaap squire
schildpad tortoise • (zee-) turtle
schildpadsoep turtle soup
schildwacht sentinel, sentry
schilfer scale, flake
schilferen scale (off), peel (off)
schillen (appels) pare • (sinaasappels, aardappelen) peel
schim shadow, shade, ghost
schimmel (paard) grey horse, grey • (zwam) mould
schimmelig mouldy

schimpen scoff (op, at)
schimpscheut taunt
schip ship, vessel • (kerk) nave
schipbreuk shipwreck • ~ lijden, be shipwrecked
schipbreukeling castaway
schipper bargeman, boatman • skipper
schitteren shine, glitter, sparkle
schitterend brilliant, glorious
schmink grease-paint • make-up
schoeisel shoes mv, foot-wear
schoen shoe
schoenborstel shoe-brush, blacking-brush
schoenenwinkel shoe shop
schoenlepel shoe-lift
schoenmaker shoemaker
schoenpoetser shoe-black • (in hotel) boots
schoensmeer shoe polish
schoenveter boot-lace
schoft (schurk) scoundrel, rascal
schok shock, jerk, jolt • (hevig) concussion
schokbreker, schokdemper shock-absorber
schokken shake, convulse
schol (vis) plaice • (ijs) floe
scholengemeenschap (ongeveer) comprehensive school
scholier, -e schoolboy, schoolgirl, pupil
scholing education
schommel swing
schommelen swing • (op stoel) rock • (koersen) fluctuate
schommeling fluctuation
schommelstoel rocking-chair
schoof sheaf
schooier tramp, beggar

school school • (vis) shoal • basis~, elementary school • middelbare ~, secondary school
schoolbord blackboard
schoolgeld school-fee
schoolhoofd head-master
schoolmeester schoolmaster
schoolrapport report
schools academic
schoolslag breast-stroke
schooltas (school-)satchel
schoon clean, pure • beautiful, fine
schoondochter daughter-in-law
schoonheid beauty
schoonheidsspecialiste beautician
schoonmaak cleaning, clean-up
schoonmaken clean
schoonmoeder mother-in-law
schoonouders mv parents-in-law
schoonvader father-in-law
schoonzoon son-in-law
schoonzus sister-in-law
schoonzuster sister-in-law
schoorsteen chimney • (schip) funnel
schoorsteenmantel mantelpiece
schoorsteenveger chimney-sweeper
schoorvoetend reluctantly
schoot lap • fig womb
schop (trap) kick • (spade) shovel, spade
schoppen ww kick • zn kaartsp spades
schor hoarse, husky
schorem scum
schorpioen scorpion
schors bark
schorsen suspend

schorsing suspension
schort apron
schot shot • (muur) partition • (schip) bulkhead
Schot Scot(chman)
schotel (schaal) saucer • (gerecht) dish • *vliegende ~*, flying saucer
schotelantenne satellite dish
Schotland Scotland
Schots Scotch, Scottish
schots *zn* floe of ice • *bn*: *~ en scheef*, higgledy-piggledy
schouder shoulder
schouderbandje shoulder-strap
schouderblad shoulder-blade
schoudertas shoulder-bag
schouwburg theatre
schouwspel spectacle, sight
schraal thin, poor, scanty
schram scratch
schrander clever, intelligent
schrap scratch • *zich ~ zetten*, take a firm stand
schrapen scrape
schrappen cancel, strike out • (wortels) scrape
schrede pace, step, stride
schreeuw cry, shout
schreeuwen cry, shout, bawl
schreeuwerig clamorous • blatant • (kleur) loud
schreien cry, weep
schriel stingy, mean
schrift writing • (de letter) script • (schrijf boek) exercise book • *de Heilige S~*, Holy Writ, Holy Scripture
schriftelijk written, in writing • *~e cursus*, correspondence course
schrijden stride
schrijfbehoeften *mv* writing

materials *mv*, stationery
schrijfblok writing-block
schrijfbureau writing-desk
schrijffout clerical error
schrijfgereedschap writing-materials
schrijfletters *mv* script
schrijfmachine typewriter
schrijfpapier writing paper
schrijfster author(ess)
schrijftafel writing-table
schrijlings astride
schrijnen smart
schrijven write
schrijver writer, author • (kantoor) clerk
schrik fright • terror
schrikaanjagend terrifying
schrikachtig easily frightened, jumpy
schrikdraad barbed wire
schrikkeljaar leap year
schrikken be frightened
schril shrill, strident
schrobben scrub, scour
schroef screw
schroefdraad screw-thread
schroefsleutel monkey-wrench, spanner
schroeien scorch • singe
schroeven screw
schroevendraaier screwdriver
schrokken eat gluttonously
schromelijk grossly, awfully
schromen fear, dread
schrompelen shrivel
schroom fear, scruple
schroomvallig diffident • timid
schroot scrap
schub scale
schuchter timid, bashful

schudden shake • *kaartsp* shuffle
schuier brush
schuif (grendel) bolt • (doos) sliding lid
schuifdak sliding roof
schuifdeur sliding-door
schuifelen shuffle
schuifla drawer
schuifraam sash-window
schuilen take shelter • hide
schuilhoek hiding-place
schuilkelder underground shelter
schuilplaats hiding-place, shelter, refuge • *bomvrije ~*, dug-out
schuim foam • (op bier) froth • (zeep) lather • *fig* scum, dregs
schuimbad foam bath
schuimen foam, froth • lather
schuimrubber foam rubber
schuin slanting, sloping • oblique • *fig* broad, obscene
schuit boat, barge
schuiven shove, push • (opium) smoke
schuld (geld) debt • (verantwoordelijkheid) blame • (fout) fault, guilt
schuldbekentenis bond, I.O.U.
schuldbelijdenis confession of guilt
schuldbesef consciousness of guilt
schuldeiser creditor
schuldenaar debtor
schuldig guilty, culpable • *~ zijn*, be guilty • (geld) owe
schuldige culprit, delinquent
schunnig mean, shabby
schuren scour • (wrijven) rub against

schurft scabies, itch
schurftig scabby, mangy
schurk rascal, scoundrel
schurkenstreek roguery
schut screen, partition
schutkleur protective colouring
schutsluis lock
schutter marksman
schutting fence, hoarding
schuur barn, shed
schuurpapier emery-paper
schuw shy, timid, bashful
schuwen shun, avoid
scooter scooter
scoren score
scrupule scruple
seance seance
seconde second
secretaresse secretary
secretaris secretary • town clerk
sectie section • (v. lichaam) post-mortem
secuur accurate, precise
sedert since • for
sedertdien since
sein signal
seinen give a signal
seinhuis signal-box
seinpaal signal-post, semaphore
seizoen season
seks sex
sekse sex
seksshop sex shop
seksualiteit sexuality
seksueel sexual
sekte sect
selderie, selderij celery
selecteren select
selectie selection
seminarie, seminarium seminary
senaat senate

sensatie sensation, stir
sentimenteel sentimental
september September
sergeant sergeant
sergeant-majoor sergeant-major
serie series
serieus serious
sering lilac
serre (aan huis) closed veranda(h)
serveerster waitress
serveren serve
servet napkin
service service
servies (dinner-)service
sfeer sphere • *fig* atmosphere
shag rolling tobacco
shampoo shampoo
sherry sherry
shirt shirt
show show
Siberië Siberia
sidderen quake, shake, tremble
sieraad ornament
sieraden jewellery
sieren adorn, decorate
sierlijk graceful, elegant
sigaar cigar
sigarenwinkel tobacconist's
sigaret cigarette • ~ *met filter* filter cigarette
sigarettenaansteker cigarette-lighter
signaal signal • *mil* buglecall
signalement description
sijpelen ooze, trickle
sik goatee
sikkel sickle, reaping-hook
simpel silly • simple, plain
sinaasappel orange
sinaasappelsap orange juice

sinas orange soda
sinds since
sindsdien since
singel (gordel) girth • (om stad) moat
sintel cinder
sintelbaan *sp* cinder-track
Sinterklaas Saint Nicholas
sire Sire, your Majesty
sirene siren
siroop treacle • syrup
sissen hiss
situatie situation
sjaal shawl, scarf
sjacheren barter
sjerp sash, scarf
sjiek fancy
sjofel shabby
sjokken jog, trudge
sjorren lash
sjouwen carry • (sloven) drudge
skateboard skateboard
skeeler skates
skelet skeleton
ski ski
skiën, skilopen *ww* ski • skiing
skilift ski lift
skischans ski jump
skischoenen ski boots
skistok ski pole
sla (grecht) salad • (groente) lettuce
slaaf slave
Slaaf Slav
slaafs slavish, servile
slaag drubbing
slaan (ook v. klok) strike • (herhaaldelijk) beat
slaap sleep • (v. hoofd) temple
slaapcoupé sleeping-compartment

slaapkamer bedroom
slaapmiddel soporific
slaapmutsje night-cap
slaappil sleeping pill
slaapplaats sleeping-place
slaaptrein sleeper train
slaapwagen sleeper
slaapwandelaar sleep-walker
slaapzaal dormitory
slaapzak sleeping bag
slaatje salad
slabbetje bib
slachten kill, slaughter
slachting slaughter
slachtoffer victim
slag [de] stroke • blow • (v. h.
hart) beat, beating • (v. klok,
roeier) stroke • (donder) clap
• (veldslag) battle • (kaartspel)
trick • (in haar) wave • fig blow
• [het] (soort) kind, sort • class
slagader artery
slagboom barrier
slagen succeed (in ...ing)
slager butcher
slagerij butcher's shop
slagregen downpour
slagroom whipped cream
slagschip battleship
slagtand tusk, fang
slagvaardig quick-witted
slagveld battle-field
slagwerk percussion
slagzin slogan
slak (met huisje) snail • (zonder
huisje) slug • (metaalslak) slag
slaken (kreet) utter • (zucht)
heave
slalom slalom
slang serpent, snake • (v.
brandspuit) hose • (rubber)
tube
slangenbeet snake-bite
slank slender, slim
slaolie salad oil
slap slack, loose, flabby • (thee)
weak • (karakter) weak,
spineless
slapeloos sleepless
slapeloosheid insomnia
slapen sleep
slaperig sleepy, drowsy
slapte slackness • (handel) slack
slasaus salad-dressing
slavenhandel slave trade
slavernij slavery
slavin slave
Slavisch Slav
slecht bad, evil • (mens) wicked
• (kwaliteit) poor
slechten level, demolish
slechter worse
slechthorend hard of hearing
slechts only, merely
slechtziend weak-sighted
slee sledge
sleep train
sleepboot tug(boat)
sleepdienst towing-service
sleep-in sleep-in
sleepkabel tow rope
sleeptouw tow-rope • op ~
houden, keep on a string
slenteren saunter, lounge
slepen drag, trail • (schip) tow
slepend dragging • (ziekte)
lingering
sleuf groove • slot, slit
sleur routine, rut
sleuren trail, drag
sleutel key • muz clef • Engelse ~,
spanner, monkey-wrench

sleutelbeen collar-bone
sleutelbloem primula, primrose, cowslip
sleutelbos bunch of keys
sleutelgat keyhole
sleutelring key-ring
slib mud
sliert string
slijk mud, mire, dirt
slijm slime • mucus
slijmerig slimy
slijmvlies mucous membrane
slijpen whet, grind, sharpen
slijtage wear and tear
slijten wear out • (dagen) spend, pass
slijterij off-licence
slikken swallow
slim astute • sly, cunning
slimmerd, slimmerik sly dog
slinger (klok) pendulum • (pomp) handle • (versiering) festoon
slingeren (slinger) swing • (schip) roll • (pad) wind
slingerplant climber
slinken shrink • dwindle down
slinks crooked, artful, cunning
slipgevaar! slippery road
slipje (broekje) panties
slippen (auto) skid
slippers slippers
sloep longboat, sloop, shallop
slof slipper, mule • (sigaretten) carton
slok draught
slokdarm gullet, oesophagus
slokken guzzle, swallow
slons slut, sloven, slattern
sloof apron • (persoon) drudge
sloom slow
sloop pillow-case

sloot ditch
slopen demolish • (huis) pull down • (schip) break up
slordig slovenly, careless, sloppy
slot (vergrendeling) lock • (kasteel) castle • (eind) conclusion • *achter ~ en grendel*, under lock and key • *op ~* locked • *ten ~te*, finally, eventually
slotenmaker locksmith
slotsom conclusion
sluier veil
sluik lank
sluimeren slumber
sluimering slumber, doze
sluipen steal, sneak. creep into
sluipmoord assassination
sluipschutter sniper
sluis sluice, lock
sluiten (dichtdoen) shut • (op slot) lock • (een winkel) close • (beëindigen) conclude, close
sluiting shutting, closing, locking
sluitingsuur closing time
slurf (olifant) trunk
slurpen lap, sip
sluw sly, cunning, astute, artful
smaad revilement • libel
smaak taste • (zin) liking
smaakvol tasteful
smachten languish, long, pine *(naar*, after, for)
smadelijk opprobrious
smak smacking of the lips • heavy fall • thud
smakelijk savoury, tasty • *~ eten!*, good appetite
smakeloos tasteless • *fig* lacking taste • in bad taste
smaken taste *(naar*, of)

smal narrow
smalen rail *(op,* at)
smalfilm 8 mm film
smart pain, grief, sorrow
smartelijk painful, grievous
smartengeld compensation
smeden forge, weld • (plan) devise
smederij smithy, forge
smeedijzer wrought iron
smeekbede supplication
smeer grease, fat, tallow • smear, spot
smeerkaas cheese spread
smeerlap blackguard, skunk
smeerolie lubricating oil
smeerpunt lubrication point
smeken entreat • supplicate, implore, beseech
smelten melt, fuse
smeltkroes melting-pot
smeltpunt melting-point
smeren grease, oil, lubricate • smear • (boter) spread
smerig dirty
smering lubricant
smeris cop
smet spot, stain • *fig* blemish
smetteloos stainless, immaculate
smeulen smoulder
smid smith
smijten throw, fling, hurl
smoel mug • *zijn ~ houden,* hold one's jaw
smoesje pretext
smoezelig dingy, smudgy
smoking dinner-jacket • *Amer* tuxedo
smokkel smuggling
smokkelaar smuggler
smokkelen smuggle

smokkelhandel smuggling
smokkelwaar contraband
smoren smother, throttle
sms'en send text messages
smullen feast, banquet
smulpartij banquet
snaar string, chord
snackbar snack bar
snakken ~ *naar,* yearn for, die for
snappen understand
snateren chatter
snauwen snarl (at)
snavel bill, beak
snedig witty • smart
snee cut • (plak) slice, rasher • (scherp) edge
sneetje slice
sneeuw snow
sneeuwbal snowball
sneeuwen snow
sneeuwjacht snowdrift, blizzard
sneeuwketting snow chain
sneeuwklokje snowdrop
sneeuwstorm snow storm
sneeuwvlok snowflake
snel quick, swift • fast, rapid
snelbinder elastic luggage binders
snelblusser fire extinguisher
snelbuffet snack-bar
snelgoed fast goods
snelheid swiftness, speed
snelheidsmeter speedometer
snelkoker quick heater
snelkookpan pressure cooker
sneller faster
sneltrein express train
snelweg motorway
snert pea-soup • *fig* trash
sneu disappointing

sneuvelen be killed in action
snibbig snappy
snijboon haricot bean
snijbrander (oxygen) cutter
snijden cut • (vlees) carve • (kaartspel) finesse
snijlijn secant
snijpunt (point of) intersection
snijtand cutting tooth, incisor
snik gasp, sob
snikken sob
snipper cutting • scrap • shred
snipperdag extra day off
snit cut
snobistisch snobbish
snoeien prune • clip
snoek pike
snoekbaars pike-perch
snoep sweets
snoepen eat sweets
snoer string • cord • flex
snoet snout, muzzle
snoever boaster, braggart
snoezig sweet, ducky
snor moustache
snorkel snorkel
snorken snore
snorren drone, whir
snot snot, mucus
snotneus snotty nose • *fig* whipper-snapper
snowboard snowboard
snuffelen nose, ferret
snugger bright, clever
snuif snuff
snuisterij knick-knacks *mv*
snuit snout, muzzle • (olifant) trunk
snuiten blow (one's nose)
snuiven sniff, snuffle, snort
snurken snore

sober sober, frugal
sociaal social • *sociaal werkster*, social worker
sociaal-democraat social democrat
socialiseren socialize
socialisme socialism
socialist socialist
sociëteit club(-house)
soda soda
sodawater soda-water
soebatten implore, beseech
soep soup
soepbord soup-plate
soepel supple, flexible
soeplepel soup-spoon • (groter) soup-ladle
soepterrine soup-tureen
soes (cream) puff
soeverein sovereign
sof flop
sofa sofa, settee
sok sock • *fig* (old) fogey
soldaat soldier • *gewoon ~*, private • *gemeenz* Tommy *Eng* • G.I. *Amer*
soldeer solder
solderen solder
soldij pay
solidair solidary, mutually dependent
solide solid • (bedrijf) respectable • (belegging) sound, safe • (persoon) steady
solist soloist
sollicitant candidate, applicant
sollicitatie application
sollicitatiebrief letter of application
solliciteren apply (for)
solo solo

solvabiliteit ability to pay
som sum, amount • problem
somber gloomy • sad, dark
sommeren summon
sommige some
soms sometimes
sonderen sound, probe
sonnet sonnet
soort sort, kind • species
soortelijk specific
soortgelijk similar, suchlike
sop suds
sopraan soprano
sorbet sorbet
sorry sorry
sorteren (as)sort
sortering assortment
souffleur prompter
souper supper
souperen take supper
souterrain basement
souvenir souvenir, keepsake
Sovjet-Unie Soviet union
spa spa • mineral water
spaak spoke
spaander chip
Spaans Spanish
spaarbank savings bank
spaargeld savings *mv*
spaarpot money box
spaarrekening savings account
spaarzaam saving, economica
spaarzaamheid economy, thrift
spade spade
spaghetti spaghetti
spalk splint
span team, pair • *een aardig ~,* a nice couple
spanen chip
Spanjaard Spaniard
Spanje Spain

spannen (touw) stretch • tighten • (voor-) put to • (nauw zijn) be (too) tight
spannend (boeiend) exciting, thrilling
spanning tension • (banden) pressure • (v. brug) span • *elektr* tension, voltage • *fig* tension, strain • suspense
spar (boom) spruce-fir
sparen (geld)save • (verzamelen) collect • (ontzien) spare
spartelen sprawl
spastisch spastic
spat spot, speckle, stain
spatader varicose vein
spatbord mud-guard • splash-board • (v. auto ook.) wing
spatie space
spatten splash, spatter
specerij spice(s)
specht woodpecker
speciaal special
special special
specialiseren specialize
specialist specialist
specialiteit speciality • specialty
specificeren specify
spectrum spectrum
speculant speculator
speculatie speculation, stockjobbing
speeksel spittle, saliva
speelgoed toys *mv*
speelkaarten playing cards
speelruimte play • *fig* elbowroom, margin
speels playful
speeltuin playground
speen teat, nipple • *fop~* comforter

speenvarken sucking-pig
speer spear
spek bacon • (vers) pork
spektakel noise, hubbub
spel play • game • sport • (toneel) acting • ~ *kaarten*, pack of cards • *de Olympische Spelen*, the Olympic games
speld pin
spelden pin
speldenknop pin's head
spelen play • (om geld) gamble • ~ *voor*, act
speling play • ~ *der natuur*, freak (of nature)
spellen spell
spelletje game
spelling spelling, orthography
spelonk cave, cavern, grotto
sperwer sparrow-hawk
sperziebonen string beans
spetter hunk
speuren trace, track
speurhond tracker dog, sleuth (-hound)
speurtocht search
spichtig lank, weedy
spie pin, peg, cotter
spiegel looking-glass, mirror, glass
spiegelbeeld image, reflection
spiegelei fried egg
spiegelglas plate glass
spiegelruit pane of plate glass
spieken crib, cheat
spier muscle
spiering smelt
spierkracht muscular strength, muscle
spiernaakt stark naked
spierpijn muscular pain(s)

spijbelen play truant
spijker nail
spijkerbroek pair of jeans
spijkeren nail
spijl bar • spike
spijs food
spijskaart menu
spijsvertering digestion
spijt regret • ~ *hebben van*, regret • be sorry for • *tot mijn* ~, to my regret
spijten be sorry • *het spijt me*, I am sorry, I regret
spikkel speck, speckle, spot
spiksplinternieuw bran(d) new
spil pivot, spindle • *sp* centre-half
spin spider
spinazie spinach
spinnen (textiel) spin • (kat) purr
spinnenweb cobweb
spion spy
spionage spying, espionage
spioneren spy
spiraal spiral
spiraalveer coil-spring
spiritualiën *mv* spirits
spiritus methylated spirits
spiritusbrander methylated spirit stove
spit (braad-) spit • (in de rug) lumbago
spits point • (toren) pinnacle, spire • (berg) top, summit • *bn* pointed, sharp
spitsuren *mv* peak-hours, rush hours *mv*
spitsvondig subtle
spitten dig
spleet split, cleft, crevice
splijten cleave, split
splinter splinter

split split
splitpen split pin
splitsen split (up) • (touw) splice • *zich ~*, split (up) • (weg) bifurcate
splitsing splitting (up), division • (weg) bifurcation • (atoom) fission
spoed speed, haste • (v. schroef) pitch • *~!*, urgent!
spoedbestelling express delivery
spoedeisend urgent
spoeden *zich ~*, make haste, hasten (to)
spoedgeval emergency (case)
spoedig speedy, quick • early (reply) • *bijw* quickly • soon
spoel spool • (techn.) coil • reel
spoelen wash, rinse
spoelworm roundworm
spoken haunt
sponning rabbet, groove
spons sponge
spontaan spontaneous
spook ghost, phantom
spoor (v. ruiter) spur • (indruk) trace, track, foot-mark • (trein) railway, rails • (op station) rail • *per ~*, by rail
spoorbaan railroad
spoorboekje railway timetable
spoorboom gate
spoorkaartje railway ticket
spoorloos without a trace
spoorslags at full gallop
spoortrein train
spoorweg railway
spoorwegovergang level-crossing
spoorwegpolitie railway police
sporen go (travel) by railway

sport (lichaamsbeweging) sport • (v. ladder) rung
sportartikelen sports articles
sporten do sport
sportief sporting, sportsmanlike
sportschoenen sport shoes
sportterrein sports field
spot mockery
spotgoedkoop dirt-cheap
spotprent caricature
spotprijs nominal price
spotten mock, scoff *(met,* at)
spotvogel mocking-bird
spraak speec., anguage
spraakgebrek speech-defect
spraakgebruik usage
spraakkunst grammar
spraakzaam talkative
sprakeloos speechless, dumb
sprank spark
spreekkamer consulting-room, surgery
spreekkoor chorus
spreekuur consulting hours *mv*
spreekwoord proverb, adage
spreekwoordelijk proverbial
spreeuw starling
sprei bedspread, counterpane
spreiden spread • (v. bed) make
spreken speak, say, talk • *kan ik meneer X ~?*, can I see Mr. X?
spreker speaker • (redenaar) orator
sprenkelen sprinkle
spreuk motto, aphorism
spriet sprit • (v. insect) feeler • (gras) blade
springen spring, leap, jump, bound • (glas) crack • (band) burst
springplank spring-board

springstof explosive
sprinkhaan grasshopper
sproeien sprinkle, water
sproeier sprinkler
sproet freckle
sprokkelen gather dead wood
sprong leap, jump • bound
sprookje fairy-tale
sprot sprat
spruit sprout • sprig • scion
spruitjes *mv* sprouts *mv*
spugen spit • vomit
spuien sluice • ventilate
spuit syringe, squirt
spuitbus aerosol(can)
spuiten spout, squirt
spuitje injection
spuitwater soda-water
spul stuff
spullen things
spuug spittle, saliva
spuwen spit • vomit
squash squash
squashen play squash
staaf (ijzer) bar • (goud) ingot
staak stake, pole
staal (model) sample, pattern
   • (metaal) steel
staaldraad steel-wire
staan stand • be • (passen)
   become
staangeld deposit
staanplaats stand
staar cataract
staart tail
staat (land) state • (toestand)
   state, condition • (lijst)
   statement, list • *in ~ stellen,*
   enable to • *in ~ zijn,* be able • *~*
   van beleg, state of siege
staatkunde politics

staatsburger subject • citizen
staatsgreep coup (d'état)
staatshoofd chief of the state
staatsie state, pomp
staatslening government loan
staatsloterij state lottery
staatsman statesman
staatssecretaris minister of state
staatswetenschap political
   science
stabiel stable
stabiliteit stability, stableness
stad town
stadhuis town hall
stadion stadium
stadium stage, phase
stadsbestuur municipality
stadsbus local buss
staf staff • mace
stafkaart ordnance map
stage apprenticeship
staken stop, suspend • (werk)
   strike
staker striker
staking suspension • (werk-)
   strike
stakker poor wretch (thing)
stal stable • cow-house • (varkens)
   sty
stalen *bn* (of) steel • *fig* brazen
   • *ww* steel
stallen put up
stalles *mv* stalls *mv*
stalletje stall, stand, booth
stalling stable • garage • (fiets)
   shelter
stam stem • trunk • (volks-) race,
   tribe
stamboom family tree, pedigree
stamelen stammer
stamgast regular customer

stampen stamp • (schip) pitch • (machine) thud

stamper stamper • (v. bloem) pistil

stamppot hotchpotch

stampvoeten stamp one's feet

stampvol crowded, chock-full

stamvader progenitor

stand attitude, posture • (hoogte) height • (in maatschappij) status, position • (toestand) situation, state • (sport) score • *tot ~ brengen*, bring about, accomplish

standaard standard

standbeeld statue

standhouden maintain • endure

standje reproof, scolding • *iem. een ~ geven*, scold sbd.

standplaats standing-place, station • (v. taxi's) stand • (op camping) pitch

standpunt point of view

standvastig steadfast, firm, constant

stang bar, rod • (van bit) bridle-bit

stank bad smell, stink, stench

stap step

stapel pile, heap

stapelbed bunk bed

stapelen stack

stappen step, stalk

stapvoets at a foot-pace

star stiff, rigid • fixed

staren stare (at), gaze (at)

start start • take-off

startbaan runway

starten start

starter starter

startkabels jump leads

startmotor starter motor, starter

statief tripod

statiegeld deposit

statig stately • grave

station station

stationschef station master

statistiek statistics

status status

statuten *mv* regulations, articles of association

staven support • substantiate

stedelijk municipal

stedenbouw town planning

steeds *bn* town- • townish • *bijw* always, continually, still, all the time • *~ hoger*, higher and higher

steeg lane, alley

steek (naaien) stich • (dolk) stab • (wesp) sting • (pijn) twitch • *~ onder water*, dig • *in de ~ laten*, leave, fail

steekpenning bribe

steekproef random sample

steeksleutel spanner

steekvlam flash

steekvlieg gadfly

steel (bloem) stalk • (bloem, glas) stem • (gereedschap) handle

steelpan saucepan

steen stone • *~ des aanstoots*, stone of offence

steendruk lithography

steengroeve quarry

steenkool coal

steenpuist boil

steiger scaffold(ing) • (haven) pier, jetty, landing-stage

steigeren rear

steil steep • precipitous

stek slip, cutting

stekeblind stone-blind
stekel prickle, sting
• (stekelvarken) spine
stekelbaars stickleback
stekelig prickly • fig stinging
stekelvarken porcupine
steken (v. insect) sting • (met speld enz.) prick • (v. zon) burn • (v. wond) smart • blijven ~, stick (fast) • in zee ~, put to sea
stekker plug
stel set
stelen steal
stellage scaffolding, stage
stellen set, place, put • (veronder-) suppose • (beweren) state
stellig positive • explicit
stelling theorem, problem • (stellage) scaffolding
stelpen staunch
stelregel maxim
stelsel system
stelselmatig systematical
stem voice • (bij stemming) vote • muz part
stembanden mv vocal chords mv
stembiljet voting-paper
stembureau polling-booth
stembus ballot box
stemgerechtigd qualified to vote
stemmen (een kandidaat) vote • (muziek) tune
stemmig demure, sedate
stemming voting • (humeur) frame of mind, mood • (v. markt) tone
stempel (voorwerp) stamp, die • (afdruk) stamp, impress • postmark • (v. bloem) stigma
stempelen stamp, mark
stemrecht right to vote

stemvork tuning-fork
stencil stencil
stenen stone, of stone
stengel stalk, stem
stenig stony
stenografie shorthand
stenotypist(e) shorthand typist
step (v. kinderen) scooter
step-in step-in
ster star • vallende ~, falling star
stereo stereo-
sterfbed death-bed
sterfelijk mortal
sterfgeval death
sterfte mortality
steriel sterile, barren
steriliseren sterilize
sterk strong
sterkedrank alcohol
sterkte strength
sterrenbeeld constellation
sterrenkers garden cress
sterrenkijker telescope
sterrenkunde astronomy
sterrenwacht astronomical observatory
sterretje asterisk (*)
sterveling mortal
sterven die
steun support
steunen support, back (up) • (zuchten) groan • ~ op, lean on • fig lean upon
steunzool arch support
steur sturgeon
steven prow, stem
stevenen steer, sail
stevig solid, firm, substantial
stewardess (in vliegtuig) air hostess • stewardess
stichtelijk edifying

stichten found, establish
stichting foundation • (inrichting) institution
stiefkind step-child
stiefmoeder stepmother
stiekem on the sly, secretly
stier bull • (dierenriem) Taurus
stift pin, point
stijf stiff
stijfhoofdig obstinate
stijfkop obstinate person
stijfsel starch
stijgbeugel stirrup
stijgen rise, mount, go up
stijl (v. deur enz.) post • (trant) style
stijven (m. stijfsel) starch • (verstevigen) stiffen
stikdonker pitch-dark
stikken stifle, be stifled, choke, suffocate • (naaien) stitch
stikstof nitrogen
stil still, quiet, silent
stillen (pijn) alleviate • (dorst) quench • (honger) appease
stilletjes silently
stilleven still life
stilstaan stand still • stop
stilstand standstill • cessation • stagnation, stoppage
stilte silence
stilzwijgend silent, taciturn
stimulans stimulant • *fig* stimulus
stimuleren stimulate
stinken stink *(naar,* of)
stip point, dot (op de i)
stippel dot, speck
stippellijn dotted line
stipt punctual, precise
stoeien romp

stoel chair • seat
stoelgang stool(s), motion(s)
stoeltjeslift chair lift
stoep (voor huis) steps • (trottoir) pavement
stoer sturdy, stalwart, stout
stoet train, procession
stof [*de*] matter • (weefsel) fabric, material • *fig* subject-matter • theme • [*het*] (vuil) dust
stofbril goggles
stofdoek duster
stoffeerder upholsterer
stoffelijk material
stoffen dust
stoffer duster • ~ *en blik* (dust)pan and brush
stoffig dusty
stofwisseling metabolism
stofzuigen vacuum
stofzuiger vacuum cleaner
stok stick • cane • (v. vlag) pole
stokbrood French bread
stokdoof stone-deaf
stoken (kachel) stoke • (drank) distil • *fig* stir up, brew
stoker stoker, distiller
stokerij distillery
stokoud very old
stokpaardje hobby
stokvis stockfish
stollen congeal, coagulate, curdle, clot
stolp glass-bell • cover
stom (niet sprekend) dumb, mute • (film) silent • (dom) stupid
stomdronken dead drunk
stomen steam • dry-clean
stomerij dry-cleaner's
stomheid dumbness • stupidity

stommelen clutter
stommeling blockhead
stomp zn (stoot) push, dig, thump, punch • (overblijfsel) stump • bn blunt, dull • (hoek) obtuse
stompzinnig obtuse
stomverbaasd stupefied
stoofpeer cooking-pear
stookgat fire hole
stookolie oil-fuel
stoom steam
stoomboot steamer, steam-ship
stoomketel steam-boiler
stoommachine steam-engine
stoornis disturbance
stoot push • (degen) thrust, (dolk) stab • (biljart) stroke
stootkussen buffer
stoottroepen mv shocktroops
stop (v. fles) stopper • (in kous) darn • (zekering) fuse • (in bad) put • ~! stop!
stopbord halt sign
stopcontact power-point
stoplicht traffic light
stopmiddel something for diarrhoea
stopnaald darning-needle
stoppel stubble
stoppen stop • (v. pijp) fill • (bergen) put • (herstellen) darn
stopplaats stop(ping-place)
stoptrein slow train
stopverf putty
stopwol darning-wool
stopzetten stop • close down
storen disturb, derange • interrupt • zich ~ aan, mind
storing disturbance • trouble,

breakdown • rtv interference
storm storm, tempest, gale
stormachtig stormy, tempestuous, tumultuous
stormen storm • het stormt, it is blowing a gale
stortbui heavy shower
storten (tranen) shed • (vuilnis) dump • (geld) pay in, deposit
storting (geld) payment, deposit
stortkoker chute, shoot
stortregen heavy shower
stortvloed flood, torrent
stortzee sea
stoten push • (hoofd) bump • (tenen) stub • fig stock
stotteren stutter, stammer
stout (ondeugend) naughty
stoutmoedig bold, daring
stoven stew
straal ray • beam • (cirkel) radius • (bliksem) flash • (water) jet
straalvliegtuig jet plane
straat street • (zee-) straits
straatjongen street-boy, guttersnipe
straatkant street side
straatsteen paving-stone
straatverlichting street-light
straatweg road
straf zn punishment, penalty • bn severe • (v. drank) stiff
strafbaar punishable • penal
straffeloos unpunished, with impunity
straffen punish
strafport additional, extra postage, surcharge
strafrecht criminal law • wetboek van ~, penal code
strafschop penalty kick

strafwerk detention work
strafwet criminal law, penal law
strak tight, stiff, taut
strakjes in a moment
straks soon, later • *tot* ~ see you later
stralen beam • radiate
straling radiation
stram stiff, rigid
strand beach • (kust) shore
stranden strand, run aground
strandstoel beach chair
streber pusher, careerist
streek (met pen) stroke • (gebied) region, district, area • (list) trick • *van* ~, upset
streekvervoer regional transport
streep streak, stripe • stroke, dash, line
strekken stretch • reach • extend
strekking tendency, purport
strelen stroke, caress • *fig* flatter
stremmen (bloed) congeal, coagulate • (melk) curdle • (verkeer) stop, obstruct
streng *zn* (touw) strand • *bn* severe, stern, rigid
strengheid severity
stress stress
streven strive (after), aspire (to), aim (at)
striem stripe, weal
strijd fight, combat • struggle, strife • contention • *in* ~ *met*, contrary to
strijden fight, combat, battle
strijdig conflicting • ~ *met*, contrary to
strijdkrachten *mv* armed forces *mv*
strijdlustig combative, militant

strijdvaardig ready to fight
strijkbout flat iron
strijken (kleren) iron • (vlag) strike • (met hand) smooth
strijkijzer iron
strijkje string-band
strijkorkest string-orchestra
strijkplank ironing-board
strijkstok bow, fiddlestick
strik knot • (das) bow • (val) snare
strikken tie • (vangen) snare
strikt precise, strict
strikvraag catch, poser
strip comic
striptease striptease
stripverhaal strip
stro straw
strodak thatched roof
stroef stiff • stern • harsh
strohoed straw-hat
stromen stream, flow • ~*d water* running water
stroming current • trend
stronk stump • (v. kool) stalk
strooien strew, scatter
strook strip • slip
stroom stream • current • *elektr* electricity
stroomlijn stream-line
stroomverdeler distributor
stroomversnelling rapid
stroop treacle
strooptocht raid
strop (ophanging) halter, rope • (v. wild) snare • (pech) bad luck
stropdas tie
stropen poach • (villen) skin
stroper poacher
strot throat
strottenhoofd larynx

strozak straw mattress
structureel structural
structureren structure
structuur structure
struik shrub, bush
struikelblok obstacle
struikelen stumble
struikgewas shrubs, scrub
struisvogel ostrich
studeerkamer study
student student
studeren study
studie studies
studiebeurs scholarship
studieboek text-book
studio studio
stug stiff • surly
stuifmeel pollen
stuip convulsion, fit
stuiptrekking convulsion
stuiten stop, check • (v. bal)
  bounce • ~ *op*, meet with
stuitend offensive, shocking
stuiven fly about, dash
stuk piece, part • (papier) paper,
  document • (schaak-) piece
  • (kanon) gun • *bn* (kapot)
  broken • *ingezonden* ~, letter to
  the editor • *per* ~, apiece • ~
  voor ~, one by one
stukadoor plasterer
stukgaan break, go to pieces
stukmaken break, smash
stukscheuren tear to pieces
stumper wretch
stunt stunt
stuntelig clumsy
sturen send, direct • (schip, auto)
  steer
stut prop, support, stay
stuur (schip) helm, rudder • (fiets)

handle bar • (auto) wheel
stuurboord starboard
stuurhuis steering box
stuurhut cockpit
stuurinrichting steering
stuurman steersman, mate
stuurs surly, sour
stuurwiel steering wheel
stuw weir
stuwdam barrage
stuwen stow • (voort-) propel
stuwkracht driving power
subsidie subsidy
subtiel subtle
succes success • ~*!*, good luck!
successierechten *mv* death-
  duties *mv*
sudderen simmer
suède suede
suf dull • dazed • sleepy
suffen doze
sufferd duffer, stupid
suggestie suggestion
suiker sugar
suikerbiet sugar-beet
suikergoed confectionery
suikerpatiënt diabetic
suikerpot sugar-basin
suikerraffinaderij sugar-refinery
suikerriet sugar-cane
suikerziekte diabetes
suite suite of rooms
suizen buzz
sukade candied peel
sukkel crock
sukkeldraf *op een* ~, at a jog trot
sukkelen (sjokken) jog, trudge
  • (ziekelijk zijn) be ailing
sul soft Johnny, noodle
superbenzine super, four-star
  petrol

superieur superior
supermarkt supermarket
suppoost attendant, guard
surfen surf
surfplank surf board
Suriname Surinam
surplus surplus • margin
surrogaat substitute
surséance ~ *van betaling*, letter of licence
sussen hush, soothe • (iets) hush up
syfilis syphilis
symbolisch symbolic(al)
symbool symbol
symfonie symphony
symmetrisch symmetric
sympathie sympathy (with)
sympathiek congenial • likable, nice
symposion symposium
symptoom symptom
synoniem synonymous
synthetisch synthetic
systeem system
systematisch systematic

T

taai tough
taak task
taal language • speech
taalfout mistake against the language
taalkundig grammatical
taart tart
taartje gateau
tabak tobacco

tabel table, index
tablet (medisch) tablet
tachtig eighty
tachtigste eightieth
tact tact
tactvol tactful
tafel table • *aan ~ gaan*, go to table, sit down to table
tafelkleed table-cover
tafellaken table cloth
tafelschuier crumb-brush
tafeltennis table-tennis
tafelwijn table wine
tafelzilver silver-plate, table silver
tafereel picture, scene
taille waist
tak bough, branch
takel pulley, tackle
takelwagen breakdown van
takkenbos faggot
tal number • ~ *van*, numerous
talenpracticum language laboratory
talent talent
talk tallow • (steen) talc
talkpoeder talcum powder
talloos numberless, countless
talmen loiter, linger
talrijk numerous
tam tame, domestic
tamboer drummer
tamelijk rather
tampon tampon
tand tooth • (inkeping) notch • (v. rad) cog • (v. vork) prong
tandarts dentist
tandenborstel toothbrush
tandenstoker toothpick
tandpasta toothpaste
tandrad cogwheel

tandradbaan rack railway
tandvlees gums *mv*
tanen fade, pale, tarnish
tang (pair of) tongs • pincers, nippers
tanken fill up, refuel
tank (reservoir) tank
tankstation filling station
tante aunt
tantième bonus, royalty
tap tap
tapijt carpet
tapkast buffet, bar
tappen tap
taps tapering
taptoe tattoo
tarbot turbot
tarief tariff, rate
tarra tare
tartaar (gehakte biefstuk) raw minced beef
tarten challenge, defy
tarwe wheat
tas bag
tastbaar tangible, palpable
tasten feel, grope
taugé soya beans
taxatie appraisement • valuation
taxeren appraise, value (at)
taxfree tax free
taxi taxi
taximeter taxi meter
taxistandplaats taxi stand
tbc TB
te *vz* at, to, in, on • *bijw* (al te) too
team team
technicus technician
techniek technics *mv* • engineering
technisch technical • ~*e hulp*

technical assistance
teder tender
teef bitch
teek tick
teelt breeding, cultivation
teen (lichaamsdeel) toe • (takje) osier, twig
teer tar • *bn* delicate
tegel tile
tegelijk at the same time
tegemoet ahead
tegemoetgaan go to meet
tegemoetkomend accommodating
tegen against, to, for • (omstreeks) towards
tegenbericht message to the contrary
tegendeel contrary
tegengaan oppose, check
tegengesteld opposite, contrary
tegengif antidote
tegenhanger counterpart
tegenhouden stop, hold up
tegenkomen meet • encounter
tegenligger oncoming car
tegenlopen go against
tegenover over against, opposite (to)
tegenovergesteld opposed, opposite
tegenpartij adversary, opponent, other party
tegenpool antipole
tegenslag reverse, piece of bad luck
tegenspartelen struggle • jib
tegenspoed adversity, bad luck
tegenspraak contradiction
tegenspreken contradict
tegenstaan be repugnant

tegenstand resistance, opposition

tegenstander adversary, antagonist, opponent

tegenstelling opposition, contrast, antithesis

tegenstribbelen struggle • jib

tegenstrijdig contradictory

tegenvallen not come up to expectations • find oneself mistaken

tegenvoeter antipode

tegenwaarde equivalent

tegenwerken counteract, oppose

tegenwerking opposition

tegenwerping objection

tegenwicht counterbalance

tegenwind adverse wind

tegenwoordig *bn* present • of today • *bijw* at present, nowadays • ~ *zijn bij*, be present at

tegenwoordigheid presence • ~ *van geest*, presence of mind

tegenzin antipathy, aversion, dislike

tegoed balance

tehuis at home • ~, home

teil basin, tub

teisteren harass, ravage, spoil

teken sign, mark, token, symptom

tekenaar drawer, designer

tekenboek sketch-book

tekenen draw, delineate • (ondertekenen) sign

tekenfilm cartoon

tekening drawing • (schets) design

tekort shortage • deficit, deficiency

tekortkoming shortcoming

tekst text • (bij muziek) words

tekstboekje book • (bij opera) libretto

tel count

telefoneren telephone, phone

telefonisch telephonic • *bijw* by telephone

telefoniste operator

telefoon telephone

telefoonboek telephone directory

telefooncel call box

telefooncentrale exchange

telefoongesprek telephone call

telefoongids telephone book

telefoonkaart phonecard

telefoonkantoor telephone company office

telefoonnummer telephone number

telegraaf telegraph

telegraferen telegraph, wire

telegram telegram, wire

telelens telephoto lens

telen (v. dier) breed, raise • (v. plant) grow, cultivate

teleurstellen disappoint

teleurstelling disappointment

televisie television

televisietoestel television set

telex telex

telg descendant

telkens at every turn • every time • ~ *wanneer*, whenever, every time

tellen count

teller (v. breuk) numerator

telwoord numeral

temen drawl

temmen tame

tempel temple
temperament temperament, temper
temperatuur temperature
temperen temper • damp • dim
tempo *muz* time • (snelheid) pace
ten at, to, in, at the • in the • ~ *behoeve van*, in behalf of • ~ *dele*, partly • ~ *eerste*, first • ~ *einde*, in order to • ~ *gevolge van* in consequence of • ~ *gunste van*, in favour of • ~ *huize van*, at the house of • ~ *koste van*, at the cost of • ~*minste*, at least • ~*slotte*, finally
tendens tendency, trend
teneinde in order to
tenger slender, slim
tenietdoen cancel, annul
tenminste at least
tennis tennis
tennisbaan tennis court
tennisbal tennis ball
tennissen play tennis
tenor tenor
tent tent • (kermis-)booth • (tentoonstellings-) marquee
tentharing tent peg
tentoonspreiden display
tentoonstelling exhibition
tentstok tent pole
tentzeil canvas
tenue dress, uniform
tenzij unless
tepel nipple
ter at, to, in, into
terdege thoroughly
terecht justly • ~ *zijn*, be found
terechtstelling execution

terechtwijzing reprimand
teren (touw) tar • ~ *op*, live on
tergen provoke, irritate
terloops incidentally
term term
termijn term • (v. betaling) instalment • *op korte* ~, at short notice
ternauwernood scarcely, barely
terpentijn turpentine
terras (op dak) terrace • (bij café) pavement
terrein site • ground, plot
terreur terrorism
terrine tureen
terrorist terrorist
terstond directly, immediately, at once
terug back
terugbetaling repayment
terugblik look backward, retrospect
terugbrengen bring back • ~ *tot op*, reduce to
terugdeinzen shrink from
terugdenken ~ *aan*, recall
teruggaan go back • return
teruggave return, restitution
teruggeven give back, return, restore
terughoudend reserved
terugkaatsen rebound • (geluid, licht) throw back, reflect
terugkaatsing reflection, reverberation
terugkeer coming back • return
terugkomen come back • ~ *op*, return to • ~ *van*, give up
terugkomst coming back, return
terugreis return-journey
terugroepen recall, call back

terugslag repercussion
terugtocht retreat
terugtraprem back-pedalling brake
terugtrekken pull back, draw back, withdraw • (teruggaan) retreat, retire
terugweg way back
terugwerkend ~*e kracht*, retroactive, back-date
terugzenden send back, return
terugzien see again
terwijl while • (als tegenstelling) whereas
terzijde aside
test (proef) test
testament last will • *het Oude en Nieuwe* ~, the Old and New testament
testen test (for)
teug draught
teugel rein, bridle
teuten dawdle
teveel surplus
tevens at the same time
tevergeefs in vain, vainly
tevoorschijn ~ *halen*, produce • ~ *komen*, appear
tevoren before
tevreden satisfied
tevredenheid contentedness
tevredenstellen content, satisfy
tewaterlating launch(ing)
teweegbrengen cause, bring about
textiel textiles
tezamen together
thans now, at present
theater theatre
theatervoorstelling theatre show
thee tea

theeblad tea-tray
theedoek tea towel
theeketel teakettle
theekopje teacup
theelepel teaspoon
theemuts tea-cosy
theepot tea pot
theeservies tea-service, teaset
theezakje tea-bag
theezeefje tea-strainer
thema exercise • theme
theoretisch theoretical
theorie theory
therapie therapy
thermometer thermometer
thermosfles thermos (flask)
thermostaat thermostat
thuis (zijn) at home
thuisbrengen see home
thuisclub *sp* home-team
thuiskomst return
thuiswedstrijd home match
ticket ticket
tien ten
tiende tenth
tiendelig consisting of ten parts • ~ *breuk*, decimal fraction
tiener teen-ager
tiental (number of) ten
tientallig decimal
tieren (gedijen) thrive • (razen) rage, bluster
tiet boob, tit
tij tide
tijd time • (terugkerend) season • *taalk* tense • *op* ~, in time • *van* ~ *tot* ~, from time to time
tijdbom time bomb
tijdelijk temporary
tijdens during
tijdgenoot contemporary

tijdig early, betimes, in good time

tijdopname time-exposure

tijdperk period

tijdrovend time-consuming

tijdschrift periodical, magazine, review

tijdsein *rtv* time-signal

tijdstip moment • date • time

tijdvak period

tijdverdrijf pastime

tijger tiger

tik touch, pat

tikfout typing mistake

tikken tap • (v. klok) tick • (typen) type(write)

tillen lift, heave, raise

timmeren carpenter

timmerhout timber

timmerman carpenter

tin tin

tinnen pewter

tint tint, tinge, hue

tintelen sparkle *(van,* with) • tingle (with cold)

tip (vinger) tip • (v. doek) corner

tippelen hustle

tiran tyrant

tissue tissue

titel title

titelblad title-page

tjilpen chirp

tjokvol chock-full

tl-buis fluorescent tube, striplighting

toast toast

tobbe tub

tobben oil, drudge

toch yet, still, for all that • (zeker) surely, to be sure

tocht (reis) trip • expedition, journey • (wind) draught

tochtdeur swing-door

tochten *het tocht,* there is a draught

tochtig draughty

tochtje excursion, trip

tochtscherm screen

tochtstrip weather-strip

toe to, on, towards, in addition • (gesloten) shut

toebehoren belong to • *met ~,* with accessories

toebereidsel preparation

toebrengen inflict

toeclip toe clip

toedekken cover up • (kind) tuck in

toedienen administer • give

toedoen shut • *door zijn ~,* through him

toedracht particulars *mv,* the way it happened

toe-eigenen appropriate

toegang access, entrance, admittance

toegangsbewijs ticket

toegangskaart admission ticket

toegangsnummer admission number

toegangsprijs price of admission

toegankelijk accessible, open

toegedaan attached to • *een mening ~ zijn,* hold an opinion

toegeeflijk indulgent

toegenegen affectionate

toegeven (erkennen) admit, grant

toegift extra

toehoorder auditor, listener

toejuichen applaud, cheer

toekennen adjudge, award

toekijken look on
toekomen be due to • have enough • *doen* ~, send
toekomst future
toekomstig future
toelaatbaar admissible
toelage allowance
toelaten admit • (dulden) permit, tolerate, suffer
toelating admission, allowance
toelatingsexamen entrance examination
toeleg attempt, design, purpose
toeleggen *het* ~ *op*, be driving at • *zich* ~ *op*, apply oneself to
toelichten clear up, elucidate, explain
toelichting explanation
toeloop concourse
toen *bijw* then, at that time • *voegw* when, as
toenadering approach
toenemen increase • grow
toeneming increase, rise
toenmalig then, of the time
toepasselijk applicable (to), appropriate, suitable
toepassen apply (to)
toepassing application
toer (draai) turn • (tocht) tour, trip • (kunststuk) feat, trick • *een hele* ~, quite a job
toerbeurt *bij* ~, by turns
toereikend sufficient, enough
toerekenbaar accountable, responsible
toeren tour
toerenteller revolution counter
toerisme tourism
toerist tourist
toeristenbelasting tourist tax

toeristenkaart tourist card
toeristenklasse tourist class
toeristenmenu tourist menu
toeristisch touristy
toernooi tournament
toeschietelijk friendly
toeschijnen seem to
toeschouwer looker-on, spectator
toeschrijven attribute, ascribe (to)
toeslag extra charge
toespeling allusion
toespraak allocution, address
toespreken speak to, address
toestaan permit, allow • (verlenen) grant, concede
toestand state, situation • condition
toestel apparatus • (foto-) camera
toestemmen consent (to), grant
toestemming consent
toesturen send • (geld) remit
toetakelen damage, knock about • (met kleding) accoutre
toeter horn
toeteren toot
toetje dessert
toetreden join • accede to
toetreding ~ *tot de EU*, entry into the EU
toets touch • (piano) key
toetsen try, test
toeval accident, chance • (ziekte) fit of epilepsy • *bij* ~, by chance
toevallig accidental, casual • by chance
toeverlaat refuge, shield
toevertrouwen entrust
toevloed affluence • concourse
toevlucht refuge, recourse

toevluchtsoord refuge
toevoegen add, join (to)
toevoeging addition
toevoegsel supplement
toevoer supply
toewensen wish
toewijding devotion
toewijzen allot, assign, award
toewijzing allotment, assignment, allocation
toezeggen promise
toezegging promise
toezenden send, forward
toezicht supervision, superintendence, inspection
toezien look on • superintend, survey, keep an eye on
toga gown, robe, toga
toilet toilet, dress • (wc) toilet, lavatory
toiletpapier toilet paper
toiletten toilets
toiletzeep toilet soap
tol (speelgoed) top • (bij in-, uitvoer) customs, duties • (bij doortocht) toll
tolerant tolerant • permissive
tolk interpreter
tolken interpret
tollen spin a top • tumble about
tolweg toll road
tomaat tomato
tombe tomb
ton cask, barrel • (maat) ton
tondeuse (pair of) clippers
toneel stage • theatre • (deel v. bedrijf) scene
toneelgezelschap theatrical company
toneelkijker opera-glass
toneelspeelster actress

toneelspeler actor
toneelstuk play
tonen show
tong tongue • (vis) sole
tongval accent • dialect
tonic tonic
tonijn tuna
tooi attire, array
tooien adorn
toom bridle, reins
toon tone, sound
toonaangevend leading
toonbaar presentable
toonbank counter
toonbeeld model, paragon
toonder bearer
toonkunstenaar musician
toonladder gamut, scale
toonzaal show-room
toorn wrath, anger
toornig angry, wrathful, irate
toorts torch, link
toost toast
top top, summit • (vinger-) tip • (v. driehoek) apex • *van ~ tot teen*, from top to toe
topconferentie summit meeting
topfunctionaris senior excutive
topje top
topless topless
topprestatie record
toppunt top, summit • *fig* acme • culminating point • zenith
topzwaar top-heavy
tor beetle
toren tower • steeple (met spits)
torenspits spire
torentje turret
tornen rip (up)
torpedojager destroyer
torsen carry, bear

tosti toasted sandwich
tot until, till • ~ *nu toe*, up to now • ~ *en met*, up to and including
totaal total (amount) • *bn* total, entire
totdat till, until
toto pool
touperen backcomb
touringcar coach
tournee tour
tourniquet turnstile
touw rope • (dun) cord • (nog dunner) string • *op ~ zetten*, undertake
touwladder rope-ladder
tovenaar sorcerer, magician, wizard
tovenarij magic
toveren conjure, juggle
toverheks witch
toverlantaarn magic lantern
traag slow, indolent, tardy
traan tear • (olie) train-oil
trachten try, attempt, endeavour
tractor tractor
traditie tradition
traditioneel traditional
tragedie tragedy
tragisch tragic(al)
trainen train, coach
trainer trainer, coach
trainingspak track suit
traject section
traktaat treaty
traktatie treat
traktement salary, pay
trakteren treat, regale
tralie bar
tram tram
tramhalte tram stop

tramkaartje tramway ticket
transformator transformer
transistorradio transistor radio
transmissie transmission
transpireren perspire
transport transport, carriage • *per ~*, carried forward
transporteren transport • (in boeken) carry forward
trant manner, way, style
trap (reeks treden) stairs, staircase • (schop) kick • (graad) degree • *vergrotende ~*, comparative • *overtreffende ~*, superlative
trapas crankshaft
trapleuning banisters, rail
traploper stair-carpet
trappelen trample, stamp
trappen (met voet) kick (at) • tread • (op fiets) pedal
trappenhuis staircase hall
trapper pedal
trapsgewijs gradually • terraced
traveller's cheque traveller's cheque
trechter funnel • (granaat) crater
trede step, pace • (trap) step
treden tread, step, walk • *in werking ~*, come into force
treeplank footboard
treffen hit, strike • (aan-) meet (with)
treffend striking, touching
treffer hit
trefwoord head-word
trein train
treinconducteur (railway) guard
treinkaartje ticket
treinverbinding train connection
treiteren tease, nag

trek pull, tug • (v. lucht) draught • (aan sigaret) pull • (v. gezicht) feature • (lust) mind • (eetlust) appetite • *kaartsp* trick • *in ~ zijn*, be in demand

trekdier draught animal

trekhaak towing hook

trekken draw, pull, drag, tug • (gaan) go, march • (thee, lucht) draw • (v. kies) extract

trekker (persoon) hiker • (v. geweer) trigger

trekking drawing • (zenuw-) twitch, convulsion

trekpleister attraction

treksluiting zip fastener

trektocht hike

trekvogel bird of passage

trekzaag crosscut saw

treuren be sad, grieve • mourn *(over,* for)

treurig sad, mournful

treurspel tragedy

treurwilg weeping willow

treuzelen dawdle, loiter, linger

tribune tribune, platform, gallery

triest dreary, dismal, sad

trillen tremble • (v. stem) vibrate, quaver • (natuurk.) vibrate

trilling vibration

trimmen (oefenen) keep fit

triomf triumph

triomfantelijk triumphant

triomferen triumph

trip trip

triplex three-ply wood

trippelen trip along

troebel turbid, thick, cloudy • *in ~ water vissen,* fish in troubled waters

troef trump(s)

troep (rovers) band, gang • (toneel) troupe, company • *~en,* troops, forces

troetelkind darling, pet

troeven trump

troffel trowel

trog trough

trom drum

trombose thrombosis

trommel *muz* drum • (anders) box, case, tin

trommelen drum

trommelrem drum brake

trommelstok drumstick

trommelvlies eardrum

trompet trumpet

tronen throne, sit enthroned

tronie visage, face

troon throne

troonopvolger heir to the throne

troonsafstand abdication

troost comfort, consolation

troosteloos disconsolate

troosten comfort, console

tropen *mv* tropics *mv*

tropisch tropical

tros (druiven) bunch • (vruchten) cluster • (touw) hawser

trots *zn* pride • *bn* proud • *vz* in spite of

trotseren defy, brave

trottoir pavement, footway • *Amer* sidewalk

trottoirband curb(stone)

trouw *bn* faithful, loyal, trusty • [*de*] faith, faithfulness • loyalty, fidelity • *te goeder ~,* in good faith

trouwdag wedding-day

trouweloos faithless, perfidious

trouwen get married • ~ *met* marry, wed

trouwens as a matter of fact

trouwring wedding-ring

truc trick, stunt, gadget

truck truck

trui jersey, sweater • (dik) pullover

T-shirt T-shirt

Tsjech(isch) Czech

tuba tuba

tube tube

tuberculose tuberculosis

tucht discipline

tuchtigen chastise, punish

tuffen motor

tuig tools, utensils *mv* • (schip) rigging • (v. paard) harness • (v. volk) rabble

tuigage rigging

tuimelen tumble

tuin garden

tuinameublement set of garden furniture

tuinarchitect landscape gardener

tuinbank garden seat

tuinboon broad bean

tuinbouw horticulture

tuinder market-gardener

tuinhuis summer-house

tuinieren *ww* garden • gardening

tuinman gardener

tuinslang garden hose

tuit spout, nozzle

tuk ~ *op*, keen on

tukje nap

tulband turban • (gebak) spongecake

tule tulle

tulp tulip

tunnel tunnel

turen peer

turf peat

turfmolm peat-dust

turfstrooisel peat-litter

Turk Turk

Turkije Turkey

Turks Turkish

turnen do gymnastics

tussen between • (v. meer dan twee) among

tussenbeide komen intervene • interpose • come between

tussendek steerage

tussenkomst intervention • *door* ~ *van*, through

tussenlanding stop-over

tussenpersoon agent, intermediary

tussenpoos interval

tussenruimte interspace

tussenschot partition

tussenstation intermediate station

tussenstop pit stop

tussentijd interim • *in de* ~, in the meantime

tussentijds *bn* interim • *bijw* between times

tussenvoegsel insertion, interpolation

tussenwerpsel interjection

tutoyeren : *laten we elkaar* ~ let's get on first name terms

tv T.V.

twaalf twelve

twaalfde twelfth

twee two

tweedaags of two days

tweede second • ~ *klas* second class

tweedehands second-hand

tweedelig double, binary
tweederangs second-rate
tweedracht discord
tweegevecht duel
tweeling twin, pair of twins
tweelingbroer twin-brother
tweemaal twice
tweemotorig twin-engined
tweepersoons for two • (bed) double
tweepersoonsbed double bed
tweepersoonskamer double bedroom
tweeslachtig amphibious • bisexual
tweespalt discord
tweesprong cross-way, cross-road, bifurcation
tweestemmig for two voices
tweetakt motor two-stroke engine
tweetal two, pair
tweetalig bilingual
tweevoud double • *in* ~, in twofold
twijfel doubt • *zonder* ~, without (any) doubt • *in* ~ *trekken*, call in question
twijfelachtig doubtful • dubious
twijfelen doubt *(aan,* of)
twijg twig
twintig twenty
twintigste twentieth
twist quarrel, dispute
twisten quarrel, dispute
twistpunt issue
twistziek contentious, quarrelsome
tyfus typhoid (fever)
type type
typen type(write)

typisch typical
typist typist
t.z.t. = *te zijner tijd* in due time

U

u you
ui onion
uier udder
uil owl
uilskuiken owl, goose
uit *vz* out of, from • outside • *bijw* (voorbij) out • over • finished
uitademen expire
uitbarsting explosion, outburst • (vulkaan) eruption
uitbetalen pay down
uitblazen blow out • (uitrusten) take breath
uitblinken shine, excel
uitbouw annex
uitbranden burn out
uitbrander scolding, wigging
uitbreiden spread • (vergroten) enlarge • increase • (gebied) extend • *zich* ~, extend, spread
uitbreiding enlargement, extension, spreading
uitbreken break out
uitbroeden hatch
uitbuiten exploit
uitbundig exuberant
uitchecken check out
uitdagen challenge, defy
uitdaging challenge
uitdelen distribute, dispense • hand out
uitdeling distribution

uitdenken devise, contrive
uitdoen (licht) put out • (kleren) take off
uitdoven extinguish, put out
uitdraaien (licht) turn out, switch out (off) • ~ *op*, end in
uitdrager second-hand dealer • old-clothes man
uitdrogen dry up, desiccate
uitdrukkelijk express, explicit
uitdrukken express
uitdrukking expression • (term ook) term, locution, phrase
uiteen asunder, apart
uiteengaan part, separate
uiteenlopend divergent • different
uiteenvallen fall apart • break up
uiteenzetten explain, expound
uiteenzetting exposition
uiteinde end • extremity
uiteindelijk finally, eventually
uiten utter, express
uiteraard naturally
uiterlijk *bn, bijw* outward, external • at the latest • exterior, (outward) appearance
uitermate excessively, extremely
uiterst utmost, utter, extreme
uiterste extremity, extreme
uitgaaf expense • (v. boek) edition, publication
uitgaan go out
uitgaansagenda nightlife calendar
uitgaanscentrum entertainment centre
uitgang exit, way out • (v. woord) ending

uitgangspunt starting point
uitgave zie *uitgaaf*
uitgebreid extensive, wide
uitgelaten elated, exuberant
uitgeleide doen show out
uitgelezen select, choice
uitgeput exhausted
uitgeslapen wide-awake • (sluw) shrewd, cunning
uitgesloten out-of-the-question
uitgesteld postponed
uitgestorven (dieren) extinct • (plaats) deserted
uitgestrekt extensive, vast
uitgeven give out • (geld) spend • (boek) publish • (bankpapier) issue • *zich ~ voor*, pretend to be
uitgever publisher
uitgeverij publishing house
uitgewoond neglected
uitgezocht select, choice
uitgezonderd except, save
uitgifte issue
uitglijden slip
uithangbord sign(board)
uithangen hang out
uitheems foreign • (planten) exotic
uithollen hollow (out), excavate
uithongeren famish, starve
uithoren draw, pump
uithouden hold out • (verdragen) bear, suffer, stand
uithoudingsvermogen staying-power, stamina
uithuizig never at home
uiting utterance, expression
uitje trip
uitkering payment • (bij faillissement) dividend • (v.

werklozen) dole
uitkiezen choose, select
uitkijk look-out
uitkleden undress • zich ~, undress
uitkomen come out • (in 't oog vallen) show • sp lead • (bekend worden) become known • (waar zijn) come true • (v. boek) come out, appear
uitkomst result, end, issue • (redding) relief
uitlaat exhaust
uitlaatgassen mv exhaust gases mv
uitlaatpijp exhaust pipe
uitlachen laugh at
uitladen unload
uitlating (gezegde) utterance • statement
uitleg explanation
uitleggen lay out • fig explain • (wijder maken) let out
uitlekken leak out, drain
uitlenen lend (out)
uitleveren extradite
uitlokken provoke, elicit
uitlopen run out • turn out • (knop) bud • ~ op, result in
uitloven offer, promise
uitmaken (afmaken) finish • (vuur) put out • (relatie) break off • (vormen) form, constitute • (uitschelden) call names
uitmonden debouch (into)
uitmoorden massacre
uitmuntend excellent, first-rate
uitnodigen invite
uitnodiging invitation
uitoefenen exercise • practise • carry on

uitpakken unpack
uitpersen express, press out, squeeze
uitpikken select, single out
uitpluizen sift (out)
uitplunderen plunder, ransack
uitpuilend protuberant • (ogen) protuding
uitputten exhaust
uitputting exhaustion
uitreiken distribute • issue
uitreis outward journey • (v. schip) voyage out
uitrekenen calculate, work out
uitrekken stretch (out), draw out
uitrit drive
uitroeien fig exterminate • extirpate
uitroep exclamation, shout
uitroepen exlaim, cry out • (tot koning) proclaim
uitroepteken exclamation mark
uitrukken pull out • (v. troep) march (out) • (v. brandweer) turn out
uitrusten rest, take rest • (voorzien van) equip, fit out
uitrusting equipment, outfit
uitschakelen cut out, switch off • fig eliminate
uitscheiden stop, leave off
uitschelden abuse, call names
uitschot trash, refuse
uitschrijven write out, make out • (lening) issue • (prijsvraag) offer a prize
uitslag outcome, issue, result • (huid-) eruption, rash
uitslapen lie in
uitsloven, zich lay oneself out
uitsluiten shut out, exclude

uitsluitend exclusive
uitsluiting exclusion • (v. arbeiders) lock-out
uitsmijter (persoon) bouncer • (gerecht) fried bacon and eggs on slices of bread
uitspansel firmament, sky
uitsparen save, economize
uitspatting dissipation, excess
uitspraak pronunciation • (oordeel) pronouncement • (vonnis) sentence, verdict
uitspreiden spread (out)
uitspreken pronounce
uitstaan endure, suffer, bear • (v. mens) stand
uitstallen display
uitstalling display
uitstapje excursion, trip • sightseeing tour
uitstappen get off, get out, step out, alight
uitsteeksel projection • protuberance
uitsteken stretch out • put out • stick out, protrude
uitstekend first-rate, excellent t
uitstel postponement, delay, respite • ~ *van betaling*, extension payment, extension of credit
uitstellen delay, put off
uitsterven die out, become extinct
uitstorten pour out
uitstralen radiate • beam forth
uitstrekken stretch forth, extend
uitstrijkje smear
uittocht departure, exodus
uittrekken draw out • (kies e.d.) extract • (schoenen) pull off

• (jas) take off
uittreksel extract • excerpt, abridgement
uitvaagsel scum, dregs
uitvaardigen issue, promulgate
uitvaart funeral, obsequies *mv*
uitval sally • *fig* outburst
uitvallen fall out (off) • *mil* make a sally • *fig* turn out (well, badly) • (tegen iem.) fly out (at)
uitvaren sail out, put to sea
uitverkocht sold out, out of stock • (v. boek) out of print
uitverkoop sales • selling-off, clearance sale
uitverkoren chosen, select
uitvinden invent
uitvinding invention
uitvloeisel consequence, result, outcome
uitvlucht evasion, subterfuge
uitvoer export, exportation
uitvoerbaar practicable, feasible
uitvoeren (doen) carry out, execute, perform • (goederen) export
uitvoerhandel export trade
uitvoerig ample, circumstantial, minute
uitvoering execution • performance
uitvorsen find out, ferret out
uitwas outgrowth, excrescence
uitwaseming evaporation
uitwedstrijd away game
uitweg way-out, escape • *fig* outlet
uitweiden digress upon
uitwendig external
uitwerking effect
uitwerpsel excrement

uitwijken draw aside • make way, make room • give way
uitwisselen exchange
uitwissen efface, wipe out
uitwringen wring out
uitzendbureau employment agency
uitzenden send out • (radio) broadcast • (tv) transmit
uitzending (radio) broadcast • (tv) transmission
uitzet trousseau, outfit
uitzetten (groter worden) expand, dilate • (uitschakelen) switch off • (er~) turn out • (geld) invest
uitzicht view
uitzien look (out) • er ~, look
uitzoeken select, choose, pick out
uitzondering exception
uitzonderlijk exceptional
uitzuigen suck out • fig extort
ultimatum ultimatum
unaniem unanimous
unie union
uniek unique
uniform uniform
universeel universal, sole
universiteit university
uranium uranium
urgent urgent
urine urine
urinoir urinal
urn urn
uur hour • om drie ~, at three o'clock • een half ~ half an hour
uurwerk clock, timepiece
uw your
uwerzijds on your part

V

vaag vague • indefinite
vaak often
vaal sallow • fig drab
vaandel flag, standard, banner, ensign, colours
vaandrig ensign
vaardig skilful, adroit, clever
vaargeul channel
vaart canal • (scheepvaart) navigation • (snelheid) speed • in volle ~, (at) full speed
vaartuig vessel
vaarwel farewell • ~ zeggen, say good-bye
vaas vase
vaat the dishes
vaatdoek dish-cloth
vacant vacant
vacature vacancy, vacant place
vaccin vaccine
vaccineren vaccinate
vacht fleece
vacuüm vacuum
vader father
vaderland (native) country
vaderlandsliefde patriotism
vaderlijk paternal
vaderschap paternity, fatherhood
vadsig lazy, indolent
vagebond vagabond, tramp
vagevuur purgatory
vagina vagina
vak pigeon-hole, partition • (onderwijs) branch • (zaken) line • trade, branch, profession
vakantie holiday

vakantiehuis holiday home
vakantiekolonie holiday-camp
vakbond trade-union
vakkennis professional knowledge
vakkundig expert, professional
vakman professional, expert
vakmanschap craftsmanship
vakopleiding professional training
vakschool vocational school
vakterm technical term
vakvereniging trade-union
val fall • (vangknip) trap
valhelm crash helmet
valies traveling bag
valk falcon, hawk
vallei valley
vallen fall, drop • *laten* ~, drop • ~*de ster*, falling star • ~*de ziekte*, epilepsy
valluik trapdoor
valreep gangway
vals false • (schrift enz.) forged • (onoprecht) false, perfidious
valsheid falsehood • ~ *in geschrifte*, forgery
valsspeler (card-)sharper
valstrik snare, trap
valuta currency • rate of exchange
van of, from, with, by, for
vanaf from
vanavond this evening
vandaag today
vandaan *daar* ~, from there
vandaar hence
vangen catch capture
vangrail *Br* crash barrier, *Amer* guardrail
vangst catch, capture

vanille vanilla
vanmiddag this afternoon
vanmorgen this morning
vannacht to-night • (vorige nacht) last night
vanochtend this morning
vanouds of old
vanuit from
vanwaar from where, whence
vanwege on account of, because of
vanzelf of itself, of its own accord
vanzelfsprekend self-evident, natural, of course
varen *zn* (plant) fern
varen sail
variatie variation
variëren vary
variété music-hall
variëteit variety
variété (theater) variety theatre
varken pig
varkenskarbonade pork-chop
varkenskotelet pork-cutlet
varkenslapje pork-collop
varkensvlees pork
vast *bn* fast, fixed • firm, steady • (niet vloeibaar) solid • *bijw* certainly
vastberaden resolute, firm
vastbesloten determined
vasteland continent
vasten *zn ww* fast
vastenavond Shrove Tuesday
vasthouden hold
vasthoudend tenacious
vastleggen fasten • record • (een schip) moor
vastlopen jam
vastmaken fasten, fix, tie

vastpakken take hold of, seize
vaststaan stand firm • be fixed
vaststellen (v. feit) establish, ascertain • (prijs) fix • (tijd) appoint
vat [de] grip, hold • [het] (ton) cask, barrel • drum
vatbaar capable (of), susceptible (to)
vatenkwast dish-mop
Vaticaan Vatican
vatten catch, seize • fig understand
vechten fight
vechtpartij fight, scrap
vee cattle
veearts veterinary surgeon
veeg (vloer) sweep • bn ominous
veehandelaar cattle-dealer
veel much, (mv) many
veelal often, mostly
veelbelovend promising
veelbetekenend significant
veeleer rather
veeleisend exacting
veelomvattend wide
veelvoud multiple
veelvraat glutton
veelvuldig frequent
veelzeggend significant
veelzijdig many-sided, versatile
veemarkt cattle-market
veen peak-moor, peat
veenbes cranberry
veer [de] (vogel) feather • (v. metaal) spring • [het] (pont) ferry
veerboot ferry-boat
veerkracht elasticity
veerkrachtig elastic
veerman ferryman

veerpont ferry
veertien fourteen • ~ dagen, a fortnight
veertiende fourteenth
veertig forty
veestapel stock of cattle, livestock
veeteelt cattle-breeding
veevoer forage
vegen (vloer) sweep • (handen) wipe
veger (persoon) sweeper • (voorwerp) brush
vegetariër vegetarian
vegetarisch vegetarian
veilig safe, secure
veiligheid safety, security
veiligheidsgordel safety belt • (in vliegtuig) seat belt
veiligheidsklep safety-valve
Veiligheidsraad Security Council
veiligheidsriem safety belt
veiligheidsspeld safety pin
veiling public sale, auction
veinzen dissemble, feign, simulate
veinzerij dissimulation
vel (huid) skin, hide • (papier) sheet
veld field
veldbed camp-bed
veldfles flask
veldslag battle
veldtocht campaign
veldwachter county constable
vele many
velen ww stand
velerlei of many kinds
velg felly, rim
vellen (bomen) fell • (wapens) couch • (oordeel, vonnis) pass

Venetië Venice
venijn venom
venijnig venomous, vicious
vennoot partner • *stille ~*, silent (sleeping) partner
vennootschap partnership, company • *naamloze ~*, limited (liability) company • Ltd.
venster window
vensterbank window-sill
vensterruit (window-)pane
vent fellow, chap
venter hawker, pedlar
ventiel valve
ventielslangetje valve hose
ventilator fan
ventilatorriem fan belt
ventileren ventilate, air
ver far • distant, remote • *~ weg*
verachtelijk despicable • contemptible • (verachtend) contemptuous
verachten despise
verachting contempt, scorn
verademing relief
verafgelegen remote, distant
verafgoden idolize
verafschuwen abhor, loathe
veranderen change • alter
verandering change
veranderlijk changeable, variable • inconstant
verantwoordelijk responsible, answerable, accountable • *~ stellen*, hold responsible
verantwoordelijkheid responsibility
verantwoording justification • *ter ~ roepen*, call to account
verbaasd surprised, astonished
verband dressing, bandage

• (samenhang) connection • *in ~ met*, in connection with
verbandgaas gauze bandage
verbandkist, -trommel first aid kit
verbandwatten *mv* medicated cotton-wool
verbannen banish, expel, exile
verbasteren degenerate
verbazen surprise, astonish, amaze • *zich ~*, be astonished
verbazing surprise, amazement, astonishment
verbazingwekkend astounding
verbeelden *zich ~*, imagine
verbeelding imagination • (eigenwaan) conceit
verbeeldingskracht imagination
verbergen hide, conceal
verbeten grim
verbeteren make better • improve • (fouten) correct
verbetering improvement • correction, rectification
verbeurdverklaring confiscation, forfeiture, seizure
verbieden forbid • (bij wet) prohibit • interdict
verbijsterd bewildered, perplexed
verbinden join, connect, link • (telefoon) connect, put through • (wond) dress
verbinding connection • (chemisch) combination • (spoorweg) junction • *zich in ~ stellen*, communicate with, contact
verbintenis engagement, bond • contract
verbitterd embittered • fierce

verbittering bitterness, embitterment, exasperation
verbleken grow pale • (kleuren) pale, fade
verblijf abode, residence, sojourn, stay • (ruimte) quarters
verblijfkosten *mv* lodging expenses
verblijfplaats (place of) abode
verblijfsvergunning residence permit
verblijven stay
verblinden blind
verbloemen disguise • palliate
verbluft dumbfounded
verbod prohibition, interdiction
verboden forbidden, prohibited
verbogen bent
verbolgen angry
verbond alliance, league, pact
verbonden allied
verborgen hidden, secret
verbouwen (huis) rebuild • (telen) cultivate, grow, raise
verbranden burn • (door zon) get sunburnt
verbranding burning, combustion
verbreden widen, broaden
verbreiden spread • propagate
verbreken break (off), cut
verbrijzelen shatter, smash
verbroedering fraternization
verbroken cut off
verbrokkelen crumble
verbruik consumption, use
verbruiken consume, use, spend
verbruiker consumer
verbuigen bend • *taalk* decline
verbuiging *taalk* declension

verchroomd chromium-plated
verdacht suspect(ed), suspicious • ~ *zijn op*, be prepared for
verdachtmaking insinuation
verdagen adjourn
verdamping evaporation
verdedigen defend
verdediging defence
verdeeldheid dissension, discord
verdelen divide (among), distribute
verdelerkabels distributor cables
verdelging destruction
verdeling division, distribution
verdenken suspect (of)
verdenking suspicion
verder farther • (later) further
verderf ruin, perdition
verderfelijk pernicious, baneful
verdichtsel fable, fiction
verdienen earn • (lof enz.) deserve • (beloning, straf) merit
verdienste (loon) earnings, wages • (winst) profit • *fig* merit
verdienstelijk deserving, meritorious
verdiepen deepen • *zich* ~ *in*, lose oneself in, study
verdieping floor, story
verdikking thickening
verdoemenis damnation
verdoofd numb, stunned • anaesthetized
verdorren wither
verdorven depraved, wicked
verdoven numb • stun • (pijn) anaesthetize • ~*de middelen* illicit drugs
verdoving stupor, torpor,

stupefaction • anaesthesia
verdraagzaam tolerant
verdraagzaamheid tolerance
verdraaiing distortion, contortion
verdrag treaty • pact
verdragen suffer, endure, stand
verdriet grief, sorrow
verdrieten grieve, vex
verdrietig sad, sorrowful
verdrijven drive away, expel • (vrees enz.) dissipate, dispel • (tijd) pass
verdringen push away • fig oust, cut out • zich ~, crowd (om, round)
verdrinken (geld) spend on drink • (zorg) drink down • (dier) drown • (sterven) be drowned
verdrukken oppress
verdrukking oppression
verdubbelen double • fig redouble
verduidelijken elucidate, explain
verduidelijking elucidation, explanation
verduisteren darken, obscure • (ontvreemden) embezzle
verduistering obscuration • mil blackout • (zon, maan) eclipse • (diefstal) embezzlement
verdunnen dilute • (lucht) rarefy
verduren bear, endure
verdwalen lose (one's) way
verdwenen disappeared
verdwijnen disappear, vanish
vereenvoudigen simplify
vereenzelvigen identify
vereeuwigen perpetuate
vereffening settlement, adjustment

vereisen require, demand
vereiste requisite, requirement
verend elastic, springy
Verenigd ~ *Koninkrijk* United Kingdom • ~e *Staten*, United States • ~e *Naties*, United Nations
verenigen join, unite • combine • zich ~ met, join hands with • fig agree with
vereniging union, society, club
vereren honour, worship, venerate
verergeren (erger worden) deteriorate, grow worse • (erger maken) make worse, aggravate
verering veneration, worship
verf paint, colour • (voor stoffen) dye
verfijning refinement
verfilmen mm
verfkwast paint-brush
verflauwen fade • fig slacken
verfoeien detest, abhor
verfoeilijk detestable
verfraaien embellish
verfrissen refresh
verfrissing refreshment
vergaan perish • pass away • (schip) be wrecked
vergaarbak receptacle, cistern
vergaderen meet, assemble
vergadering assembly, meeting
vergallen embitter, spoil
vergankelijk transistory, fleeting, perishable
vergaren gather, collect
vergasten treat, feast (upon)
vergeeflijk pardonable
vergeefs bn useless, fruitless • bijw in vain • vainly

vergeetachtig apt to forget
vergeet-mij-niet forget-me-not
vergelden repay, requite
vergelding requital, retribution
vergeldingsmaatregel reprisal
vergelijk agreement,
  compromise, settlement
vergelijken compare (with)
vergelijking comparison
  • (wiskunde) equation
vergemakkelijken facilitate
vergen require, demand
vergenoegd contented
vergenoegen *zich ~ met*, content
  oneself with
vergetelheid oblivion
vergeten forget
vergeven forgive, pardon
  • (vergiftigen) poison
vergeving pardon
vergewissen *zich ~ van*, make
  sure, ascertain
vergezellen accompany • attend
vergezicht vista • prospect
vergezocht far-fetched
vergieten shed, spill
vergif poison
vergiffenis pardon
vergiftig poisonous, venomous
vergiftigen poison
vergissen (zich) be mistaken,
  make a mistake
vergissing mistake, error • *bij ~*,
  by mistake
vergoeden make good,
  compensate
vergoeding compensation
vergoelijken palliate, smooth
  over
vergrijp offence
vergrijsd grown grey

vergrootglas magnifyingglass
vergroten enlarge • increase
  • (fortuin) add (to) • (foto)
  enlarge • (m. lens) magnify
vergroting enlargement
verguizen revile, abuse
verguld gilt • *~ op snee*,
  giltedged
vergunning permission,
  allowance, leave • (v. café)
  licence
verhaal story, tale • (recht)
  redress
verhaasten hasten, quicken
verhandelbaar negotiable
verhandelen deal in
verhandeling treatise, essay,
  dissertation
verhard hardened, obdurate • *~e
weg* hard-surface road
verharen lose one's hair
verheerlijking glorification
verheffen lift, raise, elevate
verheffing exaltation, elevation,
  raising
verhelderen brighten, clear up
  • *fig* enlighten
verhelen conceal, keep secret
verhemelte palate
verheugd glad, plaid
verheugen delight • *dat verheugt
me*, I am glad of that • *zich ~*,
  rejoice (in, at)
verheven elevated, exalted, lofty,
  sublime
verhevigen intensify
verhinderen prevent (from)
verhindering hindrance,
  impediment
verhitten heat • *fig* fire
verhoeden prevent, avert

verhogen heighten, (prijzen, lonen) raise • (in rang) promote • increase *(met,* by)

verholen concealed, hidden

verhongeren starve

verhoor interrogatory, hearing

verhoren interrogate, (cross-)examine • (van getuige) hear

verhouding proportion • (tussen personen) relation • *naar ~,* proportionately, relatively

verhuiskosten *mv* expenses of moving

verhuiswagen furniture-van, removal-van

verhuizen remove, move (into)

verhuizing removal

verhuren (huis) let • (anders) let out (on hire), hire (out)

verifiëren verify, check

verijdelen frustrate, foil, baffle

vering spring

verjaard superannuated

verjaardag (v. mens of dier) birthday • (v. feit) anniversary

verjagen drive (chase) away • drive out • (vrees) dispel

verjaren celebrate one's birthday • become superannuated

verjonging rejuvenation

verkalking calcification

verkavelen parcel out

verkeer traffic • intercourse • *veilig ~,* road safety

verkeerd wrong

verkeersagent policeman on point-duty

verkeersbord road sign

verkeerslicht traffic light

verkeersongeval road accident

verkeersopstopping traffic-jam

verkeersovertreding road offence

verkeersregel traffic rule

verkeerstoren control tower

verkeersveiligheid road safety

verkeersvliegtuig air-liner

verkeersvoorschriften *mv* traffic regulations

verkeersweg thoroughfare

verkeerszuil guard-post

verkennen navigate

verkenning reconnoitring

verkering *~ hebben,* go steady

verkiesbaar eligible

verkieslijk preferable (to)

verkiezen choose, elect • *~ boven,* prefer to

verkiezing (keus) choice • (politiek) election • preference

verklaarbaar explicable

verklappen blab, give away

verklaren explain • (zeggen, oorlog) declare

verklaring explanation • declaration • statement

verkleden disguise • *zich ~,* change clothes • (vermommen) dress up, disguise oneself

verkleinwoord diminutive

verkleumd benumbed, numb

verkleuren discolour, fade

verklikker telltale • (aan machine ook) indicator

verknocht attached, devoted (to)

verknoeien spoil, bungle • waste

verkoeling cooling • chill

verkolen char

verkondigen proclaim

verkoop sale

verkoopbaar sal(e)able

verkoopsprijs selling price

verkoopster sales-woman
verkopen sell
verkoper seller • salesman, vendor
verkoping sale, auction
verkorten shorten, abridge
verkouden ~ *zijn* have a cold • ~ *worden*, catch (a) cold
verkoudheid cold
verkrachting rape
verkreukelen (c)rumple (up)
verkrijgbaar obtainable, available
verkrijgen obtain, acquire, get
verkwisten waste, dissipate
verkwistend lavish (of), wasteful, extravagant
verkwisting waste, dissipation
verlagen lower • (prijs) reduce • *fig* debase, degrade
verlamd paralyzed
verlamming paralysis
verlangen desire, longing • *ww* desire, want, long (for)
verlanglijst list of the things one would like to have
verlaten *ww* leave, quit, abandon • *bn* abandoned, deserted • lonely
verleden past, last
verlegen shy, timid • confused, embarrassed • *erg* ~ *zijn om*, want badly
verlegenheid shyness, timidity • embarrassment • *in* ~ *brengen*, embarrass
verleidelijk alluring, tempting, seductive
verleiden seduce, tempt
verleiding temptation • seduction
verlenen grant • (toestemming)

give
verlengen lengthen, prolong
verlenging lengthening • extension • (v. paspoort) renewal
verlengsnoer extension cord
verleppen wither, fade
verlichten (met licht) light, illuminate • (lichter maken) lighten • *fig* relieve, alleviate
verlichting lighting • illumination • lights • *fig* (v. geest) enlightenment • (pijn) alleviation, relief
verliefd in love (with) • ~ *worden op*, fall in love with
verlies loss • *mil* casualty
verliezen lose
verliezer loser
verlof leave • (v. drank) licence
verlofganger soldier (person) on leave
verlokken allure, tempt
verloochenen deny, disavow
verloochening denial
verloofd engaged to be married
verloofde fiancee
verloop course, progress
verlopen pass (away), elapse • (ongeldig worden) expire • (v. zaak) go down • *bn* seedy
verloren lost • ~ *voorwerpen* lost property
verloskamer delivery room
verloskunde obstetrics *mv*
verloskundige obstetrician
verlossen deliver, rescue • (bij bevalling) deliver
Verlosser the Redeemer
verlossing deliverance, redemption • (bevalling)

delivery

verloten dispose... of by lottery

verloting raffle, lottery

verloven *zich* ~, become engaged

verloving betrothal, engagement

verlustigen *zich* ~, delight

vermaak pleasure, amusement

vermaard famous, renowned

vermagering slimming

vermageringskuur reducing cure, slimming course

vermakelijk amusing, entertaining, diverting

vermakelijkheid amusingness • amusement

vermaken amuse, divert • (nalaten) bequeath • (veranderen) alter

vermanen exhort, admonish

vermaning exhortation, admonition

vermannen *zich* ~, take heart, pull oneself together

vermeend pretended, supposed

vermeerderen increase, enlarge

vermeerdering increase, augmentation

vermelden mention, state • record

vermelding mention

vermengen mix • (thee) blend • (metaal) alloy

vermenging mixing, mixture

vermenigvuldigen multiply

vermenigvuldiging multiplication

vermicelli vermicelli

vermijden avoid • shun

verminderen lessen, diminish • (pijn) abate • (prijs) reduce

vermindering diminution, decrease • reduction

verminken maim, mutilate

vermissing missing person

vermist missing

vermoedelijk *bn* presumable • sunposed • *bijw* presumably, probably

vermoeden suspicion, surmise • *ww* suspect, suppose, presume

vermoeid tired, weary, fatigued

vermoeiend tiring

vermoeienis weariness, fatigue

vermogen power, faculty, ability • (fortuin) wealth • *ww* be able

vermogend wealthy

vermolmd mouldered

vermomd disguised

vermoorden murder

vermorzelen crush

vermout vermouth

vermurwen soften, mollify

vernauwing narrowing • *med* stricture

vernederen humiliate

vernedering humiliation

vernemen hear, understand, learn

vernielen destroy • wreck

vernieling destruction

vernietigen annihilate, destroy • (nietig verklaren) annul

vernieuwen renew

vernieuwing renewal, renovation

vernis varnish • *fig* veneer

vernuft ingenuity, wit

vernuftig ingenious, witty

veronachtzamen neglect

veronderstellen suppose

veronderstelling supposition, assumption

verongelukken (v. persoon) meet with an accident, perish, come to grief • (schip enz.) be wrecked

verontreinigen defile, pollute

verontreiniging pollution, defilement

verontrusten disquiet, disturb

verontschuldigen zich ~, apologize, excuse oneself

verontschuldiging excuse, apology • ter ~, by way of excuse

verontwaardigd indignant (at)

verontwaardiging indignation

veroordeelde convict

veroordelen condemn

veroordeling condemnation • (straf) conviction

veroorloven permit, allow

veroorzaken cause

verordening regulation

verouderd out of date, antiquated • (woord) obsolete

veroveraar conqueror

veroveren conquer • capture

verovering conquest

verpachten lease

verpakking packing

verpanden pawn

verpersoonlijking personification

verpesten spoil

verplaatsen remove, transpose, displace • (ambtenaar) transfer

verplanten plant out, transplant

verpleegster nurse

verpleegtehuis nursing-home

verplegen nurse, tend

verpleging nursing

verpletteren crush, smash

verpletterend overwhelming

verplicht due (to) • obligatory • compulsory • zeer ~, much obliged

verplichten oblige, compel • zich ~ tot, bind oneself to

verplichting obligation

verraad treason, treachery

verraden betray

verrader traitor

verraderlijk treacherous

verrassen surprise

verrassend surprising, startling

verrassing surprise

verregaand extreme, excessive

verreikend far-reaching, sweeping

verrekenen settle • zich ~, miscalculate

verrekijker telescope, glass

verrekken (arm) dislocate • (enkel) sprain • (spier) strain

verrekt damn • ~e enkel, sprained ankle

verreweg by far

verrichten do, perform

verrichting action, performance

verrijken enrich

verrijzen rise • arise

verroeren (zich) stir, move

verroesten rust

verrot rotten, putrid

verrotten rot, putrefy

verrotting rotting, putrefaction

verruilen exchange, barter

verrukkelijk delightful, charming, delicious

verrukking delight • rapture

vers verse • (couplet) stanza

• (gedicht) poem • *bn* fresh,
new • (ei) newlaid
verschaald flat, stale
verschaffen procure
verschansing entrenchment
• (schip) bulwarks *mv*, rails *mv*
verscheiden *telw* several • *bn*
various, different • decease
verscheidenheid diversity,
variety • range
verschepen ship
verscheping shipment
verscheuren tear, rend
verschiet distance
verschieten (v. ster) shoot • (stof)
lose colour
verschijnen appear
verschijning appearance • (geest)
apparition • (v. termijn) falling
due
verschijnsel phenomenon
verschil difference
verschillen differ
verschillend different, various
verschonen change (underwear,
sheets)
verschoppeling outcast
verschrikkelijk frightful,
dreadful, terrible
verschrikken frighten, scare
verschroeien scorch
verschrompelen shrivel
verschuilen hide, conceal
verschuiven move, shift • *fig* put
off
verschuldigd indebted, due
versie version
versieren (mooi maken) adorn,
decorate • (meisje) seduce
versiering adornment,
ornament, decoration

versiersel ornament
verslaafd addicted to
verslaafdheid addiction
verslaan (leger) beat, defeat
• (wedstrijd) report
verslag account, report
verslagen beaten, defeated • *fig*
dejected, dismayed
verslaggever reporter
verslapen *zich* ~, oversleep
verslapping slackening,
relaxation
verslaving addiction
versleten worn out, threadbare
verslijten wear out, wear off
verslikken *zich* ~, choke
verslinden devour
versmachten languish, pine
away
versmaden disdain, despise,
scorn
versmelten melt
versnapering dainty, titbit
• refreshment
versnellen accelerate
versnelling acceleration • (auto,
fiets) gear, speed
versnellingsbak gear box
versnellingskabel gear cable
verspelen lose (in playing)
versperren obstruct, barricade,
block, bar
versperring obstruction
verspieder spy, scout
verspillen waste
verspilling waste, dissipation
versplinteren splinter
verspreiden distribute • (gerucht)
spread • (menigte) disperse,
scatter
verspreken *zich* ~, make a slip of

the tongue
verspringen shift
vérspringen long jump
verst farthest
verstaan understand • hear
verstaanbaar intelligible
verstand understanding, intellect, intelligence • *gezond* ~, common sense
verstandelijk intellectual
verstandhouding understanding
verstandig wise, sensible, intelligent
verstandskies wisdom-tooth
verstandsverbijstering mental derangement
verstard *fig* petrified
versteend petrified
verstek *bij* ~ *veroordelen*, sentence by default
verstekeling stowaway
versteld (*hersteld*) mended, repaired • ~ *staan*, be taken aback
verstellen mend
verstelwerk mending
versterken strengthen, fortify
versterker *rtv* amplifier
versterking strengthening • *mil* reinforcement • *rtv* amplification
versteviger setting lotion
verstijfd stiff • benumbed
verstikkend suffocating, stifling
verstikking suffocation
verstokt ~ *vrijgezel*, confirmed bachelor
verstommen become speechless
verstoord disturbed • annoyed
verstoppen put away, hide
verstopping constipation

verstopt ~ *raken*, become clogged, be choked up, be stopped up
verstoren disturb • annoy
verstoring disturbance
verstoten repudiate, disown
verstrekken furnish, procure, supply
verstrijken expire
verstrikken entangle, trap
verstrooid scattered, dispersed • *fig* absent-minded
verstrooidheid absence of mind
verstuiken sprain
verstuiver spray
versturen send, post, mail
versuft stunned, dazed, dull
vertakking ramification
vertalen translate
vertaler translator
vertaling translation
verte distance
vertedering softening
vertegenwoordigen represent
vertegenwoordiger representative
vertegenwoordiging representation • *evenredige* ~, proportional representation
vertekenen *fig* distort
vertellen tell, relate • *zich* ~, make a mistake in adding up
vertelling tale, story
verteren spend, consume • (*voedsel*) digest
vertering (*verbruik*) consumption • (*spijs-*) digestion • (*gelag*) expenses
verticaal vertical
vertier entertainment
vertolken interpret

vertolking interpretation

vertonen show • exhibit

vertoning show • performance, representation

vertragen delay, retard • (de gang) slow down

vertraging delay

vertrek departure • start • (kamer) room, apartment

vertrekken depart, start, leave

vertroetelen pamper

vertrouwd reliable, trusted • familiar

vertrouwelijk confidential

vertrouweling confidant

vertrouwen confidant, trust • faith • *ww* trust • rely (upon)

vertwijfeling despair

veruit by far

vervaardigen make, manufacture

verval decay, decline

vervaldag due date

vervallen *ww* decay • (termijn) expire • *bn* ruinous, ramshackle • (recht) lapsed

vervalsen falsify, forge • (geld) counterfeit

vervalsing falsification

vervangen replace • change

vervanging substitution

vervelen bore, tire • *zich ~*, be bored

vervelend tiresome, boring • dull, annoying

verveling boredom

vervellen (slang) slough • (neus) peel

verven paint • (kleren, haar) dye

verversen refresh, renew • change

verversing refreshment

vervliegen evaporate

vervloeken curse, execrate

vervoegen conjugate

vervoeging conjugation

vervoer transport

vervoeren transport

vervoering ecstasy

vervoermiddel means of transport

vervolg continuation, sequel • *in 't ~*, in future

vervolgen pursue, prosecute • (voortgaan) continue

vervolgens then, further

vervolging pursuit • prosecution

vervreemden alienate

vervroegen advance, move forward

vervuild filthy

vervullen (belofte) fulfil • (plaats) occupy • (plicht) perform • (taak) accomplish • (droom) come true

vervulling performance • fulfilment

verwaand conceited, arrogant

verwaandheid conceit(edness)

verwaardigen deign

verwaarlozen neglect

verwachten expect

verwachting expectation • *in ~ zijn*, be pregnant

verwant allied, related to, cognate • (geest-) congenial

verwantschap relationship, kinship • *fig* congeniality

verward entangled, confused

verwarmen heat, warm

verwarming warming, heating • *centrale ~*, central heating

verwarren entangle • *fig* confuse, confound
verwarring entanglement • confusion
verweer defence
verweerd weathered • weatherbeaten
verwekken procreate, beget • *fig* raise, cause
verwelken fade, wither
verwelkomen welcome
verwennen spoil, pamper
verwensing curse
verweren *zich* ~, defend oneself
verwerken work up • *fig* cope with
verwerpelijk objectionable
verwerpen reject
verwerven obtain, acquire, gain
verwezenlijken realize
verwijden widen
verwijderd remote, distant
verwijderen remove • *zich* ~, withdraw, go away
verwijfd effeminate
verwijt reproach, blame
verwijten reproach, upbraid
verwijzen refer (to)
verwijzing reference
verwikkeling entanglement, complication
verwilderd (dieren, planten) run wild • (tuin) overgrown
verwisselen exchange • change
verwittigen inform (of)
verwoed furious, fierce
verwoesten destroy, devastate
verwoesting destruction, devastation
verwonden wound
verwonderen surprise, astonish

• *zich* ~, be surprised, marvel, wonder *(over)*, at)
verwondering astonishment
verwonderlijk astonishing, surprising
verwonding wound, injury
verwrongen distorted
verzachten soften • mitigate, alleviate
verzachtend softening • (omstandigheden) extenuating
verzadigen satisfy, satiate • *scheik* saturate
verzaken renounce, forsake • *kaartsp* revoke
verzakking sinking
verzamelaar collector
verzamelen gather, collect • store up • (troepen) rally
verzameling collection
verzegelen seal (up)
verzekerd insured
verzekeren assure • (inbraak enz.) insure • *zich* ~ *van*, secure
verzekering assurance • (inbraak enz.) insurance
verzekeringsmaatschappij insurance company
verzenden send
verzending sending • dispatch
verzengen singe, scorch
verzet opposition, resistance
verzetje distraction
verzetsbeweging resistance movement
verzetten move • *zich* ~ *tegen*, resist, oppose
verziend far-sighted
verzilveren encash, cash
verzinnen invent, devise

verzinsel invention
verzoek request, petition
verzoeken beg, request
• (uitnodigen) ask, invite
verzoeking temptation
verzoekschrift petition
verzoenen reconcile with, to
verzorgen take care of
verzorging care, provision
verzot op fond of
verzuchting sigh
verzuim neglect, omission • (op school) non-attendance
verzuimen neglect • (niet doen) omit, fail (to)
verzwakken weaken, enfeeble
verzwaren make heavier • *fig* aggravate, increase
verzwelgen swallow up
verzwijgen not tell, conceal
verzwikken sprain
vest (gebreid) cardigan • (jasje zonder mouwen) waistcoat
vestiaire cloak-room
vestibule hall, vestibule
vestigen establish, set up • *de aandacht ~ op*, call attention to • *zich ~*, settle (down)
vesting fortress
vet fat, grease • *bn* fat, greasy • *~ gedrukt*, printed in bold type
vetarm low-fat
vete feud, enmity
veter boot-lace, shoe-lace
veteraan veteran
vetmesten fatten
veto veto
vetpuistje pimple
vetvlek grease-spot
veulen foal • colt
vezel fibre, filament

vezel(achtig) fibrous
vgl. = vergelijk confer, compare, cf.
via via, by way of
viaduct viaduct
vice-president vice-president
video video
videoband videotape
videocamera video camera
videocassette video cassette
videorecorder video recorder
videotheek video store
vier four
vierde fourth
vieren celebrate • (Kerstmis) keep • (touw) veer out, ease off
vierhoek quadrangle
viering celebration
vierkant square
vierling quadruplets *mv*
viervoeter quadruped
viervoud quadruple
vierwielaandrijving four wheel drive
vierzijdig four-sided, quadrilateral
vies dirty, nasty, filthy • (kieskeurig) particular
viewer viewer
viezerik pervert
viezigheid dirtiness • dirt, filth
vijand enemy
vijandelijk, vijandig hostile
vijandschap enmity
vijf five
vijfde fifth
vijfenzestigplusser senior citizen
vijftien fifteen
vijftig fifty
vijg fig
vijl file

vijlen file • *fig* polish
vijver pond
vijzel mortar • (om iets te heffen) jack
villa villa • country-house, cottage
villen skin
vilt(en) felt
viltstift felt-tip pen
vin fin
vinden find • (van mening zijn) think
vinder finder
vinding invention, discovery
vindingrijk inventive, ingenious
vinger finger
vingerafdruk finger-print
vingerhoed thimble
vingerkom finger-bowl
vingerwijzing hint, indication
vink finch
vinnig sharp, fierce • (wind) biting • (woorden) cutting
violet violet
violoncel (violon)cello
viool violin, fiddle
viooltje violet • *driekleurig ~*, pansy
virtuoos virtuoso
virus virus
vis fish
visakte fishing-licence
visgraat fish-bone
visie vision • outlook, view
visioen vision
visite visit, call • visitors
visitekaartje calling card
visiteren frisk
vismarkt fish-market
vissen fish *(naar*, for)
visser fisherman • angler

visserij fishery
vissersboot fishing-boat
vissershaven fishing-port
visum visa
visvergunning fishing permit
viswater fishing waters
viswinkel fishmonger
vitaal vital
vitamine vitamin
vitrage glass curtain
vitrine showroom
vitten find fault (with), cavil (at)
vizier (helm) visor • (geweer) sight
vla custard
vlaag (regen) shower • (wind) gust • *fig* fit
Vlaams Flemish
Vlaanderen Flanders
vlag flag
vlak plane • *bn* flat, level • plane • *bijw* flatly • close • right
vlakbij close by
vlakgom india-rubber
vlakte plain • level
vlam flame
Vlaming Fleming
vlammen flame, blaze
vlas flax
vlecht braid, plait
vlechten (touw) twist • (haar, mat, lint) plait • wreathe
vleermuis bat
vlees flesh • (voedsel) meat • (vrucht-) pulp • *bevroren ~*, frozen meat
vleeswaren *mv* meat products
vlegel flail • *fig* boor
vleien flatter, coax, cajole
vlek spot, stain, blot
vlekkeloos spotless, stainless

vlekkenwater stain remover
vlektyfus typhus (fever)
vlerk wing
vleugel wing • grand piano
vleugelmoer wing nut
vlezig fleshy • (vrucht) pulpy
vlieg fly
vliegangst fear of flying
vliegbiljet air ticket
vliegbrevet flying certificate
vliegen fly
vliegenkast meat-safe
vlieger (speelgoed) kite • (piloot) airman, aviator
vliegtuig (aero)plane, airplane, aircraft
vliegveld airport
vliegwiel fly-wheel
vlier elder
vliering garret, loft, attic
vlies film • membrane
vlijen lay down • *zich* ~, nestle
vlijmscherp razor-sharp
vlijt industry, diligence
vlijtig diligent, industrious
vlinder butterfly
Vlissingen Flushing
vlo flea
vloed flood • flood-tide • high tide
vloedgolf tidal wave
vloeibaar liquid, fluid
vloeien flow • (v. inkt) run
vloeiend flowing, fluent • (spreken) fluently
vloeipapier blotting-paper
vloeistof liquid
vloeitje cigarette paper
vloeitjes cigarette papers
vloek curse • oath, swear-word
vloeken swear • (vervloeken)
curse
vloer floor
vloerbedekking floor-covering
vloerkleed carpet • (klein) rug
vlok (wol) flock • (sneeuw) flake • (haar) tuft
vlooienmarkt flea market
vloot fleet, navy
vlot raft • *bn* (v. schip) afloat • (spreker) fluent • (makkelijk) easy
vlucht flight • *op de* ~ *slaan*, take to flight
vluchteling fugitive • refugee
vluchten fly, flee
vluchtheuvel island, refuge
vluchtig volatile • *fig* cursory, hasty
vluchtnummer flight number
vluchtstrook verge
vlug quick, nimble, agile
vocabulaire vocabulary
vocht fluid, liquid • (vochtigheid) wet, moisture, damp
vochtig moist, damp, humid
vod rag, tatter
voddenman ragman
voeden feed • nourish • *fig* foster, nurse
voederen feed
voeding feeding • nourishment
voedsel food, nourishment
voedselvergiftiging food poisoning
voedselvoorziening food supply
voedzaam nourishing, nutritive, nutritious
voeg joint
voegen (betamen) become • (metselwerk) point, joint • ~ *bij*, add to • *zich bij iem.* ~, join

sbd. • *zich ~ naar*, conform to
voegwoord conjunction
voelbaar palpable, perceptible
voelen feel
voelhoorn feeler, tentacle
voeling *~ houden met*, keep (in) touch with
voer fodder, forage
voeren (leiden) carry, take, bring, lead
• (onderhandelingen) conduct
• (jas) line • (eten geven) feed
voering lining
voerman driver • waggoner
voertuig carriage, vehicle
voet foot • *te ~*, on foot, walking
• *op staande ~*, at once
voetbal *Br* football • *Amer* soccer
voetballen play football
voetballer football-player
voetganger pedestrian
voetlicht footlights *mv*
voetpad foot-path
voetrem foot-brake
voetstap (foot)step
voetstuk pedestal
voetzoeker squib, cracker
vogel bird
vogelkooi birdcage
vogelverschrikker scarecrow
vogelvlucht bird's eye view
vogelvrij outlawed
voile veil
vol full, filled • (hotel) no vacancies • *ten ~le* fully
volautomatisch fully automatic
volbloed thoroughbred • *fig* out-and-out
volbrengen fulfil, achieve
voldaan satisfied, content
• (betaald) paid, received

voldoen satisfy • (betalen) pay
voldoende sufficient • enough
voldoening satisfaction
• payment
voldongen accomplished
volgeling follower
volgen follow
volgend next • following
volgens according to
volgorde order (of succession)
volgzaam docile
volharden persevere, persist (in)
volharding perseverance
volhouden persevere • persist
• maintain, keep up
volk people
volkenrecht international law
volkomen perfect • complete
volkorenbrood wholemeal bread
volksdans folk-dance
volksfeest national feast
volksgezondheid public health
volkslied popular song
• (officieel) national anthem
volksstam tribe
volkstuintje allotment
volksvertegenwoordiging representation of the people
volledig complete, full • *~e vergunning*, fully licensed
volleerd accomplished • allround
• proficient
volleybal volleyball
volmaakt perfect
volmacht power of attorney, procuration • proxy • *~ verlenen*, authorize
volmondig frank
volontair volunteer
volop plenty (of)
volpension full board

volslagen complete, total
volstrekt absolute
voltage voltage
voltallig complete, full
voltooien complete, finish
voltooiing completion
voltreffer direct hit
voltrekking execution
voluit in full
volume volume, size
volwassen grown-up, adult
volwassene adult
volzin sentence
vondeling foundling
vondst find, discovery
vonk spark
vonnis sentence, judgment
voogd custodial parent, guardian
voor *vz bijw* (iemand) for • (tijd, plaats) before • *tien minuten ~ zes*, ten minutes to six
vooraan in front
vooraanstaand prominent
vooraf beforehand, previously
voorafgaand foregoing, preceding, previous
vooral especially
voorarrest (detention on) remand
voorbaat *bij ~*, in advance, in anticipation
voorbarig premature, rash
voorbedacht premeditated • *met ~en rade*, of malice prepense
voorbeeld example, model
voorbeeldig exemplary
voorbehoed(s)middel preservative, contraceptive
voorbehoud reserve, reservation • *(z)onder ~*, with(out) reservations

voorbehouden reserve
voorbereiden prepare
voorbereiding preparation
voorbij past • beyond • (afgelopen) over • finished
voorbijgaan pass (by), go by
voorbijgaand passing • temporary
voorbijganger passer-by
voordat before
voordeel advantage, profit
voordelig profitable, advantageous
voordeur front door
voordoen show • (schort) put on • *zich ~*, present itself • arise
voordracht diction • (v. tekst) recitation, recital • *fig* discourse, lecture • (lijst) select list, nomination
voordragen recite • propose
voordringen push in
voorfilm trailer
voorgaan precede, go before
voorganger predecessor • (predikant) pastor
voorgebergte promontory
voorgerecht starter
voorgevel (fore-)front
voorgeven pretend (to)
voorgevoel presentiment
voorgoed for good (and all), definitely
voorgrond foreground
voorheen formerly, before
voorhoede vanguard • *fig* front • *sp* forwards
voorhoofd forehead
voorin in front • at the beginning
voorjaar spring

voorkamer front room
voorkant front
voorkennis knowledge
voorkeur preference • *er de ~ aan geven om*, prefer to
vóórkomen appearance, looks • *ww* happen, occur • (lijken) appear
voorkómen prevent
voorkómend obliging, complaisant
voorletter initial
voorlezen read to
voorlichting advice, information (on) • enlightenment
voorliefde predilection
voorlopen (klok) be fast
voorloper forerunner, precursor
voorlopig *bn* provisional • *bijw* for the present • for the time being
voormalig former, late
voorman foreman
voormiddag morning, a.m.
vóórnaam christian name, first name
voornáám distinguished • important
voornaamste chief, principal, leading
voornaamwoord pronoun
voornamelijk chiefly, mainly
voornemen intention • *zich ~*, resolve
voornoemd aforesaid
vooroordeel prejudice, bias
vooroorlogs pre-war
voorop in front of • *~ gaan* lead the way • *dat staat ~* that comes first
voorouders *mv* ancestors *mv*

voorover (bending) forward
voorpoot foreleg
voorpost outpost
voorproef foretaste
voorraad store, stock • provisions • *in ~*, in stock, on hand
voorraadschuur store-house
voorradig in stock
voorrang precedence, priority • (v. auto) right of way
voorrangsweg major road
voorrecht privilege
voorruit windscreen
voorschieten advance
voorschot advance, loan
voorschrift prescription • instruction • regulation
voorschrijven prescribe
voorseizoen early season
voorshands for the time being
voorsorteren get in lane
voorspel prelude • prologue
voorspellen predict, spell
voorspelling prophecy
voorspoed prosperity
voorspoedig prosperous
voorspraak intercession • (persoon) advocate
voorsprong start, lead
voorstad suburb
voorstander advocate, champion
voorste foremost, first
voorstel proposal
voorstellen propose • (uitbeelden) represent • (kennismaken) introduce, present
voorstelling idea, notion • (toneel-) performance
voorsteven stem
voort forward, on, along

voortaan in future, from now on

voortbewegen move • propel

voortbrengen produce, bring forth, breed

voortbrengsel product

voortdrijven drive on

voortdurend continual

voortduwen push on (forward)

voorteken sign, omen

voortgaan go on, continue, proceed

voortgang progress

voortijdig premature

voortmaken make haste

voortplanting propagation • (v. geluid) transmission

voortreffelijk excellent

voortrekken favour

voorts further, moreover, besides

voortschrijden proceed, advance

voortvarend energetic

voortvluchtig fugitive

voortzetten continue, carry on • proceed

voortzetting continuation

vooruit before(hand), in advance • ahead

vooruit! get moving!

vooruitbetaling prepayment

vooruitgang progress

vooruitkomen get on

vooruitlopen go first • ~ op, anticipate

vooruitstrevend progressive, go-ahead

vooruitzicht prospect, outlook

voorvader forefather, ancestor

voorval incident, event

voorverkoop advance sale

voorvoegsel prefix

voorvork front forks

voorwaar indeed, truly

voorwaarde condition, term

voorwaardelijk conditional

voorwaarts forward

voorwendsel pretence, pretext

voorwereldlijk prehistoric

voorwerp object, article • *lijdend* ~, direct object • *meewerkend* ~, indirect object

voorwiel front-wheel

voorwoord preface

voorzetsel preposition

voorzichtig careful, prudent, cautious • ~! careful • caution!

voorzichtigheid prudence, care, caution

voorzien foresee (evil) • ~ *van*, provide, supply with

voorzijde front, face

voorzitter president, chair-man

voorzorg precaution, provision

voorzorgsmaatregel precaution

voorzover as far as

voos spongy • woolly

vorderen (vooruitgaan) advance, make progress • (eisen) demand, claim

vordering progress, advance • (eis) demand, claim

vorig former, last, previous

vork fork

vorm form, shape

vormelijk formal

vormen form • constitute

vorming formation, moulding, cultivation

vorst sovereign • prince • (het vriezen) frost

vorstelijk princely, lordly

vorstendom principality

vorstin queen • princess
vos fox • (paard) sorrel
vouw fold, pleat
vouwen fold
vouwstoel folding-chair
vraag question, demand • ~ *en aanbod*, supply and demand
vraagbaak oracle
vraaggesprek interview
vraagstuk problem
vraagteken question mark
vraatzucht gluttony
vracht load • (v. schip) cargo • (prijs) fare
vrachtauto motor-truck, lorry
vrachtboot cargo-boat, freighter
vrachtbrief consignment note • bill of lading
vrachtwagen truck, van
vragen ask
vragenlijst questionnaire
vrede peace
vredelievend peaceful
vredesverdrag treaty of peace
vreedzaam peaceful, quiet
vreemd (onbekend) strange • (buitenlands) foreign • alien • (planten) exotic • (raar) odd, queer, strange
vreemdeling stranger, (buitenlander) foreigner
vrees fear (of), dread • *uit* ~ *dat*, (for fear) lest
vreesachtig timid, timorous
vrek miser, niggard
vrekkig miserly
vreselijk dreadful, terrible
vreten eat • feed • (mensen) feed, stuff, cram (down)
vreugde joy, gladness
vrezen fear • dread

vriend friend
vriendelijk kind • friendly
vriendin (girl)friend
vriendschap friendship
vriendschappelijk friendly • *bijw* in a friendly way
vriespunt freezing-point
vriezen freeze
vrij free • (niet bezet) not engaged • ~*e tijd* free time
vrijaf holiday, a day off
vrijblijvend without engagement
vrijdag Friday • *Goede V~*, Good Friday
vrijen make love
vrijer suitor, lover, sweetheart
vrijetijdskleding casual wear
vrijgeleide safe-conduct
vrijgevig liberal
vrijgezel bachelor
vrijhandel free trade
vrijheid liberty • freedom
vrijheidsbeweging liberation movement
vrijkaart free-ticket
vrijlating release
vrijloop neutral (gear)
vrijmetselaar freemason
vrijmoedig outspoken, frank
vrijpostig bold, pert
vrijspraak acquittal
vrijstelling exemption, freedom (from)
vrijuit freely, frankly
vrijwaren safeguard against
vrijwel practically, almost
vrijwillig voluntary
vrijwilliger volunteer
vrijzinnig liberal
vroedvrouw midwife
vroeg early

vroeger former • *bijw* formerly, in former times, in the past • (eerder) earlier, sooner
vroegtijdig early
vrolijk merry, cheerful
vrolijkheid mirth • merriment • gaiety
vroom devout, pious
vroomheid devotion
vrouw woman • (echtgenote) wife • (kaartspel) queen
vrouwelijk female, feminine, womanly, womanlike
vrouwenarts gynaecologist
vrucht fruit
vruchtbaar fruitful • fertile • prolific
vruchtbaarheid fertility
vruchteloos fruitless, vain
vruchten fruit
vruchtensap fruit-juice
vruchtgebruik usufruct
vuil *bn* dirty • nasty, obscene • dirt
vuilnis refuse, dirt, rubbish
vuilnisbak refuse bin, dust-bin
vuilnisman dustman
vuist fist • voor de ~, off-hand • in zijn ~je lachen, laugh in his sleeve
vuistslag blow with the fist
vulkaan volcano
vulkaniseren vulcanize
vullen fill • (vogels) stuff • (eten) farce
vulling (kies) filling
vulpen fountain pen
vulpotlood propelling-pencil
vunzig dirty, smutty, obscene
vuren fire *(op,* at)
vurenhout deal

vurig fiery • *fig* fervent • (liefde) ardent
vuur fire • *fig* ardour
vuurpijl rocket
vuurproef (crucial) test
vuurrood scarlet
vuurscherm fire-screen
vuurspuwend fire-spitting • ~e berg, volcano
vuursteen flint
vuurtje (voor sigaret) light
vuurtoren lighthouse
vuurvast fire-proof
vuurwapen fire-arm
vuurwerk fireworks *mv*
VVV-kantoor Tourist Information Office

W

WA (wettelijke aansprakelijkheid) third-party liability
waag weighing-house
waaghals dare-devil
waagschaal in de ~ stellen, risk, venture
waagstuk venture
waaien (woei gewaaid) • blow
waaier fan
waakhond watch-dog
waakzaam watchful, vigilant
Waal (rivier) Waal • (persoon) Walloon
waan delusion, fancy
waanzin insanity, madness
waanzinnig insane • een ~ plan a crazy plan • ~ verliefd zijn be

madly in love

waar zn ware, stuff • bn true • bijw where

waaraan on (to) which

waarachtig true, veritable • ~!, surely, certainly!

waarbij whereby

waarborg warrant, guarantee

waarborgen guarantee

waarborgsom security

waard landlord, innkeeper • bn worth • worthy

waarde worth, value • ter ~ van, to the value of

waardeloos worthless

waarderen value, appreciate

waardering valuation • appreciation

waardevol valuable

waardig worthy, dignified

waardigheid dignity

waardoor through which • by which

waarheen where to

waarheid truth

waarin in which

waarmerk stamp, hallmark

waarna after which

waarnemen observe • (tijdelijk) act as, fill a place temporarily

waarnemer (van dokter) locum tenens, substitute

waarneming observation • performance

waarom why

waarop upon which, whereupon

waarover fig about which

waarschijnlijk probable, likely

waarschuwen warn • let know

waarschuwing warning

waartegen against which

waaruit from which

waarvan of which, whereof

waarvoor for what, what for?

waarzegster fortune-teller

waas haze • mist

wacht watch, guard

wachten wait

wachtkamer waiting room

wachtwoord password

waden wade

wafel waffle, (dun) wafer

wagen ww risk • venture, hazard • zn car, coach

wagensmeer cart-grease

wagenspoor rut, track

wagenwijd very wide

wagenziek car sick

waggelen stagger, totter

wagon carriage

waken wake • watch • (bij zieken) sit up with

wakker awake • (waakzaam) vigilant • (flink) smart, brisk • ~ worden, wake up

wal coast, shore • mil rampart • aan ~ gaan, go ashore • aan lager ~ zijn, be in low water, fig be broke

walg(e)lijk loathsome, disgusting • nauseous

walgen loathe, be disgusted (at)

walging disgust • nausea

walkman walkman

walmen smoke

walnoot walnut

wals (rol) roller • muz waltz

walsen waltz • (technisch) roll

walvis whale

wanbegrip false notion

wanbeheer mismanagement

wanbetaling non-payment

wand wall
wandelaar walker
wandelen take a walk, walk
wandeling walk, stroll
wandelkaart road-map
wandelpad footpath
wandelstok walking-stick
wandeltocht ramble
wandluis bug
wandtapijt tapestry
wanen fancy, think
wang cheek
wangedrag misbehaviour
wanhoop despair
wanhopen despair
wanhopig desperate
wankel unsteady, unstable
wankelen totter, stagger
wanklank dissonance
wanneer when • (indien) if
wanorde disorder • confusion • *in ~ brengen*, disarrange
wanordelijk disorderly
wansmaak bad taste
wanstaltig misshapen
want *zn* (handschoen) mitten • *scheepv* rigging • *(voegw)* for, because
wantoestand abuse
wantrouwen *ww* distrust • suspicion
wanverhouding disproportion
wapen weapon, arm • (familie-) coat of arms • *onder de ~en zijn*, be under arms
wapenen *zich ~*, arm (against)
wapenrusting armour
wapenschild coat of arms
wapenstilstand armistice
wapperen wave, float, stream
war *in de ~*, confused • tangled

warboel confusion, tangle
ware *als het ~*, as it were
warempel surely, certainly!
warenhuis department store
warenkennis knowledge of commodities
warhoofd muddle-head
warm warm, hot
warmlopen overheat
warmte warmth • heat
warrig chaotic
wars *~ van*, averse to
wartaal incoherent talk
was (stof) wax • (wasgoed enz.) wash, laundry
wasautomaat washing-machine
wasbak wash-bowl
wasdoek oil-cloth
wasecht washable, fast-dyed
wasem vapour, steam
wasgoed laundry
washandje washcloth
wasknijper clothes peg
waskom wash-basin
waslijn clothes-line
waslijst laundry list
wasmachine washing machine
wasmiddel, waspoeder washing powder
wassen *ww* (schoonmaken) wash, clean • (groeien) grow • *bn* (van was) wax(en)
wasserette launderette
wasserij laundry
wastafel washbasin
wasverzachter fabric softener
wasvrouw laundress
wat what
water water • *warm en koud stromend ~*, warm and cold running water

waterdamp (water-) vapour
waterdicht waterproof
 • watertight
waterfiets water bike
watergolven wash and set
waterig watery
waterkan jug
waterkering dam
waterkoeling water-cooling
waterkraan water-tap
waterleiding waterworks *mv*
 • water-supply
waterlelie water-lily
watermerk watermark
waterpas level
waterplaats urinal
waterpokken *mv* chicken-pox
waterpomp coolant pump
waterpomptang universal pliers
waterreservoir water-tank
waterski water ski
waterskiën water-ski
watersnood inundation, flood(s)
waterspiegel water-level
watersport water sports
waterstand water-level
waterstof hydrogen
watertanden *ik watertand ervan*,
 it makes my mouth water
waterval (water)fall
waterverf water-colour(s)
watervliegtuig hydroplane
watervrees hydrophobia
watten *mv* wadding • (verband-)
 cotton-wool
wazig hazy
wc lavatory, w.c., toilets
wc-papier toilet paper
web web
website website
wecken preserve

wedden bet, wager
weddenschap wager, bet
weder(-) zie ook *weer(-)*
wederdienst service in return
wederhelft better half
wederkerig mutual, reciprocal
wederom again, anew
wederopbouw rebuilding
wederrechtelijk illegal, unlawful
wederwaardigheid vicissitude,
 adventure
wederzijds mutual, reciprocal
wedijver competition
wedloop race, running-match
wedren race
wedstrijd match
weduwe widow
weduwnaar widower
wee woe
weeffout flaw
weefgetouw loom
weefsel tissue, texture
weegschaal scales, balance • (in
 dierenriem) Libra
week *zn* (7 dagen) week • *bn*
 (zacht) soft, tender, weak
weekblad weekly (paper)
weekdag week-day
weekend weekend
weekhartig tender-hearted
weeklacht lamentation, wailing
weeklagen wail, lament
weekloon weekly wages
weelde luxury • wealth
weelderig luxurious
weemoed sadness, melancholy
weer weather • *bijw* again • *in de*
 ~ zijn, be busy • *zich te ~*
 stellen, defend oneself
weer(-) ook *weder(-)*
weerbaar defensible • ablebodied

weerbarstig unruly, refractory
weerbericht weather-report, weather-forecast
weerga equal, match
weergalmen resound • re-echo
weergaloos matchless, unequalled
weergave reproduction • rendering
weergeven *fig* render • reproduce
weerhaak barb
weerhaan weathercock
weerhouden keep back, restrain, stop
weerkaatsen reflect • echo • be reflected
weerklank echo • *fig* response
weerklinken ring (out), echo
weerleggen refute
weerlicht sheet lightning
weerloos defenceless
weerschijn reflection
weersgesteldheid weather conditions *mv*
weerskanten *aan ~, van ~,* on both sides
weerslag reaction
weerspannig recalcitrant, refractory
weerspiegelen reflect
weerstand resistance
weersverwachting weather forecast
weerwil *in ~ van,* in spite of
weerzien meet again
weerziens *tot ~,* so long, till we meet again
weerzin aversion, reluctance
wees orphan
weeshuis orphanage

weeskind orphan
weetgierig desirous of knowledge
weg (route) way, road • path • *(bn bijw)* (verdwenen) away • (verloren) lost • (vertrokken) gone • *op ~,* on his way
wegbrengen take away, carry away • (persoon) see off
wegdek road surface
wegdoen put away • dispose of
wegen weigh, scale • (op de hand) poise
wegenbelasting road-tax
wegenkaart road map
wegens because of
wegenwacht AA (Automobile Association)
weggaan go away, leave
weggeven give away
weggooien throw away
weghalen take away, remove
wegjagen drive away, expel
wegkomen get away
weglaten omit, leave out
wegligging road-holding
weglopen run away
wegnemen take away, remove
wegomlegging diversion
wegraken be (get) lost
wegrestaurant *Amer* roadhouse
wegrijden drive away
wegruimen remove
wegsplitsing fork
wegsterven die away
wegsturen send away • dismiss
wegversmalling road narrowing
wegversperring roadblock
wegvoeren carry off
wegwerker road-maker
wegwerpfles non-returnable

bottle
wegwijzer signpost
wegzenden send away
• (ontslaan) dismiss
wegzetten put away
wei(de) meadow
weiden graze, feed
weids stately
weifelen waver, hesitate
weifeling wavering, hesitation
weigeren refuse
weigering refusal, denial
weiland pasture • meadowland
weinig *enk* little • *mv* few
wekelijks weekly
weken soak
wekken wake • awake, awaken, arouse
wekker alarm clock
wel *bijw tsw* well, right, why
welbehagen pleasure
welbespraakt well-spoken, fluent
weldaad benefit, benefaction
weldadig beneficial, charitable
weldoener benefactor
weldra soon • shortly
weleens occasionally
weleer formerly, of old
weleerwaard reverend
welgedaan portly
welgelegen well-situated
welgemeend well-meant
welgemoed cheerful
welgesteld well-to-do
welgevallen pleasure
welig luxuriant
welingelicht well-informed
weliswaar (it is) true
welk which • that
welkom welcome
wellevend polite, well-bred

wellicht perhaps
welluidend melodious
wellust voluptuousness
welnu well then
welopgevoed well-bred
weloverwogen deliberate
welp whelp, cub, young
welriekend sweet-smelling, fragrant
welslagen success
welsprekend eloquent
welsprekendheid eloquence
welstand well-being, health
welterusten goodnight
welvaart prosperity
welvarend prosperous
welving vault(ing)
welwillend benevolent, kind
welwillendheid benevolence
welzijn welfare, well-being
wemelen (van) swarm (with)
wenden turn • *zich ~ tot*, apply to • go to
wending turn
Wenen Vienna
wenen weep • cry
wenk wink, hint, nod
wenkbrauw eyebrow
wenken beckon
wennen accustom (to)
wens wish, desire
wenselijk desirable
wensen wish, desire
wentelen turn over • revolve
wenteltrap winding staircase, spiral staircase
wereld world
werelddbol globe
werelddeel part of the world
wereldlijk worldly • secular
wereldoorlog world war

wereldrecord world record
werelds worldly • mundane • frivolous
wereldschokkend worldshaking
wereldstad metropolis
wereldtentoonstelling world(s) fair
weren prevent • *zich ~*, exert oneself
werf ship-yard • dockyard
werk work, job • *aan het ~ gaan*, set to work
werkdag work-day • *achturige ~*, eight-hours' working day
werkelijk real, actual • really
werkeloos inactive, idle • out of work
werken work
werkgelegenheid employment
werkgever employer
werking action, effect • *in ~ treden*, come into operation
werkkracht energy • (mens) hand, workman
werkkring sphere of activity
werkloos out-of-work, unemployed
werkloosheid unemployment
werknemer employee
werkplaats workshop
werkstaking strike
werkster charwoman • *maatschappelijk ~*, social worker
werktuig tool • instrument
werktuigkunde mechanics *mv*
werkvergunning working permit
werkverschaffing relief works
werkwijze (working) method
werkwillige non-striker
werkwoord verb

werkzaam active, industrious
werkzaamheid activity, industry • *~heden*, (ook) proceedings, operations
werpen throw, cast
werphengel fly rod
wervel vertebra
wervelkolom spine
wervelstorm tornado
wervelwind whirlwind
werven recruit, enlist
wesp wasp
west west • western
westelijk westerly, western
westen West, Occident
westenwind west wind
westerlengte West longitude
westers western
wet law • act
wetboek code • *burgerlijk ~*, civil code • *~ v. koophandel*, commercial code • *~ v. strafrecht*, penal code
weten know
wetenschap science • knowledge
wetenschappelijk scientific
wetenswaardig worth knowing
wetgevend legislative
wetgeving legislation
wethouder alderman
wetsontwerp bill
wettelijk legal
wettig legitimate, legal
wettigen legitimate, legalize
weven weave
we (wij) we
wezel weasel
wezen being, creature, nature • *ww* be
wezenlijk real, essential
wezenloos vacant, blank

whisky whisky
wichelroede divining-rod
wie who
wiebelen wobble
wieden weed
wieg cradle
wiegen rock
wiek (vogel) wing • (molen) sail
wiel wheel
wielklem wheel clamp
wiellager wheel bearing
wielrennen cycle-racing
wielrenner racing cyclist
wielrijden cycle
wielrijder cyclist
wiens whose
wier seaweed • *vnw* whose
wierook incense
wig wedge
wij we
wijd wide, large, broad, ample • *~ en zijd*, far and wide
wijdbeens straddle-legged
wijden (priester) ordain • (kerk) consecrate • *~ aan*, dedicate to, devote to
wijdte width, breadth, space • (spoorwijdte) gauge
wijdverbreid widespread
wijf woman
wijfje (van dieren) female
wijk district, quarter
wijken give way, yield
wijkverpleegster district nurse
wijlen late
wijn wine • *rode ~* red wine • *witte ~* white wine
wijngaard vineyard
wijnkaart wine list
wijnoogst vintage
wijnstok vine

wijs *bn* wise
wijs, wijze (manier) manner • *muz* tune, melody • *taalk* mood
wijsbegeerte philosophy
wijsgeer philosopher
wijsheid wisdom
wijsmaken make (sbd) believe (sth)
wijsneus wiseacre, pedant
wijsvinger forefinger, index
wijten impute (to) • blame (for)
wijwater holy water
wijze zie *wijs*
wijzen show, point out • (vonnis) pronounce
wijzer hand
wijzerplaat dial
wijzigen alter, modify
wijziging alteration, modification, change
wikkelen wrap (up) (in) • involve (in) • envelop (in)
wil will, desire • *ter ~le van*, for the sake of
wild game • *bn* wild, savage
wildbraad game
wildernis wilderness, waste
wilg willow
willekeur arbitrariness
willekeurig arbitrary • any
willen will, be willing • want
willig willing • (markt) firm
wilskracht will-power
wimpel pennant, streamer
wimper (eye)lash
wind wind
windas windlass
windbuks air-gun
winden wind, twist
winderig windy

windhond greyhound
windkracht wind-force
windmolen windmill
windscherm windscreen
windstilte calm
windstreek point of the compass
windsurfen wind surfing
windvlaag gust of wind
windwijzer weathercock
wingerd vineyard • vine
winkel shop
winkelbediende shop-assistant
winkelcentrum shopping centre
winkelen go (be) shopping
winkelhaak (scheur) tear
winkelier shopkeeper
winkeljuffrouw shop-girl,
  saleswoman
winkelprijs retail price
winkelsluiting closing of shops
winkelstraat shopping street
winnaar winner
winnen win • (veldslag, proces)
  gain
winst gain, profit
winstdeling profit-sharing
winstgevend lucrative,
  profitable
winter winter
winterdienst winter time-table
winterhanden *mv* chilblained
  hands *mv*
winterhard hardy
winterjas, wintermantel winter
  coat
winterslaap hibernation
wintersport winter sports • skiing
wip *in een* ~, in a trice
wipneus turned-up nose
wippen seesaw
wirwar tangle

wiskunde mathematics
wispelturig inconstant, fickle
wissel bill (of exchange), draft
  • (spoor) switch
wisselbeker challenge cup
wisselen change • *fig* exchange
wisselgeld change
wisselkantoor exchange office
wisselkoers exchange rate
wisselstroom alternating current
wisselvallig precarious
wisselwerking interaction
wissen wipe
wit white • (v. mens) pale • ~*te
  bonen* white beans
witkalk whitewash
witkiel (railway-)porter
witlof chicory
wittebrood white bread
wittebroodsweken *mv*
  honeymoon
witten whitewash
wodka vodka
woede rage, fury
woeden rage
woedend furious
woeker usury
woekeraar usurer
woekerplant parasitic plant
woelen toss (about) • (in de
  grond) grub
woelig turbulent
woensdag Wednesday
woest (onbebouwd) waste,
  desolate • (wild) wild, savage,
  fierce • (kwaad) mad • wild
woesteling brute
woestijn desert
wol wool
wolf wolf • (in tanden) caries
wolk cloud

wolkbreuk cloud-burst
wolkenkrabber sky-scraper
wollen woollen
wollig woolly
wond wound
wonder wonder, miracle
wonderbaarlijk miraculous, marvellous
wonderlijk strange, wonderful
wonderolie castor-oil
wonen live, dwell
woning house, dwelling
woningnood housing shortage
woonachtig resident, living
woonkamer living-room
woonplaats residence
woonruimte living accommodation
woonschuit houseboat
woonwagen caravan
woord word
woordbreuk breach of promise
woordelijk verbal, verbatim
woordenboek dictionary
woordenwisseling dispute
woordspeling pun
woordvoerder spokesman
worden become, get, grow, turn • *hulpww* be
worgen strangle, throttle
worm worm • (made) grub
wormstekig worm-eaten
worp (gooi) throw, cast • (v. dier) litter
worst sausage
worstelen wrestle (with) • *fig* struggle
worsteling wrestling, wrestle • *fig* struggle
wortel root • (peen) carrot
wortelen take root

worteltrekking extraction of roots
woud wood, forest
wraak revenge, vengeance
wraakgierig revengeful, vindictive
wraakzucht revengefulness, vindictiveness
wrak wreck • *bn* rickety
wrang sour, acid • tart
wrat wart
wreed cruel
wreedheid cruelty
wreef instep
wreken revenge, avenge
wrevelig peevish, testy
wrijven rub
wrijving friction
wrikken joggle, jerk • (boot) scull
wringen wring, wrench • (was) wring (out)
wroeging remorse
wroeten root (rout) up the earth, grub
wrok grudge, rancour
wuiven wave
wulps wanton, lascivious
wurgen strangle
wurm worm • *fig* mite

X

x-benen *mv* turned-in-legs
xylofoon xylophone

Y

yoga yoga
yoghurt yoghurt

Z

zaad (planten) seed • (mensen (bedrijf) firm, business, concern • *(recht)* case
zaakgelastigde agent, proxy
zaakwaarnemer solicitor
zaal hall, room • (in ziekenhuis) ward
zacht soft, gentle • (niet streng) mild
zachtgekookt soft-boiled
zachtzinnig gentle, meek
zadel saddle
zadelen saddle
zadelpijn saddle-soreness
zagen saw
zak bag, sack • (in kleding) pocket
zakagenda pocket diary
zakdoek handkerchief
zakelijk matter-of-fact, business-like
zakenman business man
zakenreis business trip
zakgeld pocket-money
zakje paper bag
zakken fall • *laten ~*, lower, let down • (examen) fail
zakkenroller pickpocket
zaklantaarn torch

zakmes pocket-knife
zalf ointment
zalig (godsdienst) blessed, blissful • (heerlijk) lovely, heavenly
zaliger late, deceased
Zaligmaker Saviour
zalm salmon
zand sand
zandbak sand-pit
zandbank sand-bank, shoal
zandkorrel grain of sand
zandstrand sandy beach
zandweg sandy road
zang singing, song
zanger singer
zangeres singer
zangerig melodious
zangles singing-lesson
zangvogel singing-bird
zaniken nag, bother
zat satiated • drunk
zaterdag Saturday
ze *enk* she • *mv* they
zebra zebra
zebrapad zebra crossing
zedelijk moral
zedelijkheid morality
zedeloos immoral
zeden *mv* manners, morals *mv*
zedenleer morality, ethics
zedenmisdrijf sexual offence
zedig modest, demure
zee sea • *over ~*, by sea • *ter ~*, at sea
zee-egel sea urchin
zee-engte strait(s), narrows
zeef strainer
zeehond seal
Zeeland Zealand
zeeleeuw sea lion
zeemacht naval forces, navy

zeeman seaman, sailor
zeemeeuw sea-gull
zeemlap wash-leather
zeemleer chamois-leather
zeep soap
zeepbakje soap-dish
zeeppoeder soap-powder, washing powder
zeepsop soap-suds
zeer (pijn) ache • *bn* (pijnlijk) sore • *bijw* (erg) very • much
zeereis (sea-)voyage
zeerover pirate
zeespiegel sea-level
zeester starfish
zeevaart navigation
zeevis marine fish
zeewaardig seaworthy
zeewier seaweed
zeeziek seasick
zeeziekte seasickness
zege victory, triumph
zegel (sluit-) seal • (post-, belasting-) stamp
zegelring signet-ring, seal-ring
zegen blessing, benediction
zegenen bless
zegevieren triumph *(over,* over)
zeggen say
zeggenschap (right of) say
zegsman informant
zegswijze saying, expression
zeil sail
zeilboot sailboat
zeildoek sailcloth, canvas
zeilen sail
zeilplank surfboard
zeilvereniging yacht-club
zeilwedstrijd regatta
zeis scythe
zeker certain, sure, secure • ~

weten, know for sure
zekerheid certainty • (veiligheid) safety
zekering fuse
zelden seldom, rarely
zeldzaam rare, scarce
zeldzaamheid rarity, scarceness
zelf self • *zich~*, oneself
zelfbediening self-service
zelfbeheersing self-control, self-command
zelfbewust self-conscious
zelfde same
zelfingenomen complacent
zelfkant selvage • *fig* fringe
zelfkennis self-knowledge
zelfkritiek self-criticism
zelfmoord suicide
zelfs even
zelfstandig independent
zelfstandigheid independency • (stof) substance
zelfverdediging self-defence
zelfverloochening self-denial
zelfvertrouwen self-confidence
zelfverzekerd self-confident
zelfwerkend self-acting, automatic
zelfzuchtig selfish, egoistic
zemelen *mv* bran
zemenlap wash-leather
zendeling missionary
zenden send *(om,* for)
zender transmitter
zending sending, consignment • (missie) mission
zenuw nerve
zenuwachtig nervous
zenuwinzinking nervous breakdown
zenuwslopend nerve-racking

zenuwziek suffering from nerves, neurotic

zenuwziekte nervous disease

zerk tombstone, slab

zes six

zesde sixth

zestien sixteen

zestig sixty

zet push • (schaak) move • (streek) move

zetel seat, chair

zetmeel starch

zetpil suppository

zetten set, put • (thee) make • (zetterij) compose

zetter type-setter, compositor

zeug sow

zeuren worry • tease

zeurkous bore

zeven *ww* (filteren) sieve, sift

zeven *telw* seven

zevende seventh

zeventien seventeen

zeventig seventy

z.g. = *zogenaamd* so-called

zich oneself, himself, herself, themselves

zicht sight • *op* ~, on approval

zichtbaar visible

zichzelf oneself, himself, themselves, etc.

zieden seethe, boil

ziek ill, sick, diseased

zieke patient, sick person

ziekelijk ailing • *fig* morbid

ziekenauto ambulance

ziekenfonds sick-fund • (in Engeland) National Health

ziekenhuis hospital

ziekenverpleegster nurse

ziekte illness, disease

ziekteverzekering health insurance

ziektewet health insurance act

ziel soul, spirit

zielig piteous, pitiable

zien see, look • *tot* ~s, see you again!, so long!

zienderogen visibly

zienswijze opinion, view

zier *geen* ~, not a whit

zigeuner gipsy

zigzag zigzag

zij *vnw* she • *mv* they

zij (kant) side

zijde (kant) side, flank • (stof) silk • *van verschillende* ~*n*, from various quarters

zijdelings sidelong, indirect

zijden silk • *fig* silken

zijderups silkworm

zijgang side-passage

zijkant side • *aan de* ~ on the side

zijlijn side-line • branch line

zijn *vnw* his • *de* ~*e*, his • *ww* be

zijnerzijds on his part

zijspan side-car

zijspoor side-track

zijstraat side-street

zijwaarts sideward, lateral

zijweg crossroad

zilt saltish, briny

zilver silver • (eetgerei enz.) plate

zilverdraad silver thread

zilveren silver

zilvergeld silver

zilverpapier tinfoil

zin sense, meaning • (lust) mind • (volzin) sentence • *in engere* ~, in the strict sense of the word • ~ *hebben* feel like

• fancy
zindelijk clean, neat, tidy
zingen sing
zink zinc
zinken sink • *bn* (of) zinc
zinloos pointless
zinnebeeld emblem, symbol
zinnelijk sensual
zinnen please
zinsnede passage, clause
zinspelen allude (to)
zinspreuk motto, device
zinsverband context
zintuig organ of sense
zinvol meaningful
zit seat
zitje snug corner
zitkamer sitting-room
zitplaats seat
zitslaapkamer bed-sitting room
zitten sit • (passen) fit • *gaan* ~ sit
  • sit down
zitting sitting • (v. comité)
  session • (v. stoel) seat
zitvlak seat, bottom
zo so, like that • (indien) if
  • (aanstonds) presently • ~
  groot als, as big as • ~ *ja*, if so
zoals as, like
zodanig such (as) • so • in such a
  manner
zodat so that
zode sod, turf
zodoende thus, so
zodra as soon as
zoek lost • *het is* ~, it has been
  mislaid, is not to be found • ~
  raken, be lost
zoeken look for • search
zoeklicht searchlight
zoel mild

zoemen buzz
zoemtoon *tel* dialling-tone
zoen kiss
zoenen kiss
zoet sweet • good
zoetje *Br* sweets, *Amer* candy
zoetjes (zoetstoffen) sweeteners
zoetsappig goody-goody
zoetstof sweetener
zoetvloeiend melodious
zoetwater freshwater
zoetwatervis freshwater fish
zo-even just now
zog suck, milk • (v. schip) wake
zogen suckle, nurse
zogenaamd so-called, would-be
zoiets such a thing
zojuist just now
zolang as long as
zolder garret, loft
zoldering ceiling
zolderkamer attic, garret
zomen hem
zomer summer
zomerdienst summer timetable
zomerhuisje cottage
zomerkleren *mv* summerclothes
  mv
zomersproeten *mv* freckles
zomervakantie summerholidays
  mv
zon sun
zo'n such a
zondaar sinner
zondag Sunday
zonde sin
zondebok scapegoat
zonder without
zonderling *bn* singular, odd,
  queer • *zn* eccentric
zondig sinful

zondigen sin
zondvloed deluge
zone zone
zonlicht sunlight
zonnebaden sunbathe
zonnebank sunbed
zonnebloem sunflower
zonnebrandcrème suntan cream
zonnebrandolie suntan lotion
zonnebril sunglasses
zonnehoed sun hat
zonnen sun oneself
zonnescherm (parasol) sunshade, parasol • (aan huis) sunblind • (winkel) awning
zonneschijn sunshine
zonnesteek sunstroke
zonnestelsel solar system
zonnestraal sunbeam
zonnig sunny
zonsondergang sunset
zonsopgang sunrise
zonsverduistering eclipse of the sun
zoogdier mammal
zool sole
zoom hem • margin • fringe
zoomlens zoom lense
zoon son
zorg care • (bezorgdheid) solicitude, anxiety • (last) trouble • ~ *dragen voor*, take care of
zorg(e)lijk precarious
zorgeloos careless
zorgen care, take care (of) • ~ *voor* look after
zorgvuldig careful
zorgvuldigheid carefulness
zorgzaam careful, considerate
zot *zn* fool • *bn* foolish

zout salt • *bn* salt(ish)
zoutarm low-salt
zouteloos saltless • *fig* insipid
zoutjes *mv* cocktail biscuits
zoutloos salt-free
zoutvaatje salt-cellar
zoutzuur hydrochloric acid
zoveel so much • so many • *vijf maal* ~, five times as much
zover so far
zowaar sure enough
zowat about • ~ *niemand*, hardly anyone
zowel as well • ~... *als*, as well... as • both... and
z.o.z. = *zie ommezijde*, please turn over • P.T.O.
zucht sigh • (begeerte) desire
zuchten sigh
zuid south • southern
Zuid-Afrika South Africa
zuidelijk southern, southerly
zuiden south
zuidenwind south wind
zuiderbreedte south latitude
zuidoost south-east
zuidpool south pole
zuidvruchten *mv* semi-tropical fruit
zuidwest south-west
Zuidzee *Stille* ~, Pacific
zuigeling baby • infant
zuigen suck
zuiger piston
zuigerklep piston-valve
zuigerstang piston rod, connecting rod
zuigerveer piston ring
zuigfles feeding-bottle
zuil pillar, column
zuinig economical, thrifty,

frugal, saving
zuipen tipple, booze
zuivel dairy-produce
zuiver pure • clean
zuiveren clean • purify • purge
zuivering cleaning, purification
• (politiek) purge
zuiveringszout bicarbonate of
soda
zulk such
zullen shall • will
zus sister
zuster sister • (ziekenverpleegster)
nurse, sister
zuur acid • (in de maag)
heartburn • (ingemaakt)
pickles • *bn* sour, acid
zuurkool sauerkraut
zuurstof oxygen
zuurtje acid drop
zwaaien swing • (scepter) sway
• (hamer) wield • (vlag)
nourish, brandish
zwaan swan
zwaar heavy, ponderous,
weighty • difficult • (stem)
deep • ~ *beschadigd*, badly
damaged
zwaard sword
zwaargewicht heavy-weight
zwaarlijvigheid corpulence
zwaarmoedig melancholy
zwaarte weight, heaviness
zwaartekracht gravitation
zwaartepunt centre of gravity
zwabber swab, mop
zwachtel bandage
zwager brother-in-law
zwak weak, feeble, tender
zwakstroom weak current
zwakte weakness, feebleness

zwakzinnig mentally deficient
zwaluw swallow
zwam fungus
zwammen talk rubbish
zwanger pregnant
zwangerschap pregnancy
zwart black
zwarte black
zwartehandel black market
zwartwitfoto black and white
photo
zwavel sulphur
zwavelzuur sulphuric acid
Zweden Sweden
Zweed Swede
Zweeds Swedish
zweefvliegen gliding
zweefvliegtuig glider
zweem semblance • touch, shade
zweep whip
zweepslag lash
zweer ulcer, sore, boil
zweet perspiration, sweat
zwelgen swallow • *fig* revel (in)
zwellen swell
zwembad swimming-bath,
swimming-pool
zwemband rubber ring
zwembroek swimming trunks
mv
zwemen (naar) be (look) like
zwemgordel swimming-belt
zwemmen swim
zwemvest life-belt
zwemvlies web
zwemvliezen flippers
zwendel scam
zwendelen swindle
zweren (etteren) ulcerate, fester
• (een eed doen) swear
zwerftocht wandering,

peregrination
zwerm swarm
zwerven wander, roam, rove
zwerver wanderer, tramp
zweten perspire, sweat
zwetsen boast, brag
zweven be in suspension • float
(in the air) • hover (over)
zwezerik sweetbread
zwichten yield (to)
zwiepen switch
zwierig dashing, jaunty
zwijgen be silent
zwijm *in* ~ *vallen*, faint, swoon
zwijn pig, hog • *mv fig* swine
• *wild* ~, boar
Zwitserland Switzerland
Zwitser(s) Swiss
zwoegen toil (and moil), drudge
zwoel sultry
zwoerd rind

Enkele grondslagen van de Engelse taal

Zelfstandige naamwoorden

Het Engels maakt geen onderscheid tussen mannelijke, vrouwelijke of onzijdige zelfstandige naamwoorden: er is één bepaald lidwoord: *the* (in het Nederlands *de* of *het*).

Het onbepaalde lidwoord (Nederlands *een*) is in het Engels *a* (of *an* als het volgende woord met een klinker begint). Bijvoorbeeld:

een huis – *a* house   een adres – *an* address

Het *meervoud* van zelfstandige naamwoorden wordt in het algemeen gevormd door *s* achter het zelfstandig naamwoord te zetten, of *es* als het woord op een sisklank eindigt.

Voorbeelden:

boek(en) – *book/books*   hond(en) – *dog/dogs*
jongen(s) – *boy/boys*   jurk(en) – *dress/dresses*

Opmerkingen:

1. Eindigt het enkelvoud op een medeklinker + y, dan verandert de y in *ies*. Bijvoorbeeld: *lady* – *ladies*

2. Een aantal woorden heeft een onregelmatig meervoud, zoals:

man(nen) – *man/men*	voet(en) – *foot /feet*
vrouw(en) – *woman/women*	muis (muizen) – *mouse/mice*
kind(eren) – *child/children*	tand(en) – *tooth/teeth*

Voor onbepaalde hoeveelheden (Nederlands *enige*, *enkele*, *wat*) is er het woord *some*; in ontkennende en vragende zinnen wordt dit *any*. Bijvoorbeeld:

Ik wil wat geld wisselen   – I want to change *some* money
Ik heb geen Engels geld – I haven't *any* English money
Is er post voor me?   – Is there *any* mail for me?

Bepalingen

Bijvoeglijke naamwoorden staan, zoals in het Nederlands, vóór het zelfstandig naamwoord. Bijvoorbeeld:

een oud huis   – *an old house*
een mooie stad – *a beautiful city*

De trappen van vergelijking (groot-groter-grootst en dergelijke) gaan als volgt:
– bijvoeglijke naamwoorden van één lettergreep en sommige van twee, krijgen de uitgang *(e)r* bij de vergrotende en *(e)st* bij de overtreffende trap
– bijvoeglijke naamwoorden van meer dan twee lettergrepen worden voorafgegaan door *more* en *most*. Bijvoorbeeld:

Dit huis is ouder dan dat   – *This house is older than that*
Jan is de langste van allemaal – *John is the tallest of all*
Deze kat is mooier dan die   – *This cat is more beautiful than that one*

De **aanwijzende voornaamwoorden** (dit, deze, dat, die) zijn:
this (meervoud: *these*) voor alles wat dichtbij is;
that (meervoud: *those*) voor alles wat veraf is.

deze jongen – *this boy/these boys*   dat meisje – *that girl/those girls*
dit boek – *this book/these books*   die boom – *that tree/those trees*

Bezittelijke voornaamwoorden (mijn, jouw, van hem, enz.):

Ned.	Engels	Ned.	Engels
mijn	my	van mij	mine
jouw	your	van jou	yours
zijn	his	van hem	his
haar	her	van haar	hers
ons (onze)	our	van ons	ours
uw/jullie	your	van u/jullie	yours
hun	their	van hen	theirs

Voorbeelden:
Dit is mijn boek   – *This is my book*
Dit boek is van mij – *This book is mine*
Deze pen is van u – *This pen is yours*

Persoonlijke voornaamwoorden (ik, jij, hij; mij, jou, enz.)

als onderwerp		als voorwerp	
Ned.	*Engels*	*Ned.*	*Engels*
ik	I	(aan) mij	(to) me
jij	you	(aan) jou	(to) you
hij	he	(aan) hem	(to) him
zij	she	(aan) haar	(to) her
het	it	(aan) het	(to) it
wij	we	(aan) ons	(to) us
u/jullie	you	(aan) u/jullie	(to) you
zij	they	(aan) hen	(to) them

Werkwoorden

Om zelf zinnen te kunnen vormen is het van belang de drie voornaamste tijden van de werkwoorden te kennen, plus de hulpwerkwoorden *(to) be* (Ned.: zijn) en *(to) have* (hebben). Het vervoegen van de werkwoorden zelf is eenvoudig.

Nederlands	Engels	Nederlands	Engels
zijn	(to) be	***hebben***	(to) have
ik ben	I am	ik heb	I have
jij bent	you are	jij hebt	you have
hij is	he is	hij heeft	he has
zij is	she is	zij heeft	she has
het is	it is	het heeft	it has
wij zijn	we are	wij hebben	we have
jullie zijn	you are	jullie hebben	you have
zij zijn	they are	zij hebben	they have

Onvoltooid tegenwoordige tijd (o.t.t.) van hoofdwerkwoorden

Nederlands	Engels
praten	(to) talk
ik praat	I talk
jij praat	you talk
hij/zij praat	he/she talks
wij/jullie/zij praten	we/you/they talk

Opmerkingen:

1. de derde persoon enkelvoud (hij, zij, het) van de o.t.t. krijgt altijd de uitgang *s*.

2. er bestaat nog een vorm van de o.t.t., die gebruikt wordt om uit te drukken dat iets op het moment van spreken aan de gang is en nog niet is afgelopen; deze wordt gevormd met het hulpwerkwoord *be* en het hoofdwerkwoord met *-ing* als uitgang. Voorbeelden:

I am talking – ik ben aan het/sta te praten
you are eating – je bent aan het eten
he/she is crying – hij/zij huilt

De **onvoltooid verleden tijd** (o.v.t.: wilde, ging, e.d.) van regelmatige werkwoorden wordt gevormd met het achtervoegsel *ed*, en is voor alle personen hetzelfde. Net als in het Nederlands zijn er veel onregelmatige verleden-tijdsvormen. Voorbeelden:

regelmatig	onregelmatig
willen: want – wanted	gaan: go – went
roepen: call – called	eten: eat – ate
vragen: ask – asked	zien: see – saw

Ik wilde – I wanted   Hij ging – he went

De **voltooid tegenwoordige tijd** (v.t.t.) wordt gevormd met een vervoeging van het hulpwerkwoord *have* (Nederlands: *hebben* of *zijn*) plus het voltooid deelwoord van het hoofdwerkwoord. Het voltooid deelwoord kan regelmatig zijn en heeft dan dezelfde vorm als de onvoltooid verleden tijd, of het is onregelmatig. Voorbeelden:

Ik heb hem geroepen   – *I have called him*
Hij is vertrokken   – *He has left*

De o.v.t. wordt in het Engels veel meer gebruikt dan in het Nederland, en vooral wanneer er een tijdsduiding in de zin staat als *gisteren, vorig jaar* en dergelijke. Voorbeeld:

Ik heb hem gisteren gezien   – *I saw him yesterday*

Vragende en ontkennende zinnen

Om een zin vragend of ontkennend te maken moet het hulpwerkwoord *do* gebruikt worden, behalve als er al een hulpwerkwoord (will; must; can; be; have) in de zin staat. *Do* wordt vervoegd (verleden tijd: *did*) en het hoofdwerkwoord niet. Een overzicht met als voorbeeld het werkwoord *willen*:

ik wil niet	*I do not want*
jij wilt niet	*you do not want*
hij/zij wil niet	*he/she does not want*
wij willen niet	*we do not want*
jullie willen niet	*you do not want*
zij willen niet	*they do not want*
wil ik?	*do I want?*
wil jij	*do you want?*
wil hij/zij	*does he/she want?*
willen wij	*do we want?*
willen jullie	*do you want?*
willen zij	*do they want?*
ik wilde niet	*I did not want*
jij wilde niet	*you did not want*
hij/zij wilde niet	*he/she did not want*
wij wilden niet	*we did not want*
jullie wilden niet	*you did not want*
zij wilden niet	*they did not want*
wilde ik?	*did I want?*
wilde jij	*did you want?*
wilde hij/zij	*did he/she want?*
wilden wij	*did we want?*
wilden jullie	*did you want?*
wilden zij	*did they want?*

Opmerking: *do not, does not* en *did not* worden vaak samengetrokken tot *don't, doesn't* en *didn't*.